JN006069

電験3種過去問マスタ

電力の20年間

テーマ別でがっつり学べる

電気書院 編

2025年版

電気書院

本書は科目合格を目指す受験者のために，電気書院が発行しています「電験３種模範解答集」の内容を電力についてまとめたものです．

[本書の正誤に関するお問い合せ方法は，最終ページをご覧ください]

はじめに

本書は，第3種電気主任技術者試験（電験3種）の問題において，2024年上期より2005年まで過去20年間の問題を，各テーマごとに分類し，編集したものです．

本書の特長として，電力の問題を8つのテーマ，8章（水力発電，汽力発電，原子力・その他の発電，変電，送電，地中送電，配電，電気材料）に分け，さらに問題の内容を系統ごとに並べて収録してあります．各章ごとにどれだけの問題が出題されているか一目瞭然で把握でき，また，出題傾向や出題範囲の把握にも役立ちます．章ごとの問題も系統ごと，段階的に並んでいますから，1問ずつ解き進めることによって，基礎的な内容から，応用問題までしっかり身につきます．

また，問題は左ページに，解説・解答は右ページにまとめており，ページをめくることなく，本を開いたままじっくり問題を分析することも，右ページを隠すことにより本番の試験に近い形で学習することもできます．

また，収録してある20年間に試験制度や出題範囲が変更になっているものもあります．本書では2025年の受験に合わせ，図記号や単位などは実際に出題されたものではなく，新しいものに改定しております．

本書をご活用いただき，皆さんが電験3種合格の栄誉を手に入れられることを祈念いたします．

2024年10月

編者記す

もくじ

試験概要

○試験科目

マークシートに記入する多肢選択式の試験で，表に示す4科目について行われます．

科目	出題内容
理論	電気理論，電子理論，電気計測，電子計測
電力	発電所，蓄電所および変電所の設計および運転，送電線路および配電線路（屋内配線を含む）の設計および運用，電気材料
機械	電気機器，パワーエレクトロニクス，電動機応用，照明，電熱，電気化学，電気加工，自動制御，メカトロニクス，電力システムに関する情報伝送および処理
法規	電気法規（保安に関するものに限る），電気施設管理

○出題形式・必要解答数

(1) 出題の形式

A問題とB問題で構成されています．A問題は，一つの問に対して一つを解答する形式，B問題は，一つの問の中に小問が二つ設けられ，小問について一つを解答する形式です．

(2) 必要解答数（2024年度上期の例）

理論・電力・機械…それぞれA問題14問，B問題3問（理論・機械のB問題は選択問題1問を含む）

法規…A問題10問，B問題3問

○試験実施時期（2024年度の例）

	筆記試験	CBT
上期試験	2023年8月18日(日)	2023年7月4日(木)～7月28日(日)
下期試験	2024年3月24日(日)	2024年2月1日(木)～2月25日(日)

2023年度からCBT（Computer Based Testing）方式が導入されました．CBT方式での受験の場合は，申込後のCBT方式への変更期間中に，会場および開始時刻等を予約する必要があります．

○試験時間

理論・電力・機械…各90分

法規…65分

○受験申込みの受付時期（2024年度の例）

上期試験は，5月13日(月)～5月30日(木).

下期試験は，11月11日(月)～11月28日(木).

インターネット受付は初日10時～最終日17時まで，郵便受付は最終日の消印有効です.

○受験資格

受験資格に制限はありません．どなたでも受験できます.

○受験手数料（2024年度の例）

郵便受付の場合8,100円，インターネット受付の場合7,700円

○試験地

筆記試験：北海道（旭川市，北見市，札幌市，釧路市，室蘭市，函館市），青森県，岩手県，宮城県，秋田県，山形県，福島県，新潟県，茨城県，栃木県，群馬県，埼玉県，千葉県，東京都，神奈川県，山梨県，長野県，岐阜県，静岡県，愛知県，三重県，富山県，石川県，福井県，滋賀県，京都府，大阪府，兵庫県，奈良県，和歌山県，鳥取県，島根県，岡山県，広島県，山口県，徳島県，香川県，愛媛県，高知県，福岡県，佐賀県，長崎県，熊本県，大分県，宮崎県，鹿児島県，沖縄県

CBT試験：CBT方式への変更期間中に，会場および開始時刻等を予約

○試験結果の発表

2024年上期は，2024年9月2日にインターネット等にて合格発表され，9月30日に通知書が全受験者に発送されました.

○科目合格制度

試験は科目ごとに合否が決定され，4科目すべてに合格すれば第3種電気主任技術者試験に合格したことになります．一部の科目のみ合格した場合は，科目合格となり，翌年度および翌々年度の試験では，申請により合格している科目の試験が免除されます．つまり，3年以内に4科目合格すれば，第3種電気主任技術者合格となります.

詳細は，受験案内もしくは，一般財団法人　電気技術者試験センターにご確認ください.

一般財団法人電気技術者試験センター

〒104–8584　東京都中央区八丁堀2–9–1　RBM東八重洲ビル8階

TEL：03–3552–7691　　FAX：03–3552–7847　　https://www.shiken.or.jp/

第1章
水力発電

●計算

・ベルヌーイの定理
・水力発電所の出力
・水力発電所と汽力発電所の併設
・水車の比速度

●論説・空白

・水力発電所全般の概要
・各種水車の特徴・比速度・適用落差
・調速機
・キャビテーション対策
・発電機・主変圧器
・水撃作用と対策

問1 Check! □□□

（平成18年 Ⓐ問題12）

図の水管内を水が充満して流れている．点Aでは管の内径2.5〔m〕で，これより30〔m〕低い位置にある点Bでは内径2.0〔m〕である．点Aでは流速4.0〔m/s〕で圧力は25〔kPa〕と計測されている．このときの点Bにおける流速v〔m/s〕と圧力p〔kPa〕に最も近い値を組み合わせたのは次のうちどれか．

なお，圧力は水面との圧力差とし，水の密度は1.0×10^3〔kg/m^3〕とする．

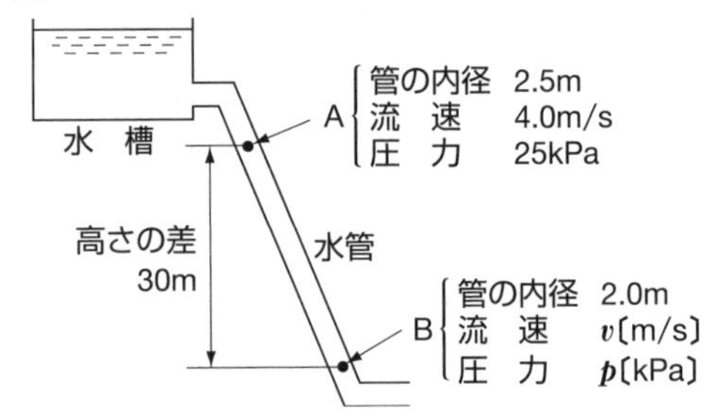

	流速v〔m/s〕	圧力p〔kPa〕
(1)	4.0	296
(2)	5.0	296
(3)	5.0	307
(4)	6.3	307
(5)	6.3	319

解1 解答 (4)

ベルヌーイの定理より，流水の位置水頭を h〔m〕，圧力を p〔Pa〕，水の密度を ρ〔kg/m³〕，流水の速度を v〔m/s〕，重力加速度を g〔m/s²〕とすると，

$$h+\frac{p}{\rho g}+\frac{v^2}{2g}=\text{一定}$$

が成立する．

ところで，問題の水管内を流れる流水の流量 Q は，水管の断面積を A〔m²〕，流速を v〔m/s〕とすると，

$$Q=Av\ \text{〔m}^3\text{/s〕}$$

で表されるから，点Aにおける流量 Q は，次式で表される．

$$Q=\pi\times\left(\frac{2.5}{2}\right)^2\times 4.0 \fallingdotseq 19.635\ \text{〔m}^3\text{/s〕}$$

一方，水管内の流量はどこでも等しいから，求める点Bにおける流速 v は，

$$v=\frac{Q}{A}=\frac{19.635}{\pi\times\left(\frac{2.0}{2}\right)^2}\fallingdotseq 6.25\ \text{〔m/s〕}$$

また，ベルヌーイの定理より，求める点Bにおける圧力 p〔kPa〕は，

$$0+\frac{p\times 10^3}{1.0\times 10^3\times 9.8}+\frac{6.25^2}{2\times 9.8}=30+\frac{25\times 10^3}{1.0\times 10^3\times 9.8}+\frac{4.0^2}{2\times 9.8}$$

$$\therefore\quad \frac{p}{9.8}+1.993=33.367$$

$$\therefore\quad p=9.8\times(33.367-1.993)\fallingdotseq 307\ \text{〔kPa〕}$$

問2 Check! □□□

（令和３年 Ａ問題２）

図で，水圧管内を水が充満して流れている．断面Ａでは，内径 2.2 m，流速 3 m/s，圧力 24 kPa である．このとき，断面Ａとの落差が 30 m，内径 2 m の断面Ｂにおける流速 [m/s] と水圧 [kPa] の最も近い値の組合せとして，正しいものを次の(1)〜(5)のうちから一つ選べ．

ただし，重力加速度は 9.8 m/s^2，水の密度は 1 000 kg/m^3，円周率は 3.14 とする．

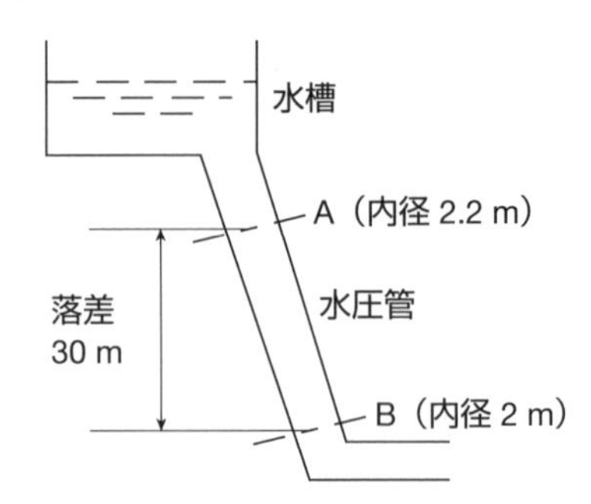

	流速 [m/s]	水圧 [kPa]
(1)	3.0	318
(2)	3.0	316
(3)	3.6	316
(4)	3.6	310
(5)	4.0	300

解2 解答 (3)

水圧管内の流量は等しいので，断面Bの流速 v_B は，次のようになる．

$$v_B \times \pi \times 1^2 = 3 \times \pi \times 1.1^2$$

$$\therefore \quad v_B = 3 \times 1.1^2 = 3.63 \fallingdotseq 3.6 \text{ m/s}$$

流水の圧力水頭 h_p および速度水頭 h_v は，水の密度を ρ [kg/m^3]，重力加速度を g [m/s^2]，水圧を p [Pa]，流速を v [m/s] とすれば，

$$h_p = \frac{p}{\rho g} \, [\text{m}]$$

$$h_v = \frac{v^2}{2g} \, [\text{m}]$$

で表される．いま，断面Bの位置水頭を0にとれば，ベルヌーイの定理より，断面Bにおける水圧 p_B [kPa] に対し，次式が成立する．

$$30 + \frac{24 \times 10^3}{1\,000 \times 9.8} + \frac{3^2}{2 \times 9.8} = 0 + \frac{1\,000 p_B}{1\,000 \times 9.8} + \frac{3.63^2}{2 \times 9.8}$$

$$\frac{1\,000 \times (p_B - 24)}{1\,000 \times 9.8} = 30 + \frac{3^2 - 3.63^2}{2 \times 9.8} \fallingdotseq 29.787$$

$$p_B - 24 = 29.787 \times 9.8 \fallingdotseq 291.913$$

$$\therefore \quad p_B = 291.913 + 24 = 315.913 \fallingdotseq 316 \text{ kPa}$$

問3 Check! □□□

(令和2年 B問題 15)

ある河川のある地点に貯水池を有する水力発電所を設ける場合の発電計画について，次の(a)及び(b)の問に答えよ.

(a) 流域面積を 15 000 km^2，年間降水量 750 mm，流出係数 0.7 とし，年間の平均流量の値 [m^3/s] として，最も近いものを次の(1)～(5)のうちから一つ選べ.

(1) 25　(2) 100　(3) 175　(4) 250　(5) 325

(b) この水力発電所の最大使用水量を小問(a)で求めた流量とし，有効落差 100 m，水車と発電機の総合効率を 80 %，発電所の年間の設備利用率を 60 % としたとき，この発電所の年間発電電力量の値 [kW·h] に最も近いものを次の(1)～(5)のうちから一つ選べ.

	年間発電電力量 [kW·h]
(1)	100 000 000
(2)	400 000 000
(3)	700 000 000
(4)	1 000 000 000
(5)	1 300 000 000

解3 解答 (a)－(4), (b)－(4)

(a) 年間の平均流量 Q_a は,

$$Q_a = \frac{15\,000 \times (10^3)^2 \times 750 \times 10^{-3} \times 0.7}{365 \times 24 \times 3\,600} \fallingdotseq 249.715$$

$$\fallingdotseq 250 \ \mathrm{m^3/s}$$

(b) 発電所の年間発電電力量 W は, 年間の設備利用率が 60 % であるから,

$$W = 0.6 \times 9.8 \times 250 \times 100 \times 0.8 \times 24 \times 365$$

$$= 1\,030\,176\,000 \fallingdotseq 1\,000\,000\,000 \ \mathrm{kW \cdot h}$$

問4 Check! □□□ (平成27年 A 問題1)

水力発電所の理論水力 P は位置エネルギーの式から $P=\rho gQH$ と表される．ここで H [m] は有効落差，Q [m^3/s] は流量，g は重力加速度 = 9.8 m/s^2，ρ は水の密度 = 1 000 kg/m^3 である．以下に理論水力 P の単位を検証することとする．なお，Pa は「パスカル」，N は「ニュートン」，W は「ワット」，J は「ジュール」である．

$P=\rho gQH$ の単位は ρ，g，Q，H の単位の積であるから，$kg/m^3 \cdot m/s^2 \cdot m^3/s \cdot m$ となる．これを変形すると，[(ア)]·m/s となるが，[(ア)] は力の単位 [(イ)] と等しい．すなわち $P=\rho gQH$ の単位は [(イ)]·m/s となる．ここで [(イ)]·m は仕事（エネルギー）の単位である [(ウ)] と等しいことから $P=\rho gQH$ の単位は [(ウ)]/s と表せ，これは仕事率（動力）の単位である [(エ)] と等しい．ゆえに，理論水力 $P=\rho gQH$ の単位は [(エ)] となるが，重力加速度 g = 9.8 m/s^2 と水の密度 ρ = 1 000 kg/m^3 の数値 9.8 と 1 000 を考慮すると $P=9.8QH$ [[(オ)]] と表せる．

上記の記述中の空白箇所(ア)，(イ)，(ウ)，(エ)及び(オ)に当てはまる組合せとして，正しいものを次の(1)～(5)のうちから一つ選べ．

	(ア)	(イ)	(ウ)	(エ)	(オ)
(1)	kg·m	Pa	W	J	kJ
(2)	$kg \cdot m/s^2$	Pa	J	W	kW
(3)	kg·m	N	J	W	kW
(4)	$kg \cdot m/s^2$	N	W	J	kJ
(5)	$kg \cdot m/s^2$	N	J	W	kW

解6 解答 (2)

水力発電所の出力 P は，流量を Q〔m^3/s〕，有効落差を H〔m〕，水車効率を η_t（小数），発電機効率を η_g（小数）とすると，

$$P = 9.8QH\eta_t\eta_g \text{〔kW〕}$$

で表せるから，流量 Q は，

$$Q = \frac{P}{9.8H\eta_t\eta_g} \text{〔m}^3\text{/s〕}$$

で与えられる．

したがって，求める流量 Q は上式に，$P = 2\,500 \times 0.8 = 2\,000$〔kW〕，$H = 100$〔m〕，$\eta_t = 0.92$，$\eta_g = 0.94$ を代入すると，

$$Q = \frac{P}{9.8H\eta_t\eta_g} = \frac{2\,000}{9.8 \times 100 \times 0.92 \times 0.94} \fallingdotseq 2.36 \text{〔m}^3\text{/s〕}$$

となる．

解7 解答 (4)

総落差を H_0 [m]，発電損失水頭を h_g [m]，揚水損失水頭を h_p [m]，流量を Q [m^3/s]，発電機効率を η_g，電動機効率を η_m，ポンプ効率を η_p，水車効率を η_t としたとき，求める電動機入力 P_m [MW] と発電機出力 P_g [MW] は，以下のとおりとなる．

$$P_\mathrm{m} = \frac{9.8 \times Q(H_0 + h_\mathrm{p})}{\eta_\mathrm{m}\eta_\mathrm{p}} \times 10^{-3} = \frac{9.8 \times 100 \times \{200 + (200 \times 0.025)\}}{0.98 \times 0.85} \times 10^{-3}$$

$$\fallingdotseq 241\ \mathrm{MW}$$

$$P_\mathrm{g} = 9.8 \times Q(H_0 - h_\mathrm{g}) \times \eta_\mathrm{g}\eta_\mathrm{t} \times 10^{-3}$$

$$= 9.8 \times 100 \times \{200 - (200 \times 0.025)\} \times 0.98 \times 0.85 \times 10^{-3}$$

$$\fallingdotseq 159\ \mathrm{MW}$$

問8　Check! □□□

（令和４年㊤　Ⓑ問題 15）

揚水発電所について，次の(a)及び(b)の問に答えよ．

ただし，水の密度を 1 000 kg/m^3，重力加速度を 9.8 m/s^2 とする．

(a)　揚程 450 m，ポンプ効率 90 %，電動機効率 98 % の揚水発電所がある．揚水により揚程及び効率は変わらないものとして，下池から 1 800 000 m^3 の水を揚水するのに電動機が要する電力量の値 [MW·h] として，最も近いものを次の(1)～(5)のうちから一つ選べ．

(1)　1 500　　(2)　1 750　　(3)　2 000　　(4)　2 250　　(5)　2 500

(b)　この揚水発電所において，発電電動機が電動機入力 300 MW で揚水運転しているときの流量の値 [m^3/s] として，最も近いものを次の(1)～(5)のうちから一つ選べ．

(1)　50.0　　(2)　55.0　　(3)　60.0　　(4)　65.0　　(5) 70.0

解8　解答　(a)－(5)，(b)－(3)

(a)　揚水に必要な電力（揚水動力）P_m は，

$$P_m = \frac{9.8Q(H+h_l)}{\eta_p \eta_m} \text{[kW]}$$

ここに，Q：揚水時使用流量 [m^3/s]，H：実揚程 [m]，h_l：損失水頭 [m]，η_p：ポンプ効率，η_m：電動機効率．$H+h_l$：全揚程．

本問では単に揚程とあるが，揚水動力や電力量を論じるのであるから，損失水頭も含めた水頭（図）を計算に用いるべきで，それは上記の全揚程のことである．

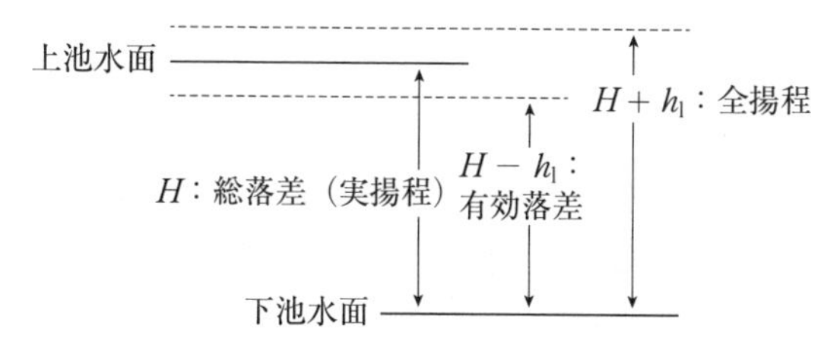

図　落差と損失水頭

揚水時使用流量 Q [m^3/s] で T [h] 揚水したときの揚水量 V は，

$$V = Q \times 3\,600T \text{ [m}^3\text{]} \quad \rightarrow \quad T = \frac{V}{3\,600Q} \text{ [h]}$$

よって，揚水するのに電動機が要する電力量 W_m [kW·h] は，

$$W_m = P_m \times T = \frac{9.8Q(H+h_l)}{\eta_p \eta_m} \times \frac{V}{3\,600Q}$$

$$= \frac{9.8V(H+h_l)}{3\,600\eta_p \eta_m} = \frac{9.8 \times 1.8 \times 10^6 \times 450}{3\,600 \times 0.9 \times 0.98}$$

$$= 2.5 \times 10^6 \text{ kW·h} = 2\,500 \text{ MW·h}$$

(b)　揚水に必要な電力（揚水動力）P_m は，

$$P_m = \frac{9.8Q(H+h_l)}{\eta_p \eta_m}$$

よって，揚水時使用流量 Q は，

$$Q = \frac{P_m \times \eta_p \eta_m}{9.8 \times (H+h_l)} = \frac{300 \times 10^3 \times 0.9 \times 0.98}{9.8 \times 450} = 60.0 \text{ m}^3/\text{s}$$

問9 Check! □□□

(平成28年 Ⓐ問題1)

下記の諸元の揚水発電所を，運転中の総落差が変わらず，発電出力，揚水入力ともに一定で運転するものと仮定する．この揚水発電所における発電出力の値 [kW]，揚水入力の値 [kW]，揚水所要時間の値 [h] 及び揚水総合効率の値 [%] として，最も近い値の組合せを次の(1)～(5)のうちから一つ選べ．

揚水発電所の諸元

総落差	$H_0 = 400$ m
発電損失水頭	$h_G = H_0$ の 3 %
揚水損失水頭	$h_P = H_0$ の 3 %
発電使用水量	$Q_G = 60$ m^3/s
揚水量	$Q_P = 50$ m^3/s
発電運転時の効率	発電機効率 $\eta_G \times$ 水車効率 $\eta_T = 87$ %
ポンプ運転時の効率	電動機効率 $\eta_M \times$ ポンプ効率 $\eta_P = 85$ %
発電運転時間	$T_G = 8$ h

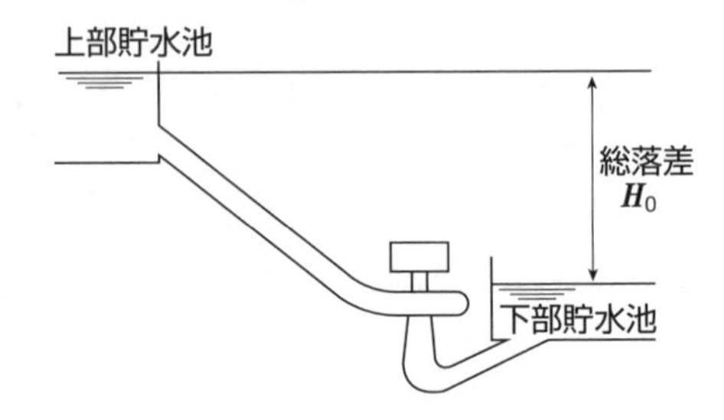

	発電出力 [kW]	揚水入力 [kW]	揚水所要時間 [h]	揚水総合効率 [%]
(1)	204 600	230 600	9.6	74.0
(2)	204 600	230 600	10.0	71.0
(3)	198 500	237 500	9.6	71.0
(4)	198 500	237 500	10.0	69.6
(5)	198 500	237 500	9.6	69.6

解9　解答 (5)

発電出力の値 P_G

$$P_G = 9.8Q_G H_0(1 - h_G)\eta_T\eta_G = 9.8 \times 60 \times 400 \times (1 - 0.03) \times 0.87$$
$$= 198\,485.28 \fallingdotseq 198\,500\ \text{kW}$$

揚水入力の値 P_P

$$P_P = \frac{9.8Q_P H_0(1 + h_P)}{\eta_P\eta_M} = \frac{9.8 \times 50 \times 400 \times (1 + 0.03)}{0.85} \fallingdotseq 237\,505.88$$
$$\fallingdotseq 237\,500\ \text{kW}$$

揚水所要時間 T_P

$$T_P = \frac{3\,600Q_G T_G}{3\,600Q_P} = \frac{Q_G}{Q_P}T_G = \frac{60}{50} \times 8 = 9.6\ \text{h}$$

揚水総合効率 η

$$\eta = \frac{P_G T_G}{P_M T_M} = \frac{198\,485.28 \times 8}{237\,505.88 \times 9.6} \fallingdotseq 0.696\,42 \fallingdotseq 69.6\ \%$$

問10 Check! □□□

（平成30年 B 問題15）

調整池の有効貯水量 V [m³]，最大使用水量 10 m³/s であって，発電機1台を有する調整池式発電所がある．

図のように，河川から調整池に取水する自然流量 Q_N は 6 m³/s で一日中一定とする．この条件で，最大使用水量 Q_P = 10 m³/s で6時間運用（ピーク運用）し，それ以外の時間は自然流量より低い一定流量で運用（オフピーク運用）して，一日の自然流量分を全て発電運用に使用するものとする．

ここで，この発電所の一日の運用中の使用水量を変化させても，水車の有効落差，水車効率，発電機効率は変わらず，それぞれ 100 m，90 %，96 % で一定とする．

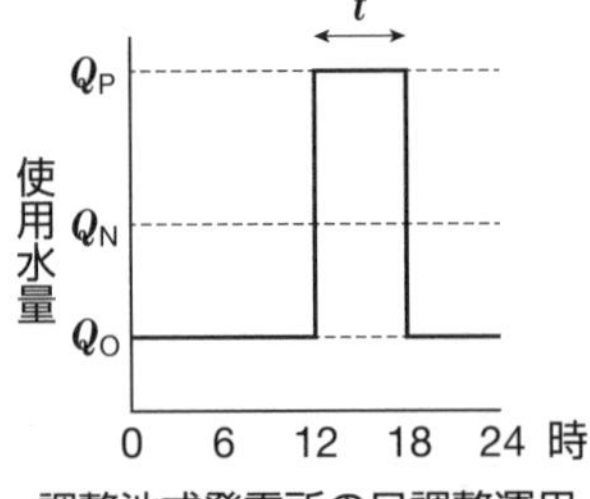

Q_P ：最大使用流量 [m³/s]
Q_N ：自然流量 [m³/s]（一定流量とする）
Q_O ：オフピーク運用中の使用流量 [m³/s]
t ：一日のピーク継続時間 [h]

調整池式発電所の日調整運用

この条件において，次の(a)及び(b)の問に答えよ．

(a) このときの運用に最低限必要な有効貯水量 V [m³] として，最も近いものを次の(1)～(5)のうちから一つ選べ．

(1) 86 200 (2) 86 400 (3) 86 600 (4) 86 800 (5) 87 000

(b) オフピーク運用中の発電機出力 [kW] として，最も近いものを次の(1)～(5)のうちから一つ選べ．

(1) 2 000 (2) 2 500 (3) 3 000 (4) 3 500 (5) 4 000

解10 解答 (a)−(2), (b)−(5)

(a) 題意より，ピーク運用時（6 時間）に調整池から放流する水量 Q_{OUT} は，

$$Q_{OUT} = Q_P - Q_N = 10 - 6 = 4\ \mathrm{m^3/s}$$

であるから，最低限必要な有効貯水量 V は，

$$V = 4 \times 6 \times 3\,600 = 86\,400\ \mathrm{m^3}$$

(b) オフピーク運用中（18 時間）に調整池へ貯水する水量 Q_{IN} は，18 時間で貯水して 6 時間で全量を放流することから，

$$Q_{IN} = \frac{6}{18} Q_{OUT} = \frac{6}{18} \times 4 \fallingdotseq 1.333\ \mathrm{m^3/s}$$

したがって，オフピーク運用中の発電機出力 P は，水車の有効落差を H，水車効率を η_T，発電機効率を η_G とすると，

$$P = 9.8(Q_N - Q_{IN})H\eta_T\eta_G = 9.8 \times (6 - 1.333) \times 100 \times 0.9 \times 0.96$$

$$\fallingdotseq 3\,951.64 \fallingdotseq 4\,000\ \mathrm{kW}$$

問11 Check! □□□

(令和5年㊦ Ⓑ問題15)

ある需要端の負荷に対し，水力発電所1か所と重油専焼汽力発電所1か所によって電力を供給する場合において，次の(a)及び(b)の問に答えよ．

(a) 水力発電所の最大使用水量 20 m^3/s，総落差 200 m，損失水頭 7 m，水車と発電機の総合効率 85 %，年間の設備利用率 60 % としたとき，この発電所の年間発電電力量 [GW·h] として，最も近いものを次の(1)～(5)のうちから一つ選べ．

(1) 15　(2) 30　(3) 170　(4) 175　(5) 200

(b) 需要端の負荷に供給する最大電力が 100 MW，年負荷率 60 % の場合，汽力発電所における重油の年間の消費量 [kL] として，最も近いものを次の(1)～(5)のうちから一つ選べ．

ただし，この汽力発電所の発電端熱効率は 40 % で運転出力に関わらず一定とする．使用する重油の発熱量は 39 100 kJ/L とし，発電所から需要端までの送電損失，発電所内損失は無視するものとする．

(1) 13 000　(2) 33 000　(3) 82 000
(4) 114 000　(5) 120 000

解11 解答 (a)－(3), (b)－(3)

(a) 有効落差 H は,

$$H = 総落差\ H_g - 損失水頭\ H_l = 200 - 7 = 193\ \mathrm{m}$$

水力発電所の年間発電電力量 W_W [GW・h] は, 水量を Q [m³/s], 水車と発電機の総合効率を η, 設備利用率を α とすれば,

$$W_W = 9.8 \times Q \times H \times \eta \times \alpha \times 24 \times 365 \times 10^{-6}$$
$$= 9.8 \times 20 \times 193 \times 0.85 \times 0.6 \times 24 \times 365 \times 10^{-6}$$
$$= 169 \fallingdotseq 170\ \mathrm{GW \cdot h}$$

(b) 年間の負荷電力量を W_L [GW・h] は, 年負荷率が 0.6 であるため,

$$W_L = 100 \times 24 \times 365 \times 0.6 \times 10^{-3} = 525.6\ \mathrm{GW \cdot h}$$

(a)で求めた水力発電所の年間発電電力量より, 汽力発電所で発電が必要な年間発電電力量 W_S は,

$$W_S = W_L - W_W = 525.6 - 169 = 356.6\ \mathrm{GW \cdot h}$$

ここで, 1 kW・h ＝ 3 600 kJ より,

$$W_S = 356.6 \times 10^3 \times 3\,600 = 1\,283\,760 \times 10^3\ \mathrm{kJ}$$

題意より, 発電端熱効率が 40 %, 重油の発熱量が 39 100 kJ/L であるから, 求める重油の年間消費量 B [kL] は,

$$B = \frac{1\,283\,760 \times 10^3}{0.4 \times 39\,100} = 82\,081 \fallingdotseq 82\,000\ \mathrm{kL}$$

問12 Check! □□□

（令和6年㊤ Ⓑ問題15）

水車の種類，回転速度と比速度の関係について，次の(a)及び(b)の問に答えよ．

(a) ある水車を有効落差 200 m，水車出力 85 000 kW で運転するときの水車の比速度が 100 m･kW であった．このときの水車の回転速度とこの水車に対し一般に用いられる水車の種類との組合せとして，最も適切なものを次の(1)～(5)のうちから一つ選べ．

	水車の種類	回転速度 [min^{-1}]
(1)	フランシス水車	217
(2)	カプラン水車	217
(3)	カプラン水車	258
(4)	フランシス水車	258
(5)	ペルトン水車	258

(b) この水車を同期発電機と直結し，50 Hz の電力系統に接続して，同様に有効落差 200 m，水車出力 85 000 kW で運転する場合，小問(a)の回転速度に最も近い回転速度で運転できる同期発電機の磁極数とそのときの回転速度による比速度の組合せとして，最も適切なものを次の(1)～(5)のうちから一つ選べ．

	磁極数	比速度 [m･kW]
(1)	28	83
(2)	28	97
(3)	26	89
(4)	24	83
(5)	24	97

解12 解答 (a)−(4), (b)−(5)

(a) 水車の回転速度を n [min^{-1}]，有効落差を H [m]，水車の定格出力を P [kW] とすると，比速度 n_s [min^{-1}，kW，m] は以下のとおりとなる．

$$n_s = \frac{n\sqrt{P}}{H^{\frac{5}{4}}} \ [\text{min}^{-1},\ \text{kW},\ \text{m}]$$

この式を変換して与えられた数値を代入すると，

$$n = \frac{n_s H^{\frac{5}{4}}}{\sqrt{P}} = \frac{100 \times 200^{\frac{5}{4}}}{\sqrt{85\,000}} \fallingdotseq 258\ \text{min}^{-1}$$

また，各種水車の比速度の限界式と適用落差は表のとおりである．

水車の種類	比速度の限界式	適用落差 [m]
ペルトン	$n_s \leqq \frac{4\,500}{H+150} + 14$	250以上
フランシス	$n_s \leqq \frac{33\,000}{H+55} + 30$	50〜500
斜流	$n_s \leqq \frac{21\,000}{H+15} + 50$	40〜200
プロペラ	$n_s \leqq \frac{21\,000}{H+13} + 50$	5〜80

ここで，比速度の限界式，適用落差ともに成立するのは**フランシス水車**のみとなる．

ペルトン水車は比速度，適用落差ともに成立しない．カプラン水車（プロペラ水車の可動羽根方式）は比速度が成立するものの，適用落差が成立しない．

(b) 周波数を f [Hz]，磁極数を p とすると，(a)で求めた n より，

$$p = \frac{120 \times f}{n_s} = \frac{120 \times 50}{258} \fallingdotseq 23.25 \rightarrow \text{最も近い磁極数は 24 となる．}$$

次に，$p = 24$ のときの回転速度を n_1 [min^{-1}] とすれば，

$$n_1 = \frac{120 \times f}{p} = \frac{120 \times 50}{24} = 250\ \text{min}^{-1}$$

よって，求める比速度 n_{s1} [min^{-1}，kW，m] は，

$$n_{s1} = \frac{n_1\sqrt{p}}{H^{\frac{5}{4}}} = \frac{250\sqrt{85\,000}}{200^{\frac{5}{4}}} \fallingdotseq 96.91 \fallingdotseq 97\ \text{min}^{-1},\ \text{kW},\ \text{m}$$

問13 Check! □□□

（令和元年　Ⓐ問題 1）

我が国の水力発電所（又は揚水発電所）に用いられる水車（又はポンプ水車）及び発電機（又は発電電動機）に関する記述として，誤っているものを次の(1)～(5)のうちから一つ選べ．

(1) ガイドベーン（案内羽根）は，その開度によってランナに流入する水の流量を変え，水車の出力を調整することができる水車部品である．

(2) 同一出力のフランシス水車を比較すると，一般に落差が高い地点に適用する水車の方が低い地点に適用するものより比速度が小さく，ランナの形状が扁（へん）平になる．

(3) 揚水発電所には，別置式，タンデム式，ポンプ水車式がある．発電機と電動機を共用し，同一軸に水車とポンプをそれぞれ直結した方式がポンプ水車式であり，水車の性能，ポンプの性能をそれぞれ最適に設計できるため，国内で建設される揚水発電所はほとんどこの方式である．

(4) 水車発電機には突極形で回転界磁形の三相同期発電機が主に用いられている．落差を有効に利用するために，水車を発電機の下方に直結した立軸形にすることも多い．

(5) 調速機は水車の回転速度を一定に保持する機能を有する装置である．また，自動電圧調整器は出力電圧の大きさを一定に保持する機能を有する装置である．

解13 解答 (3)

発電機と電動機を共用（発電電動機）し，これと同一軸に水車とポンプをそれぞれ直結した方式はタンデム式（直結式）で，ポンプ水車式ではない．ポンプ水車式では，発電電動機とポンプと水車を兼用したポンプ水車で構成される．ポンプ水車には，フランシス形ポンプ水車と斜流形（デリア形）ポンプ水車がある．

問14 Check! □□□

(平成29年 Ⓐ問題1)

水力発電所に用いられるダムの種別と特徴に関する記述として，誤っているものを次の(1)～(5)のうちから一つ選べ．

(1) 重力ダムとは，コンクリートの重力によって水圧などの外力に耐えられるようにしたダムであって，体積が大きくなるが構造が簡単で安定性が良い．我が国では，最も多く用いられている．

(2) アーチダムとは，水圧などの外力を両岸の岩盤で支えるようにアーチ型にしたダムであって，両岸の幅が狭く，岩盤が丈夫なところに作られ，コンクリートの量を節減できる．

(3) ロックフィルダムとは，岩石を積み上げて作るダムであって，内側には，砂利，アスファルト，粘土などが用いられている．ダムは大きくなるが，資材の運搬が困難で建設地付近に岩石や砂利が多い場所に適している．

(4) アースダムとは，土壌を主材料としたダムであって，灌漑（かんがい）用の池などを作るのに適している．基礎の地質が，岩などで強固な場合にのみ採用される．

(5) 取水ダムとは，水路式発電所の水路に水を導入するため河川に設けられるダムであって，ダムの高さは低く，越流形コンクリートダムなどが用いられている．

解14 解答 (4)

(4)の記述が誤りである.

アースダムは図のような砂，砂利，粘土を混合してつくられたダムで，中心には粘土やコンクリート製の心壁を設け，その両側に砂，砂利，粘土を混合した土を入れ，上流側の水に接する部分は表面保護層を設けて堤体の安定と漏水の防止を図っている.

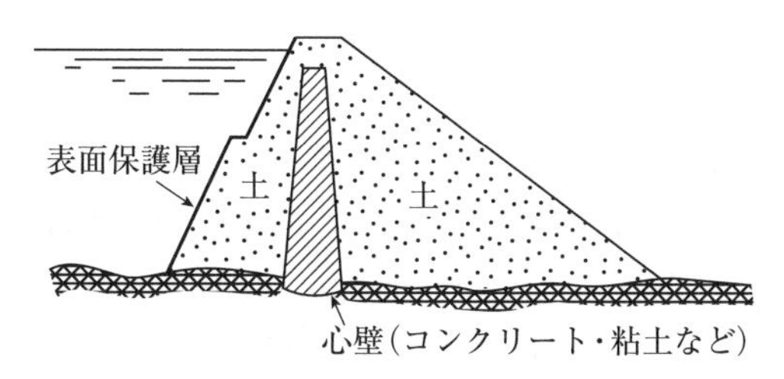

アースダムは，粘土などの柔軟な基礎上にでも容易に築造できる特長を有しており，かんがい用の池などに適している.

問15 Check! □□□

(令和３年 Ⓐ問題１)

次の文章は，水力発電所の種類に関する記述である．

水力発電所は [(ア)] を得る方法により分類すると，水路式，ダム式，ダム水路式があり，[(イ)] の利用方法により分類すると，流込み式，調整池式，貯水池式，揚水式がある．

一般的に，水路式はダム式，ダム水路式に比べ [(ウ)] ．貯水ができないので発生電力の調整には適さない．ダム式発電では，ダムに水を蓄えることで [(イ)] の調整ができるので，電力需要が大きいときにあわせて運転することができる．

河川の自然の流れをそのまま利用して発電する方式を [(エ)] 発電という．貯水池などを持たない水路式発電所がこれに相当する．

１日又は数日程度の河川流量を調整できる大きさを持つ池を持ち，電力需要が小さいときにその池に蓄え，電力需要が大きいときに放流して発電する方式を [(オ)] 発電という．自然の湖や人工の湖などを用いてもっと長期間の需要変動に応じて河川流量を調整・使用する方式を貯水池式発電という．

上記の記述中の空白箇所(ア)～(オ)に当てはまる組合せとして，正しいものを次の(1)～(5)のうちから一つ選べ．

	(ア)	(イ)	(ウ)	(エ)	(オ)
(1)	落差	流速	建設期間が長い	調整池式	ダム式
(2)	流速	落差	建設期間が短い	調整池式	ダム式
(3)	落差	流量	高落差を得にくい	流込み式	揚水式
(4)	流量	落差	建設費が高い	流込み式	調整池式
(5)	落差	流量	建設費が安い	流込み式	調整池式

解15 解答 (5)

水力発電所は，落差を得るための土木設備の構造，河川流量を利用する機能などにより，次のように分類される．

⑴ 構造による分類

① 水路式発電所

河川の水を勾配の緩やかな水路で下流に導き，河川の自然勾配との間に落差を得て発電する方式

② ダム式発電所

河川にダムを築造し，ダムの上流側の水位を上げることにより，下流側との間に得られる落差を利用して発電する方式

③ ダム水路式発電所

水路式発電所とダム式発電所との併用方式で，ダムと水路の両方で落差を得て発電する方式

水路式は，水をせき止める大規模なダムを必要としないので建設費は安い．

⑵ 運用方法による分類

① 流込み式発電所

河川流量を調整する池をもたず，自然流量に応じて発電する発電所

② 調整池式発電所

日間または週間の負荷の変動に応じて河川の流量を調整する調整池をもった発電所で，深夜または軽負荷時に河川の水を蓄えて，ピーク負荷時に放流する．

③ 貯水池式発電所

河川流量の季節的な変動を調整できる容量の貯水池を有する発電所で，河川の洪水および豊水期の水を貯水し，渇水期に使用して，発電力の増加を図るとともに，ピーク負荷時に対応した発電も行う．

問16 Check! □□□

(令和４年㊦ Ⓐ問題１)

水力発電に関する記述として，誤っているものを次の(1)～(5)のうちから一つ選べ．

(1) 水管を流れる水の物理的性質を示す式として知られるベルヌーイの定理は，エネルギー保存の法則に基づく定理である．

(2) 水力発電所には，一般的に短時間で起動・停止ができる，耐用年数が長い，エネルギー変換効率が高いなどの特徴がある．

(3) 水力発電は昭和30年代前半まで我が国の発電の主力であったが，現在ではエネルギーの安定供給と経済性及び地球環境への貢献の観点から多様な発電方式が運用されており，我が国における水力発電の近年の発電電力量の比率は20％程度である．

(4) 河川の１日の流量を，年間を通して流量の多いものから順番に配列して描いた流況曲線は，発電電力量の計画において重要な情報となる．

(5) 総落差から損失水頭を差し引いたものを一般に有効落差という．有効落差に相当する位置エネルギーが水車に動力として供給される．

解16 解答 (3)

わが国における水力発電の近年の発電電力量の比率は**10 % 未満**である．1975年ごろまで 20 % 以上であったが，需要増加に伴い，国内の地点開発が終了した水力発電に代わって火力・原子力発電の開発が進み，このころ以降，水力発電の発電電力量は全発電電力量の 20 % を上回ったことはない．

水力発電は，第二次世界大戦以前から開発が始まり，1960 年代にはわが国において大規模水力発電所に適した地点での開発はほぼ完了した．以降，水力発電の発電電力量は横ばいの状態が続き，2020 年度の揚水発電を含む水力の発電電力量は 784 億 kW·h（全発電電力量に占める比率：7.8 %）である．

わが国の 2020 年度の発電電力量の構成は，石炭 31.0 %（3 102 億 kW·h），LNG 39.0 %（3 899 億 kW·h），石油等 6.4 %（636 億 kW·h），水力 7.8 %（784 億 kW·h），新エネルギー等 12.0 %（1 199 億 kW·h），原子力 3.9 %（388 億 kW·h）となっている（図参照）．

なお，新エネルギー等は固定価格買取（FIT）制度が導入された 2012 年から発電量の増加が加速し，2012 年には 309 億 kW·h であったが，2020 年度には前年度から 13.1 % 増加して 1 199 億 kW·h となっている．

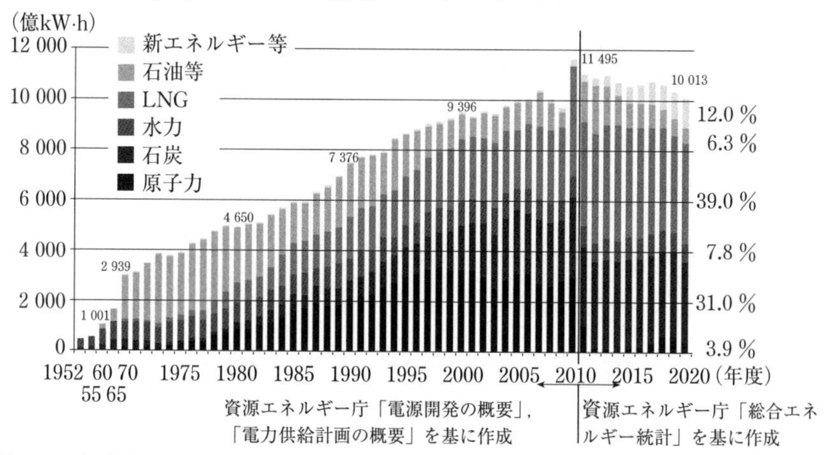

(注) 1971 年度までは沖縄電力を除く．発電電力量の推移は，「エネルギー白書 2016」まで，旧一般電気事業者を対象に資源エネルギー庁がまとめた「電源開発の概要」および「電力供給計画の概要」を基に作成してきたが，2016 年度の電力小売全面自由化に伴い，自家発電を含むすべての発電を対象とする「総合エネルギー統計」の数値を用いることとした．

（出典：「エネルギー白書 2022」，2022.6 経済産業省資源エネルギー庁）

わが国の発電電力量の推移

問17 Check! □□□

(平成20年 Ⓐ問題2)

水力発電に関する記述として，誤っているのは次のうちどれか．

(1) 水管を流れる水の物理的性質を示す式として知られるベルヌーイの定理は，力学的エネルギー保存の法則に基づく定理である．

(2) 水力発電所には，一般的に短時間で起動・停止ができる，耐用年数が長い，エネルギー変換効率が高いなどの特徴がある．

(3) 水力発電は昭和30年代前半までわが国の発電の主力であった．現在では国産エネルギー活用の意義があるが，発電電力量の比率が小さいため，水力発電の電力供給面における役割は失われている．

(4) 河川の1日の流量を年間を通して流量の多いものから順番に配列して描いた流況曲線は，発電電力量の計画において重要な情報となる．

(5) 水力発電所は落差を得るための土木設備の構造により，水路式，ダム式，ダム水路式に分類される．

解17 解答 (3)

水力発電所は，現在ピーク対応として盛んに稼働されており，火力発電所に比べて温室効果ガス排出量も少なく，クリーンエネルギーとして注目されている．このようなことから，「現在では，水力発電の電力供給面における役割は失われれている」という記述は，誤りである．

問18 Check! □□□

(平成23年 Ⓐ問題1)

図のような水路式水力発電所において，有効電力出力が定格状態から突然低下した．出力低下の原因箇所を見定めるために，出力低下後に安定した当該発電所の状態を確認すると，出力低下前と比較して，以下のような状態となっていた．

- 水車上流側の上部水槽で水位が上昇した．
- 水車流量が低下した．
- 水車発電機の回転数は定格回転数である．
- 発電機無効電力は零（0）のまま変化していない．
- 発電機電圧はほとんど変化していない．
- 励磁電圧が低下した．
- 保護リレーは動作していない．

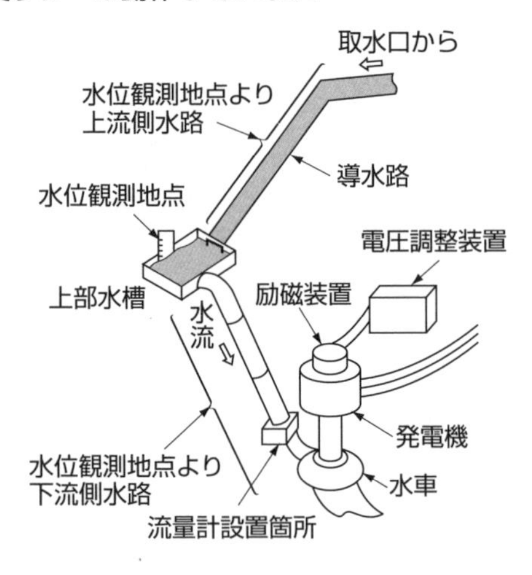

出力低下の原因が発生した箇所の想定として，次の(1)〜(5)のうちから最も適切なものを一つ選べ．

(1)　水位観測地点（上部水槽）より上流側水路

(2)　水車を含む水位観測地点（上部水槽）より下流側水路

(3)　電圧調整装置

(4)　励磁装置

(5)　発電機

解18 解答 (2)

水力発電所の有効電力出力 P は，使用水量（流量）を Q〔$\mathrm{m^3/s}$〕，有効落差を H〔m〕，水車効率を η_t（小数），発電機効率を η_g（小数）とすると，次式で与えられる．

$$P = 9.8QH\eta_t\eta_g \text{〔kW〕}$$

したがって，有効電力出力 P が定格状態から突然低下した場合，上記の諸量のいずれかが低下したと考えられる．この観点から問題に示された出力低下後に安定した発電所の状態について考えると，有効電力出力 P の低下の原因と考えられる記述は，

・水車流量が低下した．

であり，水車流量低下の原因は，水車を含む上流側の設備に問題が生じたためと考えられる．

しかしながら，次の記述，

・水車上流側の上部水槽で水位が上昇した．

から，上部水槽およびその上流側水路には問題がないと考えられるため，結局，選択肢(2)の「水車を含む水位観測地点（上部水槽）より下流側水路」に問題が生じたと考えられることになる．

問19 Check! □□□

（令和５年㊦ Ⓐ問題１）

次の文章は，水力発電の理論式に関する記述である．

図に示すように，放水地点の水面を基準面とすれば，基準面から貯水池の静水面までの高さ H_g [m] を一般に (ア) という．また，水路や水圧管の壁と水との摩擦によるエネルギー損失に相当する高さ h_l [m] を (イ) という．さらに，H_g と h_l の差 $H = H_g - h_l$ を一般に (ウ) という．

今，Q [m^3/s] の水が水車に流れ込み，水車の効率を η_w とすれば，水車出力 P_w は (エ) になる．さらに，発電機の効率を η_g とすれば，発電機出力 P は (オ) になる．ただし，重力加速度は 9.8 m/s^2 とする．

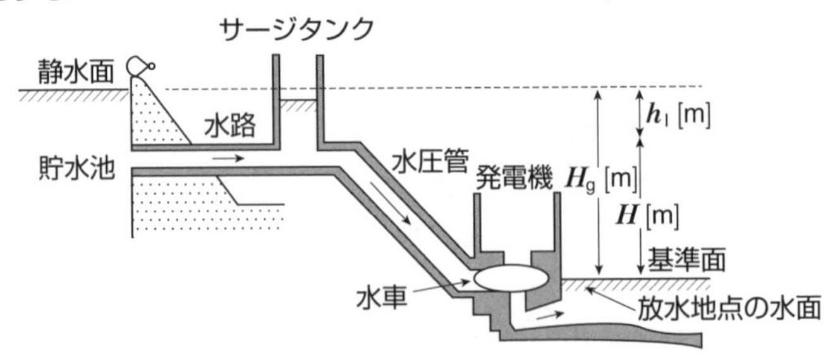

上記の記述中の空白箇所(ア)〜(オ)に当てはまる組合せとして，正しいものを次の(1)〜(5)のうちから一つ選べ．

	(ア)	(イ)	(ウ)	(エ)	(オ)
(1)	総落差	損失水頭	実効落差	$9.8QH\eta_w \times 10^3$ [W]	$9.8QH\eta_w\eta_g \times 10^3$ [W]
(2)	自然落差	位置水頭	有効落差	$\dfrac{9.8QH}{\eta_w} \times 10^{-3}$ [kW]	$\dfrac{9.8QH\eta_g}{\eta_w} \times 10^{-3}$ [kW]
(3)	総落差	損失水頭	有効落差	$9.8QH\eta_w \times 10^3$ [W]	$9.8QH\eta_w\eta_g \times 10^3$ [W]
(4)	基準落差	圧力水頭	実効落差	$9.8QH\eta_w$ [kW]	$9.8QH\eta_w\eta_g$ [kW]
(5)	基準落差	速度水頭	有効落差	$9.8QH\eta_w$ [kW]	$9.8QH\eta_w\eta_g$ [kW]

解19 解答 (3)

設問の図に示すように，放水地点の水面を基準面とすれば，基準面から貯水池の静水面までの高さ H_g [m] を一般に**総落差**という．総落差 H_g はすべて発電に使われることはなく，実際には水路や水圧管の壁と水の摩擦によるエネルギー損失が生じ，この損失を水頭として表した h_l [m] を**損失水頭**という．よって，実際に発電用として使われる落差 $H = H_g - h_l$ を一般に**有効落差**という．

有効落差を H [m]，水車流量を Q [m^3/s] とすれば，この流水が行う仕事は重力加速度を 9.8 m/s^2 とすると，下式のとおりである．

$$P_0 = 9.8 \times QH \times 10^3 \text{ [W]}$$

この P_0 を理論出力という．

ここで，水車効率を η_w とすれば，水車出力 $P_w = \boldsymbol{9.8QH\eta_w \times 10^3}$ [W] になる．

さらに，発電機効率を η_g とすれば，発電機出力 $P = \boldsymbol{9.8QH\eta_w\eta_g \times 10^3}$ [W] になる．

問20 Check! □□□

（平成 24 年 Ⓐ 問題 1）

次の文章は，水力発電の理論式に関する記述である．

図に示すように，放水地点の水面を基準面とすれば，基準面から貯水池の静水面までの高さ H_g〔m〕を一般に (ア) という．また，水路や水圧管の壁と水との摩擦によるエネルギー損失に相当する高さ h_l〔m〕を (イ) という．さらに，H_g と h_l の差 $H = H_g - h_l$ を一般に (ウ) という．

いま，Q〔m^3/s〕の水が水車に流れ込み，水車の効率を η_w とすれば，水車出力 P_w は (エ) になる．さらに，発電機の効率を η_g とすれば，発電機出力 P は (オ) になる．ただし，重力加速度は 9.8〔m/s^2〕とする．

上記の記述中の空白箇所(ア)，(イ)，(ウ)，(エ)及び(オ)に当てはまる組合せとして，正しいものを次の(1)〜(5)のうちから一つ選べ．

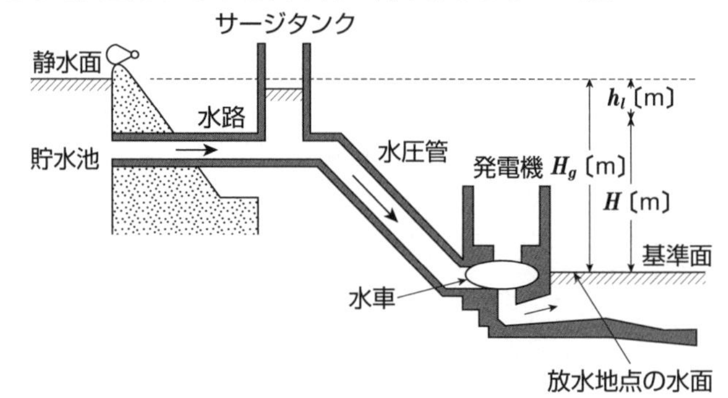

	(ア)	(イ)	(ウ)	(エ)	(オ)
(1)	総落差	損失水頭	実効落差	$9.8QH\eta_w \times 10^3$〔W〕	$9.8QH\eta_w\eta_g \times 10^3$〔W〕
(2)	自然落差	位置水頭	有効落差	$\dfrac{9.8QH}{\eta_w} \times 10^{-3}$〔kW〕	$\dfrac{9.8QH\eta_g}{\eta_w} \times 10^{-3}$〔kW〕
(3)	総落差	損失水頭	有効落差	$9.8QH\eta_w \times 10^3$〔W〕	$9.8QH\eta_w\eta_g \times 10^3$〔W〕
(4)	基準落差	圧力水頭	実効落差	$9.8QH\eta_w$〔kW〕	$9.8QH\eta_w\eta_g$〔kW〕
(5)	基準落差	速度水頭	有効落差	$9.8QH\eta_w$〔kW〕	$9.8QH\eta_w\eta_g$〔kW〕

解20 解答 (3)

水力発電所において，放水面などの基準面から貯水池の静水面までの高さ H_g〔m〕を一般に総落差といい，水が保有する位置エネルギーを表す指標である．

発電時貯水池から放流された流水が導水路や水圧管を通って水車へ達し，水車によってこの位置エネルギーが動力エネルギーへ変換されるが，流水は導水路や水圧管の壁との摩擦などによってエネルギーを失う．このエネルギー損失を落差の損失と見立てた高さ h_l〔m〕を損失落差または損失水頭といい，実際に発電に利用される落差 $H = H_g - h_l$〔m〕を有効落差という．

いま，Q〔m^3/s〕の水が水車に流れ込んでいる場合を考える．この場合，Δt〔s〕間に水車へ流入する水量は $\Delta V = Q\Delta t$〔m^3〕となり，その質量は $1\,000\Delta V$〔kg〕となる．

この水は有効落差 H〔m〕に対する位置エネルギー

$$\Delta W = 9.8 \times 1\,000\Delta V \times H = 9\,800H\Delta V \text{〔J〕}$$

を保有していたと考えられるから，このエネルギー ΔW が水車によって動力エネルギーへ変換される．ここで，水車の効率を η_w とすれば，水車が変換する動力エネルギー ΔW_w は，

$$\Delta W_w = \eta_w \Delta W = 9\,800H\eta_w \Delta V = 9\,800H\eta_w Q\Delta t \text{〔J〕}$$

となり，単位時間当たりの動力エネルギーすなわち水車出力は，

$$P_w = \frac{\Delta W_w}{\Delta t} = 9\,800QH\eta_w = 9.8QH\eta_w \times 10^3 \text{〔W〕}$$

となる．

この動力が発電機軸に加えられ，発電機によって電気エネルギーに変換されるが，発電機効率を η_g とすれば，発電機出力 P は，

$$P = \eta_g P_w = 9.8QH\eta_w\eta_g \times 10^3 \text{〔W〕}$$

となる．

問21 Check! □□□

(令和6年㊤ Ⓐ問題1)

水力発電所に関する記述として，誤っているものを次の(1)～(5)のうちから一つ選べ．

(1) 衝動水車にはペルトン水車などがある．

(2) ペルトン水車の水圧管の先端ノズル内にはニードル弁があり，通常運転時は出力変化に応じて流量調整を行う．

(3) 故障発生時などでペルトン水車を急停止させるときは，ニードル弁でノズルから出る噴流を急速に止めると同時にデフレクタを停止位置にして噴流を完全に遮断する．

(4) 小水力発電は，主に流れ込み式，水路式が多く，比較的小規模な発電設備で発電を行う．一般河川の水のエネルギーの利用だけでなく，農業用水，上下水道など低落差あるいは少流量の水のエネルギーも活用している．

(5) クロスフロー水車は小水力発電で多く用いられ，円筒状のランナの軸に直角方向から流水が流入しランナ内を貫通して流出する水車である．ガイドベーンを有し低流量時でも効率低下が小さい．

解21 解答 (3)

(1) 正しい．衝動水車は，水のもつ圧力水頭を速度水頭に変換することで回転力を得る水車である．代表的なものとしてペルトン水車がある．

(2) 正しい．水圧管から導かれた水をノズルから噴出させ，その速度をもった水が水車回転部（ランナ）の周囲に設けたバケットに衝突し水車を回す．速度調整はノズルに取り付けられたニードル弁を調整しバケットへの噴出流量を変化させて行う（図参照）．

(3) 誤り．水車負荷の急減時には，デフレクタを用いてバケットに当たる噴射水をそらせて水圧管内の水圧上昇を抑制する．また，水車の停止時にはジェットブレーキにてバケットの背面に水を噴出してブレーキの役目をする（図参照）．

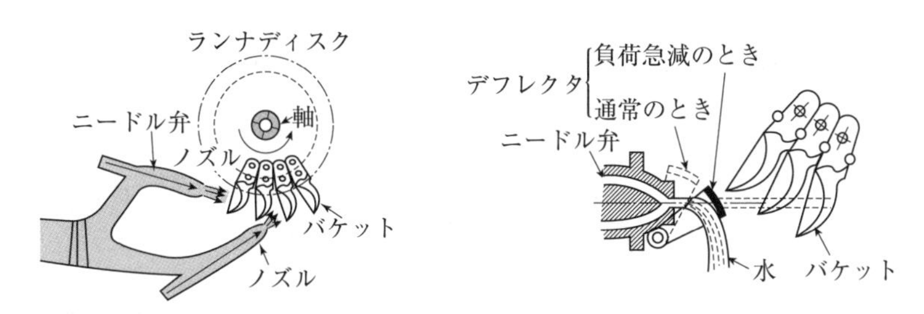

(4) 正しい．発電方式の分類は，流込み式または水路式となる．ダムで水を貯めることなくそのまま利用する発電方式であり，河川，農業用水，上下水道等のエネルギーを有効利用することができる．

(5) 正しい．クロスフロー水車は，多くの水車の水流がランナの回転方向に流れるのとは異なり，ランナの回転軸と垂直方向に水流がランナを貫通する．これにより水流はランナに入る際と出る際の2回通過するため，これが水車効率を改善する要因になっている．また，一般的に大小2枚のガイドベーンを設け，流量により組み合わせて使うことにより，低流量域まで高い水車効率を保つことができる．

問22 Check! □□□

（平成25年 Ⓐ問題1）

次の文章は，水力発電に用いる水車に関する記述である．

水をノズルから噴出させ，水の位置エネルギーを運動エネルギーに変えた流水をランナに作用させる構造の水車を［(ア)］水車と呼び，代表的なものに［(イ)］水車がある．また，水の位置エネルギーを圧力エネルギーとして，流水をランナに作用させる構造の代表的な水車に［(ウ)］水車がある．さらに，流水がランナを軸方向に通過する［(エ)］水車もある．近年の地球温暖化防止策として，農業用水・上下水道・工業用水など少水量と低落差での発電が注目されており，代表的なものに［(オ)］水車がある．

上記の記述中の空白箇所(ア)，(イ)，(ウ)，(エ)及び(オ)に当てはまる組合せとして，正しいものを次の(1)～(5)のうちから一つ選べ．

	(ア)	(イ)	(ウ)	(エ)	(オ)
(1)	反動	ペルトン	プロペラ	フランシス	クロスフロー
(2)	衝動	フランシス	カプラン	クロスフロー	ポンプ
(3)	反動	斜流	フランシス	ポンプ	プロペラ
(4)	衝動	ペルトン	フランシス	プロペラ	クロスフロー
(5)	斜流	カプラン	クロスフロー	プロペラ	フランシス

解22 解答 (4)

水力発電に用いる水車の種類を答える典型的な問題である．水車は水のもつ位置エネルギーを回転力に変換する機械であり，その動作原理から衝動水車と反動水車に大別される．

(ア)，(イ) 水をノズルから噴出させ，水の位置エネルギーを運動エネルギーに変えた流水をランナに作用させる構造の水車は衝動水車と呼ばれ，その代表的なものにペルトン水車がある．ペルトン水車は200〔m〕以上の高落差水力発電所に適用される水車であり，ランナ，ケーシング，ノズル，ニードル，デフレクタ等で構成される．

(ウ) 水の位置エネルギーを圧力エネルギーとして，流水をランナに作用させる構造の水車は反動水車と呼ばれ，その代表的なものにフランシス水車がある．フランシス水車は50〔m〕～500〔m〕程度の中高落差水力発電所に適用される水車であり，ランナ，ケーシング，スピードリング，ガイドベーン，吸出し管等で構成される．

(エ) 反動水車のなかで，流水がランナを軸方向に通過する水車はプロペラ水車である．プロペラ水車は低落差水力発電所に適用される水車であり，ランナベーンの構造により，可動羽根形と固定羽根形に分類される．厳密には，固定羽根形をプロペラ水車，可動羽根形をカプラン水車と呼んで区別している．

(オ) 農業用水等の少水量，低落差で用いられるものとしてはクロスフロー水車がある．クロスフロー水車は，1〔m〕～200〔m〕の広範囲に適用される衝動水車であり，主に小水力発電用に使われる．

問23 Check! □□□

(平成20年 Ⓐ問題1)

次の文章は，水力発電に関する記述である.

水力発電は，水の持つ位置エネルギーを水車により機械エネルギーに変換し，発電機を回す．水車には衝動水車と反動水車がある．[(ア)]には[(イ)]，プロペラ水車などがあり，揚水式のポンプ水車としても用いられる．これに対し，[(ウ)]の主要な方式である[(エ)]は高落差で流量が比較的少ない場所で用いられる.

水車の回転速度は構造上比較的低いため，水車発電機は一般的に極数を[(オ)]するよう設計されている.

上記の記述中の空白箇所(ア)，(イ)，(ウ)，(エ)及び(オ)に当てはまる語句として，正しいものを組み合わせたのは次のうちどれか.

	(ア)	(イ)	(ウ)	(エ)	(オ)
(1)	反動水車	ペルトン水車	衝動水車	カプラン水車	多く
(2)	衝動水車	フランシス水車	反動水車	ペルトン水車	少なく
(3)	反動水車	ペルトン水車	衝動水車	フランシス水車	多く
(4)	衝動水車	フランシス水車	反動水車	斜流水車	少なく
(5)	反動水車	フランシス水車	衝動水車	ペルトン水車	多く

解23 解答 (5)

圧力水頭を速度水頭に変えた流水をランナに作用させる形式の水車を衝動水車といい，衝動水車には，ノズルから流出するジェット水をランナのバケットに作用させるペルトン水車がある．ペルトン水車は，部分負荷運転における効率の低下が少なく，高落差で，比較的小流量の場所に用いられる．

これに対し，圧力水頭をもつ流水がランナを通過するときの反動力を利用する水車を反動水車といい，反動水車には，フランシス水車，斜流水車，プロペラ水車などがある．

反動水車を逆回転させることによりポンプ機能をもたせた水車をポンプ水車といい，ランナの構造によって，フランシス形，斜流形およびプロペラ形に分けられる．

水車の回転数は構造や比速度の関係もあって，比較的低いため，水車発電機の極数は 6 極以上が用いられている．

問24 Check! □□□

（令和元年 Ａ問題 2）

次の文章は，水車の構造と特徴についての記述である．

（ア）を持つ流水がランナに流入し，ここから出るときの反動力により回転する水車を反動水車という．（イ）は，ケーシング（渦形室）からランナに流入した水がランナを出るときに軸方向に向きを変えるように水の流れをつくる水車である．一般に，落差 40 m ～ 500 m の中高落差用に用いられている．

プロペラ水車ではランナを通過する流水が軸方向である．ランナには扇風機のような羽根がついている．流量が多く低落差の発電所で使用される．（ウ）はプロペラ水車の羽根を可動にしたもので，流量の変化に応じて羽根の角度を変えて効率がよい運転ができる．

一方，水の落差による（ア）を（エ）に変えてその流水をランナに作用させる構造のものが衝動水車である．（オ）は，水圧管路に導かれた流水が，ノズルから噴射されてランナバケットに当たり，このときの衝動力でランナが回転する水車である．高落差で流量の比較的少ない地点に用いられる．

上記の記述中の空白箇所(ア)，(イ)，(ウ)，(エ)及び(オ)に当てはまる組合せとして，正しいものを次の(1)～(5)のうちから一つ選べ．

	(ア)	(イ)	(ウ)	(エ)	(オ)
(1)	圧力水頭	フランシス水車	カプラン水車	速度水頭	ペルトン水車
(2)	速度水頭	ペルトン水車	フランシス水車	圧力水頭	カプラン水車
(3)	圧力水頭	カプラン水車	ペルトン水車	速度水頭	フランシス水車
(4)	速度水頭	フランシス水車	カプラン水車	圧力水頭	ペルトン水車
(5)	圧力水頭	ペルトン水車	フランシス水車	速度水頭	カプラン水車

解24 解答（1）

流水のもつエネルギーを動力エネルギーに変換する水車は，その動作原理から衝動水車と反動水車の二つに分けられる．

衝動水車にはペルトン水車がある．ペルトン水車は，水の圧力水頭を速度水頭に変え，これをランナのバケットに当てる構造のもので，高落差で，比較的小流量の水力地点に用いられる．

反動水車には，フランシス水車，プロペラ水車，斜流水車（デリア水車）がある．

フランシス水車は，ケーシングから流入した流水がランナにおいて軸方向に向きを変える水車で，40 ～ 500 m の中高落差用に多く用いられる．最高効率は高いが，部分負荷運転時の効率低下が著しい．

プロペラ水車は，ランナを通過する流水が軸方向で，5 ～ 80 m 程度の低落差の発電所で用いられる．プロペラ水車のうち水車の羽根を可動にしたものをカプラン水車という．流量に応じて羽根の角度を変えることができるため部分負荷運転時の効率が良く，部分負荷運転効率が悪い固定羽根プロペラ水車の欠点を改善したものである．

斜流水車（デリア水車）は，ランナを通過する流水の方向が斜めであるものをいう．40 ～ 180 m 程度の中落差に適し，可動羽根をもつものが多く，部分負荷運転効率が良い．

問25 Check! □□□

(令和４年㊦ Ⓐ問題２)

次の文章は，水車に関する記述である．

水圧管の先端がノズルになっていると，有効落差は全て (ア) エネルギーとなり，水は噴流となって噴出し，ランナのバケットにあたってランナを回転させる．このような水の力で回転する水車を (イ) 水車という．

代表的なものとして (ウ) 水車があり， (エ) で，流量の比較的少ない場所に用いられ，比速度は (オ) ．

上記の記述中の空白箇所(ア)〜(オ)に当てはまる組合せとして，正しいものを次の(1)〜(5)のうちから一つ選べ．

	(ア)	(イ)	(ウ)	(エ)	(オ)
(1)	運動	衝動	ペルトン	高落差	大きい
(2)	圧力	反動	フランシス	低落差	大きい
(3)	位置	反動	カプラン	高落差	大きい
(4)	圧力	衝動	フランシス	低落差	小さい
(5)	運動	衝動	ペルトン	高落差	小さい

解25 解答 (5)

(1) 衝動水車

圧力水頭（水がもつ圧力エネルギーを水柱の高さに置き換えて表したもの）を速度水頭（水がもつ**運動**エネルギーを水柱の高さに置き換えて表したもの）に変えた流水をランナに作用させる構造の水車である．

・ペルトン水車

高落差（250 m 以上）に適する．最高効率は他の水車に比べ低いが，流量変化に対する効率特性は平たんであるため，部分負荷運転時の効率は良い．

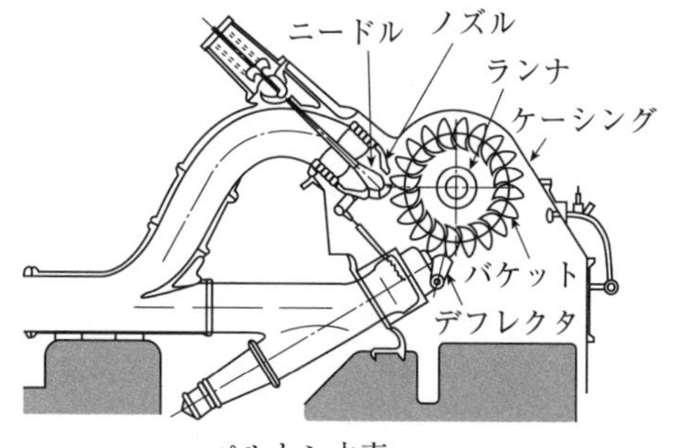

ペルトン水車

(2) 反動水車

圧力水頭をもつ流水をランナに作用させる構造の水車である．

反動水車には半径流水車（フランシス水車），斜流水車（デリア水車），軸流水車（カプラン水車，プロペラ水車，チューブラ水車）がある．

(3) 比速度

実機を有効落差が 1 m となるよう幾何学的に相似形に縮小した仮想機が，出力 1 kW を発生するために必要な回転速度を比速度という．比速度 N_s は以下で定義される．

$$N_s = \frac{N\sqrt{P}}{H^{5/4}}\,[\mathrm{min}^{-1},\ \mathrm{kW},\ \mathrm{m}]$$

N：実機の回転速度 [min^{-1}]，P：実機の水車出力 [kW]（ただし，ペルトン水車ではノズル 1 個当たりの値），H：実機の有効落差 [m]

N に [min^{-1}]，P に [kW]，H に [m] を用いて算出したことを示すため [min^{-1}, kW, m] と表記されるが，これは比速度の厳密な単位ではない．

ペルトン水車は高落差の箇所で適用されるため，実機の有効落差 H は大きい．したがって，比速度 N_s は**小さく**なる傾向にある．

問26 Check! □□□

（令和4年㊤ Ⓐ問題1）

水力発電に関する記述として，誤っているものを次の(1)～(5)のうちから一つ選べ.

(1) 水車発電機の回転速度は，汽力発電と比べて小さいため，発電機の磁極数は多くなる.

(2) 水車発電機の電圧の大きさや周波数は，自動電圧調整器や調速機を用いて制御される.

(3) フランシス水車やペルトン水車などで用いられる吸出し管は，水車ランナと放水面までの落差を有効に利用し，水車の出力を増加する効果がある.

(4) 我が国の大部分の水力発電所において，水車や発電機の始動・運転・停止などの操作は遠隔監視制御方式で行われ，発電所は無人化されている.

(5) カプラン水車は，プロペラ水車の一種で，流量に応じて羽根の角度を調整することができるため部分負荷での効率の低下が少ない.

解26 解答 (3)

ペルトン水車の最高効率はほかの水車に比べ低いが部分負荷効率特性が良い．高落差（250 m 以上），出力変動が大きい箇所に適用する．ニードル弁からの噴出水を大気中でバケットに当てるため吸出し管がない．

吸出し管は，反動水車におけるランナ出口から放水面までの接続管で，衝動水車にはない（水車形式上，原理的に必要ない）．反動水車では放水面からランナまでの落差を無駄にしないため，吸出し管の末端を放水河川・池の水中に挿入し，管内を水で充満させる．また，吸出し管を放水側面に向かって末広がりの形状にし，放水面側の流速を抑える．これらにより放水側面の流水がもつ運動エネルギーを位置エネルギーとして回収し，さらに吸出し管頂部（ランナ出口）の圧力が大気圧以下となることによりランナに圧力水頭を十分に作用させることができる．一般には円すい直管形やエルボ（L 字）形の形状のものが用いられる．

水車およびポンプ水車を水力学的に分類すると，次のようになる．

(1) 衝動水車

速度水頭を利用する水車．ニードル弁の開度で水量を調整する．負荷急減時にはノズルとバケットの間に設けるデフレクタによりノズルから噴出する水を一時的にバケットからそらし，その間にニードル弁を徐々に閉じランナ回転速度上昇と水圧管路の圧力上昇を抑制する．衝動水車には，ペルトン水車やターゴ水車がある．

(2) 反動水車

圧力水頭を利用する水車．ガイドベーンの開度で水量を調整する．負荷急減時にはガイドベーンを急閉する．水がランナを通過した後に通る吸出し管がある．

反動水車には，①半径流水車（フランシス水車），②斜流水車（デリア水車）および③軸流水車（カプラン水車，プロペラ水車，チューブラ水車）がある．

また，衝動水車と反動水車の特性を併せもち，それらの中間に位置づけられるクロスフロー水車がある．

問27 Check! □□□

（令和5年㊤ Ⓐ問題1）

次の文章は，水車の比速度に関する記述である．

比速度とは，任意の水車の形（幾何学的形状）と運転状態（水車内の流れの状態）とを［(ア)］変えたとき，［(イ)］で単位出力（1 kW）を発生させる仮想水車の回転速度のことである．

水車では，ランナの形や特性を表すものとしてこの比速度が用いられ，水車の［(ウ)］ごとに適切な比速度の範囲が存在する．

水車の回転速度を n [min^{-1}]，有効落差を H [m]，ランナ1個当たり又はノズル1個当たりの出力を P [kW] とすれば，この水車の比速度 n_s は，次の式で表される．

$$n_s = n \cdot \frac{P^{\frac{1}{2}}}{H^{\frac{5}{4}}}$$

通常，ペルトン水車の比速度は，フランシス水車の比速度より［(エ)］．

比速度の大きな水車を大きな落差で使用し，吸出し管を用いると，放水速度が大きくなって，［(オ)］やすくなる．そのため，各水車には，その比速度に適した有効落差が決められている．

上記の記述中の空白箇所(ア)～(オ)に当てはまる組合せとして，正しいものを次の(1)～(5)のうちから一つ選べ．

	(ア)	(イ)	(ウ)	(エ)	(オ)
(1)	一定に保って有効落差を	単位流量 ($1\ m^3/s$)	出力	大きい	高い効率を得
(2)	一定に保って有効落差を	単位落差 (1 m)	種類	大きい	キャビテーションが生じ
(3)	相似に保って大きさを	単位流量 ($1\ m^3/s$)	出力	大きい	高い効率を得
(4)	相似に保って大きさを	単位落差 (1 m)	種類	小さい	キャビテーションが生じ
(5)	相似に保って大きさを	単位流量 ($1\ m^3/s$)	出力	小さい	高い効率を得

解27 解答 (4)

水車の性能の一つに比速度がある．比速度 n_s は，水車ランナの形を相似に保ちながら縮小させた模型水車で，単位落差 1 m で出力 1 kW を出すときの水車回転速度（1 分当たり）を表すものである．式で表すと次のとおりになる．

$$n_s = n\frac{P^{\frac{1}{2}}}{H^{\frac{5}{4}}}\ [\mathrm{min^{-1}, kW, m}]$$

ここで，n は回転速度 $[\mathrm{min^{-1}}]$，P は水車出力 [kW]（衝動水車はノズル 1 本当たり，反動水車はランナ 1 個当たり），H は有効落差 [m] である．

有効落差に対して比速度が大きすぎるような場合は，水車内の流速が大きくなってランナやバケットの表面に沿って水が流れず，その間に局部的な圧力低下や真空部分を生じ，水中に含まれる空気が気泡となる．この気泡が圧力の高い箇所に当たる際に崩壊する現象をキャビテーションという．このキャビテーションを防止するため，水車の種類によってその比速度に適した有効落差がある．

水車の比速度は，一般に，ペルトン水車，フランシス水車，デリア水車，軸流水車の順に大きくなる．

問28 Check! □□□

(平成30年 A問題2)

次の文章は，水車の比速度に関する記述である．

比速度とは，任意の水車の形（幾何学的形状）と運転状態（水車内の流れの状態）とを (ア) 変えたとき，(イ) で単位出力（1 kW）を発生させる仮想水車の回転速度のことである．

水車では，ランナの形や特性を表すものとしてこの比速度が用いられ，水車の (ウ) ごとに適切な比速度の範囲が存在する．

水車の回転速度を n [min^{-1}]，有効落差を H [m]，ランナ1個当たり又はノズル1個当たりの出力を P [kW] とすれば，この水車の比速度 n_s は，次の式で表される．

$$n_s = n \cdot \frac{P^{\frac{1}{2}}}{H^{\frac{5}{4}}}$$

通常，ペルトン水車の比速度は，フランシス水車の比速度より (エ) ．

比速度の大きな水車を大きな落差で使用し，吸出し管を用いると，放水速度が大きくなって，(オ) やすくなる．そのため，各水車には，その比速度に適した有効落差が決められている．

上記の記述中の空白箇所(ア)，(イ)，(ウ)，(エ)及び(オ)に当てはまる組合せとして，正しいものを次の(1)～(5)のうちから一つ選べ．

	(ア)	(イ)	(ウ)	(エ)	(オ)
(1)	一定に保って有効落差を	単位流量 (1 m^3/s)	出力	大きい	高い効率を得
(2)	一定に保って有効落差を	単位落差 (1 m)	種類	大きい	キャビテーションが生じ
(3)	相似に保って大きさを	単位流量 (1 m^3/s)	出力	大きい	高い効率を得
(4)	相似に保って大きさを	単位落差 (1 m)	種類	小さい	キャビテーションが生じ
(5)	相似に保って大きさを	単位流量 (1 m^3/s)	出力	小さい	高い効率を得

解28 解答 (4)

水車の比速度とは，その水車と相似な水車を仮想し，単位落差（1 m）のもとで相似な状態で運転させたとき，単位出力（1 kW）を発生するときの仮想水車の回転速度をいい，水車の定格回転速度を $n_0\,[\mathrm{min^{-1}}]$，水車出力を $P\,[\mathrm{kW}]$，有効落差を $H\,[\mathrm{m}]$ とすれば，水車の比速度 n_s は，

$$n_s = n_0 \frac{P^{\frac{1}{2}}}{H^{\frac{5}{4}}}$$

ただし，水車出力 P は，ペルトン水車ではノズル1個当たり，反動水車ではランナ1個当たりの出力をとる．

比速度の大きな水車を大きな落差で使用し，吸出し管を用いると，放水速度(吸出し速度）が大きくなって，キャビテーションを生じるので，水車の種類によってその比速度に適した有効落差がある．

水車の比速度は，一般に，ペルトン水車，フランシス水車，デリア水車，軸流水車の順に大きくなる．

問29 Check! □□□

(平成22年 Ⓐ問題1)

次の文章は，水車に関する記述である．

衝動水車は，位置水頭を (ア) に変えて，水車に作用させるものである．この衝動水車は，ランナ部で (イ) を用いないので，(ウ) 水車のように，水流が (エ) を通過するような構造が可能となる．

上記の記述中の空白箇所(ア)，(イ)，(ウ)及び(エ)に当てはまる語句として，正しいものを組み合わせたのは次のうちどれか．

	(ア)	(イ)	(ウ)	(エ)
(1)	圧力水頭	速度水頭	フランシス	空気中
(2)	圧力水頭	速度水頭	フランシス	吸出管中
(3)	速度水頭	圧力水頭	フランシス	吸出管中
(4)	速度水頭	圧力水頭	ペルトン	吸出管中
(5)	速度水頭	圧力水頭	ペルトン	空気中

問30 Check! □□□

(平成17年 Ⓐ問題1)

水力発電所において，事故等により負荷が急激に減少すると，水車の回転速度は (ア) し，それに伴って発電機の周波数も変化する．周波数を規定値に保つため，(イ) が回転速度の変化を検出して，(ウ) 水車ではニードル弁，(エ) 水車ではガイドベーンの開度を加減させて水車の (オ) 水量を調整し，回転速度を規定値に保つ．

上記の記述中の空白箇所(ア)，(イ)，(ウ)，(エ)及び(オ)に記入する語句として，正しいものを組み合わせたのは次のうちどれか．

	(ア)	(イ)	(ウ)	(エ)	(オ)
(1)	上昇	調速機	ペルトン	フランシス	流入
(2)	下降	調整機	プロペラ	ペルトン	流入
(3)	上昇	調整機	ペルトン	プロペラ	流出
(4)	下降	調速機	ペルトン	フランシス	流出
(5)	上昇	調速機	プロペラ	ペルトン	流出

解29 解答 (5)

水のもつ位置エネルギーを速度エネルギーに変換して，これを動力エネルギーに変換する水車を衝動水車という．

衝動水車には，ノズルから流出するジェットをランナのバケットに作用させるペルトン水車と，水流が円筒形ランナに軸と直角方向に流入し，ランナ内を貫通するクロスフロー水車がある．

これに対し，圧力水頭をもつ流水をランナに作用させる構造の水車を反動水車といい，流水が半径方向にランナへ流入し，ランナ内において軸方向に向きを変えて流出する構造のフランシス水車，流水がランナ内において軸方向に対し斜めに通過する構造の斜流水車，流水がランナ内を軸方向に通過する構造のプロペラ水車がある．

解30 解答 (1)

水力発電所において，事故等により負荷が急激に減少すると，水車への入力と出力が不均衡になり，水車への過入力分はすべて水車の回転のエネルギーとなって蓄えられることにより，水車の回転数が上昇するとともに，発電機の周波数も上昇する．

これを防ぐため，負荷の変化による回転速度の変化を検出して，水車へ流入する水流を調節して，負荷の変化に見合う運転状態にしなければならない．これを行うのが調速機で，機械式調速機と電気式調速機がある．調速機はペルトン水車ではニードル弁開度を，フランシス水車等の反動水車では案内羽根（ガイドベーン）開度を調整して流水量を変化させる．

問31 Check! □□□

(平成26年 Ⓐ問題1)

次の文章は，水車の調速機の機能と構造に関する記述である．

水車の調速機は，発電機を系統に並列するまでの間においては水車の回転速度を制御し，発電機が系統に並列した後は (ア) を調整し，また，事故時には回転速度の異常な (イ) を防止する装置である．調速機は回転速度などを検出し，規定値との偏差などから演算部で必要な制御信号を作って，パイロットバルブや配圧弁を介してサーボモータを動かし，ペルトン水車においては (ウ) ，フランシス水車においては (エ) の開度を調整する．

上記の記述中の空白箇所(ア)，(イ)，(ウ)及び(エ)に当てはまる組合せとして，正しいものを次の(1)～(5)のうちから一つ選べ．

	(ア)	(イ)	(ウ)	(エ)
(1)	出力	上昇	ニードル弁	ガイドベーン
(2)	電圧	上昇	ニードル弁	ランナベーン
(3)	出力	下降	デフレクタ	ガイドベーン
(4)	電圧	下降	デフレクタ	ランナベーン
(5)	出力	上昇	ニードル弁	ランナベーン

解31 解答 (1)

調速機（speed governor）は水車の回転速度および出力を調整するため回転速度の変化に応じて自動的に水口（ガイドベーン（フランシス水車）またはニードル（ペルトン水車））の開度を調整する装置である．負荷が一定であると，水車は規定回転速度で運転されるが，負荷が変化し，水車の回転速度が変化すると，調速機がその速度の変化を検出して規定回転速度を保つように動作する．

また，調速機は水車起動時から系統への並列までは水車の回転速度を制御する調速動作を行い，系統並列後は出力調整を行う．さらに，負荷遮断時には速度上昇を定められた限度内に抑え，速やかに規定回転速度に安定させる保護作用も行う．

調速機は，速度検出部，配圧弁，サーボモータ，復原部，速度調整部の構造によって機械式調速機と電気式調速機があるが，最近では，速応性，安定性などにおいて優れている電気式調速機が用いられている．

電力 1 水力発電

問32 Check! □□□

(平成29年 Ⓐ問題2)

次の文章は，水車のキャビテーションに関する記述である．

運転中の水車の流水経路中のある点で (ア) が低下し，そのときの (イ) 以下になると，その部分の水は蒸発して流水中に微細な気泡が発生する．その気泡が (ア) の高い箇所に到達すると押し潰され消滅する．このような現象をキャビテーションという．水車にキャビテーションが発生すると，ランナやガイドベーンの壊食，効率の低下，(ウ) の増大など水車に有害な現象が現れる．

吸出し管の高さを (エ) することは，キャビテーションの防止のため有効な対策である．

上記の記述中の空白箇所(ア)，(イ)，(ウ)及び(エ)に当てはまる組合せとして，正しいものを次の(1)～(5)のうちから一つ選べ．

	(ア)	(イ)	(ウ)	(エ)
(1)	流速	飽和水蒸気圧	吸出し管水圧	低く
(2)	流速	最低流速	吸出し管水圧	高く
(3)	圧力	飽和水蒸気圧	吸出し管水圧	低く
(4)	圧力	最低流速	振動や騒音	高く
(5)	圧力	飽和水蒸気圧	振動や騒音	低く

問33 Check! □□□

(平成19年 Ⓐ問題1)

水力発電に関する記述として，誤っているのは次のうちどれか．

(1) 水車発電機の回転速度は，汽力発電と比べて小さいため，発電機の磁極数は多くなる．

(2) 電圧の大きさや周波数は，自動電圧調整器と調速機を用いて制御される．

(3) 発電電圧は，主変圧器で昇圧し送電される．この変圧器には発電機側にY結線，系統側に△結線のものが多く用いられる．

(4) ペルトン水車は，水の衝撃力で回転する衝動水車の一つである．

(5) カプラン水車は，プロペラ水車の一種で，流量に応じて羽根の角度を調整することで部分負荷での効率の低下が少ない．

解32 解答 (5)

キャビテーションとは，運転中の水車内部において流水中の圧力がそのときの水温における飽和水蒸気圧以下になり，低圧部や真空部ができると，その部分の水が蒸発して水蒸気となり流水中に微細な気泡が発生する現象をいう．流水中に発生した気泡は圧力の高い部分で急激に崩壊し，局部的に大きな衝撃力が発生する．水車にキャビテーションが発生すると，流水面のキャビテーション壊食，水車効率の低下，振動，騒音の発生など水車の特性に著しく有害な現象が生じる．

キャビテーションの防止対策としては，

① 反動水車の吸出し管の高さを過大にしないこと
② 水車の比速度を高くとりすぎないこと
③ 吸出し管上部に空気を給気する．
④ 流水と接する面をできるだけ平滑に流れるような形とし，表面仕上げを十分にする．
⑤ 水車をなるべく部分負荷で運転しない．
⑥ 侵食に強い材料を使用する．

などが採用されている．

解33 解答 (3)

発電所の主要変圧器では，高電圧側（系統側）中性点接地のために発電機側が△結線，系統側をY結線とした△－Y結線が用いられる．これに対し，中性点接地の必要がない場合や所内用変圧器などは△－△結線が用いられる．

問34 Check! □□□

(平成22年 A 問題7)

大容量発電所の主変圧器の結線を一次側三角形，二次側星形とするのは，二次側の線間電圧は相電圧の [(ア)] 倍，線電流は相電流の [(イ)] 倍であるため，変圧比を大きくすることができ， [(ウ)] に適するからである．また，一次側の結線が三角形であるから， [(エ)] 電流は巻線内を環流するので二次側への影響がなくなるため，通信障害を抑制できる．

一次側を三角形，二次側を星形に接続した主変圧器の一次電圧と二次電圧の位相差は， [(オ)] 〔rad〕である．

上記の記述中の空白箇所(ア)，(イ)，(ウ)，(エ)及び(オ)に当てはまる語句，式又は数値として，正しいものを組み合わせたのは次のうちどれか．

	(ア)	(イ)	(ウ)	(エ)	(オ)
(1)	$\sqrt{3}$	1	昇圧	第3調波	$\frac{\pi}{6}$
(2)	$\frac{1}{\sqrt{3}}$	$\sqrt{3}$	降圧	零相	0
(3)	$\sqrt{3}$	$\frac{1}{\sqrt{3}}$	昇圧	高調波	$\frac{\pi}{3}$
(4)	$\sqrt{3}$	$\frac{1}{\sqrt{3}}$	降圧	零相	$\frac{\pi}{3}$
(5)	$\frac{1}{\sqrt{3}}$	1	昇圧	第3調波	0

解34 解答 (1)

大容量発電所の主変圧器の結線方式は，一次側三角，二次側星形の △–Y 結線が用いられる．これは，二次高電圧側は中性点接地のため星形とする必要があり，一次側は第 3 調波電圧を抑えるため三角結線とする．また，二次側の Y 結線の線間電圧は相電圧の $\sqrt{3}$ 倍に，線電流は相電流と同じ（1 倍）となり，変圧比を大きくでき，昇圧の点で有利となる．

また，一次側三角，二次側星形に接続した変圧器の結線と電圧ベクトル図を描くと，次のようになる．

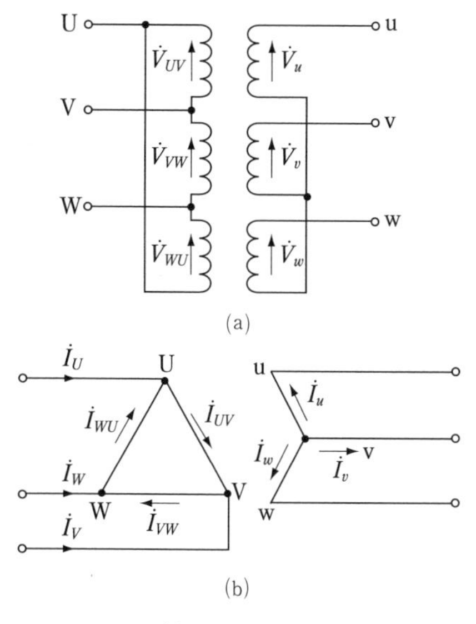

第 1 図　△–Y 結線

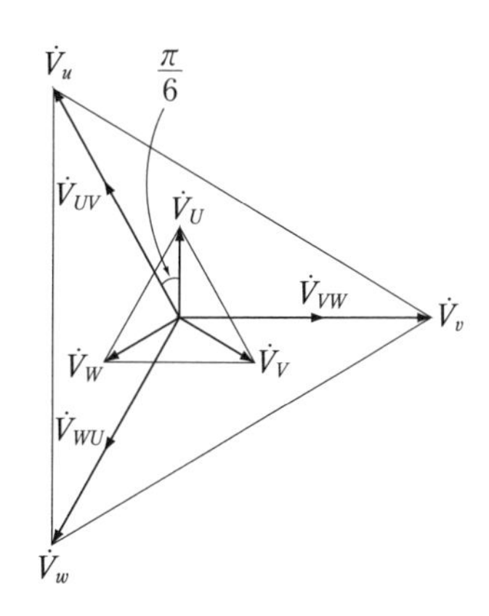

第 2 図　△–Y 結線電圧ベクトル図（逓昇変圧器）

ベクトル図よりわかるように，一次低電圧側巻線には UV 間，VW 間および WU 間の線間電圧 $\dot{V}_{UV}$, $\dot{V}_{VW}$ および $\dot{V}_{WU}$ が加わるが，$\dot{V}_{UV}$, $\dot{V}_{VW}$ および $\dot{V}_{WU}$ は一次側相電圧 $\dot{V}_U$, $\dot{V}_V$ および $\dot{V}_W$ よりそれぞれ $\pi/6$ 進み位相であるため，二次高電圧側相電圧 $\dot{V}_u$, $\dot{V}_v$ および $\dot{V}_w$ は一次側相電圧 $\dot{V}_U$, $\dot{V}_V$ および $\dot{V}_W$ より進み位相となり，一次・二次間に位相差が生じる．

問35 Check! □□□ (令和２年 Ⓐ問題１)

ダム水路式発電所における水撃作用とサージタンクに関する記述として，誤っているものを次の(1)～(5)のうちから一つ選べ．

(1) 発電機の負荷を急激に遮断又は急激に増やした場合は，それに応動して水車の使用水量が急激に変化し，流速が減少又は増加するため，水圧管内の圧力の急上昇又は急降下が起こる．このような圧力の変動を水撃作用という．

(2) 水撃作用は，水圧管の長さが長いほど，水車案内羽根あるいは入口弁の閉鎖時間が短いほど，いずれも大きくなる．

(3) 水撃作用の発生による影響を緩和する目的で設置される水圧調整用水槽をサージタンクという．サージタンクにはその構造・動作によって，差動式，小孔式，水室式などがあり，いずれも密閉構造である．

(4) 圧力水路と水圧管との接続箇所に，サージタンクを設けることにより，水槽内部の水位の昇降によって，水撃作用を軽減することができる．

(5) 差動式サージタンクは，負荷遮断時の圧力増加エネルギーをライザ（上昇管）内の水面上昇によってすばやく吸収し，そのあとで小穴を通してタンク内の水位をゆっくり通常のタンク内水位に戻す作用がある．

解35 解答 (3)

(3)が誤りである.

サージタンクは，圧力導水路と水圧鉄管の接続部に設け，負荷の変動によって発生する水撃圧を軽減・吸収することによって，水路系に異常な圧力の影響を及ぼすのを防止するとともに，負荷変動に即応した水量を調整するための構造物で，その機能性から密閉構造ではない.

サージタンクには，単動サージタンク，制水孔サージタンク，水室サージタンクがある.

第2章

汽力発電

●計算

・エンタルピー

・燃料使用量・出力・効率

・復水器冷却水

・速度調定率

●論説・空白

・蒸気タービン

・熱サイクル

・熱効率向上対策

・ボイラと付属設備

・発電機

・環境対策

問1 Check! □□□

(平成19年 Ⓐ問題2)

ある汽力発電所において，各部の汽水の温度及び単位質量当たりのエンタルピー（これを「比エンタルピー」という.）〔kJ/kg〕が，下表の値であるとき，このランキンサイクルの効率〔%〕の値として，最も近いのは次のうちどれか.

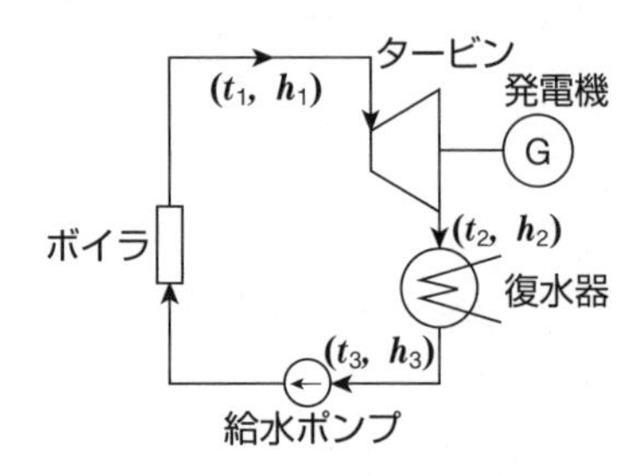

ただし，ボイラ，タービン，復水器以外での温度及びエンタルピーの増減は無視するものとする.

	温　度 t〔℃〕		比エンタルピー h〔kJ/kg〕	
ボイラ出口蒸気	t_1	570	h_1	3 487
タービン排気	t_2	33	h_2	2 270
給水ポンプ入口給水	t_3	33	h_3	138

(1) 34.9　(2) 36.3　(3) 39.1　(4) 43.3　(5) 53.6

問2 Check! □□□

(平成27年 Ⓐ問題3)

定格出力 10 000 kW の重油燃焼の汽力発電所がある．この発電所が 30 日間連続運転し，そのときの重油使用量は 1 100 t，送電端電力量は 5 000 MW・h であった．この汽力発電所のボイラ効率の値 [%] として，最も近いものを次の(1)〜(5)のうちから一つ選べ.

なお，重油の発熱量は 44 000 kJ/kg，タービン室効率は 47 %，発電機効率は 98 %，所内率は 5 % とする.

(1) 51　(2) 77　(3) 80　(4) 85　(5) 95

解1 解答 (2)

ランキンサイクルの効率 η は，次式で与えられる．

$$\eta = \frac{h_1 - h_2}{h_1 - h_3} \times 100 \text{〔\%〕}$$

よって，上式に，数値を代入すれば，

$$\eta = \frac{3\,487 - 2\,270}{3\,487 - 138} \times 100 = 36.34 \fallingdotseq 36.3 \text{〔\%〕}$$

となる．

解2 解答 (4)

汽力発電所の送電端熱効率 η' は，重油の発熱量が 44 000 kJ/kg = 44 000 MJ/t であることを考慮すれば，次式で与えられる．

$$\eta' = \frac{5\,000 \times 3\,600}{44\,000 \times 1\,100} \fallingdotseq 0.371\,9$$

一方，ボイラ効率を η_B（小数），タービン室効率を η_{TC}（小数），発電機効率を η_G（小数），所内率を L（小数）とすれば，送電端熱効率 η' は，

$$\eta' = \eta_B \eta_{TC} \eta_G (1 - L)$$

で与えられるから，求めるボイラ効率 η_B は，次のように求まる．

$$\eta_B = \frac{\eta'}{\eta_{TC}\eta_G(1-L)} = \frac{0.371\,9}{0.47 \times 0.98 \times (1 - 0.05)} \fallingdotseq 0.850 = 85.0\ \%$$

問3　**Check!** □□□　（令和４年㊤　Ⓐ問題３）

ある汽力発電設備が，発電機出力 19 MW で運転している．このとき，蒸気タービン入口における蒸気の比エンタルピーが 3 550 kJ/kg，復水器入口における蒸気の比エンタルピーが 2 500 kJ/kg，使用蒸気量が 80 t/h であった．発電機効率が 95 % であるとすると，タービン効率の値 [%] として，最も近いものを次の(1)～(5)のうちから一つ選べ．

(1)　71　　(2)　77　　(3)　81　　(4)　86　　(5)　90

解3 解答 (4)

発電機出力を P_G [kW]，蒸気タービン出力を P_T [kW]，蒸気タービン使用蒸気量を z [kg/h]，蒸気タービン入口における蒸気の比エンタルピーを i_s [kJ/kg]，復水器入口における蒸気の比エンタルピーを i_c [kJ/kg]，発電機効率を η_G とする．

タービン効率 η_T は，単位時間当たりの蒸気タービンへの入力熱量に対する，蒸気タービンの機械的出力（仕事率），すなわち以下の式で定義される．分子の 3 600 は 1 秒当たりの仕事率 kW（kJ/s）を 1 時間当たりの仕事率（kJ/h）に換算し分母と単位を整合させるための係数である．

$$\eta_T = \frac{3\,600 P_T}{z(i_s - i_c)}$$

ここに，蒸気タービン出力 P_T は，「発電機出力 = 蒸気タービン出力 × 発電機効率」の関係から，

$$P_T = \frac{P_G}{\eta_G}$$

したがって，タービン効率 η_T は，

$$\eta_T = \frac{3\,600 P_T}{z(i_s - i_c)} = \frac{3\,600 \times \dfrac{P_G}{\eta_G}}{z(i_s - i_c)} = \frac{3\,600 \times \dfrac{19 \times 10^3}{0.95}}{80 \times 10^3 \times (3\,550 - 2\,500)}$$

$$\fallingdotseq 0.857\,1 \fallingdotseq 86\ \%$$

問4 Check! □□□

（令和５年㊦ Ⓐ問題２）

定格出力 1 000 MW，速度調定率 5 % のタービン発電機と，定格出力 300 MW，速度調定率 3 % の水車発電機が電力系統に接続され，前者は 80 % 出力，後者は 60 % 出力にて定格周波数（50 Hz）でガバナフリー運転を行っている．

負荷が急変して，系統周波数が 0.2 Hz 低下したとき，タービン発電機と水車発電機の出力 [MW] の組合せとして，正しいものを次の(1)～(5)のうちから一つ選べ．

ただし，このガバナフリー運転におけるガバナ特性は直線とし，次式で表される速度調定率に従うものとする．また，この系統内で周波数調整を行っている発電機はこの 2 台のみとする．

$$速度調定率 = \frac{\dfrac{n_2 - n_1}{n_n}}{\dfrac{P_1 - P_2}{P_n}} \times 100\,[\%]$$

P_1：初期出力 [MW]　　n_1：出力 P_1 における回転速度 [min^{-1}]
P_2：変化後の出力 [MW]
n_2：変化後の出力 P_2 における回転速度 [min^{-1}]
P_n：定格出力 [MW]　　n_n：定格回転速度 [min^{-1}]

	タービン発電機	水車発電機
(1)	720 MW	140 MW
(2)	733 MW	147 MW
(3)	867 MW	213 MW
(4)	880 MW	220 MW
(5)	933 MW	204 MW

解4 解答 (4)

周波数と回転速度は比例の関係であるため，与えられた速度調定率の式における回転速度 n を周波数 f に置き換える．また，出力についてはタービン発電機の場合は T，水車発電機の場合は S の添字とする．

タービン発電機の速度調定率を R_{T} とし，与えられた数値を代入すると，

$$R_{\mathrm{T}}=\frac{\dfrac{f_2-f_1}{f_{\mathrm{n}}}}{\dfrac{P_{1\mathrm{T}}-P_{2\mathrm{T}}}{P_{\mathrm{nT}}}}=\frac{\dfrac{49.8-50}{50}}{\dfrac{1\,000\times0.8-P_{2\mathrm{T}}}{1\,000}}=5\,\%$$

この式を計算すると，

$$P_{2\mathrm{T}}=880\ \mathrm{MW}$$

同様に，水車発電機の速度調定率を R_{S} とし，与えられた数値を代入すると，

$$R_{\mathrm{S}}=\frac{\dfrac{f_2-f_1}{f_{\mathrm{n}}}}{\dfrac{P_{1\mathrm{S}}-P_{2\mathrm{S}}}{P_{\mathrm{nS}}}}=\frac{\dfrac{49.8-50}{50}}{\dfrac{300\times0.6-P_{2\mathrm{S}}}{300}}=3\,\%$$

この式を計算すると，

$$P_{2\mathrm{S}}=220\ \mathrm{MW}$$

問5 Check! □□□

(平成28年 Ⓑ問題15)

図は，あるランキンサイクルによる汽力発電所の $P-V$ 線図である．この発電所が，A点の比エンタルピー140 kJ/kg，B点の比エンタルピー150 kJ/kg，C点の比エンタルピー3 380 kJ/kg，D点の比エンタルピー2 560 kJ/kg，蒸気タービンの使用蒸気量100 t/h，蒸気タービン出力18 MWで運転しているとき，次の(a)及び(b)の問に答えよ．

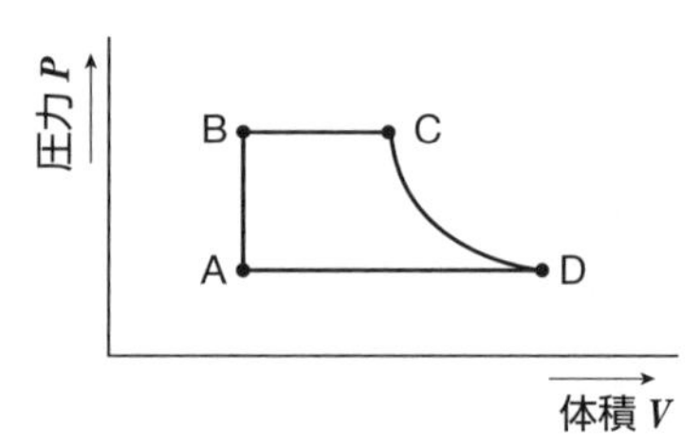

(a) タービン効率の値 [%] として，最も近いものを次の(1)〜(5)のうちから一つ選べ．

(1) 58.4　(2) 66.8　(3) 79.0　(4) 95.3　(5) 96.7

(b) この発電所の送電端電力16 MW，所内比率5 %のとき，発電機効率の値 [%] として，最も近いものを次の(1)〜(5)のうちから一つ選べ．

(1) 84.7　(2) 88.6　(3) 88.9　(4) 89.2　(5) 93.6

解5 解答 (a)−(3), (b)−(5)

(a) タービン効率 η_T は，C 点および D 点の比エンタルピーを i_C [MJ/t] および i_D [MJ/t]，蒸気量を B [t/h]，蒸気タービンの出力を P_T [MW] とすれば，次式で与えられる．

$$\eta_T = \frac{3\,600 P_T}{B(i_C - i_D)} \tag{1}$$

(1)式へ，$i_C = 3\,380$ MJ/t，$i_D = 2\,560$ MJ/t，$B = 100$ t/h，$P_T = 18$ MW を代入すれば，求めるタービン効率 η_T は，

$$\eta_T = \frac{3\,600 \times 18}{100 \times (3\,380 - 2\,560)} \fallingdotseq 0.790\,2 \fallingdotseq 79.0\,\%$$

(b) 発電機効率 η_G は，送電端電力を P [MW]，所内率を L（小数）とすれば，次式で与えられる．

$$P = \eta_G (1 - L) P_T$$

$$\eta_G = \frac{P}{(1 - L) P_T}$$

上式へ，$P = 16$ MW，$P_T = 18$ MW，$L = 0.05$ を代入すれば，求める発電機効率 η_G は，

$$\eta_G = \frac{16}{(1 - 0.05) \times 18} \fallingdotseq 0.935\,7 \fallingdotseq 93.6\,\%$$

問6 Check! □□□ (平成20年 B 問題15)

汽力発電所において，定格容量 5 000〔kV·A〕の発電機が 9 時から 22 時の間に下表に示すような運転を行ったとき，発熱量 44 000〔kJ/kg〕の重油を 14〔t〕消費した．この 9 時から 22 時の間の運転について，次の(a)及び(b)に答えよ．

ただし，所内率は 5〔%〕とする．

発電機の運転状態

時　刻	皮相電力〔kV·A〕	力　率〔%〕
9 時～ 13 時	4 500	遅れ 85
13 時～ 18 時	5 000	遅れ 90
18 時～ 22 時	4 000	進み 95

(a) 発電端の発電電力量〔MW·h〕の値として，正しいのは次のうちどれか．

(1) 12　(2) 23　(3) 38　(4) 53　(5) 59

(b) 送電端熱効率〔%〕の値として，最も近いのは次のうちどれか．

(1) 28.8　(2) 29.4　(3) 31.0　(4) 31.6　(5) 32.2

解6 解答 (a)－(4), (b)－(2)

(a) 発電端の発電電力量 W_0 は，題意より次式で求められる．

$$W_0 = \{4\,500 \times 0.85 \times (13-9) + 5\,000 \times 0.9 \times (18-13) + 4\,000 \times 0.95 \times (22-18)\} \times 10^{-3} = 53 \text{〔MW·h〕}$$

(b) (a)の結果より，送電端電力量 W は，所内率 $L = 5$〔%〕を考慮すれば，

$$W = W_0\,(1-L) = 53 \times (1-0.05) = 50.35 \text{〔MW·h〕}$$

一方，9 時から 22 時の間の運転において，この発電所で使用した発熱量 44 000〔kJ/kg〕の重油は 14〔t〕であったから，求める送電端熱効率 η は，

$$1 \text{〔MW·h〕} = 3\,600 \text{〔MJ〕}$$

であるから，

$$\eta = \frac{50.35 \times 3\,600}{44\,000 \times 14 \times 10^3 \times 10^{-3}} \times 100 \fallingdotseq 29.43 \text{〔\%〕}$$

問7 Check! □□□

（平成24年 Ⓑ問題15）

定格出力300〔MW〕の石炭火力発電所について，次の(a)及び(b)の問に答えよ.

(a) 定格出力で30日間連続運転したときの送電端電力量〔MW·h〕の値として，最も近いものを次の(1)～(5)のうちから一つ選べ.
ただし，所内率は5〔%〕とする.

(1) 184 000 (2) 194 000 (3) 205 000 (4) 216 000 (5) 227 000

(b) 1日の間に下表に示すような運転を行ったとき，発熱量28 000〔kJ/kg〕の石炭を1 700〔t〕消費した. この1日の間の発電端熱効率〔%〕の値として，最も近いものを次の(1)～(5)のうちから一つ選べ.

1日の運転内容

時　刻	発電端出力〔MW〕
0時～ 8時	150
8時～13時	240
13時～20時	300
20時～24時	150

(1) 37.0 (2) 38.5 (3) 40.0 (4) 41.5 (5) 43.0

解7 解答 (a)－(3), (b)－(2)

(a) 題意より，定格出力で30日間連続運転したときの送電端電力量 W は，所内率が5〔%〕であるから，次のようになる．

$$W = 300 \times 24 \times 30 \times (1 - 0.05) = 205\,200 \text{〔MW·h〕}$$

(b) 題意より，1日の発電電力量 W_d は，

$$W_d = 150 \times 8 + 240 \times 5 + 300 \times 7 + 150 \times 4 = 5\,100 \text{〔MW·h〕}$$

したがって，1〔MW·h〕= 3 600〔MJ〕および石炭の発熱量28 000〔kJ/kg〕= 28 000〔MJ/t〕であることを考慮すれば，求める1日の発電端熱効率 η_d は，

$$\eta_d = \frac{5\,100 \times 3\,600}{28\,000 \times 1\,700} \times 100 \fallingdotseq 38.57 \text{〔%〕}$$

となる．

問8 Check! □□□

（令和３年 Ⓑ問題 15）

ある火力発電所にて，定格出力 350 MW の発電機が下表に示すような運転を行ったとき，次の(a)及び(b)の問に答えよ．ただし，所内率は 2 % とする．

発電機の運転状態

時刻	発電機出力 [MW]
0 時～ 7 時	130
7 時～ 12 時	350
12 時～ 13 時	200
13 時～ 20 時	350
20 時～ 24 時	130

(a) 0 時から 24 時の間の送電端電力量の値 [MW·h] として，最も近いものを次の(1)～(5)のうちから一つ選べ．

(1) 4 660 (2) 5 710 (3) 5 830 (4) 5 950 (5) 8 230

(b) 0 時から 24 時の間に発熱量 54.70 MJ/kg の LNG（液化天然ガス）を 770 t 消費したとすると，この間の発電端熱効率の値 [%] として，最も近いものを次の(1)～(5)のうちから一つ選べ．

(1) 44 (2) 46 (3) 48 (4) 50 (5) 52

解8 解答 (a)−(2), (b)−(4)

(a) 0時から24時の間の発電電力量 W_g は，所内率2％を考慮すれば，

$$W_g = 130\times(7+4)+350\times(12-7+20-13)+200\times1$$
$$= 5\,830\ \mathrm{MW\cdot h}$$

送電端電力量 W は，所内率2％を考慮すれば，

$$W = 5\,830\times(1-0.02) = 5\,713.4 \fallingdotseq 5\,710\ \mathrm{MW\cdot h}$$

(b) 発電端熱効率 η は，

$$\eta = \frac{5\,830\times3\,600}{54.70\times770\times10^3} \fallingdotseq 0.498\,30 \fallingdotseq 49.8\,\% \fallingdotseq 50\,\%$$

問9 Check! □□□ (平成 26 年 B 問題 17)

定格出力 200 MW の石炭火力発電所がある. 石炭の発熱量は 28 000 kJ/kg, 定格出力時の発電端熱効率は 36 % で, 計算を簡単にするため潜熱の影響は無視するものとして, 次の(a)及び(b)の問に答えよ.

ただし, 石炭の化学成分は重量比で炭素 70 %, 水素他 30 %, 炭素の原子量を 12, 酸素の原子量を 16 とし, 炭素の酸化反応は次のとおりである.

$$C + O_2 \rightarrow CO_2$$

(a) 定格出力にて 1 日運転したときに消費する燃料重量の値〔t〕として, 最も近いものを次の(1)～(5)のうちから一つ選べ.

(1) 222 (2) 410 (3) 1 062 (4) 1 714 (5) 2 366

(b) 定格出力にて 1 日運転したときに発生する二酸化炭素の重量の値〔t〕として, 最も近いものを次の(1)～(5)のうちから一つ選べ.

(1) 327 (2) 1 052 (3) 4 399 (4) 5 342 (5) 6 285

解9 解答 (a)−(4), (b)−(3)

(a) 定格出力で1日運転したときの石炭火力発電所の発電電力量 W_d を熱量の単位〔MJ〕で表すと,

$$W_d = 200 \times 24 \times 3\,600 = 17\,280\,000 \text{〔MJ〕}$$

また，題意より，発電端熱効率が36〔%〕であり，石炭の発熱量が28 000〔kJ/kg〕= 28 000〔MJ/t〕であるから, 求める1日で消費する燃料の重量 M_d は,

$$M_d = \frac{17\,280\,000}{0.36 \times 28\,000} \fallingdotseq 1\,714.29 \text{〔t〕}$$

(b) 二酸化炭素（CO_2）の分子量は,

$$12 + 16 \times 2 = 44$$

また，炭素の酸化反応より，12〔t〕の炭素（C）が燃焼すると44〔t〕の二酸化炭素（CO_2）が発生するから，定格出力で1日運転したときに発生する二酸化炭素（CO_2）の重量 M_{CO_2} は，石炭中の炭素（C）の含有量が重量比で70〔%〕であることを考慮すれば,

$$M_{CO_2} = M_d \times 0.7 \times \frac{44}{12} = 1\,714.29 \times 0.7 \times \frac{44}{12} \fallingdotseq 4\,400.0 \text{〔t〕}$$

問10 Check! □□□

(令和5年㊤ Ⓑ問題15)

石炭火力発電所が1日を通して定格出力600 MWで運転されるとき，燃料として使用される石炭消費量が150 t/h，石炭発熱量が34 300 kJ/kgで一定の場合，次の(a)及び(b)の問に答えよ．

ただし，石炭の化学成分は重量比で炭素が70 %，水素が5 %，残りの灰分等は燃焼に影響しないものと仮定し，原子量は炭素12，酸素16，水素1とする．燃焼反応は次のとおりである．

$C + O_2 \rightarrow CO_2$

$2H_2 + O_2 \rightarrow 2H_2O$

(a) 発電端効率の値[%]として，最も近いものを次の(1)～(5)のうちから一つ選べ．

(1) 41.0　(2) 41.5　(3) 42.0　(4) 42.5　(5) 43.0

(b) 1日に発生する二酸化炭素の重量の値[t]として，最も近いものを次の(1)～(5)のうちから一つ選べ．

(1) 3.8×10^2　(2) 2.5×10^3　(3) 3.8×10^3

(4) 9.2×10^3　(5) 1.3×10^4

解10 解答 (a)−(3), (b)−(4)

(a) $1\ \mathrm{MW\cdot h} = 3\,600 \times 10^3\ \mathrm{kJ}$ であるため，発電端効率 η [%] は，

$$\eta = \frac{\text{発電機出力（熱量換算値）}}{\text{ボイラに供給した燃料（本問の場合石炭）の発熱量}}$$

$$= \frac{600 \times 3\,600 \times 10^3}{150 \times 10^3 \times 34\,300} \fallingdotseq 0.419\,8 \fallingdotseq \mathbf{42.0\ \%}$$

(b) 最大出力 600 MW で 1 日 ＝ 24 時間発電した際の発電電力量（熱量換算値）W は，

$$W = 600 \times 24 \times 3\,600 \times 10^3 = 5.184 \times 10^{10}\ \mathrm{kJ}$$

この発電電力量に必要な石炭使用料 M [t] は，(a)の発電端効率 η を用いて，

$$M = \frac{\text{発電電力量 } W}{\text{発電端効率 } \eta \times \text{石炭発熱量}} \times 10^{-3} = \frac{5.184 \times 10^{10}}{0.42 \times 34\,300} \times 10^{-3}$$

$$= 3\,598.5\ \mathrm{t}$$

ここで，二酸化炭素 CO_2 の分子量は 12 ＋ 16 × 2 ＝ 44，炭素 C の原子量は 12，石炭の化学成分のうち炭素は重量比で 70 % である．

以上を踏まえ，石炭の燃焼により発生する二酸化炭素の重量 M_{CO2} [t] は，

$$M_{CO2} = 3\,598.5 \times 0.7 \times \frac{44}{12} = 9\,236.15 \fallingdotseq \mathbf{9.2 \times 10^3}\ \mathrm{t}$$

問11 Check! □□□

(平成21年 B 問題15)

最大出力600〔MW〕の重油専焼火力発電所がある．重油の発熱量は44 000〔kJ/kg〕で，潜熱は無視するものとして，次の(a)及び(b)に答えよ．

(a) 45 000〔MW·h〕の電力量を発生するために，消費された重油の量が9.3×10^3〔t〕であるときの発電端効率〔%〕の値として，最も近いのは次のうちどれか．

(1) 37.8　(2) 38.7　(3) 39.6　(4) 40.5　(5) 41.4

(b) 最大出力で24時間運転した場合の発電端効率が40.0〔%〕であるとき，発生する二酸化炭素の量〔t〕として，最も近い値は次のうちどれか．

なお，重油の化学成分は重量比で炭素85.0〔%〕，水素15.0〔%〕，原子量は炭素12，酸素16とする．炭素の酸化反応は次のとおりである．

$$C + O_2 \rightarrow CO_2$$

(1) 3.83×10^2　(2) 6.83×10^2　(3) 8.03×10^2

(4) 9.18×10^3　(5) 1.08×10^4

解11　解答 (a)−(3), (b)−(4)

(a)　1〔MW·h〕= 3 600 × 10^3〔kJ〕であるから，求める発電端熱効率 η は，

$$\eta = \frac{45\,000 \times 3\,600 \times 10^3}{44\,000 \times 9.3 \times 10^3 \times 10^3} \times 100 = 39.59 \fallingdotseq 39.6\text{〔\%〕}$$

(b)　最大出力 600〔MW〕で 24 時間発電したときの発電電力量（熱量換算）W は，

$$W = 600 \times 24 \times 3\,600 \times 10^3 = 5.184 \times 10^{10}\text{〔kJ〕}$$

であるから，この場合の重油使用量 M は，最大出力時の発電端熱効率が 40.0〔%〕であるから，

$$M = \frac{5.184 \times 10^{10}}{0.4 \times 44\,000 \times 10^3} \fallingdotseq 2\,945.45\text{〔t〕}$$

となる．一方，二酸化炭素 CO_2 の分子量が，

$$12 + 16 \times 2 = 44$$

であり，炭素の原子量が 12 であるから，炭素の酸化反応を示す化学反応式より，重油の燃焼によって，生じる二酸化炭素の重量は，燃焼炭素重量の $\frac{44}{12}$〔倍〕となることがわかる．

よって，求める発生二酸化炭素量 M_{CO_2} は，題意より，重油の化学成分のうち炭素の重量比が 85.0〔%〕であるから，

$$M_{CO_2} = 0.85 \times 2\,945.45 \times \frac{44}{12} = 9\,180 = 9.18 \times 10^3\text{〔t〕}$$

となる．

問12 Check! □□□

(平成29年 B 問題15)

定格出力600 MW，定格出力時の発電端熱効率42 %の汽力発電所がある．重油の発熱量は44 000 kJ/kgで，潜熱の影響は無視できるものとして，次の(a)及び(b)の問に答えよ．

ただし，重油の化学成分は質量比で炭素85 %，水素15 %，水素の原子量を1，炭素の原子量を12，酸素の原子量を16，空気の酸素濃度を21 %とし，重油の燃焼反応は次のとおりである．

$$C + O_2 \rightarrow CO_2$$

$$2H_2 + O_2 \rightarrow 2H_2O$$

(a) 定格出力にて，1日運転したときに消費する燃料質量の値[t]として，最も近いものを次の(1)～(5)のうちから一つ選べ．

(1) 117　(2) 495　(3) 670　(4) 1 403　(5) 2 805

(b) そのとき使用する燃料を完全燃焼させるために必要な理論空気量※の値[m³]として，最も近いものを次の(1)～(5)のうちから一つ選べ．

ただし，1 molの気体標準状態の体積は22.4 Lとする．

※理論空気量：燃料を完全に燃焼するために必要な最小限の空気量（標準状態における体積）

(1) 6.8×10^6　(2) 9.2×10^6　(3) 32.4×10^6

(4) 43.6×10^6　(5) 87.2×10^6

解12 解答 (a)−(5), (b)−(3)

(a) 定格出力にて，1日運転したときに消費する燃料質量の値 M [t] は，次のように求められる．

$$M = \frac{600 \times 24 \times 3\,600}{44\,000 \times 0.42} \fallingdotseq 2\,805\ \mathrm{t}$$

(b) 題意より，2 805 t の重油に含まれる炭素および水素の質量 M_{C} および M_{H} はそれぞれ，

$$M_{\mathrm{C}} = 2\,80 \times 0.85 = 2\,384.25\ \mathrm{t}$$

$$M_{\mathrm{H}} = 2\,805 \times 0.15 = 420.75\ \mathrm{t}$$

であるから，炭素原子（C）のモル数 N_{C} および水素分子（H_2）のモル数 N_{H2} はそれぞれ，

$$N_{\mathrm{C}} = \frac{2\,384.25}{12} \fallingdotseq 198.69\ \mathrm{Mmol}$$

$$N_{\mathrm{H2}} = \frac{420.75}{2} \fallingdotseq 210.38\ \mathrm{Mmol}$$

一方，与えられた化学反応式より，炭素原子（C）1 mol の燃焼には酸素分子（O_2）1 mol を必要とし，水素分子（H_2）1 mol の燃焼には酸素分子（O_2）0.5 mol を必要とするから，この重油を完全燃焼するのに必要な酸素分子（O_2）のモル数 N_{O2} は，

$$N_{\mathrm{O2}} = N_{\mathrm{C}} + 0.5N_{\mathrm{H2}} = 198.69 + 0.5 \times 210.38 = 303.88\ \mathrm{Mmol}$$

したがって，求める理論空気量 V は，空気の酸素濃度が 21 % であることを考慮すれば，次のようになる．

$$V = \frac{22.4 \times 303.88 \times 10^3}{0.21} \fallingdotseq 32.41 \times 10^6\ \mathrm{m^3}$$

問13 Check! □□□

(平成23年 B 問題15)

定格出力 500〔MW〕, 定格出力時の発電端熱効率 40〔%〕の汽力発電所がある. 重油の発熱量は 44 000〔kJ/kg〕で, 潜熱の影響は無視できるものとして, 次の(a)及び(b)の問に答えよ.

ただし, 重油の化学成分を炭素 85〔%〕, 水素 15〔%〕, 水素の原子量を 1, 炭素の原子量を 12, 酸素の原子量を 16, 空気の酸素濃度を 21〔%〕とし, 重油の燃焼反応は次のとおりである.

$$C + O_2 \rightarrow CO_2$$

$$2H_2 + O_2 \rightarrow 2H_2O$$

(a) 定格出力にて, 1 時間運転したときに消費する燃料重量〔t〕の値として, 最も近いものを次の(1)~(5)のうちから一つ選べ.

(1) 10　(2) 16　(3) 24　(4) 41　(5) 102

(b) このとき使用する燃料を完全燃焼させるために必要な理論空気量※〔m^3〕の値として, 最も近いものを次の(1)~(5)のうちから一つ選べ.

ただし, 1〔mol〕の気体標準状態の体積は 22 .4〔l〕とする.

※ 理論空気量：燃料を完全に燃焼するために必要な最小限の空気量（標準状態における体積）

(1) 5.28×10^4　(2) 1.89×10^5　(3) 2.48×10^5

(4) 1.18×10^6　(5) 1.59×10^6

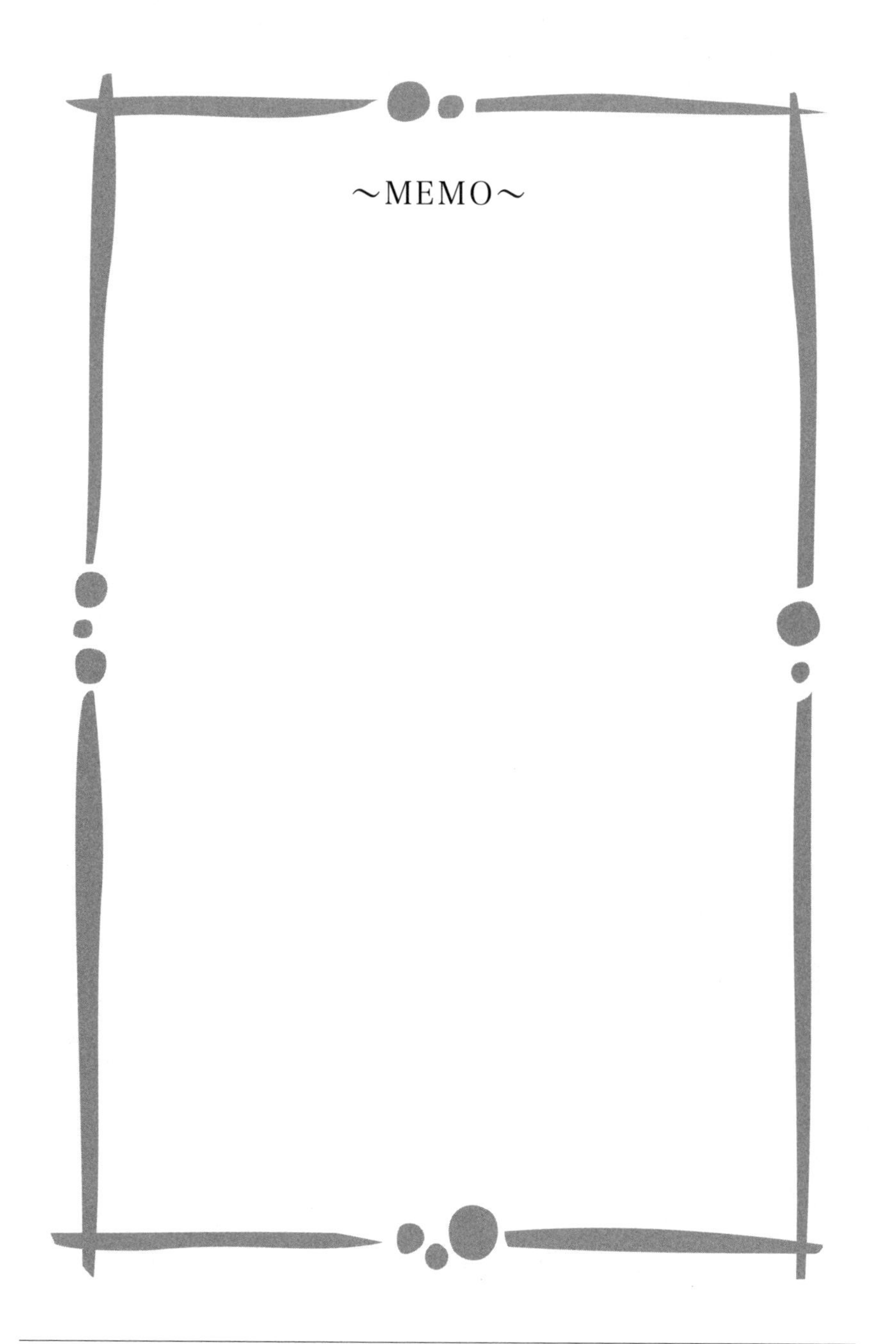
～MEMO～

解13 解答 (a)−(5), (b)−(4)

(a) 定格出力にて，1 時間運転する場合に必要な熱量は，発電端熱効率が 40〔%〕であるから，

$$Q=\frac{500\times10^3\times3\,600}{0.4}=4.5\times10^9\text{〔kJ〕}$$

したがって，求める 1 時間に消費する燃料の重量 M は，重油の発熱量が 44 000〔kJ/kg〕であるから，

$$M=\frac{4.5\times10^9}{44\,000}\times10^{-3}\fallingdotseq102.3\text{〔t〕}$$

となる．

(b) (a)で求めた重油 102.3〔t〕に含まれる炭素（C）および水素（H_2）の重量 M_C および M_{H2} は題意より，それぞれ次のようになる．

$$M_C=0.85\times102.3\times10^3=86\,955\text{〔kg〕}$$

$$M_{H2}=0.15\times102.3\times10^3=15\,345\text{〔kg〕}$$

ここに，題意より，炭素原子（C）の原子量が 12，水素分子の分子量が 2 であるから，炭素原子および水素分子のモル数 N_C および N_{H2} はそれぞれ，

$$N_C=\frac{86\,955}{12}=7\,246.25\text{〔kmol〕}$$

$$N_{H2}=\frac{15\,345}{2}=7\,672.5\text{〔kmol〕}$$

となる．

さて，炭素が燃焼する際の化学反応式は，

$$C+O_2\rightarrow CO_2$$

で，これは，1〔mol〕の炭素原子（C）の燃焼には 1〔mol〕の酸素分子（O_2）を必要とすることを示している．

また，水素が燃焼する際の化学反応式は，

$$2H_2+O_2\rightarrow 2H_2O$$

で，これは，2〔mol〕の水素分子（H_2）の燃焼には 1〔mol〕の酸素分子（O_2）を必要とすることを示している．

したがって，前述した N_C〔kmol〕の炭素原子と N_{H2}〔kmol〕の水素分子を完全燃焼させるのに必要な酸素分子のモル数 N_{O2} は，次式で与えられる．

$$N_{O2} = N_C + \frac{1}{2} N_{H2} \text{〔kmol〕}$$

よって，重油を完全燃焼させるのに必要な酸素分子のモル数 N_{O2} は，

$$N_{O2} = 7\,246.25 + \frac{1}{2} \times 7\,672.5 = 11\,082.5 \text{〔kmol〕}$$

となる．

一方，題意より，1〔mol〕の気体標準状態の体積は 22.4〔l〕，すなわち 1〔kmol〕の気体標準状態の体積は 22.4〔m^3〕であるから，重油を完全燃焼させるのに必要な酸素の体積 V_{O2} は，

$$V_{O2} = 11\,082.5 \times 22.4 = 248\,248 \text{〔m}^3\text{〕}$$

となる．

また，題意より空気の酸素濃度が 21〔%〕であるから，求める重油を完全燃焼させるのに必要な理論空気量 V_{air} は，

$$V_{air} = \frac{V_{O2}}{0.21} = \frac{248\,248}{0.21} \fallingdotseq 1.182 \times 10^6 \text{〔m}^3\text{〕}$$

となる．

問14 Check! □□□ (平成22年 B 問題15)

最大発電電力600〔MW〕の石炭火力発電所がある．石炭の発熱量を26 400〔kJ/kg〕として，次の(a)及び(b)に答えよ．

(a) 日負荷率95.0〔%〕で24時間運転したとき，石炭の消費量は4 400〔t〕であった．発電端熱効率〔%〕の値として，最も近いのは次のうちどれか．

なお，日負荷率〔%〕$= \dfrac{\text{平均発電電力}}{\text{最大発電電力}} \times 100$とする．

(1) 37.9 (2) 40.2 (3) 42.4 (4) 44.6 (5) 46.9

(b) タービン効率45.0〔%〕，発電機効率99.0〔%〕，所内比率3.00〔%〕とすると，発電端効率が40.0〔%〕のときのボイラ効率〔%〕の値として，最も近いのは次のうちどれか．

(1) 40.4 (2) 73.5 (3) 87.1 (4) 89.8 (5) 92.5

解14 解答 (a)−(3), (b)−(4)

(a) 日負荷率 95.0〔%〕で 24 時間運転したときの発電電力量 W_e を熱量換算値で表すと，1〔kW·h〕= 3 600〔kJ〕であるから，

$$W_e = 0.95 \times 600 \times 24 \times 3\,600 = 4.9248 \times 10^7 \text{〔MJ〕}$$

また，1 日に消費した熱量 W_c は題意より，

$$W_c = 26\,400 \times 4\,400 = 11.616 \times 10^7 \text{〔MJ〕}$$

であるから，求める発電端熱効率 η は，以下となる．

$$\eta = \frac{W_e}{W_c} \times 100 = \frac{4.9248 \times 10^7}{11.616 \times 10^7} \times 100 \fallingdotseq 42.40 \text{〔%〕}$$

(b) ボイラ効率を η_B（小数），タービン効率を η_T（小数），発電機効率を η_G（小数）とすると，発電端熱効率 η（小数）は次式で表せる．

$$\eta = \eta_B \eta_T \eta_G$$

したがって，ボイラ効率 η_B は，以下で与えられる．

$$\eta_B = \frac{\eta}{\eta_T \eta_G}$$

ここに，$\eta_T = 0.45$，$\eta_G = 0.99$，$\eta = 0.40$ を代入すると，ボイラ効率 η_B は，

$$\eta_B = \frac{0.40}{0.45 \times 0.99} \fallingdotseq 0.898 \rightarrow 89.8 \text{〔%〕}$$

図のように，ボイラ効率 η_B（小数）で燃料の熱エネルギーから蒸気の熱エネルギーへ変換する変換器，タービン（復水器を含む）効率 η_T（小数）で蒸気の熱エネルギーから軸動力エネルギーへ変換する変換器，発電機効率 η_G（小数）で軸動力エネルギーから電気エネルギーへ変換する変換器と考えれば，各機器の入力エネルギーと出力エネルギーの関係は図示のようになるから，火力発電所の発電端熱効率 η は，

$$\eta = \frac{\eta_B \eta_T \eta_G W_0}{W_0} = \eta_B \eta_T \eta_G$$

となることが容易にわかる．これは，火力発電所全体が熱効率 η で燃料の熱エネルギーを電気エネルギーへ変換する大きなエネルギー変換器と考えることができることを示している．

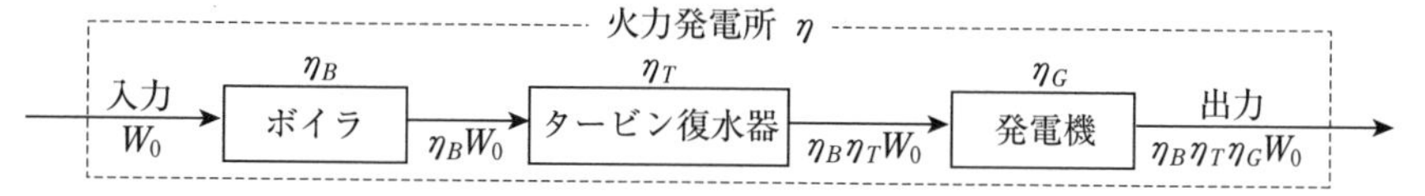

問15 Check! □□□

(令和元年 B問題 15)

復水器の冷却に海水を使用し，運転している汽力発電所がある．このときの復水器冷却水流量は 30 m^3/s，復水器冷却水が持ち去る毎時熱量は 3.1×10^9 kJ/h，海水の比熱容量は 4.0 kJ/(kg·K)，海水の密度は 1.1×10^3 kg/m^3，タービンの熱消費率は 8 000 kJ/(kW·h) である．

この運転状態について，次の(a)及び(b)の問に答えよ．

ただし，復水器冷却水が持ち去る熱以外の損失は無視するものとする．

(a) タービン出力の値 [MW] として，最も近いものを次の(1)～(5)のうちから一つ選べ．

(1) 350 (2) 500 (3) 700 (4) 800 (5) 1 000

(b) 復水器冷却水の温度上昇の値 [K] として，最も近いものを次の(1)～(5)のうちから一つ選べ．

(1) 3.3 (2) 4.7 (3) 5.3 (4) 6.5 (5) 7.9

問16 Check! □□□

(平成 18 年 B 問題 15)

復水器での冷却に海水を使用する汽力発電所が出力 600〔MW〕で運転しており，復水器冷却水量が 24〔m^3/s〕冷却水の温度上昇が 7〔℃〕であるとき，次の(a)及び(b)に答えよ．

ただし，海水の比熱を 4.02〔kJ/(kg·K)〕，密度を 1.02×10^3〔kg/m^3〕，発電機効率を 98〔%〕とする．

(a) 復水器で海水へ放出される熱量〔kJ/s〕の値として，最も近いのは次のうちどれか．

(1) 4.25×10^4 (2) 1.71×10^5 (3) 6.62×10^5
(4) 6.89×10^5 (5) 8.61×10^5

(b) タービン室効率〔%〕の値として，最も近いのは次のうちどれか．ただし，条件を示していない損失は無視できるものとする．

(1) 41.5 (2) 46.5 (3) 47.0 (4) 47.5 (5) 48.0

解15 解答 (a)−(3), (b)−(4)

(a) タービンの熱消費率が 8 000 kJ/(kW·h) であるから，タービン室効率 η_{TC} は，

$$\eta_{TC} = \frac{3\,600}{8\,000} = 0.45 = 45\ \%$$

したがって，タービン室における熱損失はタービン入力の 55 % となり，これが復水器冷却水が持ち去る毎時熱量 3.1×10^9 kJ/h = 3.1×10^6 MJ/h であるから，タービン出力 P_T は，次式で求められる．

$$P_T = \frac{3.1 \times 10^6}{1 - 0.45} \times 0.45 \times \frac{1}{3\,600} \fallingdotseq 704.55 \fallingdotseq 700\ \mathrm{MW}$$

(b) 復水器冷却水の温度上昇 ΔT は，海水の密度を 1.1 t/m³，海水の比熱を 4.0 MJ/(t·K) で表せば，次式で求められる．

$$\Delta T = \frac{3.1 \times 10^6}{4.0 \times 1.1 \times 30 \times 3\,600} \fallingdotseq 6.52 \fallingdotseq 6.5\ \mathrm{K}$$

解16 解答 (a)−(4), (b)−(3)

(a) 復水器で海水へ放出される熱量 Q は，冷却水が 1〔s〕間に持ち去る熱量に等しいから，

$$Q = 4.02 \times 1.02 \times 10^3 \times 24 \times 7 = 6.888 \times 10^5 \fallingdotseq 6.89 \times 10^5〔\mathrm{kJ/s}〕$$

(b) 出力 600〔MW〕で運転時のタービン出力 P_T は，発電機効率 98〔%〕より，

$$P_T \times \frac{600 \times 10^3}{0.98} = 6.122 \times 10^5 \fallingdotseq 6.12 \times 10^5〔\mathrm{kW}〕$$

したがって，求めるタービン室効率 η_T は，(a)の結果から，

$$\eta_T = \frac{6.122 \times 10^5}{6.122 \times 10^5 + 6.888 \times 10^5} \times 100 = 47.05 \fallingdotseq 47.0〔\%〕$$

問17 Check! □□□

(令和4年㊦ Ⓑ問題15)

復水器での冷却に海水を使用する汽力発電所が出力600 MWで運転しており，復水器冷却水量が24 m^3/s，冷却水の温度上昇が7 °Cであるとき，次の(a)及び(b)の問に答えよ．

ただし，海水の比熱を4.02 kJ/(kg·K)，密度を1.02×10^3 kg/m^3，発電機効率を98 %とする．

(a) 復水器で海水へ放出される熱量の値[kJ/s]として，最も近いものを次の(1)～(5)のうちから一つ選べ．

(1) 4.25×10^4　(2) 1.71×10^5　(3) 6.62×10^5

(4) 6.89×10^5　(5) 8.61×10^5

(b) タービン室効率の値[%]として，最も近いものを次の(1)～(5)のうちから一つ選べ．

ただし，条件を示していない損失は無視できるものとする．

(1) 41.5　(2) 46.5　(3) 47.0　(4) 47.5　(5) 48.0

解17 解答 (a)−(4), (b)−(3)

(a) 海水の比熱を c [kJ/(kg·K)], 海水の密度を ρ [kg/m^3], 復水器冷却水量（海水の流量）を W [m^3/s], 復水器冷却水（海水）の温度上昇を ΔT [K] とすると，復水器で海水へ放出される熱量（単位時間当たりのもの）q [kJ/s] は，

$$q = c\rho W\Delta T = 4.02 \times 1.02 \times 10^3 \times 24 \times 7 = 6.888\,672 \times 10^5$$
$$\fallingdotseq \mathbf{6.89 \times 10^5}\ \text{kJ/s}$$

(b) タービン室効率 η_H は，タービン室で消費される熱量に対する，タービン出力の比である．

タービン室で消費される熱量は，タービン室に入る熱量 Q_i からタービン室より出る熱量 Q_o を引くことで求められる．

タービン室に入る熱量 Q_i は，タービン出力に変換された熱量 P_T + 復水器で熱交換され海水へ放出される熱量 q + 復水としてタービン室より出る熱量 Q_o の合計である（図）．

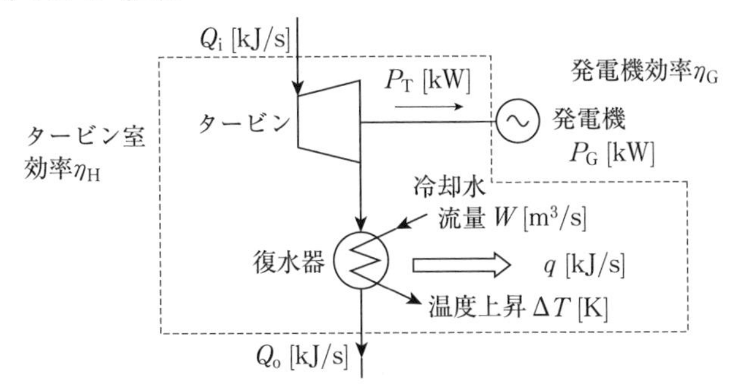

よって，タービン室効率 η_H は，発電機効率 η_G を考慮のうえ，

$$\eta_H = \frac{P_T}{Q_i - Q_o} = \frac{P_T}{P_T + q + Q_o - Q_o} = \frac{\dfrac{P_G}{\eta_G}}{\dfrac{P_G}{\eta_G} + q}$$

$$= \frac{\dfrac{600 \times 10^3}{0.98}}{\dfrac{600 \times 10^3}{0.98} + 6.888\,672 \times 10^5} \fallingdotseq 0.470\,5 \fallingdotseq \mathbf{47\ \%}$$

問18 Check! □□□

(平成 25 年 B 問題 15)

復水器の冷却に海水を使用する汽力発電所が定格出力で運転している．次の(a)及び(b)の問に答えよ．

(a) この発電所の定格出力運転時には発電端熱効率が 38〔%〕，燃料消費量が 40〔t/h〕である．1 時間当たりの発生電力量〔MW·h〕の値として，最も近いものを次の(1)〜(5)のうちから一つ選べ．

ただし，燃料発熱量は 44 000〔kJ/kg〕とする．

(1) 186 (2) 489 (3) 778 (4) 1 286 (5) 2 046

(b) 定格出力で運転を行ったとき，復水器冷却水の温度上昇を 7〔K〕とするために必要な復水器冷却水の流量〔m^3/s〕の値として，最も近いものを次の(1)〜(5)のうちから一つ選べ．

ただし，タービン熱消費率を 8 000〔kJ/(kW·h)〕，海水の比熱と密度をそれぞれ 4.0〔kJ/(kg·K)〕，1.0×10^3〔kg/m^3〕，発電機効率を 98〔%〕とし，提示していない条件は無視する．

(1) 6.8 (2) 8.0 (3) 14.8 (4) 17.9 (5) 21.0

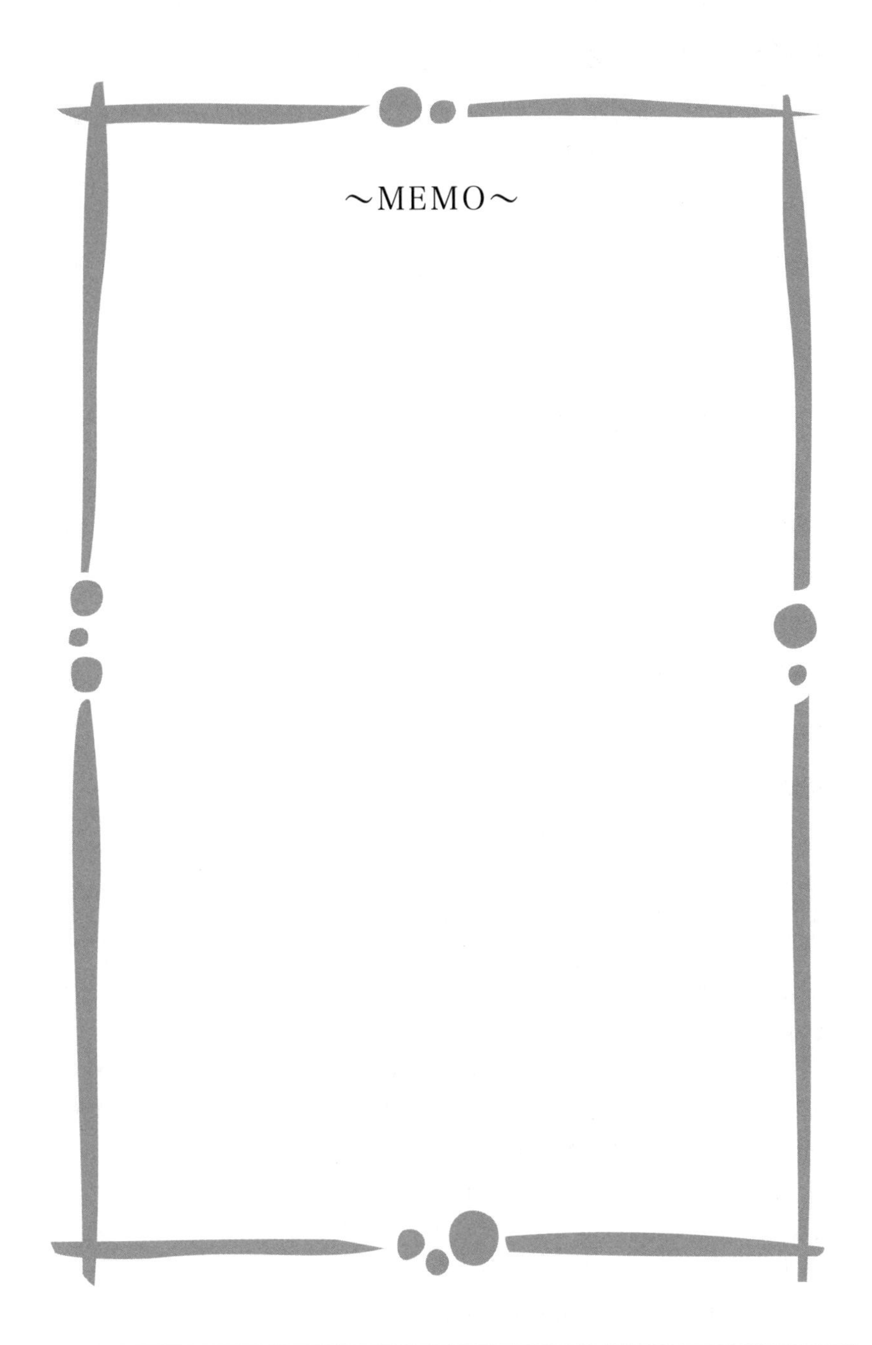
～MEMO～

解18 解答 (a)−(1), (b)−(2)

(a) 1時間当たりの発生電力量〔MJ〕は，燃料消費量40〔t/h〕，燃料発熱量44 000〔kJ/kg〕= 44 000〔MJ/t〕，発電端熱効率38〔%〕より，

$$40 \times 44\,000\,[\mathrm{MJ/t}] \times 0.38 = 6.688 \times 10^5\,[\mathrm{MJ}]$$

となる．ここで，1〔J〕= 1〔W·s〕より，

$$1\,[\mathrm{MJ}] = 1\,[\mathrm{MW \cdot s}] = \frac{1}{3\,600}\,[\mathrm{MW \cdot h}]$$

であるから，

$$6.688 \times 10^5 \times \frac{1}{3\,600} \fallingdotseq 186\,[\mathrm{MW \cdot h}]$$

となる．

(b) タービン熱消費率は次式で定義される．

$$\text{タービン熱消費率}\,[\mathrm{kJ/(kW \cdot h)}] = \frac{\text{タービン熱消費量}\,[\mathrm{kJ}]}{\text{タービン出力}\,[\mathrm{kW \cdot h}]}$$

タービン出力電力量は，前問の1時間当たりの発生電力量 186×10^3〔kW·h〕と発電機効率0.98を用いて，

$$\frac{186 \times 10^3}{0.98}\,[\mathrm{kW \cdot h}]$$

で与えられるから，1時間当たりのタービンの熱消費量〔kJ〕は，

$$8\,000 \times \frac{186 \times 10^3}{0.98}\,[\mathrm{kJ}]$$

となる．また，タービン出力〔kJ〕は，

$$\frac{186 \times 10^3}{0.98} \times 3\,600\,[\mathrm{kJ}]$$

である．

1時間当たりの復水器冷却水熱量〔kJ〕は，冷却水（海水）の流量を Q〔$\mathrm{m^3/s}$〕（= $Q \times 3\,600$〔$\mathrm{m^3/h}$〕）とすると，比熱4.0〔kJ/(kg·K)〕，密度 1.0×10^3〔$\mathrm{kg/m^3}$〕，温度上昇7〔K〕より，

$$4.0 \times 1.0 \times 10^3 \times 7 \times Q \times 3\,600$$

となる．

1時間当たり，

$$\text{タービンの熱消費量}\,[\mathrm{kJ}] = \text{復水器冷却水熱量}\,[\mathrm{kJ}] + \text{タービン出力}\,[\mathrm{kJ}]$$

が成り立つため，

復水器冷却水熱量〔kJ〕= タービンの熱消費量〔kJ〕− タービン出力〔kJ〕

に求めた式を代入して，

$$4.0\times1.0\times10^3\times7\times Q\times3\,600=8\,000\times\frac{186\times10^3}{0.98}-\frac{186\times10^3}{0.98}\times3\,600$$

$$Q=\frac{186\times10^3}{0.98}\times(8\,000-3\,600)\times\frac{1}{4\times7\times3\,600\times10^3}$$

$$=8.28\,[\mathrm{m^3/s}]\rightarrow8.0\,[\mathrm{m^3/s}]$$

汽力発電所では，燃料を燃焼させて得た熱で高温・高圧の蒸気を発生させ，タービンを回して発電を行う．燃料消費量に対する発生電力量が発電端熱効率となる．

タービン出力はタービンの熱消費量から復水器冷却水熱量を差し引いたものとなる．復水器冷却水熱量は，次式で与えられる．

タービン復水器冷却水熱量〔kJ/h〕

= 毎時流量〔$\mathrm{m^3/h}$〕× 温度上昇〔K〕× 比熱容量〔kJ/(kg·K)〕

× 密度〔$\mathrm{kg/m^3}$〕

問19 Check! □□□

(平成19年 Ⓑ 問題15)

定格出力1 000〔MW〕，速度調定率5〔%〕のタービン発電機と，定格出力300〔MW〕，速度調定率3〔%〕の水車発電機が電力系統に接続されており，タービン発電機は100〔%〕負荷，水車発電機は80〔%〕負荷をとって，定格周波数（50〔Hz〕）にて並列運転中である．

負荷が急変し，タービン発電機の出力が600〔MW〕で安定したとき，次の(a)及び(b)に答えよ．

(a) このときの系統周波数〔Hz〕の値として，最も近いのは次のうちどれか．

ただし，ガバナ特性は直線とする．なお，速度調定率は次式で表される．

$$速度調定率 = \frac{\dfrac{n_2 - n_1}{n_n}}{\dfrac{P_1 - P_2}{P_n}} \times 100〔\%〕$$

P_1：初期出力〔MW〕

P_2：変化後の出力〔MW〕

P_n：定格出力〔MW〕

n_1：出力P_1における回転速度〔min^{-1}〕

n_2：変化後の出力P_2における回転速度〔min^{-1}〕

n_n：定格回転速度〔min^{-1}〕

(1) 49.5　(2) 50.0　(3) 50.3　(4) 50.6　(5) 51.0

(b) このときの水車発電機の出力〔MW〕の値として，最も近いのは次のうちどれか．

(1) 40　(2) 80　(3) 100　(4) 120　(5) 180

解19 解答 (a)−(5), (b)−(1)

(a) タービン発電機や水車発電機は同期発電機であるから，発電機の周波数 f と回転速度 n は比例する．

したがって，与えられた式に対し，回転速度 n_1〔min^{-1}〕のときの周波数を f_1〔Hz〕，回転速度 n_2〔min^{-1}〕のときの周波数を f_2〔Hz〕，定格周波数を f_n〔Hz〕とし，数値を代入すると，速度調定率 ε は，

$$\varepsilon = \frac{\dfrac{f_2 - f_1}{f_n}}{\dfrac{P_1 - P_2}{P_n}} \times 100 = \frac{\dfrac{f_2 - 50}{50}}{\dfrac{1\,000 - 600}{1\,000}} \times 100 = 5\,〔\%〕= 0.05$$

$$0.05 = \frac{1}{50 \times 0.4}(f_2 - 50)$$

$$\therefore \quad f_2 = 50 + 0.05 \times 50 \times 0.4 = 51\,〔\mathrm{Hz}〕$$

となる．

(b) 負荷急変前の水車発電機の出力 P_1 が，題意より，

$$P_1 = 300 \times 0.8 = 240\,〔\mathrm{MW}〕$$

であるから，速度調定率 ε の式に数値を代入すると，求める負荷急変後の水車発電機の出力 P_2 は，

$$3 = \frac{\dfrac{51 - 50}{50}}{\dfrac{240 - P_2}{300}} \times 100$$

$$\frac{240 - P_2}{300} = \frac{1}{3 \times 50} \times 100$$

$$\therefore \quad P_2 = 240 - \frac{300}{3 \times 50} \times 100 = 40\,〔\mathrm{MW}〕$$

となる．

問20 Check! □□□

(平成 27 年 B 問題 15)

定格出力 1 000 MW，速度調定率 5 % のタービン発電機と，定格出力 300 MW，速度調定率 3 % の水車発電機が周波数調整用に電力系統に接続されており，タービン発電機は 80 % 出力，水車発電機は 60 % 出力をとって，定格周波数（60 Hz）にてガバナフリー運転を行っている．

系統の負荷が急変したため，タービン発電機と水車発電機は速度調定率に従って出力を変化させた．次の(a)及び(b)の問に答えよ．

ただし，このガバナフリー運転におけるガバナ特性は直線とし，次式で表される速度調定率に従うものとする．また，この系統内で周波数調整を行っている発電機はこの 2 台のみとする．

$$速度調定率 = \frac{\dfrac{n_2 - n_1}{n_n}}{\dfrac{P_1 - P_2}{P_n}} \times 100\ [\%]$$

P_1：初期出力 [MW]

n_1：出力 P_1 における回転速度 [min^{-1}]

P_2：変化後の出力 [MW]

n_2：変化後の出力 P_2 における回転速度 [min^{-1}]

P_n：定格出力 [MW]

n_n：定格回転速度 [min^{-1}]

(a) 出力を変化させ，安定した後のタービン発電機の出力は 900 MW となった．

このときの系統周波数の値 [Hz] として，最も近いものを次の(1)～(5)のうちから一つ選べ．

(1) 59.5　(2) 59.7　(3) 60　(4) 60.3　(5) 60.5

(b) 出力を変化させ，安定した後の水車発電機の出力の値 [MW] として，最も近いものを次の(1)～(5)のうちから一つ選べ．

(1) 130　(2) 150　(3) 180　(4) 210　(5) 230

解20 解答 (a)－(2), (b)－(5)

(a) 定格出力 $P_{tn} = 1\,000$ MW のタービン発電機の速度調定率が 5 %であるから，その定義より，1 000 MW の負荷遮断によりタービン発電機の周波数は，

$$f_{tn} = 60 \times 0.05 = 3 \text{ Hz}$$

だけ上昇する．

いま，タービン発電機が 80 %の出力で運転しているときに負荷が変化し，出力が 900 MW に変化したときの発電機出力変化 ΔP_t は，

$$\Delta P_t = 900 - 1\,000 \times 0.8 = 100 \text{ MW}\ （増加）$$

であるから，タービン発電機の周波数変化量 Δf_t は，

$$\Delta f_t = f_{tn} \times \frac{\Delta P_t}{P_{tn}} = 3 \times \frac{100}{1\,000} = 0.3 \text{ Hz}\quad （低下）$$

となるから，求める系統周波数の値 f は，

$$f = 60 - 0.3 = 59.7 \text{ Hz}$$

となる．

(b) 定格出力 $P_{wn} = 300$ MW の水車発電機の速度調定率が 3 %であるから，その定義より，300 MW の負荷遮断により水車発電機の周波数は，

$$f_{wn} = 60 \times 0.03 = 1.8 \text{ Hz}$$

だけ上昇する．

ここに，(a)の結果から，系統周波数の変化量が $\Delta f_t = 0.3$ Hz（低下）であったから，水車発電機の出力変化量 ΔP_w は，

$$\Delta P_w = P_{wn} = \frac{\Delta f_t}{f_{wn}} = 300 \times \frac{0.3}{1.8} = 50 \text{ MW}\ （増加）$$

となるから，求める水車発電機の出力 P_w は，

$$P_w = 300 \times 0.6 + 50 = 230 \text{ MW}$$

問21 Check! □□□

（平成17年 B 問題15）

重油専焼火力発電所が出力1 000〔MW〕で運転しており，発電端効率が41〔%〕，重油発熱量が44 000〔kJ/kg〕であるとき，次の(a)及び(b)に答えよ．

ただし，重油の化学成分（重量比）は炭素85〔%〕，水素15〔%〕，炭素の原子量は12，酸素の原子量は16とする．

(a) 重油消費量〔t/h〕の値として，最も近いのは次のうちどれか．

(1) 50　(2) 80　(3) 120　(4) 200　(5) 250

(b) 1日に発生する二酸化炭素の重量〔t〕の値として，最も近いのは次のうちどれか．

(1) 9.5×10^3　(2) 12.8×10^3　(3) 15.0×10^3

(4) 17.6×10^3　(5) 28.0×10^3

解21 解答 (a)－(4), (b)－(3)

(a) この火力発電所の1時間当たりの発電電力量は,

$$1\,000 \times 1 = 1\,000 \text{〔MW·h/h〕}$$

であるから，求める重油消費量 V〔t/h〕は，1〔kW·h〕= 3 600〔kJ〕および発電端効率が 41〔%〕であることを考慮すれば,

$$V = \frac{1\,000 \times 10^3 \times 3\,600}{44\,000 \times 0.41} \times 10^{-3} = 199.55 \fallingdotseq 199.6 \text{〔t/h〕}$$

となる.

(b) 重油が燃焼する際，その成分である炭素（C）の燃焼に伴う化学反応式は,

$$C + O_2 \rightarrow CO_2$$

で表される．二酸化炭素 CO_2 の分子量は, $12 + 16 \times 2 = 44$ であるから, 1〔mol〕の炭素（12〔g〕）が燃焼することによって生成される二酸化炭素の量は 1〔mol〕（44〔g〕）となることがわかる.

したがって，二酸化炭素の発生量は炭素の燃焼量の 44/12 倍となる.

ところで，(a)の結果から，1日の重油消費量が

$$199.55 \times 24 = 4\,789.2 \text{〔t〕}$$

であるから，この重油に含まれる炭素の量は,

$$4\,789.2 \times 0.85 = 4\,070.82 \text{〔t〕}$$

となる．よって，求める二酸化炭素発生量は,

$$4\,070.82 \times \frac{44}{12} = 14\,926 \fallingdotseq 15.0 \times 10^3 \text{〔t〕}$$

問22 Check! □□□

(平成25年 Ⓐ問題3)

汽力発電所における蒸気の作用及び機能や用途による蒸気タービンの分類に関する記述として，誤っているものを次の(1)〜(5)のうちから一つ選べ．

(1) 復水タービンは，タービンの排気を復水器で復水させて高真空とすることにより，タービンに流入した蒸気をごく低圧まで膨張させるタービンである．

(2) 背圧タービンは，タービンで仕事をした蒸気を復水器に導かず，工場用蒸気及び必要箇所に送気するタービンである．

(3) 反動タービンは，固定羽根で蒸気圧力を上昇させ，蒸気が回転羽根に衝突する力と回転羽根から排気するときの力を利用して回転させるタービンである．

(4) 衝動タービンは，蒸気が回転羽根に衝突するときに生じる力によって回転させるタービンである．

(5) 再生タービンは，ボイラ給水を加熱するため，タービン中間段から一部の蒸気を取り出すようにしたタービンである．

問23 Check! □□□

(平成27年 Ⓐ問題2)

汽力発電所における再生サイクル及び再熱サイクルに関する記述として，誤っているものを次の(1)〜(5)のうちから一つ選べ．

(1) 再生サイクルは，タービン内の蒸気の一部を抽出して，ボイラの給水加熱を行う熱サイクルである．

(2) 再生サイクルは，復水器で失う熱量が減少するため，熱効率を向上させることができる．

(3) 再生サイクルによる熱効率向上効果は，抽出する蒸気の圧力，温度が高いほど大きい．

(4) 再熱サイクルは，タービンで膨張した湿り蒸気をボイラの過熱器で加熱し，再びタービンに送って膨張させる熱サイクルである．

(5) 再生サイクルと再熱サイクルを組み合わせた再熱再生サイクルは，ほとんどの大容量汽力発電所で採用されている．

解22 解答 (3)

汽力発電所における蒸気タービンとして設問に挙げられたもののうち，衝動タービンと反動タービンは蒸気の作用による分類，復水タービン，背圧タービン，再生タービンは機能や用途による分類である．

(1) 復水タービンは，高温・高圧蒸気をタービンにより動力に変換した後，その蒸気を復水器で復水するタイプのタービンであり，設問の記述は正しい．

(2) 背圧タービンは，蒸気タービンから排出された蒸気を，発電だけでなく，工場用蒸気等として供給できるようにしたものであり，設問の記述は正しい．

(3) 反動タービンは，固定羽根と回転羽根で蒸気の圧力を速度に変換し膨張・減圧して，固定羽根から流出した蒸気の衝撃力と回転羽根内で膨張した蒸気の反動力で回転羽根を回転させるものである．設問の記述では，固定羽根で蒸気圧力を上昇させるとなっているため，誤りである．

(4) 衝動タービンは，固定羽根で流体の圧力を速度に変換し膨張・減圧して，回転羽根では変換せず，固定羽根から流出した蒸気の衝動力で回転羽根を回転させるものであり，設問の記述は正しい．

(5) 再生タービンは，復水タービンの中間段から抽気を行い，ボイラ給水を加熱するタービンであり，設問の記述は正しい．

解23 解答 (4)

(4)が誤りである．

再熱サイクルは，タービンで膨張した湿り蒸気をボイラの再熱器で再加熱し，再びタービンに送って膨張させる熱サイクルで，「タービンで膨張した湿り蒸気をボイラの加熱器で加熱」するサイクルではない．

問24 Check! □□□ (平成26年 Ⓐ問題2)

図に示す汽力発電所の熱サイクルにおいて，各過程に関する記述として誤っているものを次の(1)～(5)のうちから一つ選べ.

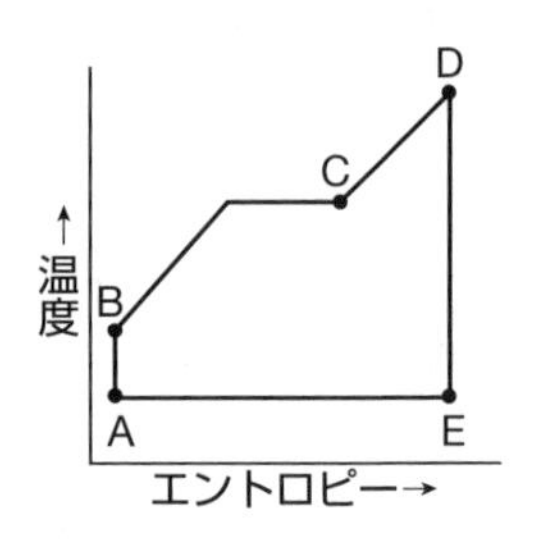

(1) A→B：給水が給水ポンプによりボイラ圧力まで高められる断熱膨張の過程である.

(2) B→C：給水がボイラ内で熱を受けて飽和蒸気になる等圧受熱の過程である.

(3) C→D：飽和蒸気がボイラの過熱器により過熱蒸気になる等圧受熱の過程である.

(4) D→E：過熱蒸気が蒸気タービンに入り復水器内の圧力まで断熱膨張する過程である.

(5) E→A：蒸気が復水器内で海水などにより冷やされ凝縮した水となる等圧放熱の過程である.

解24 解答 (1)

(1)が誤りである.

A→Bの過程は，給水が給水ポンプによりボイラ圧力まで高められる過程で，外部との熱の授受がない形で行われる断熱圧縮過程である.

B→C，C→D，D→E，E→Aは問題文のとおりで，このような汽力発電所の基本熱サイクルをランキンサイクルという.

問25 Check! □□□

(平成20年 Ⓐ問題3)

図は，汽力発電所の基本的な熱サイクルの過程を，体積 V と圧力 P の関係で示した PV 線図である．

図の汽力発電の基本的な熱サイクルを [(ア)] という．A→Bは，給水が給水ポンプで加圧されボイラに送り込まれる [(イ)] の過程である．B→Cは，この給水がボイラで加熱され，飽和水から乾き飽和蒸気となり，さらに加熱され過熱蒸気となる [(ウ)] の過程である．C→Dは，過熱蒸気がタービンで仕事をする [(エ)] の過程であるD→Aは，復水器で蒸気が水に戻る [(オ)] の過程である．

上記の記述中の空白箇所(ア)，(イ)，(ウ)，(エ)及び(オ)に当てはまる語句として，正しいものを組み合わせたのは次のうちどれか．

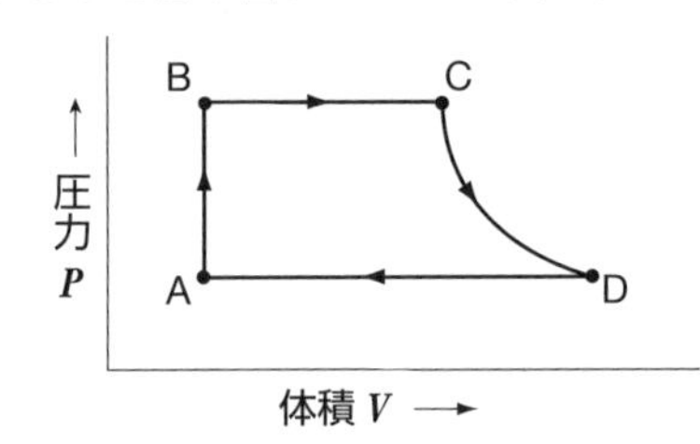

	(ア)	(イ)	(ウ)	(エ)	(オ)
(1)	ランキンサイクル	断熱圧縮	等圧受熱	断熱膨張	等圧放熱
(2)	ブレイトンサイクル	断熱膨張	等圧放熱	断熱圧縮	等圧放熱
(3)	ランキンサイクル	等圧受熱	断熱膨張	等圧放熱	断熱圧縮
(4)	ランキンサイクル	断熱圧縮	等圧放熱	断熱膨張	等圧受熱
(5)	ブレイトンサイクル	断熱圧縮	等圧受熱	断熱膨張	等圧放熱

解25　解答（1）

汽力発電所で用いられている標準サイクルは，ランキンサイクルである．ランキンサイクルを図示する．

P-V 線図において，A→Bは，給水が給水ポンプPで加圧されボイラBに送り込まれる過程を示しており，この場合の水の状態変化は，外部と熱の出入りのない圧縮変化であるので，断熱圧縮過程となる．

B→Cは，給水がボイラで加熱され蒸発し，さらに過熱器で過熱蒸気になる過程を示している．この過程における水の状態変化は，ボイラおよび過熱器において一定の圧力のもとでの変化であるので，等圧変化（等圧受熱）過程となる．

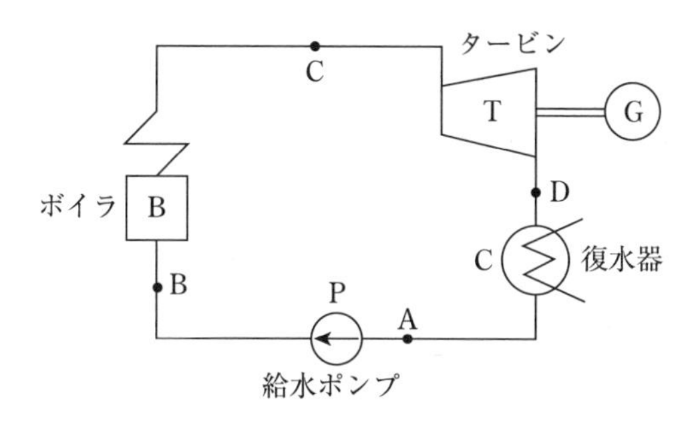

第1図　ランキンサイクル

C→Dは，過熱蒸気がタービンTで膨張し仕事をする過程で，この場合の水の状態変化は外部と熱の出入りのない膨張変化であるので，断熱膨張過程となる．

D→Aは，タービン排気が復水器で冷却され，給水に戻る過程を示しており，圧力一定の復水器内での状態変化であるので，等圧変化（等圧放熱）過程となる．

問26 Check! □□□

（令和元年 Ⓐ問題 3）

汽力発電所における熱効率向上方法として，正しいものを次の(1)～(5)のうちから一つ選べ．

(1) タービン入口蒸気として，極力，温度が低く，圧力が低いものを採用する．

(2) 復水器の真空度を高くすることで蒸気はタービン内で十分に膨張して，タービンの羽根車に大きな回転力を与える．

(3) 節炭器を設置し，排ガス温度を上昇させる．

(4) 高圧タービンから出た湿り飽和蒸気をボイラで再熱させないようにする．

(5) 高圧及び低圧のタービンから蒸気を一部取り出し，給水加熱器に導いて給水を加熱させ，復水器に捨てる熱量を増加させる．

問27 Check! □□□

（平成 21 年 Ⓐ 問題 3）

汽力発電所における，熱効率の向上を図る方法として，誤っているのは次のうちどれか．

(1) タービン入口の蒸気として，高温・高圧のものを採用する．

(2) 復水器の真空度を低くすることで蒸気はタービン内で十分に膨張して，タービンの羽根車に大きな回転力を与える．

(3) 節炭器を設置し，排ガスエネルギーを回収する．

(4) 高圧タービンから出た湿り飽和蒸気をボイラで再熱し，再び高温の乾き飽和蒸気として低圧タービンに用いる．

(5) 高圧及び低圧のタービンから蒸気を一部取り出し，給水加熱器に導いて給水を加熱する．

解26 解答 (2)

(2)の記述が正しい.

(1)の記述は,「タービン入口蒸気として,極力,温度が高く,圧力が高いものを採用する.」が正しい.

(3)の記述は,「節炭器を設置し,排ガス温度を低下させる.」が正しい.

(4)の記述は,「高圧タービンから出た湿り飽和蒸気をボイラで再熱させるようにする.」(再熱サイクル)が正しい.

(5)の記述は,「高圧及び低圧のタービンから蒸気を一部取り出し,給水加熱器に導いて給水を加熱させ,復水器に捨てる熱量を減少させる.」が正しい.

解27 解答 (2)

復水器の真空度が低いと,復水器内の圧力が高くなり,タービンにおいて十分に蒸気が膨張せず熱効率が低下するので,復水器の真空度は高く設定されている.

問28 Check! □□□

(平成23年 Ⓐ問題3)

汽力発電所の復水器に関する一般的説明として，誤っているものを次の(1)～(5)のうちから一つ選べ．

(1) 汽力発電所で最も大きな損失は，復水器の冷却水に持ち去られる熱量である．

(2) 復水器の冷却水の温度が低くなるほど，復水器の真空度は高くなる．

(3) 汽力発電所では一般的に表面復水器が多く用いられている．

(4) 復水器の真空度を高くすると，発電所の熱効率が低下する．

(5) 復水器の補機として，復水器内の空気を排出する装置がある．

問29 Check! □□□

(令和5年㊦ Ⓐ問題3)

次の文章は，汽力発電所の復水器に関する記述である．

汽力発電所の復水器は，タービンの (ア) を冷却し水に戻して復水を回収する装置である．内部の (イ) を保持することで，タービンの入口蒸気と出口蒸気の (ウ) を大きくし，タービンの (エ) を高めている．

上記の記述中の空白箇所(ア)～(エ)に当てはまる組合せとして，正しいものを次の(1)～(5)のうちから一つ選べ．

	(ア)	(イ)	(ウ)	(エ)
(1)	抽気蒸気	真空度	圧力差	回転速度
(2)	排気蒸気	温度	温度差	効率
(3)	排気蒸気	真空度	圧力差	効率
(4)	抽気蒸気	真空度	温度差	回転速度
(5)	排気蒸気	温度	温度差	回転速度

解28 解答 (4)

(4)の記述が誤りである.

復水器の真空度を高くすると，タービンでの熱落差を大きくすることができ，発電所の熱効率を高めることができる.

解29 解答 (3)

復水器は，蒸気タービンの**排気蒸気**を冷却・凝縮させて復水を回収するもので，内部の**真空度**を保持することでタービン中の熱落差（**圧力差**）を大きくすることができ，タービンの熱**効率**を高めている.

復水器は，図に示すとおり多数の冷却管を置き，管中に冷却水（海水）を通し，冷却管の外面にタービンの排気蒸気を接触させて冷却する表面復水器が一般的に用いられている.

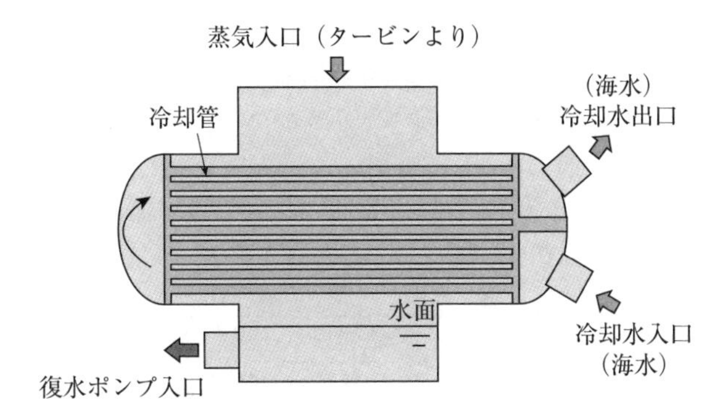

問30 Check! □□□

(平成23年 A問題2)

火力発電所のボイラ設備の説明として，誤っているものを次の(1)〜(5)のうちから一つ選べ．

(1) ドラムとは，水分と飽和蒸気を分離するほか，蒸発管への送水などをする装置である．

(2) 過熱器とは，ドラムなどで発生した飽和蒸気を乾燥した蒸気にするものである．

(3) 再熱器とは，熱効率の向上のため，一度高圧タービンで仕事をした蒸気をボイラに戻して加熱するためのものである．

(4) 節炭器とは，ボイラで発生した蒸気を利用して，ボイラ給水を加熱し，熱回収することによって，ボイラ全体の効率を高めるためのものである．

(5) 空気予熱器とは，火炉に吹き込む燃焼用空気を，煙道を通る燃焼ガスによって加熱し，ボイラ効率を高めるための熱交換器である．

問31 Check! □□□

(令和5年(上) A問題3)

次の文章は，火力発電所に関する記述である．

火力発電所において，ボイラから煙道に出ていく燃焼ガスの余熱を回収するために，煙道に多数の管を配置し，これにボイラへの (ア) を通過させて加熱する装置が (イ) である．同じく煙道に出ていく燃焼ガスの余熱をボイラへの (ウ) 空気に回収する装置が， (エ) である．

上記の記述中の空白箇所(ア)〜(エ)に当てはまる組合せとして，正しいものを次の(1)〜(5)のうちから一つ選べ．

	(ア)	(イ)	(ウ)	(エ)
(1)	給水	再熱器	燃焼用	過熱器
(2)	蒸気	節炭器	加熱用	過熱器
(3)	給水	節炭器	加熱用	過熱器
(4)	蒸気	再熱器	燃焼用	空気予熱器
(5)	給水	節炭器	燃焼用	空気予熱器

解30 解答 (4)

(4)の記述が誤りである.

節炭器は，煙道ガスの余熱を利用してボイラ給水を加熱し，ボイラプラント全体の効率を高めようとするもので，ボイラで発生した蒸気を利用してボイラ給水を加熱するものではない.

解31 解答 (5)

節炭器は，煙道ガスの余熱を利用しボイラへの**給水**を加熱してボイラ効率を向上することで燃料消費量の節約（石炭を節約させることからこのような名称）を図るほか，ボイラ胴の壁温と給水温度の差を少なくすることで熱応力を低減するといった効果がある.

また，煙道から排出されるガスの余熱を吸収して火炉へ供給する空気を予熱する装置を**空気予熱器**という．空気予熱器により，排出ガスの損失を有効利用できること，**燃焼用**空気の温度を高めることでボイラ効率が向上するほか，完全燃焼するため発生するすすも少ないといった利点がある.

問32 Check! □□□

（令和３年 Ⓐ問題３）

汽力発電におけるボイラ設備に関する記述として，誤っているものを次の(1)〜(5)のうちから一つ選べ．

(1) ボイラを水の循環方式によって分けると，自然循環ボイラ，強制循環ボイラ，貫流ボイラがある．

(2) 蒸気ドラム内には汽水分離器が設置されており，蒸発管から送られてくる飽和蒸気と水を分離する．

(3) 空気予熱器は，煙道ガスの余熱を燃焼用空気に回収することによって，ボイラ効率を高めるための熱交換器である．

(4) 節炭器は，煙道ガスの余熱を利用してボイラ給水を加熱することによって，ボイラ効率を高めるためのものである．

(5) 再熱器は，高圧タービンで仕事をした蒸気をボイラに戻して再加熱し，再び高圧タービンで仕事をさせるためのもので，熱効率の向上とタービン翼の腐食防止のために用いられている．

問33 Check! □□□

（平成28年 Ⓐ問題３）

汽力発電所のボイラ及びその付属設備に関する記述として，誤っているものを次の(1)〜(5)のうちから一つ選べ．

(1) 蒸気ドラムは，内部に蒸気部と水部をもち，気水分離器によって蒸発管からの気水を分離させるものであり，自然循環ボイラ，強制循環ボイラに用いられるが貫流ボイラでは必要としない．

(2) 節炭器は，煙道ガスの余熱を利用してボイラ給水を飽和温度以上に加熱することによって，ボイラ効率を高める熱交換器である．

(3) 空気予熱器は，煙道ガスの排熱を燃焼用空気に回収し，ボイラ効率を高める熱交換器である．

(4) 通風装置は，燃焼に必要な空気をボイラに供給するとともに発生した燃焼ガスをボイラから排出するものである．通風方式には，煙突だけによる自然通風と，送風機を用いた強制通風とがある．

(5) 安全弁は，ボイラの使用圧力を制限する装置としてドラム，過熱器，再熱器などに設置され，蒸気圧力が所定の値を超えたときに弁体が開く．

解32 解答 (5)

(5)の記述が誤りである．

正しくは，「再熱器は，高圧タービンで仕事をした蒸気をボイラに戻して再加熱し，再び中・低圧タービンで仕事をさせるためのもので，熱効率の向上とタービン翼の腐食防止のために用いられている．」である．

解33 解答 (2)

節炭器は，ボイラ出口の煙道中に水管を配列して，ボイラから出る燃焼ガスの余熱を利用してボイラ給水を加熱する設備で，燃料の節約や熱効率の向上を図るために設置されるものである．ボイラ給水を飽和温度以上に加熱するものではない．

問34 Check! □□□

(平成18年 Ⓐ問題1)

汽力発電所の復水器はタービンの (ア) 蒸気を冷却水で冷却凝結し，真空を作るとともに復水にして回収する装置である．復水器によるエネルギー損失は熱サイクルの中で最も (イ) ，復水器内部の真空度を (ウ) 保持してタービンの (エ) を低下させることにより， (オ) の向上を図ることができる．

上記の記述中の空白箇所(ア)，(イ)，(ウ)，(エ)及び(オ)に当てはまる語句として，正しいものを組み合わせたのは次のうちどれか．

	(ア)	(イ)	(ウ)	(エ)	(オ)
(1)	抽気	大きく	低く	抽気圧力	熱効率
(2)	抽気	小さく	低く	抽気圧力	利用率
(3)	排気	大きく	低く	排気温度	利用率
(4)	抽気	小さく	高く	排気圧力	熱効率
(5)	排気	大きく	高く	排気圧力	熱効率

問35 Check! □□□

(平成30年 Ⓐ問題3)

汽力発電所の蒸気タービン設備に関する記述として，誤っているものを次の(1)～(5)のうちから一つ選べ．

(1) 衝動タービンは，蒸気が回転羽根（動翼）に衝突するときに生じる力によって回転させるタービンである．

(2) 調速装置は，蒸気加減弁駆動装置に信号を送り，蒸気流量を調整することで，タービンの回転速度制御を行う装置である．

(3) ターニング装置は，タービン停止中に高温のロータが曲がることを防止するため，ロータを低速で回転させる装置である．

(4) 反動タービンは，固定羽根（静翼）で蒸気を膨張させ，回転羽根（動翼）に衝突する力と回転羽根（動翼）から排気するときの力を利用して回転させるタービンである．

(5) 非常調速装置は，タービンの回転速度が運転中に定格回転速度以下となり，一定値以下まで下降すると作動して，タービンを停止させる装置である．

解34 解答 (5)

復水器は，タービンで仕事を終えた蒸気をその排気端で冷却凝結させて真空を作るとともに，復水として回収する装置である．

蒸気はその温度に応じた飽和圧力を有しているから，なるべく低温で凝結すればそれだけ終圧が下がり，同量の蒸気でもより多くの仕事をさせることができるので，復水器内部の真空度を高く維持し，タービン排気圧力を低下させることにより，熱効率を向上させることができる．

しかしながら，復水器は蒸気を復水に戻す際の熱量を冷却水が持ち去るため大きな損失が生じる．この損失は熱サイクル中で最も大きく，燃料の持つエネルギーの約 50〔%〕程度である．

解35 解答 (5)

(5)が誤りである．

非常調速装置はエマージェンシートリップ装置ともいい，タービンの回転速度が一定値以上（111 % 以下）になると作動し，タービンを停止させる装置である．タービンの回転速度が一定値以下になったとき作動する装置ではない．

問36 Check! □□□

(令和2年 Ⓐ問題3)

次の a) ～ e) の文章は，汽力発電所の保護装置に関する記述である．

これらの文章の内容について，適切なものと不適切なものの組合せとして，正しいものを次の(1)～(5)のうちから一つ選べ．

a) 蒸気タービンの回転速度が定格を超える一定値以上に上昇すると，自動的に蒸気止弁を閉じて，タービンを停止する非常調速機が設置されている．

b) ボイラ水の循環が円滑に行われないとき，水管の焼損事故を防止するため，燃料を遮断してバーナを消火させる燃料遮断装置が設置されている．

c) 負荷の緊急遮断等によって，ボイラ内の蒸気圧力が一定限度を超えたとき，蒸気を放出させて機器の破損を防ぐため，蒸気加減弁が設置されている．

d) 蒸気タービンの軸受油圧が異常低下したとき，タービンを停止させるトリップ装置が設置されている．

e) 発電機固定子巻線の内部短絡を検出・保護するために，比率差動継電器が設置されている．

	a	b	c	d	e
(1)	適切	適切	不適切	適切	適切
(2)	不適切	不適切	不適切	不適切	適切
(3)	適切	適切	不適切	適切	不適切
(4)	不適切	適切	適切	不適切	適切
(5)	不適切	不適切	適切	適切	不適切

解36 解答 (1)

a), b), d) および e) はいずれも適切で c) は不適切である.

負荷の緊急遮断等によって, ボイラ内の蒸気圧力が一定限度を超えたとき, 蒸気を放出させて機器の破損を防ぐために設置されるのは安全弁で, 蒸気加減弁ではない. 蒸気加減弁は調速装置により制御され, タービンに流入する蒸気量を加減して, 速度制御や負荷調整を行うものである.

問37 Check! □□□

(平成24年 Ⓐ問題3)

汽力発電所の保護装置に関する記述として，誤っているものを次の(1)～(5)のうちから一つ選べ．

(1) ボイラ内の蒸気圧力が一定限度を超えたとき，蒸気を放出させ機器の破損を防ぐ蒸気加減弁が設置されている．

(2) ボイラ水の循環が円滑に行われないとき，水管の焼損事故を防止するため，燃料を遮断してバーナを消火させる燃料遮断装置が設置されている．

(3) 蒸気タービンの回転速度が定格を超える一定値以上に上昇すると，自動的に蒸気止弁を閉じて，タービンを停止する非常調速機が設置されている．

(4) 蒸気タービンの軸受油圧が異常低下したとき，タービンを停止させるトリップ装置が設置されている．

(5) 発電機固定子巻線の内部短絡を検出・保護するために，比率差動継電器が設置されている．

問38 Check! □□□

(平成17年 Ⓐ問題3)

汽力発電所のボイラに関する記述として，誤っているのは次のうちどれか．

(1) 自然循環ボイラは，蒸発管と降水管中の水の比重差によってボイラ水を循環させる．

(2) 強制循環ボイラは，ボイラ水を循環ポンプで強制的に循環させるため，自然循環ボイラに比べて各部の熱負荷を均一にでき，急速起動に適する．

(3) 強制循環ボイラは，自然循環ボイラに比べてボイラ高さは低くすることができるが，ボイラチューブの径は大きくなる．

(4) 貫流ボイラは，ドラムや大形管などが不要で，かつ，小口径の水管となるので，ボイラ重量を軽くできる．

(5) 貫流ボイラは，亜臨界圧から超臨界圧まで適用されている．

解37 解答 (1)

⑴の記述が誤りである．

ボイラ内部の圧力が一定限度を超えた場合に自動的に蒸気を噴出して圧力を下げるために使用されるのは安全弁で，蒸気加減弁ではない．

安全弁はボイラ胴，過熱器出口，その他の圧力容器に設置される．

蒸気加減弁は，調速装置により制御され，タービンに流入する蒸気量を加減して，速度制御や負荷調整を行うものである．

解38 解答 (3)

⑶が誤りで，正しくは「強制循環ボイラは，自然循環ボイラに比べてボイラ高さを低くすることができ，ボイラチューブの径は小さくなる．」である．

汽力発電所で用いられるボイラは水管ボイラで，水管ボイラには水の循環方式から自然循環ボイラ，強制循環ボイラおよび貫流ボイラがある．

問39 Check! □□□

(平成24年 Ⓐ問題2)

次の文章は，汽力発電所のタービン発電機の特徴に関する記述である．

汽力発電所のタービン発電機は，水車発電機に比べ回転速度が ㈠ なるため， ㈡ 強度を要求されることから，回転子の構造は ㈢ にし，水車発電機よりも直径を ㈣ しなければならない．このため，水車発電機と同出力を得るためには軸方向に ㈤ することが必要となる．

上記の記述中の空白箇所㈠，㈡，㈢，㈣及び㈤に当てはまる組合せとして，最も適切なものを次の(1)～(5)のうちから一つ選べ．

	㈠	㈡	㈢	㈣	㈤
(1)	高く	熱的	突極形	小さく	長く
(2)	低く	熱的	円筒形	大きく	短く
(3)	高く	機械的	円筒形	小さく	長く
(4)	低く	機械的	円筒形	大きく	短く
(5)	高く	機械的	突極形	小さく	長く

解39 解答 (3)

蒸気タービンは高速で回転するので，タービン発電機は水車発電機よりも高速で運転される．一般的に，汽力発電用のタービン発電機では2極機が使用され，回転数は50〔Hz〕系統で3 000〔min^{-1}〕，60〔Hz〕系統では3 600〔min^{-1}〕で運転される．

このため，タービン発電機は遠心力に対して十分な強度が要求され，回転子は軸方向に長い円筒形が採用されている．

これに対し，水車発電機では比速度による回転数の制限があり，一般的に回転数は低いので，回転子には突極形が採用されている．

問40 Check! □□□

(令和４年㊤ Ａ問題２)

次の文章は，火力発電所のタービン発電機に関する記述である．

火力発電所のタービン発電機は，２極の回転界磁形三相 (ア) 発電機が広く用いられている． (イ) 強度の関係から，回転子の構造は (ウ) で直径が (エ) ．発電機の大容量化に伴い冷却方式も工夫され，大容量タービン発電機の場合には密封形 (オ) 冷却方式が使われている．

上記の記述中の空白箇所(ア)～(オ)に当てはまる組合せとして，正しいものを次の(1)～(5)のうちから一つ選べ．

	(ア)	(イ)	(ウ)	(エ)	(オ)
(1)	同期	熱的	突極形	小さい	窒素
(2)	誘導	熱的	円筒形	大きい	水素
(3)	同期	機械的	円筒形	小さい	水素
(4)	誘導	機械的	突極形	大きい	窒素
(5)	同期	機械的	突極形	小さい	窒素

解40 解答（3）

タービン発電機には，定常時に発電出力の増減があっても回転速度が一定で，自身の励磁のための励磁電流を連系する電力系統に依存せず自らが生成し，端子電圧および発電力率の調整を自らが能動的に行うタイプの発電機である**同期**発電機が採用される．

タービン発電機の励磁方式は，回転子に界磁回路を内蔵する回転界磁形が多く採用される．一部のタービン発電機では，自身の励磁機として，回転軸内に同期発電機の電機子を内蔵したものがある（軸内で生成する交流電流を軸内で整流して主発電機の励磁電流とする）．機械的な摺動部分であるブラシが省略できる（ブラシレス励磁方式）．下線部分は回転電機子形同期発電機である．しかし，この場合も主発電機の励磁方式としては回転界磁形であることに変わりない．

蒸気タービンは高温・高圧の蒸気で回転しているため，高速度の方がタービン効率が良いので，これに直結するタービン発電機も高速機となっている．このため極は最小の 2 極で，回転速度は 3 000 ～ 3 600 min^{-1} である．ただし，一部のタービン発電機（低圧タービン発電機や原子力発電用タービン発電機）では 4 極，1 500 ～ 1 800 min^{-1} となっている．回転子は高速回転による**機械的**な遠心力に耐えられるよう**円筒形**をしており，その直径は**小さく**，軸方向に長く，界磁巻線は回転子の表面で界磁鉄心に埋め込む構造になっている．

タービン発電機の冷却方式には空気冷却，水素冷却，直接冷却の三つがあり，小容量機（50 MV·A 程度以下）では空気冷却が，それ以外では**水素**冷却または直接冷却が用いられる．直接冷却とは，導体の冷却を空気または水素といった絶縁物によって行う前 2 者の普通冷却（間接冷却）に対して，導体内部に冷却媒体（水，油，水素）を流して冷却する方式である．

中容量機（40 ～ 250 MV·A 程度）では普通冷却方式が，大容量機（150 MV·A 程度以上）では直接冷却方式が用いられており，なかでも水素は冷却媒体としての適性に加え気体絶縁材料としても優れた特性を有し，普通冷却，直接冷却のいずれにおいても多用される．ただし，水素は空気が混入し水素純度が体積比 4 ～ 77 % に低下すると引火，爆発のおそれがあるため，発電機は気密耐爆構造となっており，軸の貫通部の水素漏れ防止装置として，油膜を利用する軸受け密封装置を設け，水素の純度を 95 % 以上に保っている．なお発電機内部の水素の純度が 85 % 以下に低下した場合，これを警報する装置の設置が義務付けられている（電気設備の技術基準の解釈第 41 条「水素冷却式発電機等の施設」）．

問41 Check! □□□

(平成28年 A 問題2)

次の文章は，発電所に用いられる同期発電機である水車発電機とタービン発電機の特徴に関する記述である.

水力発電所に用いられる水車発電機は直結する水車の特性からその回転速度はおおむね100 $\mathrm{min^{-1}}$ ～ 1 200 $\mathrm{min^{-1}}$ とタービン発電機に比べ低速である．したがって，商用周波数50/60 Hzを発生させるために磁極を多くとれる (ア) を用い，大形機では据付面積が小さく落差を有効に使用できる立軸形が用いられることが多い．タービン発電機に比べ，直径が大きく軸方向の長さが短い.

一方，火力発電所に用いられるタービン発電機は原動機である蒸気タービンと直結し，回転速度が水車に比べ非常に高速なため2極機又は4極機が用いられ，大きな遠心力に耐えるように，直径が小さく軸方向に長い横軸形の (イ) を採用し，その回転子の軸及び鉄心は一体の鍛造軸材で作られる.

水車発電機は，電力系統の安定度の面及び負荷遮断時の速度変動を抑える点から発電機の経済設計以上のはずみ車効果を要求される場合が多く，回転子直径がより大きくなり，鉄心の鉄量が多い，いわゆる鉄機械となる.

一方，タービン発電機は，上述の構造のため界磁巻線を施す場所が制約され，大きな出力を得るためには電機子巻線の導体数が多い，すなわち銅量が多い，いわゆる銅機械となる.

鉄機械は，体格が大きく重量が重く高価になるが，短絡比が (ウ) ，同期インピーダンスが (エ) なり，電圧変動率が小さく，安定度が高く， (オ) が大きくなるといった利点をもつ.

上記の記述中の空白箇所(ア)，(イ)，(ウ)，(エ)及び(オ)に当てはまる組合せとして，正しいものを次の(1)～(5)のうちから一つ選べ.

	(ア)	(イ)	(ウ)	(エ)	(オ)
(1)	突極機	円筒機	大きく	小さく	線路充電容量
(2)	円筒機	突極機	大きく	小さく	線路充電容量
(3)	突極機	円筒機	大きく	小さく	部分負荷効率
(4)	円筒機	突極機	小さく	大きく	部分負荷効率
(5)	突極機	円筒機	小さく	大きく	部分負荷効率

解41 解答 (1)

水車発電機は，水車の特性上あまり高速で回転することはできないから，水車に直結する発電機は磁極の多くとれる突極機が用いられる．これに対し，タービン発電機では，蒸気タービンが高速で運転されるため，これに結合される発電機は一般に火力発電所のタービン発電機では2極機（60 Hz，3 600 min^{-1}，50 Hz，3 000 min^{-1}）が，原子力発電所のタービン発電機では4極機（60 Hz，1 800 min^{-1}，50 Hz，1 500 min^{-1}）が用いられる．タービン発電機は高速で回転されるため，回転子を突極形とすると風損が大きくなり，遠心力も大きくなるので，回転子を突極形とすることはできず，円筒形回転子が用いられる．

短絡比が大きい発電機は，電圧変動率が小さく安定度および線路充電容量が大きいという利点をもつが，短絡比を大きくするには電機子巻線の巻数を少なくし，鉄心磁路を大きくとらねばならず，大形かつ高価となる．このような機械では，構成材料である鉄の量が銅の量に比べて多く，鉄機械と呼ばれている．

これに対し，タービン発電機のように構成材料である銅の量が鉄の量に比べて多い機械を銅機械という．銅機械では鉄機械とは逆に同期インピーダンスが大きくなるため，短絡比が小さく，電圧変動率も大きくなる．

短絡比は，一般にタービン発電機で0.5～0.7程度，水車発電機では0.8～1.0程度のものが多い．

問42 Check! □□□

(平成 30 年 Ⓐ 問題 1)

次の文章は，タービン発電機の水素冷却方式の特徴に関する記述である.

水素ガスは，空気に比べ [(ア)] が大きいため冷却効率が高く，また，空気に比べ [(イ)] が小さいため風損が小さい.

水素ガスは，[(ウ)] であるため，絶縁物への劣化影響が少ない. 水素ガス圧力を高めると大気圧の空気よりコロナ放電が生じ難くなる.

水素ガスと空気を混合した場合は，水素ガス濃度が一定範囲内になると爆発の危険性があるので，これを防ぐため自動的に水素ガス濃度を [(エ)] 以上に維持している.

通常運転中は，発電機内の水素ガスが軸に沿って機外に漏れないように軸受の内側に [(オ)] によるシール機能を備えており，機内からの水素ガスの漏れを防いでいる.

上記の記述中の空白箇所(ア)，(イ)，(ウ)，(エ)及び(オ)に当てはまる組合せとして，正しいものを次の(1)～(5)のうちから一つ選べ.

	(ア)	(イ)	(ウ)	(エ)	(オ)
(1)	比熱	比重	活性	90 %	窒素ガス
(2)	比熱	比重	活性	60 %	窒素ガス
(3)	比熱	比重	不活性	90 %	油膜
(4)	比重	比熱	活性	60 %	油膜
(5)	比重	比熱	不活性	90 %	窒素ガス

解42 解答 (3)

大容量のタービン発電機の冷却には，水素冷却方式が採用されており，水素冷却には次のような利点がある．

① 風損が小さい

水素は，密度が空気の約 7 % と極めて軽いため，空気冷却の場合の 10 % 程度に低減できる．

② 冷却効果が大きい

水素の比熱は空気の約 14 倍であるため，冷却効果が大きい．

③ 不活性であるため，絶縁物の劣化が少ない

水素は空気より不活性であるので，絶縁物の劣化が少なく，コロナ発生電圧が高い．

一方，水素は空気と混合した場合に水素の容積が 10 % ～ 70 % の範囲になると爆発性になる欠点があり，これを防ぐため，水素純度を 90 % 以上に維持する必要がある．このため，発電機内の水素が軸に沿って機外に漏れないように軸受内側に油膜によるシール機構を備えている．

問43 Check! □□□

(令和2年 Ⓐ問題2)

次の文章は，汽力発電所の復水器の機能に関する記述である．

汽力発電所の復水器は蒸気タービン内で仕事を取り出した後の (ア) 蒸気を冷却して凝縮させる装置である．復水器内部の真空度を (イ) 保持してタービンの (ア) 圧力を (ウ) させることにより， (エ) の向上を図ることができる．なお，復水器によるエネルギー損失は熱サイクルの中で最も (オ) ．

上記の記述中の空白箇所(ア)～(オ)に当てはまる組合せとして，正しいものを次の(1)～(5)のうちから一つ選べ．

	(ア)	(イ)	(ウ)	(エ)	(オ)
(1)	抽気	低く	上昇	熱効率	大きい
(2)	排気	高く	上昇	利用率	小さい
(3)	排気	高く	低下	熱効率	大きい
(4)	抽気	高く	低下	熱効率	小さい
(5)	排気	低く	停止	利用率	大きい

問44 Check! □□□

(平成21年 Ⓐ問題2)

タービン発電機の水素冷却方式について，空気冷却方式と比較した場合の記述として，誤っているのは次のうちどれか．

(1) 水素は空気に比べ比重が小さいため，風損を減少することができる．

(2) 水素を封入し全閉形となるため，運転中の騒音が少なくなる．

(3) 水素は空気より発電機に使われている絶縁物に対して化学反応を起こしにくいため，絶縁物の劣化が減少する．

(4) 水素は空気に比べ比熱が小さいため，冷却効果が向上する．

(5) 水素の漏れを防ぐため，密封油装置を設けている．

解43 解答 (3)

汽力発電所の復水器は，蒸気タービンで仕事を取り出した後の**排気**蒸気を冷却して凝縮させる装置である．復水器内部の真空度を**高く**保持してタービンの**排気**圧力を**低下**させることにより，**熱効率**の向上を図ることができる．なお，復水器によるエネルギー損失は熱サイクルの中で最も**大きい**.

蒸気は凝結すると体積が著しく減少するので，高度の真空を得ることができる．すなわち，蒸気タービンの背圧の低減によりタービン効率を上げ，プラントの有効利用，熱量の増加を図る．そのほか真空であることを利用して，補給水の導入や各種のドレン回収を行う場所としても使われ，タービン排気の給水として利用する.

復水器には，表面復水器，蒸発復水器，噴射復水器，放射復水器などの種類がある.

解44 解答 (4)

水素の比熱は空気の約 14 倍と大きく，冷却効率が向上する.

水素の冷却媒体としての諸性質を空気のそれと比較すると，次のようになる.

	空気	水素
熱伝導率	1	6.69
密度	1	0.0696
比熱	1	14.35
熱容量	1	0.996
熱伝達率	1	1.51

また，水素は空気より不活性であるため，コイル絶縁の寿命を長くすることができ，またコロナ電圧も高く，コロナが発生しにくい.

しかしながら，水素は空気との混合比が 10〔%〕～ 70〔%〕の範囲で爆発の可能性があるので，これを避けるため，発電機内の水素純度を 90〔%〕以上に維持する必要があり，機外への水素漏えいを防ぐ密封装置を設けている.

水素冷却は大容量のタービン発電機に主として用いられているが，水車発電機は低速回転であるので，水素冷却とする利点がないので用いられない.

問45 Check! □□□

（平成17年 Ａ問題2）

火力発電所において，燃料の燃焼によりボイラから発生する窒素酸化物を抑制するために，燃焼域での酸素濃度を［(ア)］する，燃焼温度を［(イ)］する等の燃焼方法の改善が有効であり，その一つの方法として排ガス混合法が用いられている．

さらに，ボイラ排ガス中に含まれる窒素酸化物の削減方法として，［(ウ)］出口の排ガスにアンモニアを加え，混合してから触媒層に入れることにより，窒素酸化物を窒素と［(エ)］に変えるアンモニア接触還元法が適用されている．

上記の記述中の空白箇所(ア)，(イ)，(ウ)及び(エ)に記入する語句として，正しいものを組み合わせたのは次のうちどれか．

	(ア)	(イ)	(ウ)	(エ)
(1)	高く	低く	再熱器	水蒸気
(2)	低く	低く	節炭器	二酸化炭素
(3)	低く	高く	過熱器	二酸化炭素
(4)	低く	低く	節炭器	水蒸気
(5)	高く	高く	過熱器	水蒸気

解45 解答（4）

燃料の燃焼に伴って発生する窒素酸化物（NO_x）は空気中の窒素（N_2）が酸化して生ずる NO_x（サーマル NO_x）と燃料中の窒素分が酸化して生ずる NO_x（フューエル NO_x）に分けられる.

このうち，サーマル NO_x は温度が高いほど発生しやすいとされており，ボイラにおける NO_x 低減対策は，サーマル NO_x に対し燃焼温度の低減，高温域での燃焼ガス滞留時間の短縮，酸素濃度の低下を図り，フューエル NO_x に対しては低窒素燃料の採用を図っていくことが有効となり，抑制策として，①排ガス再循環燃焼（排ガス混合法），②二段燃焼方式，③低空気過剰率燃焼，④ボイラ熱負荷低減，⑤低 NO_x バーナの採用，がある.

また，一度発生した NO_x をさらに低減させるために排煙脱硝装置が設置される.排煙脱硝方式としては，現在，接触還元法が最も多く用いられている.この方式は窒素酸化物を含む節炭器出口の排ガス中に還元剤であるアンモニアを注入し，触媒上で NO_x を窒素と水蒸気に分解するものである.装置は触媒を充てんした反応器とアンモニアを注入するためのアンモニア供給設備で構成されている.

問46 Check! □□□

(平成29年 A問題3)

火力発電所の環境対策に関する記述として，誤っているものを次の(1)～(5)のうちから一つ選べ．

(1) 接触還元法は，排ガス中にアンモニアを注入し，触媒上で窒素酸化物を窒素と水に分解する．

(2) 湿式石灰石（石灰）－石こう法は，石灰と水との混合液で排ガス中の硫黄酸化物を吸収・除去し，副生品として石こうを回収する．

(3) 二段燃焼法は，燃焼用空気を二段階に分けて供給し，燃料過剰で一次燃焼させ，二次燃焼域で不足分の空気を供給し燃焼させ，窒素酸化物の生成を抑制する．

(4) 電気集じん器は，電極に高電圧をかけ，コロナ放電で放電電極から放出される負イオンによってガス中の粒子を帯電させ，分離・除去する．

(5) 排ガス混合（再循環）法は，燃焼用空気に排ガスの一部を再循環，混合して燃焼温度を上げ，窒素酸化物の生成を抑制する．

問47 Check! □□□

(平成19年 A問題5)

地球温暖化の主な原因の一つといわれる二酸化炭素の排出量削減が，国際的な課題となっている．発電時の発生電力量当たりの二酸化炭素排出量が少ない順に発電設備を並べたものとして，正しいのは次のうちどれか．

ただし，発電所の記号を次のとおりとし，ここでは，汽力発電所の発電効率は同一であるとする．

a. 原子力発電所
b. LNG燃料を用いたコンバインドサイクル発電所
c. 石炭専焼汽力発電所
d. 重油専焼汽力発電所

(1) $a<b<c<d$　(2) $a<d<c<b$　(3) $b<a<d<c$
(4) $a<b<d<c$　(5) $b<a<c<d$

解46 解答 (5)

(5)の記述が誤りである.

排ガス混合（再循環）法は，燃焼空気に排ガスの一部を混ぜることにより，燃焼空気中の酸素濃度を低下させ，緩慢な燃焼を行わせることにより，窒素酸化物の生成を抑制するものである.

解47 解答 (4)

同一の発熱量に対する二酸化炭素発生量の比率は，石炭：石油：天然ガスで，1.8～2：1.4：1 程度であり，また，原子力発電は原理的に二酸化炭素を発生しないので，二酸化炭素排出量が少ない順に並べると，次のようになる.

原子力発電所 < LNG 燃料を用いたコンバインドサイクル発電所 < 重油専焼汽力発電所 < 石炭専焼汽力発電所

問48 Check! □□□

(平成22年 Ⓐ問題2)

火力発電所の環境対策に関する記述として，誤っているのは次のうちどれか.

(1) 燃料として天然ガス（LNG）を使用することは，硫黄酸化物による大気汚染防止に有効である.

(2) 排煙脱硫装置は，硫黄酸化物を粉状の石灰と水との混合液に吸収させ除去する.

(3) ボイラにおける酸素濃度の低下を図ることは，窒素酸化物低減に有効である.

(4) 電気集じん器は，電極に高電圧をかけ，ガス中の粒子をコロナ放電で放電電極から放出される正イオンによって帯電させ，分離・除去する.

(5) 排煙脱硝装置は，窒素酸化物を触媒とアンモニアにより除去する.

解48 解答 (4)

(4)の記述が誤りである.

電気集じん器は，ガス中の粒子を正イオンによって帯電させ，分離・除去するのではなく，負イオンによって帯電させ，分離・除去するものである.

図は，電気集じん器の原理図である.

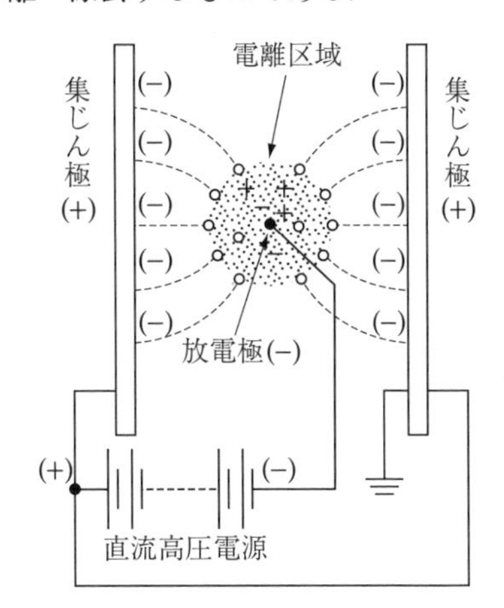

図のような集じん極と放電極との間に直流電圧を加え，これを次第に高くしていくと，放電極付近の高い電界強度のためにコロナ放電が発生し，ガス分子がイオン化されて，多数の正および負イオンが形成される．これらのイオンのうち正イオンは直ちに放電極に吸着され，負イオンは集じん極に向かって移動するので，電極間は負イオンで満たされる．このような状態で，電極間に含じんガスを通過させると，大部分の微粒子は負に帯電し，集じん極に吸引・捕集される.

問49 Check! □□□

（令和３年 Ⓐ問題４）

次の文章は，電気集じん装置に関する記述である．

火力発電所で発生する灰じんなどの微粒子は，電気集じん装置により除去される．典型的な電気集じん装置は，集じん電極である［(ア)］の間に放電電極である［(イ)］を置いた構造である．電極間の［(ウ)］によって発生した［(エ)］放電により生じたイオンで微粒子を帯電させ，クーロン力によって集じん電極で捕集する．集じん電極に付着した微粒子は一般的に，集じん電極［(オ)］取り除く．

上記の記述中の空白箇所(ア)～(オ)に当てはまる組合せとして，正しいものを次の(1)～(5)のうちから一つ選べ．

	(ア)	(イ)	(ウ)	(エ)	(オ)
(1)	線電極	平板電極	高電圧	コロナ	に風を吹きつけて
(2)	線電極	平板電極	大電流	アーク	を槌でたたいて
(3)	平板電極	線電極	大電流	アーク	に風を吹きつけて
(4)	平板電極	線電極	高電圧	コロナ	を槌でたたいて
(5)	平板電極	線電極	大電流	コロナ	を槌でたたいて

解49 解答 (4)

気体中に固体または液体が微粒子の状態で存在しているものを一般に煙霧質といい，煙霧質から微粒子を分離捕集するものが集じん装置である．

電気集じん装置は，灰粒子に電荷を与え，電気的吸引作用により分離捕集する装置で，図はその原理を示したものである．

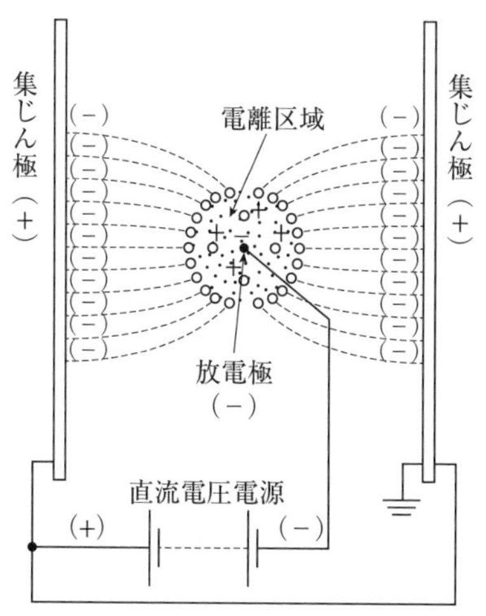

出典：本間琢也ほか，電気技術大系第13巻「新エネルギー・環境・安全」

相対する平面導体板（集じん極）をプラス電極とし，中にある細長い導体（放電極）をマイナス極として直流電圧を加えると，放電極表面付近は強力な電界となって，コロナ放電を起こす．これによって生じた＋，－イオンのうち，＋イオンは直ちに放電極に吸着放電され，－イオンおよび電子は集じん極へ走行する．これにより，両極間の空間の大部分はこれら無数の電荷で充満されるので，ここを通過する灰粒子は－電荷が付着され，－帯電体となって集じん極に捕捉される．

集じん電極に付着した微粒子は一般的に，集じん電極を槌でたたいて取り除く．

第3章
原子力・その他の発電

●計算
- ・核分裂エネルギー
- ・コンバインドサイクル発電
- ・風力発電の出力

●論説・空白
- ・電力の需要と供給
- ・原子力発電の特徴
- ・BWR・PWR
- ・原子燃料
- ・新エネルギー発電方式
- ・コンバインドサイクル発電
- ・各種二次電池の概要

問1 Check! □□□

（令和６年㊤　Ⓐ問題４）

1 g のウラン 235 が核分裂し，0.09 % の質量欠損が生じたとき，発生するエネルギーを石炭に換算した値 [kg] として，最も近いものを次の⑴～⑸のうちから一つ選べ．ただし，石炭の発熱量を 25 000 kJ/kg とする．

(1)　32　　(2)　320　　(3)　1 600　　(4)　3 200　　(5)　6 400

問2 Check! □□□

（令和元年　Ⓐ問題４）

1 g のウラン 235 が核分裂し，0.09 % の質量欠損が生じたとき，これにより発生するエネルギーと同じだけの熱量を得るのに必要な石炭の質量の値 [kg] として，最も近いものを次の⑴～⑸のうちから一つ選べ．

ただし，石炭の発熱量は 2.51×10^4 kJ/kg とし，光速は 3.0×10^8 m/s とする．

(1)　16　　(2)　80　　(3)　160　　(4)　3 200　　(5)　48 000

解1　解答 (4)

核分裂反応により，m [kg] の質量が欠損してエネルギー E [J] に変化したとすると，光速を c [m/s] とすれば，以下のとおりとなる．

$$E = mc^2 \text{ [J]}$$

よって，1 g のウラン 235 が核分裂して，0.09 % の質量欠損が生じたときに生じるエネルギー E [J] は，光速 $c = 3 \times 10^8$ m/s であるから，

$$E = 1 \times 10^{-3} \times 0.09 \times 10^{-2} \times (3 \times 10^8)^2 = 8.1 \times 10^{10} \text{ J}$$

したがって，求める石炭への換算値 w [kg] は，以下のとおりである．

$$w = \frac{8.1 \times 10^{10}}{25\,000 \times 10^3} = 3\,240 \to \mathbf{3\,200\ kg}$$

解2　解答 (4)

核分裂により m [kg] の質量が欠損してエネルギーに変換されるときの値 E は，光速を c [m/s] とすると，次式で表せる．

$$E = mc^2 \text{ [J]}$$

したがって，上式へ，$m = 1 \times 10^{-3} \times 0.09 \times 10^{-2} = 9 \times 10^{-7}$ kg，$c = 3.0 \times 10^8$ m/s を代入すると，1 g のウラン 235 が核分裂したときに発生するエネルギー E は，

$$E = mc^2 = 9 \times 10^{-7} \times (3 \times 10^8)^2 \times 10^{-3} = 8.1 \times 10^7 \text{ kJ}$$

よって，このエネルギーと同じ熱量を得るのに必要な石炭の質量 M は，

$$M = \frac{8.1 \times 10^7}{2.51 \times 10^4} \fallingdotseq 3\,227 \fallingdotseq 3\,200 \text{ kg}$$

問3 Check! □□□

(平成 23 年 Ⓐ 問題 4)

ウラン 235 を 3〔%〕含む原子燃料が 1〔kg〕ある．この原子燃料に含まれるウラン 235 がすべて核分裂したとき，ウラン 235 の核分裂により発生するエネルギー〔J〕の値として，最も近いものを次の(1)～(5)のうちから一つ選べ．

ただし，ウラン 235 が核分裂したときには，0.09〔%〕の質量欠損が生じるものとする．

(1) 2.43×10^{12}　(2) 8.10×10^{13}　(3) 4.44×10^{14}
(4) 2.43×10^{15}　(5) 8.10×10^{16}

問4 Check! □□□

(令和 5 年㊤ Ⓐ問題 4)

1 kg のウラン燃料に 3.5 % 含まれるウラン 235 が核分裂し，0.09 % の質量欠損が生じたときに発生するエネルギーと同量のエネルギーを，重油の燃焼で得る場合に必要な重油の量 [kL] として，最も近いものを次の(1)～(5)のうちから一つ選べ．

ただし，計算上の熱効率を 100 %, 使用する重油の発熱量は 40 000 kJ/L とする．

(1) 13　(2) 17　(3) 70　(4) 1.3×10^3　(5) 7.8×10^4

解3 解答 (1)

核分裂反応によって，m〔kg〕の質量が欠損して，エネルギーに変換されるときの発生エネルギーEは，光速を$c = 3.0 \times 10^8$〔m/s〕とすると，次式で与えられる．

$$E = mc^2 \text{〔J〕}$$

したがって，問題の原子燃料の核分裂によって発生するエネルギーEは，題意より，ウラン235の0.09〔%〕の質量が欠損するので，次式で求められる．

$$E = 0.09 \times 10^{-2} \times 1 \times 0.03 \times (3.0 \times 10^8)^2$$
$$= 2.43 \times 10^{12} \text{〔J〕}$$

解4 解答 (3)

核分裂反応によって，m [kg] の質量が欠損し，質量がエネルギーに変換されたときのエネルギー E [J] は，光速を c [m/s] とすると，次式のとおりとなる．

$$E = mc^2 \text{ [J]}$$

上式に，$m = 1 \times 3.5 \times 10^{-2} \times 0.09 \times 10^{-2} = 31.5 \times 10^{-6}$ kg，$c = 3 \times 10^8$ m/s を代入すると，

$$E = 31.5 \times 10^{-6} \times (3 \times 10^8)^2 = 28.35 \times 10^{11}\ \text{J} = 28.35 \times 10^8\ \text{kJ}$$

したがって，求める重油の量 V [kL] は，

$$V = \frac{28.35 \times 10^8}{40\,000} = 70\,875\ \text{L} \fallingdotseq \mathbf{70\ kL}$$

問5 Check! □□□ （平成24年 Ⓐ問題4）

0.01〔kg〕のウラン235が核分裂するときに0.09〔%〕の質量欠損が生じるとする．これにより発生するエネルギーと同じだけの熱を得るのに必要な重油の量〔l〕の値として，最も近いものを次の(1)～(5)のうちから一つ選べ．

ただし，重油発熱量を43 000〔kJ/l〕とする．

(1) 950　(2) 1 900　(3) 9 500　(4) 19 000　(5) 38 000

問6 Check! □□□ （平成29年 Ⓐ問題4）

原子力発電に用いられるM [g] のウラン235を核分裂させたときに発生するエネルギーを考える．ここで想定する原子力発電所では，上記エネルギーの30 %を電力量として取り出すことができるものとし，この電力量をすべて使用して，揚水式発電所で揚水できた水量は90 000 m^{3}であった．このときのMの値 [g] として，最も近い値を次の(1)～(5)のうちから一つ選べ．

ただし，揚水式発電所の揚程は240 m，揚水時の電動機とポンプの総合効率は84 %とする．また，原子力発電所から揚水式発電所への送電で生じる損失は無視できるものとする．

なお，計算には必要に応じて次の数値を用いること．

核分裂時のウラン235の質量欠損 0.09 %

ウランの原子番号 92

真空中の光の速度 3.0×10^8 m/s

(1) 0.9　(2) 3.1　(3) 7.3　(4) 8.7　(5) 10.4

解5 解答 (4)

核分裂反応によって，m〔kg〕の質量が欠損し，質量がエネルギーに変換されたときのエネルギー量Eは，光速をc〔m/s〕とすると，次式で与えられる．

$$E = mc^2 \text{〔J〕}$$

したがって，上式へ$c = 3.0 \times 10^8$〔m/s〕，$m = 0.01 \times 0.09 \times 10^{-2} = 9 \times 10^{-6}$〔kg〕を代入すると，0.01〔kg〕のウラン 235 が核分裂するときに発生するエネルギーWは，

$$W = 9 \times 10^{-6} \times (3.0 \times 10^8)^2 = 8.1 \times 10^{11} \text{〔J〕}$$

となる．

したがって，このエネルギーと同じだけの熱量を得るための発熱量 43 000〔kJ/l〕の重油の量Vは，

$$V = \frac{8.1 \times 10^{11}}{43\,000 \times 10^3} \fallingdotseq 18\,837 \text{〔}l\text{〕}$$

となる．

解6 解答 (5)

題意より，90 000 m^3 の水量を揚水するのに必要なエネルギーW_wは，次式で与えられる．

$$W_w = \frac{9.8VH}{\eta_{pm}} = \frac{9.8 \times 90\,000 \times 240}{0.84} = 2.52 \times 10^8 \text{ kJ}$$

一方，M [g] のウラン 235 の核分裂による原子力発電所の出力エネルギーW_nは，

$$W_n = M \times 10^{-3} \times 0.09 \times 10^{-2} \times (3.0 \times 10^8)^2 \times 0.3 \times 10^{-3}$$
$$= 2.43 \times 10^7 M \text{ [kJ]}$$

したがって，求めるウラン 235 の質量Mは，$W_n = W_w$より，

$$2.43 \times 10^7 M = 2.52 \times 10^8$$

$$\therefore\ M = \frac{25.2}{2.43} \fallingdotseq 10.370 \fallingdotseq 10.4 \text{ g}$$

問7 Check! □□□ (平成18年 Ⓐ問題13)

原子力発電に用いられる5.0〔g〕のウラン235を核分裂させたときに発生するエネルギーを考える．ここで想定する原子力発電所では，上記エネルギーの30〔%〕を電力量として取り出すことができるものとする．これを用いて，揚程200〔m〕，揚水時の総合的効率を84〔%〕としたとき，揚水発電所で揚水できる水量〔m^3〕の値として，最も近いのは次のうちどれか．

ただし，ここでは原子力発電所から揚水発電所への送電で生じる損失は無視できるものとする．

なお，計算には必要に応じて次の数値を用いること．

核分裂時のウラン235の質量欠損0.09〔%〕
ウランの原子番号92
真空中の光の速度 $c = 3.0 \times 10^8$〔m/s〕

(1) 2.6×10^4　(2) 4.2×10^4　(3) 5.2×10^4
(4) 6.1×10^4　(5) 9.7×10^4

解7 解答 (3)

m〔kg〕の質量が欠損してエネルギーに変化した場合に生ずるエネルギーEは，光速をc〔m/s〕とすると，次式で表される．

$$E = mc^2 \text{〔J〕}$$

したがって，5.0〔g〕のウラン235を核分裂させたときに生じるエネルギーEは，

$$E = 5.0 \times 10^{-3} \times 0.09 \times 10^{-2} \times (3.0 \times 10^8)^2 = 4.05 \times 10^{11} \text{〔J〕} = 4.05 \times 10^8 \text{〔kJ〕}$$

となり，これにより取り出せる電力量Wを〔kJ〕の単位で表すと，題意より，

$$W = 0.3 \times 4.05 \times 10^8 = 1.215 \times 10^8 \text{〔kJ〕}$$

ところで，求める揚水できる水量をV〔m^3〕とすると，揚水に必要な理論エネルギーはV〔m^3〕の水が揚程200〔m〕の地点で保有する位置エネルギーW_0に等しく，$W_0 = 9.8 \times V \times 200$〔kJ〕となる．このエネルギー$W_0$を$V$〔m^3〕の水に与えるのに，総合効率84〔%〕の電動機とポンプを用いるので，次式が成立する．

$$\frac{W_0}{\eta} = W$$

$$\therefore \quad \frac{9.8 \times V \times 200}{0.84} = 1.215 \times 10^8$$

以上から，求める水量Vは，次式となる．

$$V = \frac{1.215 \times 10^8 \times 0.84}{9.8 \times 200} \fallingdotseq 5.21 \times 10^4 \text{〔m}^3\text{〕}$$

問8 Check! □□□

(平成 25 年 Ⓐ 問題 2)

排熱回収方式のコンバインドサイクル発電所において，コンバインドサイクル発電の熱効率が 48〔%〕，ガスタービン発電の排気が保有する熱量に対する蒸気タービン発電の熱効率が 20〔%〕であった．

ガスタービン発電の熱効率〔%〕の値として，最も近いものを次の(1)～(5)のうちから一つ選べ．

ただし，ガスタービン発電の排気はすべて蒸気タービン発電に供給されるものとする．

(1) 23　(2) 27　(3) 28　(4) 35　(5) 38

解8 解答 (4)

排熱回収方式のコンバインドサイクル発電所では，燃料を燃焼させたガスのエネルギーでガスタービンを回し，その排熱で発生させた蒸気により蒸気タービンを回している．ガスタービン発電の熱効率を η_G，ガスタービン発電の排気が保有する熱量に対する蒸気タービン発電の熱効率を η_S とすると，熱量の遷移は図のように表すことができる．

コンバインドサイクル発電の熱効率 η_C は，ガスタービン発電と蒸気タービン発電で行われた仕事の合計であるから，次式となる．

$$\eta_G + (1 - \eta_G)\eta_S = \eta_C$$

$\eta_S = 0.2$，$\eta_C = 0.48$ であるから，

$$\eta_G + (1 - \eta_G) \times 0.2 = 0.48$$

$$0.8\eta_G = 0.28$$

$$\eta_G = \frac{0.28}{0.8} = 0.35$$

問9 **Check!** □□□ (平成30年 Ⓐ 問題5)

ロータ半径が30 mの風車がある.風車が受ける風速が10 m/sで,風車のパワー係数が 50 % のとき,風車のロータ軸出力 [kW] に最も近いものを次の(1)〜(5)のうちから一つ選べ.ただし,空気の密度を 1.2 kg/m^3 とする.ここでパワー係数とは,単位時間当たりにロータを通過する風のエネルギーのうちで,風車が風から取り出せるエネルギーの割合である.

(1) 57　(2) 85　(3) 710　(4) 850　(5) 1 700

解9 解答 (4)

質量流量 m [kg/s] の空気が風速 v [m/s] で運動しているときの空気が保有する単位時間当たりのエネルギー w は，次式で与えられる．

$$w = \frac{1}{2}mv^2 \text{ [J/s]}$$

ここに，空気の密度を ρ [kg/m³] とし，風車の描く面積を S [m²]，風車の回転半径を R [m] とすると，単位時間当たりに風車を通過する風速 v [m/s] の空気の体積 V は，

$$V = Sv = \pi R^2 v \text{ [m}^3\text{]}$$

となるから，風車を通過する空気の質量流量 m は，

$$m = \rho V = \pi\rho R^2 v \text{ [kg/s]}$$

したがって，風車のパワー係数を k とすると，風車のロータ軸出力 P は，次式で与えられる．

$$P = k\cdot\frac{1}{2}mv^2 = \frac{1}{2}k\pi\rho R^2 v\cdot v^2 = \frac{\pi}{2}k\rho R^2 v^3 \text{ [J/s]}$$

よって，求める風車のロータ軸出力 P は，上式へ，$k = 0.5$，$\rho = 1.2$ kg/m³，$R = 30$ m，$v = 10$ m/s を代入すると，

$$P = \frac{\pi}{2}k\rho R^2 v^3 = \frac{\pi}{2}\times 0.5\times 1.2\times 30^2\times 10^3\times 10^{-3} \fallingdotseq 848.23 \text{ kJ/s}$$

$$\fallingdotseq 850 \text{ kW}$$

問10　Check! □□□　（令和４年㊦　Ⓐ問題11）

次の文章は，電力の需要と供給に関する記述である．

電力の需要は１日の間で大きく変動し，一般に日中に需要が最大となる．一方で，［(ア)］の大量導入に伴って，日中の発電量が需要を上回る事例も報告されている．需要電力の平準化や，電力の需給バランスの確保のために，［(イ)］発電が用いられている．また近年では，［(ウ)］電池などの電力貯蔵装置の技術が向上している．

天候の急変時や発電所の故障発生時にも周波数を標準周波数へと回復させるために，［(エ)］が確保されている．部分負荷運転中の水力発電機や［(オ)］発電機などが［(エ)］の対象となる．

上記の記述中の空白箇所(ア)～(オ)に当てはまる組合せとして，正しいものを次の(1)～(5)のうちから一つ選べ．

	(ア)	(イ)	(ウ)	(エ)	(オ)
(1)	ベース供給力	流込み式	燃料	運転予備力	原子力
(2)	ベース供給力	揚水式	蓄	運転予備力	原子力
(3)	ベース供給力	流込み式	燃料	ミドル供給力	火力
(4)	太陽光発電	揚水式	燃料	ミドル供給力	火力
(5)	太陽光発電	揚水式	蓄	運転予備力	火力

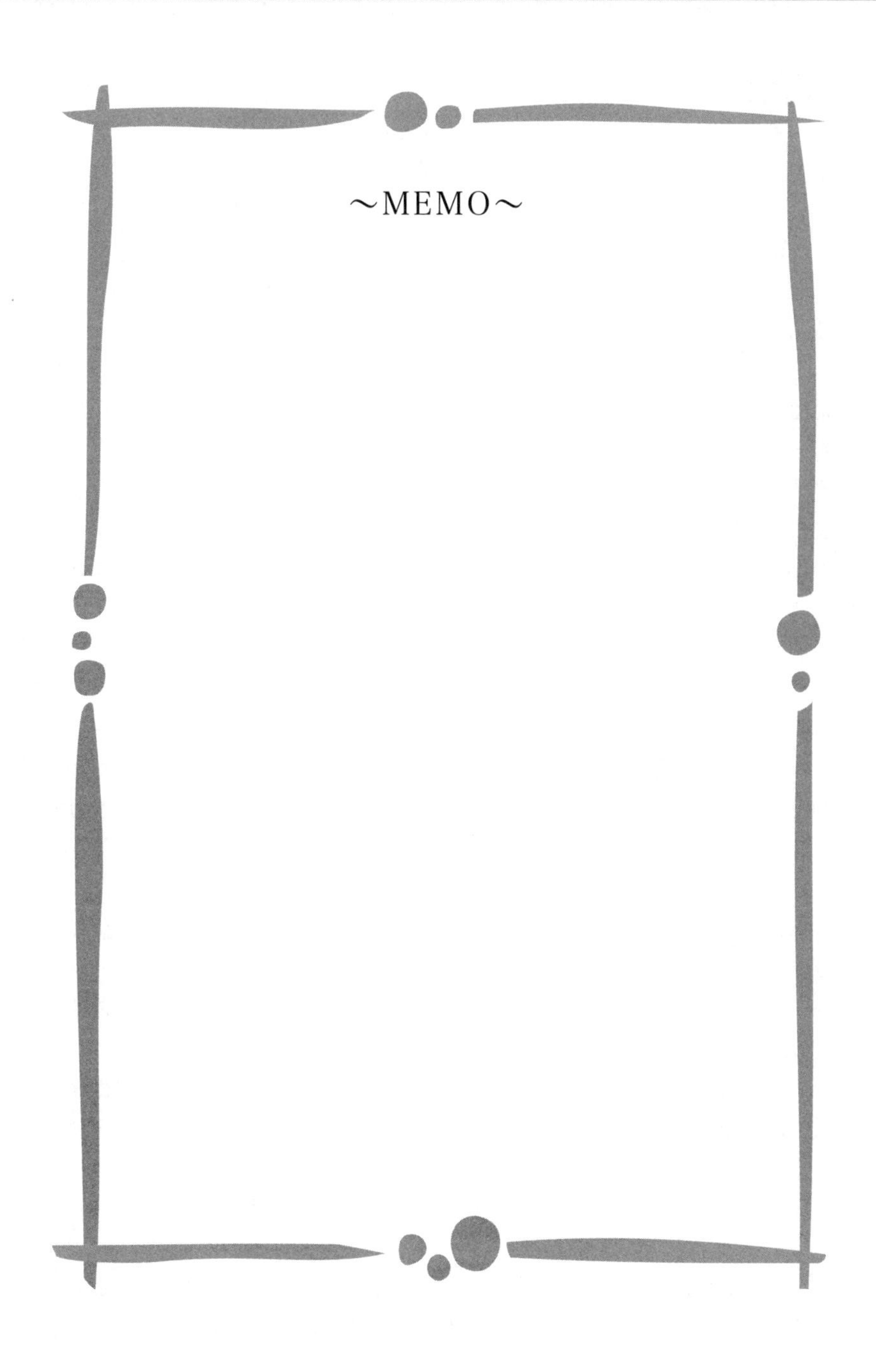
～MEMO～

解10 解答 (5)

⑴ 太陽光発電の大量導入による電力需給運用への影響

電力需給バランス（電力需要と供給力の平衡 = バランス）に応じた発電電力の制御，すなわち周波数調整を能動的に行わない**太陽光発電**の大量導入に伴い，春季・秋季軽負荷期やGW・盆・年末年始などの特殊期間を中心に，太陽光発電のみによる発電電力が需要を上回る状況が顕在化し，年々，その期間が拡大している．電力需給バランス維持のため，需要平準化，**揚水式**発電所において余剰電力を用い下池の水を上池へポンプアップ，太陽光発電ほかの発電電力の制限，**蓄**電池の導入などによる余剰電力の蓄電などの対応が行われている．わが国では揚水発電所の開発はほぼ完了しており，今後の新規開発は期待できないため，需要平準化（デマンドレスポンス（Demand Response：DR）「卸市場価格の高騰時または系統信頼性の低下時において，電気料金価格の設定またはインセンティブの支払に応じて，需要家側が電力の使用を抑制するよう電力の消費パターンを変化させること」)，蓄電池等の電力貯蔵装置の開発が期待されている．

⑵ 供給力の種類

日負荷曲線に対応して，ほぼ一定の出力で発電するベース供給力や，最大電力発生時間帯のみ発電するピーク供給力，ベース供給力とピーク供給力の中間を分担するミドル供給力の3種類に大別される．ただし，この分類は旧・日本電力調査委員会の報告書およびOCCTOウェブサイト「電力需要想定および電力需給計画算定方法の解説（抄)」においてなされているものであるが，2023年度初頭時点で太陽光発電は上記いずれの供給力にも分類されていない．

① ベース供給力：原子力や大容量高効率火力（主に石炭）は，発電原価に占める燃料費の割合が小さく，一定出力で運転する．再生可能エネルギーのうち地熱・水力（流込み式，および調整池式のうちフラット分)・バイオマスは，一定の出力で運転する．これらにベース負荷を分担させる．

② ミドル供給力：中容量火力や低効率火力は，起動停止特性や負荷追従性，最低出力，経済性等を勘案して順次，ベース負荷からピーク負荷の間の変動負荷を分担させる．

③ ピーク供給力：水力（調整池式のうち調整分，貯水池式，揚水式）やLNGガスタービンは，負荷追従性に優れ，頻繁で短時間の始動停止が可能なため，ピーク負荷を分担させる．調整池式水力の調整分（盛り上げ出力）はピーク負荷発生時間帯に優先的に割り当て，火力燃料費の低減とオフピーク負荷発生時

の火力出力下げ余力の確保を図る．

⑶　供給予備力

すべての供給力と需要との差を供給予備力といい，次のように分類される．

① 待機予備力：停止待機中の火力発電所など，起動して発電するまで数時間以上を要し，需給の急変時には対応できないが，必要な出力到達後は長時間継続して発電可能な供給予備力．補修停止中であるなど発電待機状態にない発電設備はこれに含めない．

② **運転予備力**：部分負荷運転中の**火力**発電機出力の出力上げ余力や停止待機中の調整池式・揚水式水力発電所など，10 分程度以内に供給力を増加でき，かつ待機予備力が発動するまでのあいだ継続してこれを維持することが可能な供給予備力．

③ 瞬動予備力：ガバナフリー運転中の発電機のガバナフリー余力が該当する．10 秒程度以内に急速に供給力を増加でき，瞬動予備力以外の運転予備力が発動するまでのあいだ継続して自動運転可能な供給予備力．

なお，瞬動予備力は系統事故時や電源事故時などの周波数低下時に即時に発動するものであるから，このとき，水車発電機やタービン発電機などはそれらの原動機と一体となった回転体が慣性で有している運動エネルギーを放出し，周波数低下を抑制する方向に作用する（代償に回転速度が落ちる）が，回転体をもたない太陽光発電は瞬動予備力を期待できない．太陽光発電の大量導入に伴い回転体をもつ発電機が減少しており，瞬動予備力の減少による周波数変動時の回復力低下が問題である．

問11 Check! □□□ (平成21年 A 問題4)

次の文章は，原子力発電に関する記述である．

原子力発電は，原子燃料が出す熱で水を蒸気に変え，これをタービンに送って熱エネルギーを機械エネルギーに変えて，発電機を回転させることにより電気エネルギーを得るという点では，[(ア)]と同じ原理である．原子力発電では，ボイラの代わりに[(イ)]を用い，[(ウ)]の代わりに原子燃料を用いる．現在，多くの原子力発電所で燃料として用いている核分裂連鎖反応する物質は[(エ)]であるが，天然に産する原料では核分裂連鎖反応しない[(オ)]が99〔%〕以上を占めている．このため，発電用原子炉にはガス拡散法や遠心分離法などの物理学的方法で[(エ)]の含有率を高めた濃縮燃料が用いられている．

上記の記述中の空白箇所(ア)，(イ)，(ウ)，(エ)及び(オ)に当てはまる語句として，正しいものを組み合わせたのは次のうちどれか．

	(ア)	(イ)	(ウ)	(エ)	(オ)
(1)	汽力発電	原子炉	自然エネルギー	プルトニウム239	ウラン235
(2)	汽力発電	原子炉	化石燃料	ウラン235	ウラン238
(3)	内燃力発電	原子炉	化石燃料	プルトニウム239	ウラン238
(4)	内燃力発電	燃料棒	化石燃料	ウラン238	ウラン235
(5)	太陽熱発電	燃料棒	自然エネルギー	ウラン235	ウラン238

解11 解答（2）

原子力発電は，原子炉で生じた高温・高圧の蒸気をタービンで膨張させることにより，発電機軸動力を得て発電するという点においては化石燃料を使用する汽力発電所と同じであるが，汽力発電所に比べて，蒸気は低温・低圧であるので，同一容量の汽力発電所に比べて使用蒸気量が多く，タービンも大形になる．

原子力発電所の燃料は，核分裂を生じて大きなエネルギーを発生するウラン235（^{235}U）であるが，天然ウランにはウラン235が約0.7〔%〕しか含まれておらず，残りのほとんどは核分裂を起こさないウラン238（^{238}U）である．

このため，原子力発電所ではウラン235の含有率を天然ウランより高くした低濃縮ウラン（濃縮度約2～4〔%〕）が用いられている．

問12 Check! □□□

(平成30年 A 問題4)

次の文章は，我が国の原子力発電所の蒸気タービンの特徴に関する記述である．

原子力発電所の蒸気タービンは，高圧タービンと低圧タービンから構成され，くし形に配置されている．

原子力発電所においては，原子炉又は蒸気発生器によって発生した蒸気が高圧タービンに送られ，高圧タービンにて所定の仕事を行った排気は，(ア)分離器に送られて，排気に含まれる(ア)を除去した後に低圧タービンに送られる．

高圧タービンの入口蒸気は，(イ)であるため，火力発電所の高圧タービンの入口蒸気に比べて，圧力・温度ともに(ウ)，そのため，原子力発電所の熱効率は，火力発電所と比べて(ウ)なる．また，原子力発電所の高圧タービンに送られる蒸気量は，同じ出力に対する火力発電所と比べて(エ)．

低圧タービンの最終段翼は，35 ～ 54 インチ（約 89 cm ～ 137 cm）の長大な翼を使用し，(ア)による翼の浸食を防ぐため翼先端周速度を減らさなければならないので，タービンの回転速度は(オ)としている．

上記の記述中の空白箇所(ア)，(イ)，(ウ)，(エ)及び(オ)に当てはまる組合せとして，正しいものを次の(1)～(5)のうちから一つ選べ．

	(ア)	(イ)	(ウ)	(エ)	(オ)
(1)	空気	過熱蒸気	高く	多い	1 500 min^{-1} 又は 1 800 min^{-1}
(2)	湿分	飽和蒸気	低く	多い	1 500 min^{-1} 又は 1 800 min^{-1}
(3)	空気	飽和蒸気	低く	多い	750 min^{-1} 又は 900 min^{-1}
(4)	湿分	飽和蒸気	高く	少ない	750 min^{-1} 又は 900 min^{-1}
(5)	空気	過熱蒸気	高く	少ない	750 min^{-1} 又は 900 min^{-1}

解12 解答 (2)

原子力発電所の蒸気タービンは，沸騰水型原子炉では炉心，加圧水型原子炉では蒸気発生器によって発生した蒸気を用いており，火力発電所に比べタービン入口の蒸気条件が悪い．このため，消費する蒸気量が多くなり，同じ出力に対して火力発電所用タービンの約 2 倍の蒸気量を必要とし，大きな排気面積を必要とするため低圧最終段翼に長大な翼を使用する．また，湿分による翼の浸食を防ぐため翼先端周速度を減らさなければならないので，回転数は 50 Hz 系統では 1 500 $\mathrm{min^{-1}}$，60 Hz 系統では 1 800 $\mathrm{min^{-1}}$ としている．

低圧タービンの低圧最終段翼長は 35 インチ～ 54 インチ（約 89 cm ～ 137 cm）である．

問13 Check! □□□ (平成27年 Ⓐ問題4)

次の文章は，原子力発電の設備概要に関する記述である．

原子力発電で多く採用されている原子炉の型式は軽水炉であり，主に加圧水型と沸騰水型に分けられるが，いずれも冷却材と (ア) に軽水を使用している．

加圧水型は，原子炉内で加熱された冷却材の沸騰を (イ) により防ぐとともに，一次冷却材ポンプで原子炉，(ウ) に冷却材を循環させる．(ウ) で熱交換を行い，タービンに送る二次系の蒸気を発生させる．

沸騰水型は，原子炉内で冷却材を加熱し，発生した蒸気を直接タービンに送るため，系統が単純になる．

それぞれに特有な設備には，加圧水型では (イ)，(ウ)，一次冷却材ポンプがあり，沸騰水型では (エ) がある．

上記の記述中の空白箇所(ア)，(イ)，(ウ)及び(エ)に当てはまる組合せとして，正しいものを次の(1)～(5)のうちから一つ選べ．

	(ア)	(イ)	(ウ)	(エ)
(1)	減速材	加圧器	蒸気発生器	再循環ポンプ
(2)	減速材	蒸気発生器	加圧器	再循環ポンプ
(3)	減速材	加圧器	蒸気発生器	給水ポンプ
(4)	遮へい材	蒸気発生器	加圧器	再循環ポンプ
(5)	遮へい材	蒸気発生器	加圧器	給水ポンプ

解13 解答 (1)

原子力発電所で多く採用されている原子炉の型式は軽水炉で，主として加圧水型原子炉（PWR）と沸騰水型原子炉（BWR）に分けられるが，加圧水型，沸騰水型とも冷却材および減速材として軽水（H_2O）を使用している．

加圧水型（PWR）では，原子炉を加圧器により加圧することによって冷却材である軽水の沸騰を防ぎ，高温高圧の冷却材を蒸気発生器へ導いて熱交換を行い，二次系の水を加熱して蒸気とし，タービンへ送るものである．沸騰水型に比べ構造が複雑となるが，蒸気発生器一次系までが放射線管理区域となり，タービンを含む二次系は管理区域外となる．

沸騰水型（BWR）では，原子炉内で直接冷却材である軽水を沸騰させ，発生した蒸気をタービンへ送るもので，加圧水型に比べて構造が簡単であるが，タービンへ被曝した蒸気が送られるので，タービン建屋まで放射線管理区域となる．

加圧器と蒸気発生器は加圧水型原子炉特有の設備であり，再循環ポンプは沸騰水型原子炉特有の設備である．

再循環ポンプは，沸騰水型原子炉の冷却材を強制循環させ，炉心で発生した熱を除去するとともに，炉心への冷却材の供給量を変化させて原子炉の出力を調整する役目を担っている．

問14 Check! □□□ （令和３年 Ⓐ問題５）

原子力発電に関する記述として，誤っているものを次の(1)～(5)のうちから一つ選べ．

(1) 原子力発電は，原子燃料の核分裂により発生する熱エネルギーで水を蒸気に変え，その蒸気で蒸気タービンを回し，タービンに連結された発電機で発電する．

(2) 軽水炉は，減速材に黒鉛，冷却材に軽水を使用する原子炉であり，原子炉圧力容器の中で直接蒸気を発生させる沸騰水型と，別置の蒸気発生器で蒸気を発生させる加圧水型がある．

(3) 軽水炉は，天然ウラン中のウラン 235 の濃度を 3 ～ 5 % 程度に濃縮した低濃縮ウランを原子燃料として用いる．

(4) 核分裂反応を起こさせるために熱中性子を用いる原子炉を熱中性子炉といい，軽水炉は熱中性子炉である．

(5) 沸騰水型原子炉の出力調整は，再循環ポンプによる冷却材再循環流量の調節と制御棒の挿入及び引き抜き操作により行われ，加圧水型原子炉の出力調整は，一次冷却材中のほう素濃度の調節と制御棒の挿入及び引き抜き操作により行われる．

解14 解答 (2)

(2)の記述が誤りである.

正しくは,「軽水炉は, 減速材および冷却剤に軽水を使用する原子炉であり, 原子炉圧力容器の中で直接蒸気を発生させる沸騰水型と, 別置の蒸気発生器で蒸気を発生させる加圧水型がある.」である.

問15 Check! □□□

(平成19年 A 問題4)

軽水炉は，［(ア)］を原子燃料とし，冷却材と［(イ)］に軽水を用いた原子炉であり，わが国の商用原子力発電所に広く用いられている．この軽水炉には，蒸気を原子炉の中で直接発生する［(ウ)］原子炉と蒸気発生器を介して蒸気を作る［(エ)］原子炉とがある．

沸騰水型原子炉では，何らかの原因により原子炉の核分裂反応による熱出力が増加して，炉内温度が上昇した場合でも，それに伴う冷却材沸騰の影響でウラン235に吸収される熱中性子が自然に減り，原子炉の暴走が抑制される．これは，［(オ)］と呼ばれ，原子炉固有の安定性をもたらす現象の一つとして知られている．

上記の記述中の空白箇所(ア)，(イ)，(ウ)，(エ)及び(オ)に当てはまる語句として，正しいものを組み合わせたのは次のうちどれか．

	(ア)	(イ)	(ウ)	(エ)	(オ)
(1)	低濃縮ウラン	減速材	沸騰水型	加圧水型	ボイド効果
(2)	高濃縮ウラン	減速材	沸騰水型	加圧水型	ノイマン効果
(3)	プルトニウム	加速材	加圧水型	沸騰水型	キュリー効果
(4)	低濃縮ウラン	減速材	加圧水型	沸騰水型	キュリー効果
(5)	高濃縮ウラン	加速材	沸騰水型	加圧水型	ボイド効果

解15 解答（1）

核分裂するウラン235（^{235}U）は，天然ウラン中に約0.7〔%〕含まれ，その他はウラン238（^{238}U）である．

この^{235}Uの含有率を天然ウランより高くしたウランを濃縮ウランといい，^{235}Uの濃縮度に応じて，高濃縮ウラン（濃縮度90〔%〕以上），低濃縮ウラン（濃縮度2～4〔%〕）と呼び，動力炉用には主として低濃縮ウランが用いられる．

わが国で用いられている原子炉は，冷却材と減速材に軽水を用いた軽水炉で，加圧水型原子炉（PWR）と沸騰水型原子炉（BWR）がある．沸騰水型原子炉では，原子炉内で直接蒸気を発生させるのに対し，加圧水型原子炉では炉内に高圧力をかけ，水を沸騰させずに高温水とし，蒸気発生器で熱交換して蒸気を発生するものである．

核分裂は^{235}Uが中性子を吸収することにより生ずるが，核分裂を生じさせる中性子は熱中性子で，これは核分裂によって生じた高速中性子が減速材によって減速されたものである．

沸騰水型原子炉では，何らかの原因で出力が増加しても，炉内の水の沸騰が促進され，減速材中のボイド（気泡）密度が増加する．ボイドが増加すると高速中性子の減速効率が低下し，炉内出力が低下するという負の反応度を有しているので，原子炉の暴走が抑制される．これをボイド効果と呼ぶ．

問16 Check! □□□

(令和４年㊦ Ⓐ問題４)

次の文章は，原子炉の型と特性に関する記述である．

軽水炉は，[(ア)]を原子燃料とし，冷却材と[(イ)]に軽水を用いた原子炉であり，我が国の商用原子力発電所に広く用いられている．この軽水炉には，蒸気を原子炉の中で直接発生する[(ウ)]原子炉と蒸気発生器を介して蒸気を作る[(エ)]原子炉とがある．

軽水炉では，何らかの原因により原子炉の核分裂反応による熱出力が増加して，炉内温度が上昇した場合でも，燃料の温度上昇にともなってウラン238による中性子の吸収が増加する[(オ)]により，出力が抑制される．このような働きを原子炉の固有の安全性という．

上記の記述中の空白箇所(ア)〜(オ)に当てはまる組合せとして，正しいものを次の(1)〜(5)のうちから一つ選べ．

	(ア)	(イ)	(ウ)	(エ)	(オ)
(1)	低濃縮ウラン	減速材	沸騰水型	加圧水型	ドップラー効果
(2)	高濃縮ウラン	減速材	沸騰水型	加圧水型	ボイド効果
(3)	プルトニウム	加速材	加圧水型	沸騰水型	ボイド効果
(4)	低濃縮ウラン	減速材	加圧水型	沸騰水型	ボイド効果
(5)	高濃縮ウラン	加速材	沸騰水型	加圧水型	ドップラー効果

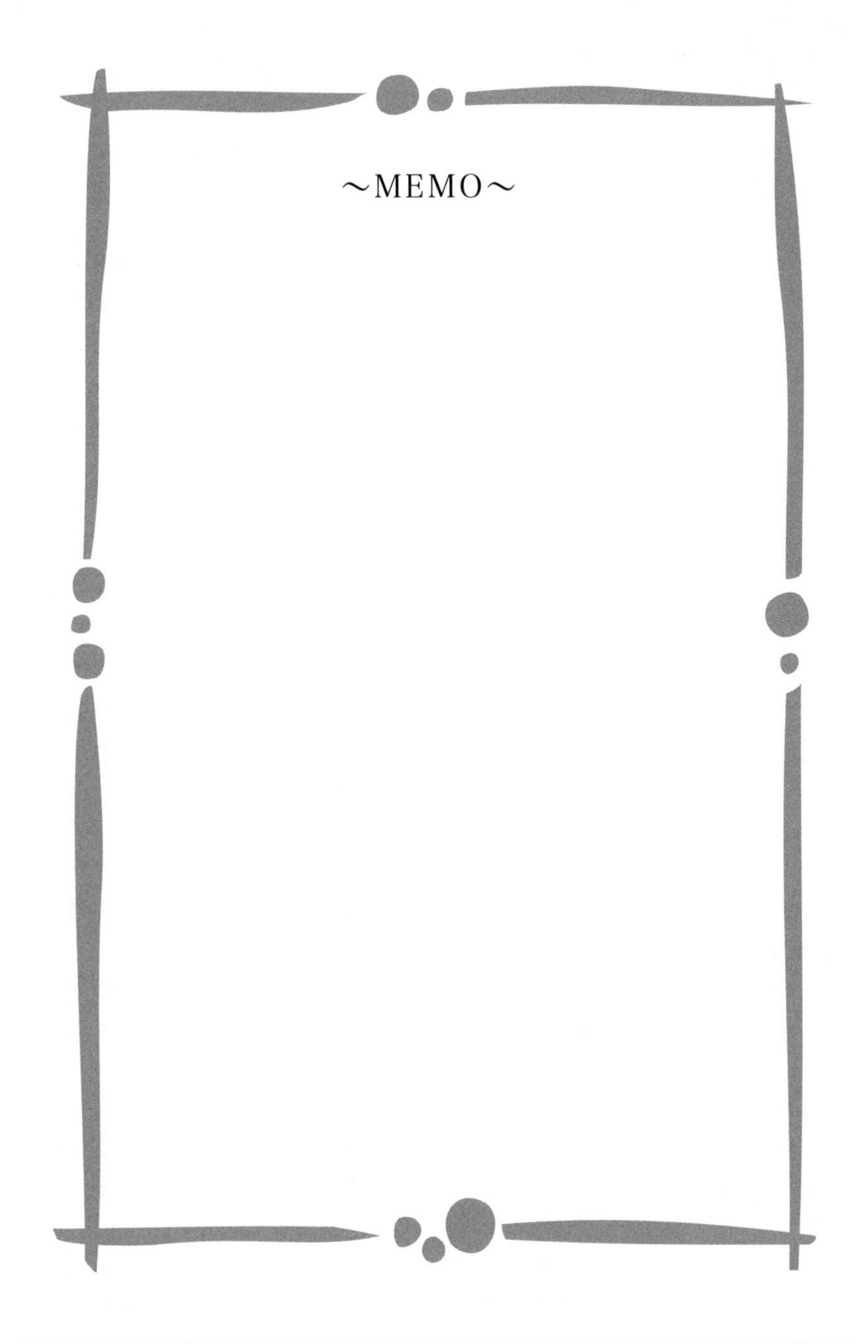
～MEMO～

解16 解答 (1)

(1) 原子燃料（核燃料）

軽水炉の主たる核燃料となるウラン235は天然ウランに約0.7 %含まれ，残りの約99.3 %はウラン238である．天然ウラン中のウラン235を濃縮し適切な濃度（3～5 %）に加工したものを**低濃縮ウラン**という．なお，天然ウラン中のウラン235の濃度0.7 %を超え，さらに20 %を超えた生成物のことを高濃縮ウランという．

ウラン235，プルトニウム239はいずれも核分裂性物質に分類され，これに分類されるものは比較的低いエネルギーの中性子（熱中性子）を当てると核分裂を起こす．プルトニウム239は，前述の低濃縮ウランを用いた軽水炉の使用済み核燃料中に1 %程度含まれ，これを再処理して取り出し，二酸化プルトニウムと二酸化ウランとを混ぜてプルトニウム濃度を4～9 %に高めたMOX燃料(Mixed OXide：混合酸化物）として，軽水炉の原子燃料として使用することができる．

原子炉の中で，核燃料が連続して反応を起こすことを連鎖反応という．連鎖反応は次のように進行する．

核燃料が熱中性子吸収→核分裂(エネルギー＝熱を生じる)→高速中性子放出→中性子減速(高速中性子から熱中性子へ)→核燃料が熱中性子吸収→核分裂→…

このとき，核分裂に伴い生じるエネルギーをその等量，原子炉外へ取り出さないと，原子炉内の温度が上昇し定常状態を保てないので，連鎖反応状態にはならない．原子炉内から原子炉外へエネルギー（熱）を取り出すものが冷却材で，軽水※（H_2O：普通の水）は高速中性子を減速させて熱中性子に変える**減速材**としての特性とともに，この目的に適した材料である．冷却材および減速材に軽水を用いた形式の原子炉を軽水炉と呼ぶ．

※ 冷却材，減速材として重水D_2O（水素Hの同位体である重水素Dで構成される水）を用いる形式の原子炉もあるため，重水に対して軽水と呼ぶ．

(2) 原子炉の構成材料（**第1表**）

(3) 軽水炉の分類

① **沸騰水型**軽水炉（BWR）：原子炉圧力容器内で発生する蒸気で蒸気タービンを駆動する．加圧水型軽水炉で備わる熱交換器である蒸気発生器は不要であるが，タービン側の放射線遮へい対策が必要である．

② **加圧水型**軽水炉（PWR）：原子炉圧力容器内を通る一次冷却系の熱水（蒸気ではない）が，原子炉圧力容器外の蒸気発生器で二次冷却系の水を蒸気にして

蒸気タービンを駆動する.

(4) 原子炉の固有の安全性

軽水炉において，原子炉の出力が上がり減速材の温度が上がるとBWRでは沸騰して泡（ボイド）が増え，PWRでは減速材の密度が下がり，高速中性子が減速されにくく（熱中性子になりにくく）なり，ウラン235が核分裂しにくくなり，原子炉の出力が自然に下がる．これを減速材のボイド効果（BWRの場合），減速材の温度効果（または減速材の密度効果）（PWRの場合）という.

軽水炉において，原子炉の出力が上がり減速材の温度が上がると減速材に浸っている核燃料の温度が上がり，核燃料中のウラン238が熱中性子を吸収しやすくなり，ウラン238に比べると核分裂しやすいウラン235の核分裂反応が減少し，原子炉の出力が自然に下がる.

温度上昇によりウラン238が熱中性子を吸収しやすくなり，そのために熱中性子を横取りされたウラン235の核分裂が抑制される効果を，**ドップラー効果**という.

上記のいずれの効果も，原子炉内の温度上昇（下降）に伴い原子炉出力が自然に下がる（上がる）特性，つまり外部からの制御に頼らず核分裂反応の進行を安定化させる特性（出力増加時には出力減少となる方向に挙動し，出力減少時には出力増加となる方向に挙動する特性）をもっており，このような反応特性，とりわけ核分裂反応の増加時に自然に核分裂反応が減少する特性は安全な方向の挙動であることから，このような反応特性を原子炉の固有の安全性という．わが国内で商用稼働している原子炉はすべて軽水炉であり，軽水炉はこのような反応特性をもつ．なお，原子炉の形式によって温度に関する核分裂反応の基本的な反応特性は異なることに注意を要する.

問19 Check! □□□

(平成20年 Ⓐ問題4)

わが国の商業発電用原子炉のほとんどは，軽水炉と呼ばれる型式であり，それには加圧水型原子炉（PWR）と沸騰水型原子炉（BWR）の2種類がある．

PWRの熱出力調整は主として炉水中の [(ア)] の調整によって行われる．

一方，BWRでは主として [(イ)] の調整によって行われる．なお，両型式とも起動又は停止時のような大幅な出力調整は制御棒の調整で行い，制御棒の [(ウ)] によって出力は上昇し，[(エ)] によって出力は下降する．

上記の記述中の空白箇所(ア)，(イ)，(ウ)及び(エ)に当てはまる語句として，正しいものを組み合わせたのは次のうちどれか．

	(ア)	(イ)	(ウ)	(エ)
(1)	ほう素濃度	再循環流量	挿入	引抜き
(2)	再循環流量	ほう素濃度	引抜き	挿入
(3)	ほう素濃度	再循環流量	引抜き	挿入
(4)	ナトリウム濃度	再循環流量	挿入	引抜き
(5)	再循環流量	ほう素濃度	挿入	引抜き

解19 解答（3）

原子炉の熱出力調整の方法は原子炉の種類によって異なり，次のような方法がある．

(1) PWR（加圧水型原子炉）

① 制御棒による方法

原子炉内に設置された制御棒を炉心内へ挿入すると炉心の反応度が低下して出力が減少し，制御棒を炉心外へ引き出すと出力が増加する．

PWRでは，制御棒は原子炉の起動・停止時に用いられ，運転中の制御棒はほとんど引き出された状態になっており，微調整用の制御棒のみがわずかに挿入されているだけである．

② ほう素（B）濃度調整による方法

中性子吸収のよいほう素を利用して出力を制御する方法である．一次冷却水中のほう素濃度を増すと，ほう素による中性子吸収が増加するため炉心の反応度が低下し，出力が減少するが，反対にほう素濃度を減らすと中性子吸収が減少して出力が増加する．

(2) BWR（沸騰水型原子炉）

① 制御棒による方法

PWRと同様に原子炉の起動・停止時に用いられる．

しかしながら，BWRでは，炉内で気泡（ボイド）が発生し，これが炉心上部に分布する．これを避け，できるだけ炉心の出力分布を平たん化するため，BWRでは制御棒は炉心下部から挿入され，PWRと違って運転中も制御棒がある程度炉心に挿入された状態になっている．

② 再循環流量調整による方法

負の反応度係数をもつ気泡（ボイド）の量を再循環ポンプにより再循環流量を調整することによって，出力を変化させる方法で，炉心流量を増加させれば出力が増加し，炉心流量を減少させれば，出力は減少する．

問18 Check! □□□

(平成25年 Ⓐ問題4)

原子力発電に用いられる軽水炉には，加圧水型（PWR）と沸騰水型（BWR）がある．この軽水炉に関する記述として，誤っているものを次の(1)～(5)のうちから一つ選べ．

(1) 軽水炉では，低濃縮ウランを燃料として使用し，冷却材や減速材に軽水を使用する．

(2) 加圧水型では，構造上，一次冷却材を沸騰させない．また，原子炉の反応度を調整するために，ホウ酸を冷却材に溶かして利用する．

(3) 加圧水型では，高温高圧の一次冷却材を炉心から送り出し，蒸気発生器の二次側で蒸気を発生してタービンに導くので，原則的に炉心の冷却材がタービンに直接入ることはない．

(4) 沸騰水型では，炉心で発生した蒸気と蒸気発生器で発生した蒸気を混合して，タービンに送る．

(5) 沸騰水型では，冷却材の蒸気がタービンに入るので，タービンの放射線防護が必要である．

問19 Check! □□□

(平成22年 Ⓐ問題4)

わが国における商業発電用の加圧水型原子炉（PWR）の記述として，正しいのは次のうちどれか．

(1) 炉心内で水を蒸発させて，蒸気を発生する．

(2) 再循環ポンプで炉心内の冷却水流量を変えることにより，蒸気泡の発生量を変えて出力を調整できる．

(3) 高温・高圧の水を，炉心から蒸気発生器に送る．

(4) 炉心と蒸気発生器で発生した蒸気を混合して，タービンに送る．

(5) 炉心を通って放射線を受けた蒸気が，タービンを通過する．

解18 解答 (4)

軽水炉は減速材と冷却材として軽水（H_2O）を使っている原子炉である．蒸気を発生させる仕組みの違いにより，沸騰水型炉（BWR：Boiling Water Reactor）と加圧水型炉（PWR：Pressurized Water Reactor）の2種類に分類される．

(1) 軽水炉では，核分裂するウラン235の含有量を3～5〔%〕に高めた低濃縮ウランを燃料として使用し，減速材や冷却材に軽水（H_2O）を使っている．設問の記述は正しい．

(2) 加圧水型は，原子炉につながる一次系統とタービンにつながる二次系統を分離し，一次系統から二次系統へは蒸気発生器により熱を伝えている．一次系統の冷却材（冷却水）は加圧して沸騰させない仕組みとし，熱中性子を吸収して核分裂反応を抑制する性質を持つほう酸を溶かして原子炉の反応度を調整している．設問の記述は正しい．

(3) 加圧水型では，一次系統と二次系統が分離されているため，炉心の冷却材（冷却水）はタービンに直接入ることはない．設問の記述は正しい．

(4) 沸騰水型では，原子炉の中で蒸気を発生させ，それを直接タービンに送るため，蒸気発生器は存在しない．設問の記述は誤りである．

(5) 沸騰水型では，放射性物質が含まれる冷却材（冷却水）の蒸気がタービンに入るため，タービンの放射性防護が必要である．設問の記述は正しい．

解19 解答 (3)

加圧水型原子炉（PWR）は，加圧器を用いて炉心を加圧し，軽水を沸騰させないで，高温の加圧水を熱交換器に導いて，蒸気を発生させ，この蒸気をタービンへ供給する方式の原子炉で，(3)の記述が正しい．

原子炉－加圧器－蒸気発生器－循環ポンプのループを一次系，蒸気発生器－タービン－復水ポンプ－給水加熱器－給水ポンプのループを二次系という．PWRは，熱交換器を介して間接的にタービンへ蒸気を供給するので，間接サイクル水動力炉と呼ばれており，原子炉で発生した蒸気を直接タービンへ供給するBWR（沸騰水型原子炉）は直接サイクル水原子炉と呼ばれる．

また，(1)，(2)および(5)の記述はBWRに関するもので，(4)の記述はPWRおよびBWRのどちらのものでもない．

問20 Check! □□□

(令和4年㊤ Ⓐ問題4)

沸騰水型原子炉（BWR）に関する記述として，誤っているものを次の⑴～⑸のうちから一つ選べ．

⑴ 燃料には低濃縮ウランを，冷却材及び減速材には軽水を使用する．

⑵ 加圧水型原子炉（PWR）に比べて原子炉圧力が低く，蒸気発生器が無いので構成が簡単である．

⑶ 出力調整は，制御棒の抜き差しと再循環ポンプの流量調節により行う．

⑷ 制御棒は，炉心上部から燃料集合体内を上下することができる構造となっている．

⑸ タービン系統に放射性物質が持ち込まれるため，タービン等に遮へい対策が必要である．

解20 解答 (4)

(1) 原子炉の形式

・沸騰水型軽水炉（BWR）：原子炉圧力容器内で発生する蒸気で蒸気タービンを駆動する．加圧水型軽水炉で備わる熱交換器である蒸気発生器は不要であるが，タービン側の放射能遮へい対策が必要である．

・加圧水型軽水炉（PWR）：原子炉圧力容器内を通る一次冷却系の熱水（蒸気ではない）が，原子炉圧力容器外の蒸気発生器で二次冷却系の水を蒸気にして蒸気タービンを駆動する．

(2) 原子炉の構成材料

構成機材	役　目	材　料
核燃料	核分裂を発生させる	ウラン 235，プルトニウム 239
減速材	中性子を減速させる （高速中性子を熱中性子に変換）	軽水，重水，黒鉛
制御棒	核分裂の制御を行う（中性子吸収度合いにより炉心の反応度を制御）	ハフニウム，カドミウム，ほう素
冷却材	原子炉で発生した熱を炉外へ取り出す	軽水，重水，炭酸ガス，ナトリウム
反射材	中性子を反射させ炉心に戻す	軽水，重水，ベリリウム，黒鉛
遮へい材	放射線を遮へいする	コンクリート

核燃料となるウラン 235 は天然ウランに約 0.7 % 含まれ，残りの約 99.3 % はウラン 238 である．天然ウラン中のウラン 235 を濃縮し核燃料として適切な濃度（3 ～ 5 %）に加工したものを低濃縮ウランという．

(3) 原子炉の出力制御方法

出力調整は，BWR では制御棒の抜き差しと再循環ポンプによる冷却材流量調節，PWR では制御棒の抜き差しと一次冷却材のほう素濃度調節により行う．

制御棒挿入により出力を減少させる際，BWR では原子炉圧力容器の頂部には蒸気が発生しているため，原子炉圧力容器の下部から上向きに制御棒を挿入する．PWR では原子炉圧力容器の上部から下向きに制御棒を挿入する．

(4) 原子炉の圧力

BWR では，炉内で高温に加熱された冷却材は沸騰して約 7 MPa の飽和蒸気（蒸気圧力は火力発電の約 1/3 で，火力発電と異なり過熱蒸気ではない）となりタービンへ供給される．

原子炉圧力容器内の圧力は，BWR 約 7 PMa，PWR 約 16 PMa で，BWR は蒸気発生器がなく原子炉の圧力も低いため，PWR に比べて機器構成が簡単である．

電力 3 原子力・その他の発電

問21 Check! □□□

（平成17年 Ⓐ問題4）

沸騰水型軽水炉（BWR）に関する記述として，誤っているのは次のうちどれか.

(1) 燃料には低濃縮ウランを，冷却材及び減速材には軽水を使用する.
(2) 加圧水型軽水炉（PWR）に比べて出力密度が大きいので，炉心及び原子炉圧力容器は小さくなる.
(3) 出力調整は，制御棒の抜き差しと再循環ポンプの流量調整により行う.
(4) 加圧水型軽水炉に比べて原子炉圧力が低く，蒸気発生器がないので構成が簡単である.
(5) タービン系に放射性物質が持ち込まれるため，タービン等に遮へい対策が必要である.

問22 Check! □□□

（令和2年 Ⓐ問題4）

次の文章は，原子燃料に関する記述である.

核分裂は様々な原子核で起こるが，ウラン235などのように核分裂を起こし，連鎖反応を持続できる物質を (ア) といい，ウラン238のように中性子を吸収して (ア) になる物質を (イ) という．天然ウラン中に含まれるウラン235は約 (ウ) %で，残りは核分裂を起こしにくいウラン238である．ここで，ウラン235の濃度が天然ウランの濃度を超えるものは，濃縮ウランと呼ばれており，濃縮度3%から5%程度の (エ) は原子炉の核燃料として使用される.

上記の記述中の空白箇所(ア)～(エ)に当てはまる組合せとして，正しいものを次の(1)～(5)のうちから一つ選べ.

	(ア)	(イ)	(ウ)	(エ)
(1)	核分裂性物質	親物質	1.5	低濃縮ウラン
(2)	核分裂性物質	親物質	0.7	低濃縮ウラン
(3)	核分裂生成物	親物質	0.7	高濃縮ウラン
(4)	核分裂生成物	中間物質	0.7	低濃縮ウラン
(5)	放射性物質	中間物質	1.5	高濃縮ウラン

解21 解答 (2)

(2)が誤りである．一般に沸騰水型軽水炉（BWR）の単位体積当たりの出力密度は加圧水型軽水炉（PWR）よりも小さく，同じ出力の炉を考えたとき炉心はBWRの方が大きくなる．

解22 解答 (2)

核分裂はさまざまな原子核で起こるが，ウラン 235 などのように核分裂を起こし，連鎖反応を持続できる物質を**核分裂性物質**といい，ウラン 238 のように中性子を吸収して**核分裂性物質**になる物質を**親物質**という．天然ウラン中に含まれるウラン 235 は約 0.7 % で，残りは核分裂を起こしにくいウラン 238 である．ここで，ウラン 235 の濃度が天然ウランの濃度を超えるものは，濃縮ウランと呼ばれており，濃縮度 3 % から 5 % 程度の**低濃縮ウラン**は原子炉の核燃料として使用される．

核燃料には，核分裂性物質と親物質との 2 種類があり，中性子を吸収して核分裂を起こすことのできる物質が核分裂性物質で，ウラン 233，ウラン 235，プルトニウム 239，プルトニウム 241 などがある．これに対し，ウラン 238 やトリウム 232 は中性子を吸収すると，それぞれプルトニウム 239，ウラン 233 に変わるので親物質と呼ばれ，この過程を転換という．

天然ウランは約 0.7 % のウラン 235 を含み，残りはほとんどウラン 238 である．ウラン 235 の含有率を天然ウランより高くしたウランを濃縮ウランといい，ウラン 235 の濃縮度に応じて，低濃縮ウラン（濃縮度 2 ～ 5 %）や高濃縮ウラン（濃縮度 90 % 以上）があり，動力炉用としては，低濃縮ウランが用いられる．

問23 Check! □□□

(平成28年 Ⓐ問題4)

次の文章は，原子力発電における核燃料サイクルに関する記述である．

天然ウランには主に質量数235と238の同位体があるが，原子力発電所の燃料として有用な核分裂性物質のウラン235の割合は，全体の0.7 %程度にすぎない．そこで，採鉱されたウラン鉱石は製錬，転換されたのち，遠心分離法などによって，ウラン235の濃度が軽水炉での利用に適した値になるように濃縮される．その濃度は (ア) %程度である．さらに，その後，再転換，加工され，原子力発電所の燃料となる．

原子力発電所から取り出された使用済燃料からは， (イ) によってウラン，プルトニウムが分離抽出され，これらは再び燃料として使用することができる．プルトニウムはウラン238から派生する核分裂性物質であり，ウランとプルトニウムとを混合した (ウ) を軽水炉の燃料として用いることをプルサーマルという．

また，軽水炉の転換比は0.6程度であるが，高速中性子によるウラン238のプルトニウムへの変換を利用した (エ) では，消費される核分裂性物質よりも多くの量の新たな核分裂性物質を得ることができる．

上記の記述中の空白箇所(ア)，(イ)，(ウ)及び(エ)に当てはまる組合せとして，正しいものを次の(1)～(5)のうちから一つ選べ．

	(ア)	(イ)	(ウ)	(エ)
(1)	3 ～ 5	再処理	MOX燃料	高速増殖炉
(2)	3 ～ 5	再処理	イエローケーキ	高速増殖炉
(3)	3 ～ 5	再加工	イエローケーキ	新型転換炉
(4)	10 ～ 20	再処理	イエローケーキ	高速増殖炉
(5)	10 ～ 20	再加工	MOX燃料	新型転換炉

解23 解答 (1)

核分裂性を有するウラン 235（^{235}U）は，天然ウラン中には約 0.7 % しか含まれておらず，残りのほとんどはウラン 238（^{238}U）である．このため，ウラン 235 の含有率を天然ウランより高くしたウランを濃縮ウランといい，原子力発電用に含有率を 3 ～ 5 % としたウランを低濃縮ウランという．

運転中の原子炉の燃料中に含まれるウラン 238 は，中性子を 1 個吸収するとウラン 239（^{239}U）となるが，ウラン 239 は不安定であるため β 崩壊してネプツニウム 239（^{239}Np）となり，これがさらに β 崩壊してプルトニウム 239（^{239}Pu）となる．プルトニウム 239 は原子炉の燃料として用いることができるため，使用済み燃料から分離抽出され，これとウランを混合した MOX 燃料を軽水炉の燃料として用いることができる．これをプルサーマルという．

ウラン 238 からプルトニウム 239 が得られるように，原子炉において新たな核分裂性物質が生成されるが，この核分裂性物質の生成量を核分裂性物質の消費量に対する比で表したものを転換比という．軽水炉においては転換比は 1 未満であるが，転換比が 1 を超える原子炉を増殖炉といい，高速中性子による増殖炉を高速増殖炉と呼んでいる．

問24 Check! □□□

(平成26年 Ⓐ問題4)

原子力発電に関する記述として，誤っているものを次の(1)～(5)のうちから一つ選べ．

(1) 現在，核分裂によって原子エネルギーを取り出せる物質は，原子量の大きなウラン（U），トリウム（Th），プルトニウム（Pu）であり，ウランとプルトニウムは自然界にも十分に存在している．

(2) 原子核を陽子と中性子に分解させるには，エネルギーを外部から加える必要がある．このエネルギーを結合エネルギーと呼ぶ．

(3) 原子核に何らかの外力が加えられて，他の原子核に変換される現象を核反応と呼ぶ．

(4) ウラン${}^{235}_{92}\mathrm{U}$を1g核分裂させたとき，発生するエネルギーは，石炭数トンの発熱量に相当する．

(5) ウランに熱中性子を衝突させると，核分裂を起こすが，その際放出する高速中性子の一部が減速して熱中性子になり，この熱中性子が他の原子核に分裂を起こさせ，これを繰り返すことで，連続的な分裂が行われる．この現象を連鎖反応と呼ぶ．

問25 Check! □□□

(令和5年㊦ Ⓐ問題4)

軽水炉で使用されている原子燃料に関する記述として，誤っているものを次の(1)～(5)のうちから一つ選べ．

(1) 中性子を吸収して核分裂を起こすことのできる核分裂性物質には，ウラン235やプルトニウム239がある．

(2) ウラン燃料は，二酸化ウランの粉末を焼き固め，ペレット状にして使用される．

(3) ウラン燃料には，濃縮度90％程度の高濃縮ウランが使用される．

(4) ウラン238は中性子を吸収してプルトニウム239に変わるので，親物質と呼ばれる．

(5) 天然ウランは約0.7％のウラン235を含み，残りはほとんどウラン238である．

解24 解答 (1)

(1)が誤りである.

核分裂によって原子エネルギーを取り出せる物質には，原子量の大きなウラン（U），トリウム（Th），プルトニウム（Pu）などがある．ウランは自然界に十分に存在するが，プルトニウムは超ウラン元素で，ウラン鉱石中にわずかに含まれているのみで，自然界にはほとんど存在しない原子である.

プルトニウムは，原子炉中でウラン238が中性子捕獲をしてウラン239となった後，β崩壊をしてネプツニウム（Np）239となり，さらにこれがβ崩壊をしてプルトニウム239が生成される（他のプルトニウム同位体も多数生成される）ので，運転中の原子炉にある核燃料中には多くのプルトニウムが存在する.

MOX燃料などに用いられるプルトニウムは，原子炉の使用済み核燃料を再処理して取り出されている.

解25 解答 (3)

天然ウランには，核分裂を起こすことができるウラン235はわずか0.7％しか含まれていないことから，軽水炉で効率よく核分裂を起こす燃料にするにはウラン235の割合を3から5％程度まで高める必要があり，これを低濃縮ウランという.

よって，(3)が誤りである.

問26 Check! □□□

(令和2年 Ⓐ問題5)

次の文章は，太陽光発電に関する記述である．

太陽光発電は，太陽電池の光電効果を利用して太陽光エネルギーを電気エネルギーに変換する．地球に降り注ぐ太陽光エネルギーは，1 m^2 当たり1秒間に約 (ア) kJに相当する．太陽電池の基本単位はセルと呼ばれ， (イ) V程度の直流電圧が発生するため，これを直列に接続して電圧を高めている．太陽電池を系統に接続する際は， (ウ) により交流の電力に変換する．

一部の地域では太陽光発電の普及によって (エ) に電力の余剰が発生しており，余剰電力は揚水発電の揚水に使われているほか，大容量蓄電池への電力貯蔵に活用されている．

上記の記述中の空白箇所(ア)～(エ)に当てはまる組合せとして，正しいものを次の(1)～(5)のうちから一つ選べ．

	(ア)	(イ)	(ウ)	(エ)
(1)	10	1	逆流防止ダイオード	日中
(2)	10	10	パワーコンディショナ	夜間
(3)	1	1	パワーコンディショナ	日中
(4)	10	1	パワーコンディショナ	日中
(5)	1	10	逆流防止ダイオード	夜間

解26 解答 (3)

太陽光発電は，太陽電池の光電効果を利用して太陽光エネルギーを電気エネルギーに変換する．地球に降り注ぐ太陽光エネルギーは，1 m^2 当たり 1 秒間に 1 kJ に相当する．太陽電池の基本単位はセルと呼ばれ 1 V 程度の直流電圧が発生するため，これを直列に接続して電圧を高めている．太陽電池を系統に接続する際は，**パワーコンディショナ**により交流の電力に変換する．

一部の地域では太陽光発電の普及によって**日中**に電力の余剰が発生しており，余剰電力は揚水発電の揚水に使われているほか，大容量蓄電池への電力貯蔵に活用されている．

地球が単位面積当たりに受ける太陽放射エネルギーを太陽定数といい，約 1.37 kW/m^2 である．

半導体の pn 接合に光を照射すると，電子と正孔が発生する．これを光起電力効果という．太陽電池の基本単位はセルと呼ばれ，開放電圧はおおむね 0.6 V ～ 1 V 程度であるため，セルを複数個直列に接続してモジュール（パネル）とし，さらにこれを複数並べたものをアレイという．

パワーコンディショナは，太陽電池アレイからの直流を利用に適した電力に変換するもので，インバータや系統連系装置で構成される．

問27 Check! □□□

(平成23年 A 問題5)

太陽光発電は，(ア) を用いて，光のもつエネルギーを電気に変換している．エネルギー変換時には，(イ) のように (ウ) を出さない．

すなわち，(イ) による発電では，数千万年から数億年間の太陽エネルギーの照射や，地殻における変化等で優れた燃焼特性になった燃料を電気エネルギーに変換しているが，太陽光発電では変換効率は低いものの，光を電気エネルギーへ瞬時に変換しており長年にわたる (エ) の積み重ねにより生じた資源を消費しない．そのため環境への影響は小さい．

上記の記述中の空白箇所(ア)，(イ)，(ウ)及び(エ)に当てはまる組合せとして，最も適切なものを次の(1)～(5)のうちから一つ選べ．

	(ア)	(イ)	(ウ)	(エ)
(1)	半導体	化石燃料	排気ガス	環境変化
(2)	半導体	原子燃料	放射線	大気の対流
(3)	半導体	化石燃料	放射線	大気の対流
(4)	タービン	化石燃料	廃熱	大気の対流
(5)	タービン	原子燃料	排気ガス	環境変化

解27 解答 (1)

太陽光発電は，pn 接合半導体からなる太陽電池を用いて，太陽エネルギーを電気エネルギーに変換するもので，その変換効率は低く 20〔%〕程度であるが，石炭や重油，天然ガスなどの化石燃料を用いた火力発電と比べて，二酸化炭素（CO_2）などの排気ガスを出さずクリーンなエネルギーとして注目されている．

問28 Check! □□□

（平成25年 Ⓐ問題5）

次の文章は，太陽光発電に関する記述である．

現在広く用いられている太陽電池の変換効率は太陽電池の種類により異なるが，およそ (ア) 〔%〕である．太陽光発電を導入する際には，その地域の年間 (イ) を予想することが必要である．また，太陽電池を設置する (ウ) や傾斜によって (イ) が変わるので，これらを確認する必要がある．さらに，太陽電池で発電した直流電力を交流電力に変換するためには，電気事業者の配電線に連系して悪影響を及ぼさないための保護装置などを内蔵した (エ) が必要である．

上記の記述中の空白箇所(ア)，(イ)，(ウ)及び(エ)に当てはまる組合せとして，最も適切なものを次の(1)～(5)のうちから一つ選べ．

	(ア)	(イ)	(ウ)	(エ)
(1)	7～20	平均気温	影	コンバータ
(2)	7～20	発電電力量	方位	パワーコンディショナ
(3)	20～30	発電電力量	強度	インバータ
(4)	15～40	平均気温	面積	インバータ
(5)	30～40	日照時間	方位	パワーコンディショナ

解28 解答 (2)

太陽光発電は近年普及が進んでおり，太陽電池の開発も活発に行われている．

(ア) 現在市場で販売されている太陽電池の変換効率は，普及品で 15〔%〕程度であり，最高値では単結晶シリコン太陽電池で 20〔%〕近く，比較的変換効率の劣る有機薄膜太陽電池でも 7〔%〕程度からとなっている．

(イ) 太陽光発電の導入にあたっては年間発電電力量が重要である．

(ウ) 太陽電池は，受光面に受ける日射量に応じて発電量が変化するため，太陽電池面に対して，できるだけ直角に近い角度で太陽光が当たるように設置することが重要である．よって，太陽光発電の年間発電電力量を高めるため，太陽電池を設置する方位や傾斜を事前に確認する必要がある．

(エ) 太陽電池で発電した直流電力を交流電力に変換して交流系統に連系するためにパワーコンディショナを用いる．パワーコンディショナは電力変換機能のほかに，保護装置などを内蔵している．

問29　Check! □□□

（令和５年㊤　Ⓐ問題５）

風力発電に関する記述として，誤っているものを次の(1)～(5)のうちから一つ選べ．

(1) 風力発電は，風の力で風力発電機を回転させて電気を発生させる発電方式である．風が得られれば燃焼によらずパワーを得ることができるため，発電するときに CO_2 を排出しない再生可能エネルギーである．

(2) 風車で取り出せるパワーは風速に比例するため，発電量は風速に左右される．このため，安定して強い風が吹く場所が好ましい．

(3) 離島においては，風力発電に適した地域が多く存在する．離島の電力供給にディーゼル発電機を使用している場合，風力発電を導入すれば，そのディーゼル発電機の重油の使用量を減らす可能性がある．

(4) 一般的に，風力発電では同期発電機，永久磁石式発電機，誘導発電機が用いられる．

(5) 風力発電では，翼が風を切るため騒音を発生する．風力発電を設置する場所によっては，この騒音が問題となる場合がある．この騒音対策として，翼の形を工夫して騒音を低減している．

解29 解答 (2)

(1), (3) 正しい．風力発電は，枯渇することのない風の力で発電するものであり，燃料（重油，軽油，LNG，石炭等）を使用することはないため，CO_2 を発生しないほか，地上と洋上のいずれでも発電できるという長所を有している．

(4) 正しい．風力発電機における発電機は，誘導機もしくは同期機が使用されるが，一般的には誘導機が使用され，大形のものでは同期発電機が使用されることが多い．

(5) 正しい．太陽光発電同様に，発電量が天候に左右されること，翼が風を切るため騒音が発生するなどの短所がある．

(2) 誤り．風車の出力 P [W] は，空気密度を ρ [kg/m^3]，風車の回転面積を A [m^2]，風速を v [m/s]，総合効率を η とすれば，次式のとおりである．

$$p = \frac{1}{2}\rho A v^3 \eta \text{ [W]}$$

つまり，風車の出力は風速の 3 乗に比例する．

問30 Check! □□□

（平成24年 Ⓐ問題5）

風力発電に関する記述として，誤っているものを次の(1)〜(5)のうちから一つ選べ．

(1) 風力発電は，風の力で風力発電機を回転させて電気を発生させる発電方式である．風が得られれば燃焼によらずパワーを得ることができるため，発電するときにCO_2を排出しない再生可能エネルギーである．

(2) 風車で取り出せるパワーは風速に比例するため，発電量は風速に左右される．このため，安定して強い風が吹く場所が好ましい．

(3) 離島においては，風力発電に適した地域が多く存在する．離島の電力供給にディーゼル発電機を使用している場合，風力発電を導入すれば，そのディーゼル発電機の重油の使用量を減らす可能性がある．

(4) 一般的に，風力発電では同期発電機，永久磁石式発電機，誘導発電機が用いられる．特に，大形の風力発電機には，同期発電機又は誘導発電機が使われている．

(5) 風力発電では，翼が風を切るため騒音を発生する．風力発電を設置する場所によっては，この騒音が問題となる場合がある．この騒音対策として，翼の形を工夫して騒音を低減している．

解30 解答 (2)

(2)の記述が誤りである.

風車で取り出せるパワーは風速に比例するのではなく, 風速の3乗に比例する.

いま, 図のように, 風速 v〔m/s〕の風により風車が回転している場合を考える. 風車の回転面積を A〔m^2〕とすると, Δt〔s〕に風車を通過する空気の体積 ΔV は, $\Delta V = Av\Delta t$〔m^3〕であるから, その質量 Δm は, 次式のようになる.

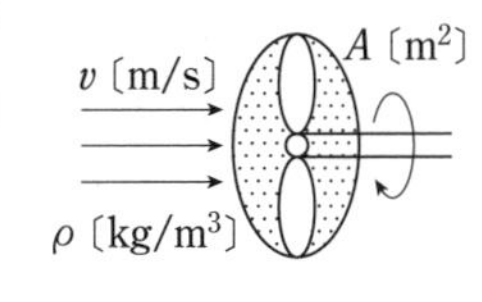

$$\Delta m = \rho\Delta V = \rho Av\Delta t \text{〔kg〕}$$

一方, 質量 Δm〔kg〕の空気が風速 v〔m/s〕で運動しているときの運動エネルギー ΔW は,

$$\Delta W = \frac{1}{2}\Delta mv^2 = \frac{1}{2}\cdot\rho Av\Delta t\cdot v^2 = \frac{1}{2}\rho Av^3\Delta t \text{〔J〕}$$

ここで, 空気の運動エネルギーのうち風車の動力エネルギーに変換される際の係数を C とすると, 風車の動力エネルギー ΔW_p は,

$$\Delta W_p = \frac{1}{2}C\rho Av^3\Delta t \text{〔J〕}$$

となり, 単位時間当たりの風車の動力エネルギー, すなわち風車出力 P は,

$$P = \frac{\Delta W_p}{\Delta t} = \frac{1}{2}C\rho Av^3 \text{〔W〕}$$

となって, 風車出力は回転面積 A に比例し, 風速 v の3乗に比例することになる.

問31 Check! □□□

(令和４年㊤ Ⓐ問題５)

次の文章は，風力発電に関する記述である.

風力発電は，風のエネルギーによって風車で発電機を駆動し発電を行う．風車は回転軸の方向により水平軸風車と垂直軸風車に分けられ，大電力用には主に (ア) 軸風車が用いられる.

風がもつ運動エネルギーは風速の (イ) 乗に比例する．また，プロペラ型風車を用いた風力発電で取り出せる電力は，損失を無視すると風速の (ウ) 乗に比例する．風が得られれば電力を発生できるため，発電するときに二酸化炭素を排出しない再生可能エネルギーであり，また，出力変動の (エ) 電源とされる.

発電機には誘導発電機や同期発電機が用いられる．同期発電機を用いてロータの回転速度を可変とした場合には，発生した電力は (オ) を介して電力系統へ送電される.

上記の記述中の空白箇所(ア)～(オ)に当てはまる組合せとして，正しいものを次の(1)～(5)のうちから一つ選べ.

	(ア)	(イ)	(ウ)	(エ)	(オ)
(1)	水平	2	2	小さい	増速機
(2)	水平	2	3	大きい	電力変換装置
(3)	水平	3	3	大きい	電力変換装置
(4)	垂直	3	2	小さい	増速機
(5)	垂直	2	3	大きい	電力変換装置

解31 解答 (2)

(1) 風力発電の出力と風車の形式

風車を駆動する風の変動によって風車発電機の出力は変動し，ときとして生じるスパイク状の出力変動は連系する電力系統の周波数変動，電圧変動をもたらす．この課題に対して現時点で講じ得る有効な対策案は，蓄電池の併用が挙げられる．

風車の形式には，水平軸風車と垂直軸風車があり，大形の風力発電システムでは風方向と風車回転軸が一致する**水平軸風車**が用いられる．

(2) 風がもつ運動エネルギーと風車出力

風力発電は風の運動エネルギーを風車の回転運動に変換して取り出す．ある質量 m_0 [kg] の空気が速度 v [m/s^2] で風として運動している場合，この空気がもつ運動エネルギー W_0 は，

$$W_0 = \frac{1}{2}m_0v^2 \quad \text{（風速 } v \text{ の 2 乗に比例）}$$

密度 ρ [kg/m^3]，が時間 t [s] の間に風車の受風面積 A [m^2] を通過した場合，風車の受風面積を通過した空気の全質量 m は，

$$m = \rho Avt \text{ [kg]}$$

この空気の全質量がもつ運動エネルギー W は，

$$W = \frac{1}{2}mv^2 = \frac{1}{2}\rho Av^3t \text{ [J]}$$

風車の出力係数を C_{p} とすると，風車から取り出せる単位時間当たりのエネルギー，すなわち風車出力 P は，

$$P = \frac{1}{2}C_{\mathrm{p}}\rho Av^3 \text{ [W]}$$

風力発電で取り出せる電力は，損失を無視すると風速 v の 3 乗に比例する．

(3) 風車発電機の形式と風力発電システムの運転制御方式

風力発電に用いられる発電機には誘導発電機と同期発電機がある．誘導発電機の場合，固定子巻線を電力系統に直接接続する．回転子の回転速度はわずかに変化可能だが，誘導機の同期速度に近い速度に限られ，固定速運転に近い．

同期発電機の場合，固定子巻線に生じる交流の電圧・電流を一度直流に変換したのち，電力系統の周波数に再変換して電力系統に接続する．つまり**電力変換装置**を介して電力系統に接続する．回転子の回転速度は系統周波数に依存せず，可変速運転が可能である．

問32 Check! □□□

(平成22年 A問題5)

次の文章は，風力発電に関する記述である．

風として運動している同一質量の空気が持っている運動エネルギーは，風速の (ア) 乗に比例する．また，風として風力発電機の風車面を通過する単位時間当たりの空気の量は，風速の (イ) 乗に比例する．したがって，風車面を通過する空気の持つ運動エネルギーを電気エネルギーに変換する風力発電機の変換効率が風速によらず一定とすると，風力発電機の出力は風速の (ウ) 乗に比例することとなる．

上記の記述中の空白箇所(ア)，(イ)及び(ウ)に当てはまる数値として，正しいものを組み合わせたのは次のうちどれか．

	(ア)	(イ)	(ウ)
(1)	2	2	4
(2)	2	1	3
(3)	2	0	2
(4)	1	2	3
(5)	1	1	2

問33 Check! □□□

(平成17年 A問題5)

各種の発電に関する記述として，誤っているのは次のうちどれか．

(1) 溶融炭酸塩型燃料電池は，電極触媒劣化の問題が少ないことから，石炭ガス化ガス，天然ガス，メタノールなど多様な燃料を容易に使用することができる．

(2) シリコン太陽電池には，結晶系の単結晶太陽電池や多結晶太陽電池と非結晶系のアモルファス太陽電池などがある．

(3) 地熱発電所においては，蒸気井から得られる熱水が混じった蒸気を，直接蒸気タービンに送っている．

(4) 風力発電は，一般に風速に関して発電を開始する発電開始風速（カットイン風速）と停止する発電停止風速（カットアウト風速）が設定されている．

(5) 廃棄物発電は，廃棄物を焼却するときの熱を利用して蒸気を作り，蒸気タービンを回して発電をしている．

解32 解答 (2)

風のもつ運動エネルギーWは，空気の質量をm〔kg〕，速度をv〔m/s〕とすると，

$$W=\frac{1}{2}mv^2〔\mathrm{J}〕\quad(\therefore\quad W\propto v^2)\qquad(ア)$$

で表せる．

ここで，空気の密度をρ〔kg/m³〕，風車の回転面積をA〔m²〕とすると，風車面を通過する風量Qは，

$$Q=Av〔\mathrm{m^3/s}〕\quad(\therefore\quad Q\propto v)\qquad(イ)$$

で表せるから，風車の出力係数をC_pとすると，風車で取り出すことができるエネルギーpは，

$$m=\rho Q=\rho Av〔\mathrm{kg/s}〕$$

として，

$$p=\frac{1}{2}C_p\rho Av^3〔\mathrm{J/s}〕(〔\mathrm{W}〕)$$

で与えられ，風速の3乗に比例することになる．

したがって，発電機の効率η_gが一定であるとすれば，風力発電機の出力Pは，

$$P=\eta_g p=\frac{1}{2}\eta_g C_p\rho Av^3〔\mathrm{W}〕\quad(\therefore\quad P\propto v^3)\qquad(ウ)$$

で表せ，風速の3乗に比例することになる．

解33 解答 (3)

(3)が誤りである．地熱発電所では，蒸気井から得られる蒸気を利用して発電を行うが，得られた蒸気を直接タービンに送るのは，蒸気が過熱蒸気のみである場合か蒸気の湿り度が低い場合のみで，蒸気に熱水を含む場合は汽水分離器で分離し，蒸気のみをタービンへ送って発電を行うものである．

溶融炭酸塩型燃料電池は，動作温度が高く電極触媒が不要であり，電極触媒を必要とする低温型のりん酸形燃料電池がCO（一酸化炭素）により触媒能が低下する欠点を有するのに対し，その影響を受けないので，石炭ガス化ガス，天然ガス，メタノールなど多様な燃料を使用することが可能である．

風力発電において，発電を開始するときの風速をカットイン風速，強風時に安全確保のため発電を停止する風速をカットアウト風速と呼んでいる．

問34 Check! □□□ （令和４年㊦ Ⓐ問題5）

各種発電に関する記述として，誤っているものを次の(1)～(5)のうちから一つ選べ．

(1) 太陽光発電は，太陽電池によって直流の電力を発生させる．需要地点で発電が可能，発生電力の変動が大きい，などの特徴がある．

(2) 地熱発電は，地下から取り出した蒸気又は熱水の気化で発生させた蒸気によってタービンを回転させる発電方式である．発電に適した地熱資源を見つけるために，適地調査に多額の費用と長い期間がかかる．

(3) バイオマス発電は，植物などの有機物から得られる燃料を利用した発電方式である．さとうきびから得られるエタノールや，家畜の糞から得られるメタンガスなどが燃料として用いられている．

(4) 風力発電は，風のエネルギーによって風車で発電機を駆動し発電を行う．プロペラ型風車は羽根の角度により回転速度の制御が可能である．設定値を超える強風時には羽根の面を風向きに平行になるように制御し，ブレーキ装置によって風車を停止させる．

(5) 燃料電池発電は，水素と酸素との化学反応を利用して直流の電力を発生させる．発電に伴って発生する熱を給湯などに利用できるが，発電時の振動や騒音が大きい．

解34 解答 (5)

燃料電池は，燃料として水素（H_2）を，また空気中から酸素（O_2）を取り入れて，電解質の働きにより電子（e^-）を外部に取り出すことによって，外部回路に電子の流れ，すなわち電流をもたらす装置である．

固体高分子形燃料電池（PEFC），りん酸形燃料電池（PAFC），溶融炭酸塩形燃料電池（MCFC），固体酸化物形燃料電池（SOFC）などがある．

燃料電池には次のような特徴がある．

① 燃料がもつ化学エネルギーを原動機を介さず電力（直流）に変換するので，燃焼による熱エネルギーを蒸気に変え原動機（蒸気タービン）を介して電力（交流）に変換する火力発電よりもエネルギー変換効率は高い．

② ボイラ，タービンが不要のため大気汚染や振動，騒音が小さい．

③ 需要地で発電できるので送電に伴う損失がない．

④ 生じる電気は直流のため，交流負荷用にはインバータが必要である．

⑤ 発電に伴うCO_2排出はないが，一般的に燃料を得る「改質」の際にCO_2を排出する．

問35 Check! □□□

(平成28年 Ⓐ問題5)

各種の発電に関する記述として，誤っているものを次の(1)～(5)のうちから一つ選べ．

(1) 燃料電池発電は，水素と酸素との化学反応を利用して直流の電力を発生させる．化学反応で発生する熱は給湯などに利用できる．

(2) 貯水池式発電は水力発電の一種であり，季節的に変動する河川流量を貯水して使用することができる．

(3) バイオマス発電は，植物などの有機物から得られる燃料を利用した発電方式である．さとうきびから得られるエタノールや，家畜の糞から得られるメタンガスなどが燃料として用いられている．

(4) 風力発電は，風のエネルギーによって風車で発電機を駆動し発電を行う．風力発電で取り出せる電力は，損失を無視すると，風速の2乗に比例する．

(5) 太陽光発電は，太陽電池によって直流の電力を発生させる．需要地点で発電が可能，発生電力の変動が大きい，などの特徴がある．

問36 Check! □□□

(令和3年 Ⓐ問題6)

分散型電源に関する記述として，誤っているものを次の(1)～(5)のうちから一つ選べ．

(1) 太陽電池で発生した直流の電力を交流系統に接続する場合は，インバータにより直流を交流に変換する．連系保護装置を用いると，系統の停電時などに電力の供給を止めることができる．

(2) 分散型電源からの逆潮流による系統電圧上昇を抑制する手段として，分散型電源の出力抑制や，電圧調整器を用いた電圧の制御などが行われる．

(3) 小水力発電では，河川や用水路などでの流込み式発電が用いられる場合が多い．

(4) 洋上の風力発電所と陸上の系統の接続では，海底ケーブルによる直流送電が用いられることがある．ケーブルでの直流送電のメリットとして，誘電損を考慮しなくてよいことなどが挙げられる．

(5) 一般的な燃料電池発電は，水素と酸素との吸熱反応を利用して電気エネルギーを作る発電方式であり，負荷変動に対する応答が早い．

解35 解答 (4)

⑷の記述が誤りで，“風力発電で取り出せる電力は，損失を無視すると，風速の3乗に比例する．”が正しい．

密度 ρ [kg/m^3] の空気が風速 v [m/s] で回転面積 A [m^2] の風車を通過しているとする．このとき，微小時間 Δt [s] に通過する空気の量は，$\Delta V = Av\Delta t$ [m^3] で表せ，その質量は，$\Delta m = \rho\Delta V = \rho Av\Delta t$ [kg] で表せる．この空気 Δm [kg] が保有するエネルギーが出力係数 C_p（$0 < C_p < 1$）で風車に伝えられるとすると，風車が得るエネルギー Δw は，

$$\Delta w = C_p \cdot \frac{1}{2}\Delta m v^2 = \frac{1}{2}C_p \rho Av\Delta t \cdot v^2 = \frac{1}{2}C_p \rho Av^3 \Delta t \ \ [\mathrm{J}]$$

であるから，風車が得る単位時間のエネルギー P は，

$$P = \frac{\Delta w}{\Delta t} = \frac{1}{2}C_p \rho Av^3 \propto v^3$$

となって，風速の3乗に比例することがわかる．

解36 解答 (5)

⑸の記述が誤りである．

正しくは，「一般的な燃料電池発電は，水素と酸素の発熱反応を利用して電気エネルギーをつくる発電方式であり，負荷変動に対する応答が早い．」である．

問37 Check! □□□

（令和５年㊦ Ａ問題５）

分散型電源に関する記述として，誤っているものを次の(1)～(5)のうちから一つ選べ．

(1) 太陽電池で発生した直流の電力を交流系統に接続する場合は，インバータにより直流を交流に変換する．連系保護装置を用いると，系統の停電時などに電力の供給を止めることができる．

(2) 分散型電源からの逆潮流による系統電圧上昇を抑制する手段として，分散型電源の出力抑制や，電圧調整器を用いた電圧の制御などが行われる．

(3) 小水力発電では，河川や用水路などでの流込み式発電が用いられる場合が多い．

(4) 洋上の風力発電所と陸上の系統の接続では，海底ケーブルによる直流送電が用いられることがある．直流送電では，ケーブルを用いて送電する場合でも，定常的な充電電流が流れないため，その補償が不要である．

(5) 一般的な燃料電池発電は，水素と酸素との吸熱反応を利用して電気エネルギーを作る発電方式であり，負荷変動に対する応答が早い．

問38 Check! □□□

（令和６年㊤ Ａ問題５）

燃料電池の原理と特徴に関する記述として，誤っているものを次の(1)～(5)のうちから一つ選べ．

(1) 燃料は外部から供給され，直接，交流電力を発生する．

(2) 電解質により，りん酸形，溶融炭酸塩形，固体高分子形などに分類される．

(3) 水の電気分解と逆の化学反応を利用した発電方式である．

(4) 発電時の排熱を空調や給湯に活用できる．

(5) 天然ガスやメタノールを改質して発生させた水素を燃料として利用できる．

解37 解答 (5)

燃料電池は，水素と酸素の発熱反応を利用して電気エネルギーをつくる発電方式であり，負荷変動に対する応答が早いという特徴を有している．

発電で発生した高温排熱を利用したコンバインドサイクルや，コージェネレーションシステムの採用により，総合効率を高めることが可能となる．

よって，(5)が誤りである．

解38 解答 (1)

(1) 誤り．燃料電池が発電する電力は直流電力であるため，電力系統と連系する場合は，交流電力に変換する装置が必要である．

(2) 正しい．燃料電池の種類は電解質により分類され，問題に記載の種類は主要である．

(3) 正しい．燃料電池は，水素と酸素の化合により，化学エネルギーを電気エネルギーに変換して発電するものである．

(4) 正しい．発電時の排熱を空調や給湯で活用するシステムを熱電供給システム（コージェネレーションシステム）といい，熱効率の向上等が実現できる．

(5) 正しい．燃料である水素は，天然ガスやメタノールのほか，都市ガス，LPガス等を改質して発生させる．

問39 Check! □□□

(平成29年 A 問題5)

次の文章は，地熱発電及びバイオマス発電に関する記述である．

地熱発電は，地下から取り出した (ア) によってタービンを回して発電する方式であり，発電に適した地熱資源は (イ) に多く存在する．

バイオマス発電は，植物や動物が生成・排出する (ウ) から得られる燃料を利用する発電方式である．燃料の代表的なものには，木くずから作られる固形化燃料や，家畜の糞から作られる (エ) がある．

上記の記述中の空白箇所(ア)，(イ)，(ウ)及び(エ)に当てはまる組合せとして，正しいものを次の(1)～(5)のうちから一つ選べ．

	(ア)	(イ)	(ウ)	(エ)
(1)	蒸気	火山地域	有機物	液体燃料
(2)	熱水の流れ	平野部	無機物	気体燃料
(3)	蒸気	火山地域	有機物	気体燃料
(4)	蒸気	平野部	有機物	気体燃料
(5)	熱水の流れ	火山地域	無機物	液体燃料

問40 Check! □□□

(平成18年 A 問題3)

電力の発生に関する記述として，誤っているのは次のうちどれか．

(1) 地熱発電は，地下から発生する蒸気の持つエネルギーを利用し，タービンで発電する方式である．

(2) 廃棄物発電は，廃棄物焼却時の熱を利用して発電を行うもので，最近ではスーパごみ発電など，高効率化を目指した技術開発が進められている．

(3) 太陽光発電は，最新の汽力発電なみの高い発電効率をもつ，クリーンなエネルギー源として期待されている．

(4) 燃料電池発電は，水素と酸素を化学反応させて電気エネルギーを発生させる方式で，騒音，振動が小さく分散型電源として期待されている．

(5) 風力発電は，比較的安定して強い風が吹く場所に設置されるクリーンな小規模発電として開発され，近年では単機容量の増大が図られている．

解39 解答 (3)

(a) 地熱発電

地下の高温の地層中に熱水や蒸気として貯留された熱エネルギーを地上に取り出し，発電に利用する発電方式である．地上に取り出した蒸気や熱水から蒸気を分離し，この蒸気により発電機と連動したタービンを回転させて発電を行い，残りの熱水は還元井によって再び地下へ戻される．

世界有数の火山国であるわが国には地熱資源が豊富に存在している．

(b) バイオマス発電

バイオマスは，一定量集積した動物性由来の有機性資源と定義されている．バイオマスを直接あるいはガス化して燃焼させ，生み出した水蒸気やガスでタービンを回して発電するものである．

解40 解答 (3)

太陽光発電はクリーンなエネルギー源であるが，変換効率は 10 ～ 15〔%〕程度で最新の汽力発電の熱効率よりはるかに低い．

問41 Check! □□□ (平成20年 Ⓐ問題5)

電気エネルギーの発生に関する記述として，誤っているのは次のうちどれか．

(1) 風力発電装置は風車，発電機，支持物などで構成され，自然エネルギー利用の一形態として注目されているが，発電電力が風速の変動に左右されるという特徴を持つ．

(2) わが国は火山国でエネルギー源となる地熱が豊富であるが，地熱発電の商用発電所は稼働していない．

(3) 太陽電池の半導体材料として，主に単結晶シリコン，多結晶シリコン，アモルファスシリコンが用いられており，製造コスト低減や変換効率を高めるための研究が継続的に行われている．

(4) 燃料電池は振動や騒音が少ない，大気汚染の心配が少ない，熱の有効利用によりエネルギー利用率を高められるなどの特長を持ち，分散形電源の一つとして注目されている．

(5) 日本はエネルギー資源の多くを海外に依存するので，石油，天然ガス，石炭，原子力，水力など多様なエネルギー源を発電に利用することがエネルギー安定供給の観点からも重要である．

解41 解答 (2)

わが国では，2016 年度において 38 か所の商用地熱発電所が稼働しているので，(2)の記述は誤り．

問42 Check! □□□

(平成21年 Ⓐ問題5)

バイオマス発電は，植物等の (ア) 性資源を用いた発電と定義することができる．森林樹木，サトウキビ等はバイオマス発電用のエネルギー作物として使用でき，その作物に吸収される (イ) 量と発電時の (イ) 発生量を同じとすることができれば，環境に負担をかけないエネルギー源となる．ただ，現在のバイオマス発電では，発電事業として成立させるためのエネルギー作物等の (ウ) 確保の問題や (エ) をエネルギーとして消費することによる作物価格への影響が課題となりつつある．

上記の記述中の空白箇所(ア)，(イ)，(ウ)および(エ)に当てはまる語句として，正しいものを組み合わせたのは次のうちどれか．

	(ア)	(イ)	(ウ)	(エ)
(1)	無機	二酸化炭素	量的	食料
(2)	無機	窒素化合物	量的	肥料
(3)	有機	窒素化合物	質的	肥料
(4)	有機	二酸化炭素	質的	肥料
(5)	有機	二酸化炭素	量的	食料

問43 Check! □□□

(令和元年 Ⓐ問題5)

ガスタービンと蒸気タービンを組み合わせたコンバインドサイクル発電に関する記述として，誤っているものを次の(1)～(5)のうちから一つ選べ．

(1) 燃焼用空気は，空気圧縮機，燃焼器，ガスタービン，排熱回収ボイラ，蒸気タービンを経て，排ガスとして煙突から排出される．

(2) ガスタービンを用いない同容量の汽力発電に比べて，起動停止時間が短く，負荷追従性が高い．

(3) ガスタービンを用いない同容量の汽力発電に比べて，復水器の冷却水量が少ない．

(4) ガスタービン入口温度が高いほど熱効率が高い．

(5) 部分負荷に対応するための，単位ユニットの運転台数の増減が可能なため，部分負荷時の熱効率の低下が小さい．

解42 解答 (5)

植物は，太陽エネルギーと二酸化炭素を用いて光合成を行い，その体内に有機物を蓄積しているので，この有機物を燃焼させることにより，エネルギーを取り出して発電に利用しようとするものがバイオマス発電である．

植物を燃焼することにより発電する際に発生する二酸化炭素を森林や他の植物に吸収させることによって相殺し，総合的な二酸化炭素の発生量を抑制することが可能となるので，最近の二酸化炭素による地球温暖化への対策として注目されている．

しかしながら，発電事業として成立させるためのエネルギー作物等の量的確保や，食料をエネルギー源とすることによる作物価格の上昇などの問題が指摘されている．

解43 解答 (1)

⑴が誤りである．

燃焼用空気は，蒸気タービンには入らない．

正しくは，「燃焼用空気は，空気圧縮機，燃焼器，ガスタービン，排熱回収ボイラを経て，排ガスとして煙突から排出される．」となる．

問44 Check! □□□

(令和6年㊤ Ⓐ問題3)

一般的な排熱回収方式のガスタービンコンバインドサイクル発電を，同一出力の汽力発電と比較した記述として，誤っているものを次の(1)～(5)のうちから一つ選べ.

(1) コンバインドサイクル発電の方が，始動・停止時間が短い.

(2) コンバインドサイクル発電の方が，負荷変化に対する追従性が高い.

(3) コンバインドサイクル発電の方が，熱効率が高い.

(4) コンバインドサイクル発電の方が，外気温の最大出力に与える影響が小さい.

(5) コンバインドサイクル発電の方が，温排水量が少ない.

問45 Check! □□□

(平成18年 Ⓐ問題2)

排熱回収方式のコンバインドサイクル発電におけるガスタービンの燃焼用空気に関する流れとして，正しいのは次のうちどれか.

(1) 圧縮機 → タービン → 排熱回収ボイラ → 燃焼器

(2) 圧縮機 → 燃焼器 → タービン → 排熱回収ボイラ

(3) 燃焼器 → タービン → 圧縮機 → 排熱回収ボイラ

(4) 圧縮機 → タービン → 燃焼器 → 排熱回収ボイラ

(5) 燃焼器 → 圧縮機 → 排熱回収ボイラ → タービン

解44 解答 (4)

(1), (2) 正しい．急速起動が可能なガスタービンと小形の蒸気タービンの組み合わせで構成されているため，短時間での起動・停止が可能である．また，負荷追従性が高い．

(3) 正しい．ガスタービンの排熱を回収して蒸気タービンにて発電することで，総合効率を高めることができる．

(4) 誤り．最大出力は大気温度により大きく変化し，大気温度が低いほど出力が大きくなる．

(5) 正しい．熱効率が上昇する分，復水器にて海洋に放出される熱エネルギーも少なくなるため，温排水量が少ない．

解45 解答 (2)

排熱回収方式のコンバインドサイクル発電の系統を図示する．したがって，ガスタービンの燃焼用空気に関する流れを示すと，次のようになる．

圧縮機 → 燃焼器 → タービン → 排熱回収ボイラ

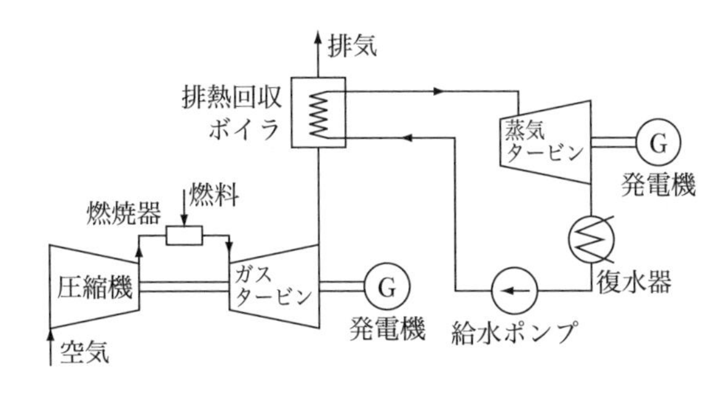

問46 Check! □□□

(令和５年㊤ Ⓐ問題２)

排熱回収形コンバインドサイクル発電方式と同一出力の汽力発電方式とを比較した記述として，誤っているものを次の(1)～(5)のうちから一つ選べ.

(1) コンバインドサイクル発電方式の方が，熱効率が高い.

(2) 汽力発電方式の方が，単位出力当たりの排ガス量が少ない.

(3) コンバインドサイクル発電方式の方が，単位出力当たりの復水器の冷却水量が多い.

(4) 汽力発電方式の方が大形所内補機が多く，所内率が大きい.

(5) コンバインドサイクル発電方式の方が，最大出力が外気温度の影響を受けやすい.

解46 解答 (3)

コンバインドサイクル発電方式は，ガスタービン発電と汽力発電（蒸気タービン発電）を組み合わせた発電方式である．

(1) 正しい．最初に圧縮空気で燃料を燃やしてガスを発生させ，その圧力でガスタービンを回して発電を行う．ガスタービンを回し終えた排ガスはまだ十分な余熱があるため，これを使って水を沸騰させ，蒸気タービンによる発電を行うものであり，ガスタービン発電単体，汽力発電単体に比べ，高い熱効率が実現できる．

(2), (4) 正しい．(3) 誤り．単位出力当たりであれば，汽力発電方式に比べ排ガス量は多く，所内補機はコンパクトになるため，所内率を低くできる．また，コンバインドサイクル発電方式の方が汽力発電で用いる蒸気タービンの排気量は少ないため，それを凝縮して給水系統に戻すための復水器の冷却水量も少なくてすむ．

(5) 正しい．ガスタービン発電はガスタービン入口の空気密度が外気温度に影響されるため，最大出力も外気温度の影響を受けやすい．

問47 Check! □□□

(平成19年 A問題3)

排熱回収形コンバインドサイクル発電方式と同一出力の汽力発電方式とを比較した次の記述のうち，誤っているのはどれか．

(1) コンバインドサイクル発電方式の方が，熱効率が高い．

(2) 汽力発電方式の方が，単位出力当たりの排ガス量が少ない．

(3) コンバインドサイクル発電方式の方が，単位出力当たりの復水器の冷却水量が多い．

(4) 汽力発電方式の方が大形所内補機が多く，所内率が大きい．

(5) コンバインドサイクル発電方式の方が，最大出力が外気温度の影響を受けやすい．

問48 Check! □□□

(令和4年㊦ A問題3)

ガスタービン発電と汽力発電を組み合わせたコンバインドサイクル発電方式を，同一出力の汽力発電方式と比較した記述として，誤っているものを次の(1)～(5)のうちから一つ選べ．

(1) 熱効率が高い．

(2) 起動・停止時間が短い．

(3) 蒸気タービンの出力分担が小さいので，復水器の冷却水量が少ない．

(4) 最大出力が外気温度の影響を受けやすい．

(5) 大型所内補機が多いので，所内率が大きい．

解47 解答 (3)

排熱回収形コンバインドサイクル発電方式の系統図を示すと，図のようになる．

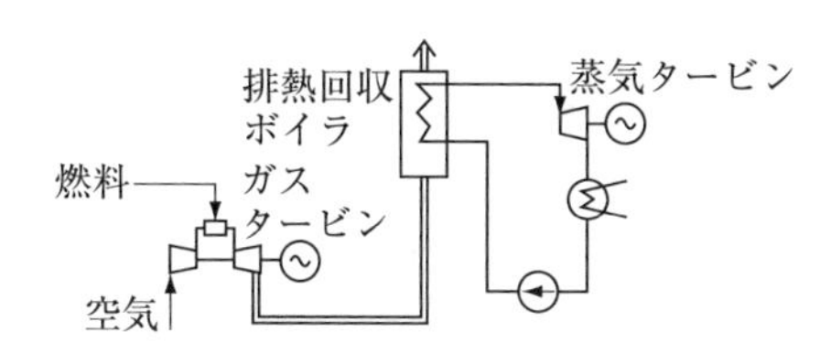

排熱回収形コンバインドサイクル発電

コンバインドサイクルでは汽力発電とガスタービン発電が用いられるが，ガスタービンでは復水器が不要であるので，同一出力の汽力発電方式に比べて，復水器の冷却水量が少ない．

解48 解答 (5)

コンバインドサイクル発電は，ガスタービンと蒸気タービンを組み合わせた発電方式で，動作は次のとおりである．

① 空気圧縮機で高温高圧の圧縮空気をつくり燃焼器に送る．

② 燃焼器に燃料を吹き込み圧縮空気とともに燃やして生じた高温高圧ガスの圧力でガスタービンを駆動し発電．

③ 排熱回収ボイラでガスタービンの排気から熱を回収．

④ 回収した熱で蒸気をつくり蒸気タービンを駆動し発電．

・コンバインドサイクル発電の特徴

① 熱を有効に利用でき熱効率が高い．起動・停止時間が短い．

② CO_2 排出や復水器による温排水が少ない．

③ 大きな所内補機が少なく，発電電力に占める所内電力の比率（所内率）が小さい．

④ 単位出力当たりの排ガス量が多い．

⑤ LNG，LPG，灯油など良質な燃料が必要．

⑥ 振動と低周波騒音は小さいが，高周波騒音が大きいため，消音器が必要．

⑦ ガス温度が高いためガスタービンに高級な耐熱材料が必要．

⑧ 大気圧が高く温度が低いほど，空気の比重が大きくなるので，単位時間内に圧縮する空気の容量は同じであっても重量は増えるため，ガスタービンの出力が大きくなり発電電力が大きくなる．

問49 Check! □□□

(平成26年 Ⓐ問題3)

次の文章は，コンバインドサイクル発電の高効率化に関する記述である．

コンバインドサイクル発電の出力増大や熱効率向上を図るためにはガスタービンの高効率化が重要である．

高効率化の方法には，ガスタービンの入口ガス温度を (ア) することや空気圧縮機の出口と入口の (イ) 比を増加させることなどがある．このためには，燃焼器やタービン翼などに用いられる (ウ) 材料の開発や部品の冷却技術の向上が重要であり，同時に (エ) の低減が必要となる．

上記の記述中の空白箇所(ア)，(イ)，(ウ)及び(エ)に当てはまる組合せとして，正しいものを次の(1)～(5)のうちから一つ選べ．

	(ア)	(イ)	(ウ)	(エ)
(1)	高く	温度	耐熱	窒素酸化物
(2)	高く	圧力	触媒	窒素酸化物
(3)	低く	圧力	耐熱	ばいじん
(4)	低く	温度	触媒	ばいじん
(5)	高く	圧力	耐熱	窒素酸化物

問50 Check! □□□

(平成22年 Ⓐ問題3)

複数の発電機で構成されるコンバインドサイクル発電を，同一出力の単機汽力発電と比較した記述として，誤っているのは次のうちどれか．

(1) 熱効率が高い．

(2) 起動停止時間が長い．

(3) 部分負荷に対応するため，運転する発電機数を変えるので，熱効率の低下が少ない．

(4) 最大出力が外気温度の影響を受けやすい．

(5) 蒸気タービンの出力分担が少ないので，その分復水器の冷却水量が少なく，温排水量も少なくなる．

解49 解答 (5)

ガスタービンは一般に圧力比が高いほど，またタービン入口ガス温度が高いほど効率が良くなる性質を有しているが，使用される圧縮機の機械効率が悪い場合，圧力比を高くすることによって，かえって熱効率が低下することもある．

ガスタービンの高効率化に伴う燃焼ガス温度の上昇に対応するには，より高級な耐熱材料の採用や高効率の翼冷却の技術が必要となるうえ，燃焼ガスの高温化により，大気中に放出される高温の燃焼ガス（排ガス）に含まれるNO_x（窒素酸化物）が増加するので，NO_x低減対策を実施する必要がある．

解50 解答 (2)

⑵の記述が誤りである．

複数の発電機で構成されるコンバインドサイクル発電では，個々の単機容量が小さいので，起動停止時間が同容量の単機汽力発電に比べて短いのが特長である．

問51 Check! □□□

(平成26年 Ⓐ問題5)

二次電池に関する記述として，誤っているものを次の(1)～(5)のうちから一つ選べ.

(1) リチウムイオン電池，NAS電池，ニッケル水素電池は，繰り返し充放電ができる二次電池として知られている.

(2) 二次電池の充電法として，整流器を介して負荷に電力を常時供給しながら二次電池への充電を行う浮動充電方式がある.

(3) 二次電池を活用した無停電電源システムは，商用電源が停電したとき，瞬時に二次電池から負荷に電力を供給する.

(4) 風力発電や太陽光発電などの出力変動を抑制するために，二次電池が利用されることもある.

(5) 鉛蓄電池の充電方式として，一般的に，整流器の定格電圧で回復充電を行い，その後，定電流で満充電状態になるまで充電する.

解51 解答 (5)

(5)が誤りである.

回復充電とは，停電により蓄電池が放電した分を補う充電方式で，充電装置の出力電圧を通常より高くし，充電電流を大きくして行う充電方式である.

鉛蓄電池の通常充電には，トリクル充電方式，浮動充電方式，均等充電方式がある.

(i) トリクル充電方式

蓄電池の自己放電電流に見合う微小な充電電流で常時充電する方式

(ii) 浮動充電方式

負荷と蓄電池が並列に接続された状態で，負荷電流を供給しつつ，蓄電池の自己放電電流に見合う微小な充電電流で充電する方式

(iii) 均等充電方式

蓄電池は普通，数個直列にして接続されるが，蓄電池個々のわずかな特性の差により，それぞれの充電電圧にバラツキが生じ，部分的に充電不足になることがある.

これをなくすために，3～6か月に一度程度，充電装置の出力電圧を上げて過充電を行う方式である.

第4章

変電

●計算

- パーセントインピーダンス
- 電力用コンデンサによる力率改善
- △結線とV結線
- 変圧器の並行運転
- 変圧器の運用

●論説・空白

- 変圧器の結線方式
- 変圧器の保守
- GISの概要
- 避雷器
- リアクトル
- 調相設備
- 継電器
- その他の機器

問1

Check! □□□ (令和2年 Ⓐ問題8)

定格容量 20 MV·A，一次側定格電圧 77 kV，二次側定格電圧 6.6 kV，百分率インピーダンス 10.6 %（基準容量 20 MV·A）の三相変圧器がある．三相変圧器の一次側は 77 kV の電源に接続され，二次側は負荷のみが接続されている．三相変圧器の一次側から見た電源の百分率インピーダンスは，1.1 %（基準容量 20 MV·A）である．抵抗分及びその他の定数は無視する．三相変圧器の二次側に設置する遮断器の定格遮断電流の値 [kA] として，最も近いものを次の(1)～(5)のうちから一つ選べ．

(1) 1.5　(2) 2.6　(3) 6.0　(4) 20.0　(5) 260.0

問2

Check! □□□ (平成20年 Ⓐ 問題8)

一次電圧 66〔kV〕，二次電圧 6.6〔kV〕，容量 80〔MV·A〕の三相変圧器がある．一次側に換算した誘導性リアクタンスの値が 4.5〔Ω〕のとき，百分率リアクタンスの値〔%〕として，最も近いのは次のうちどれか．

(1) 2.5　(2) 4.8　(3) 8.3　(4) 14.3　(5) 24.8

解1 解答 (4)

題意より，基準容量 20 MV·A におけるリアクタンスマップを描くと，図のようになる．

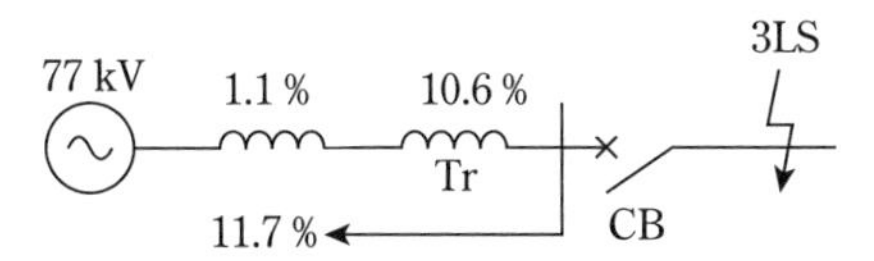

リアクタンスマップより，遮断器 CB から電源側を見た全リアクタンスは，

$$X = 1.1 + 10.6 = 11.7\ \%$$

次に，三相変圧器二次側に設置した遮断器 CB の二次側（負荷側）で三相短絡故障が生じた場合，遮断器を通過する短絡電流 I_s は，基準容量 20 MV·A に対する 6.6 kV 側の基準電流 I_n が，

$$I_n = \frac{20}{\sqrt{3} \times 6.6} \fallingdotseq 1.750\ \text{kA}$$

であるから，

$$I_s = I_n \cdot \frac{100}{X} = 1.750 \times \frac{100}{11.7} \fallingdotseq 14.957 \fallingdotseq 15.0\ \text{kA}$$

したがって，この短絡電流 15.0 kA を遮断可能な直近上位の遮断器の定格遮断電流は 20.0 kA となる．

解2 解答 (3)

変圧器の百分率リアクタンス（短絡インピーダンスのリアクタンス成分）% X は，Ω 値で表したリアクタンスを X〔Ω〕，電圧を V〔kV〕，容量を S〔kV·A〕とすると，次式で与えられる．

$$\%X = \frac{SX}{10V^2}$$

したがって，上式に数値を代入すれば，求める百分率リアクタンスの値は，

$$\%X = \frac{80 \times 10^3 \times 4.5}{10 \times 66^2} \fallingdotseq 8.26\ 〔\%〕$$

となる．

問3 Check! □□□

（令和４年㊦ Ⓐ問題６）

定格値が一次電圧 66 kV，二次電圧 6.6 kV，容量 30 MV·A の三相変圧器がある．一次側に換算した漏れリアクタンスの値が 14.5 Ω のとき，百分率リアクタンスの値 [%] として，最も近いものを次の(1)～(5)のうちから一つ選べ．

(1) 3.3　(2) 5.8　(3) 10.0　(4) 17.2　(5) 30.0

問4 Check! □□□

（令和５年㊤ Ⓑ問題 16）

図のように，定格電圧 66 kV の電源から三相変圧器を介して二次側に遮断器が接続された系統がある．この三相変圧器は定格容量 10 MV·A，変圧比 66/6.6 kV，百分率インピーダンスが自己容量基準で 7.5 % である．変圧器一次側から電源側をみた百分率インピーダンスを基準容量 100 MV·A で 5 % とするとき，次の(a)及び(b)の問に答えよ．

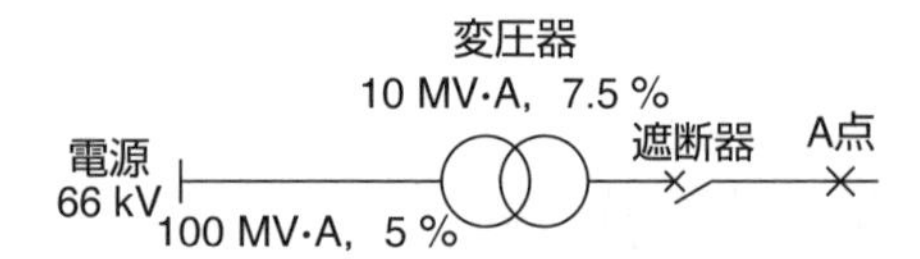

(a) 基準容量を 10 MV·A として，変圧器二次側から電源側をみた百分率インピーダンスの値 [%] として，最も近いものを次の(1)～(5)のうちから一つ選べ．

(1) 2.5　(2) 5.0　(3) 7.0　(4) 8.0　(5) 12.5

(b) 図の A 点で三相短絡事故が発生したとき，事故電流を遮断できる遮断器の定格遮断電流の最小値 [kA] として，最も近いものを次の(1)～(5)のうちから一つ選べ．ただし，変圧器二次側から A 点までのインピーダンスは無視するものとする．

(1) 8　(2) 12.5　(3) 16　(4) 20　(5) 25

解3 解答 (3)

パーセントインピーダンス %Z は，

$$\%Z = \frac{I_n Z}{E_n} \times 100\ \% = \frac{P_n Z}{V_n^{\ 2}} \times 100\ \%$$

ここに，I_n：基準電流 [A]，Z：回路インピーダンス [Ω]，E_n：基準相電圧 [V]，V_n：基準電圧（線間）[V]，P_n：基準容量 [V·A]．

実用的には P_n に [kV·A]，V_n に [kV] の単位の値を使って計算することが多く，この場合，上式は，P_n [V·A] の代わりに P_n' [kV·A]，V_n [V] の代わりに V_n' [kV] で式を表すと，

$$\%Z = \frac{P_n' Z}{10 V_n'^2} [\%] = \frac{30\,000}{10 \times 66^2} \times 14.5 \fallingdotseq 9.986 \fallingdotseq 10.0\ \%$$

解4 解答 (a)－(4)，(b)－(2)

(a) 変圧器一次側から電源を見た百分率インピーダンス $\%Z_L$ を，基準容量 P_n = 10 MV·A に換算した値 $\%Z_L'$ は，

$$\%Z_L' = \%Z_L \times \frac{10}{100} = 5 \times \frac{10}{100} = 0.5\ \%$$

よって，求める変圧器一次側から電源を見た百分率インピーダンス %Z は，変圧器の百分率インピーダンスを $\%Z_T$ とすると，

$$\%Z = \%Z_L' + \%Z_T = 0.5 + 7.5 = 8.0\ \%$$

(b) A 点の三相短絡電流 I_S [kA] は，短絡点（変圧器二次側）の線間電圧を V [kV] とすると，

$$I_S = \frac{P_n}{\sqrt{3} \times V} \times \frac{1}{\%Z} \times 100 = \frac{10}{\sqrt{3} \times 6.6} \times \frac{1}{8} \times 100 = 10.93\ \mathrm{kA}$$

よって，事故電流を遮断できる遮断器の定格遮断電流の最小値は，求めた三相短絡電流の直近上位である 12.5 kA となる．

問5 Check! □□□

(令和5年㊦ Ⓑ問題16)

図のような系統において，昇圧用変圧器の容量は 30 MV·A，変圧比は 11 kV/33 kV，百分率インピーダンスは自己容量基準で 7.8 %，計器用変流器（CT）の変流比は 400 A/5 A である．系統の点 F において，三相短絡事故が発生し，1 800 A の短絡電流が流れたとき，次の(a)及び(b)の問に答えよ．

ただし，CT の磁気飽和は考慮しないものとする．

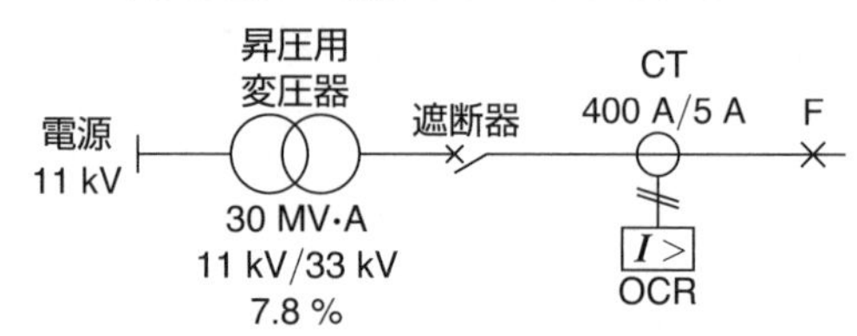

(a) 系統の基準容量を 10 MV·A としたとき，事故点 F から電源側をみた百分率インピーダンスの値 [%] として，最も近いものを次の(1)～(5)のうちから一つ選べ．

(1) 5.6　(2) 9.7　(3) 12.3　(4) 29.2　(5) 37.0

(b) 過電流継電器（OCR）を 0.09 s で動作させるには，OCR の電流タップ値を何アンペアの位置に整定すればよいか，正しいものを次の(1)～(5)のうちから一つ選べ．

ただし，OCR のタイムレバー位置は 3 に整定されており，タイムレバー位置 10 における限時特性は図示のとおりである．

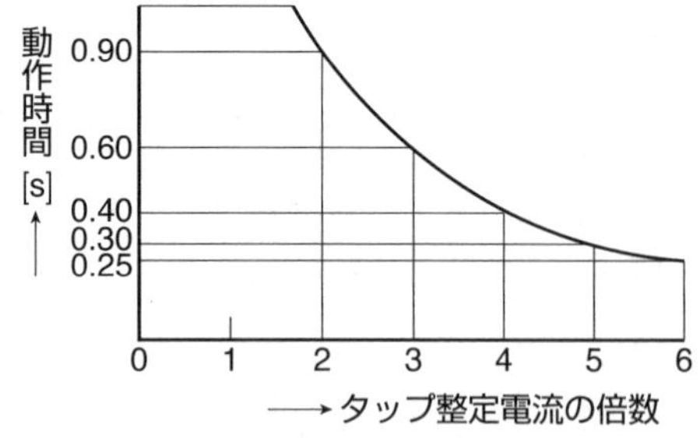

タイムレバー位置10における限時特性図

(1) 3.0 A　(2) 3.5 A　(3) 4.0 A　(4) 4.5 A　(5) 5.0 A

解5 解答 (a)−(2), (b)−(4)

(a) 基準容量を 10 MV·A としたとき，事故点 F，すなわち 33 kV 側の基準電流 I_{n} [A] は，

$$I_{\mathrm{n}}=\frac{10\times10^{3}}{\sqrt{3}\times33}=174.95\ \mathrm{A}$$

求める百分率インピーダンスを $\%Z$ [%]，事故点 F における三相短絡電流を I_{s} [A] とすると，

$$\%Z=100\times\frac{I_{\mathrm{n}}}{I_{\mathrm{s}}}=100\times\frac{174.95}{1\,800}=9.719\fallingdotseq 9.7\ \%$$

(b) 過電流継電器（OCR）の動作時間は，タイムレバー（時限整定装置）の位置に比例することから，問題の条件であるタイムレバー 3 の動作時間は，設問の図（タイムレバー 10）における動作時間の 3/10 となり，その際の限時特性図は図のようになる．

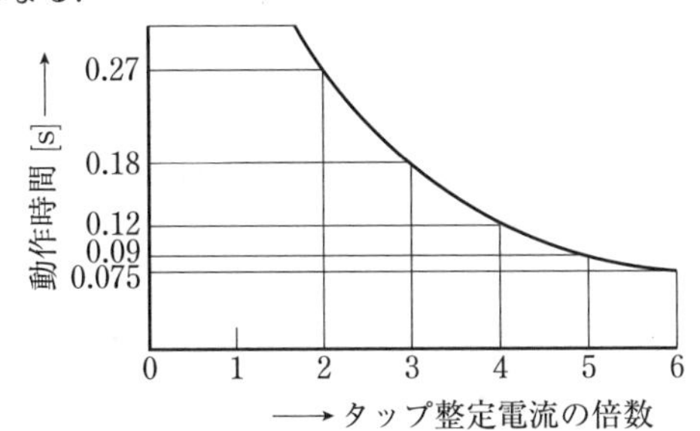

よって，過電流継電器（OCR）を 0.09 s で動作させるためには，タップ整定電流の倍数が 5 であるから，求める電流タップ値は，計器用変流器（CT）の変流比 400/5 を用いて，次式のとおりである．

$$\text{電流タップ値}=\frac{1\,800\times\dfrac{5}{400}}{5}=4.5\ \mathrm{A}$$

問6 Check! □□□

(平成 25 年 B 問題 17)

図に示すように，定格電圧 66〔kV〕の電源から送電線と三相変圧器を介して，二次側に遮断器が接続された系統を考える．三相変圧器の電気的特性は，定格容量 20〔MV·A〕，一次側線間電圧 66〔kV〕，二次側線間電圧 6.6〔kV〕，自己容量基準での百分率リアクタンス 15.0〔%〕である．一方，送電線から電源側をみた電気的特性は，基準容量 100〔MV·A〕の百分率インピーダンスが 5.0〔%〕である．このとき，次の(a)及び(b)の問に答えよ．

ただし，百分率インピーダンスの抵抗分は無視するものとする．

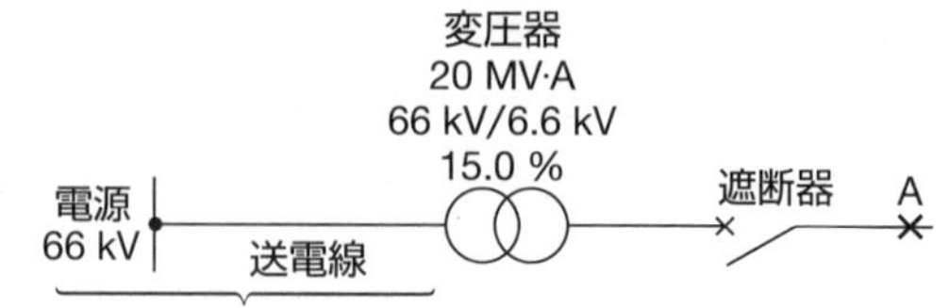

(a) 基準容量を 10〔MV·A〕としたとき，変圧器の二次側から電源側をみた百分率リアクタンス〔%〕の値として，正しいものを次の(1)～(5)のうちから一つ選べ．

(1) 2.0　(2) 8.0　(3) 12.5　(4) 15.5　(5) 20.0

(b) 図の A で三相短絡事故が発生したとき，事故電流〔kA〕の値として，最も近いものを次の(1)～(5)のうちから一つ選べ．ただし，変圧器の二次側から A までのインピーダンス及び負荷は，無視するものとする．

(1) 4.4　(2) 6.0　(3) 7.0　(4) 11　(5) 44

解6　解答 (a)−(2), (b)−(4)

(a)　変圧器の自己容量 20〔MV·A〕基準での百分率リアクタンスが 15.0〔%〕であるから，基準容量 10〔MV·A〕での百分率リアクタンスは，次のようになる．

$$15.0\times\frac{10}{20}=7.5〔\%〕$$

一方，送電線から電源側を見た百分率インピーダンスは，題意より抵抗分を無視するから，百分率リアクタンスとなる．基準容量 100〔MV·A〕で 5.0〔%〕であるから，基準容量 10〔MV·A〕での百分率リアクタンスは，次のようになる．

$$5.0\times\frac{10}{100}=0.5〔\%〕$$

変圧器の二次側から電源側を見た基準容量 10〔MV·A〕での百分率リアクタンスは，

$$7.5+0.5=8.0〔\%〕$$

となる．

(b)　短絡点での三相短絡電流 I_s〔kA〕は，基準容量を P_n〔MV·A〕，短絡点の線間電圧を V〔kV〕，百分率インピーダンスを $\%Z$〔%〕とすると，

$$I_s=\frac{100\,P_n}{\sqrt{3}\,V\,\%Z}〔\mathrm{kA}〕$$

で与えられる．事故点 A 点の基準容量 $P_n=10$〔MV·A〕，$V=6.6$〔kV〕，$\%Z=8.0$〔%〕より，

$$I_s=\frac{100\times10}{\sqrt{3}\times6.6\times8.0}\fallingdotseq10.9〔\mathrm{kA}〕\fallingdotseq11〔\mathrm{kA}〕$$

となる．

問7 Check! □□□

(平成 18 年 Ⓑ 問題 17)

図のような系統において，昇圧用変圧器の容量は 30〔MV·A〕，変圧比は 11〔kV〕/33〔kV〕，百分率インピーダンスは自己容量基準で 7.8〔%〕，計器用変流器（CT）の変流比は 400〔A〕/5〔A〕である．系統の点 F において，三相短絡事故が発生し，1 800〔A〕の短絡電流が流れたとき，次の(a)及び(b)に答えよ．

ただし，CT の磁気飽和は考慮しないものとする．

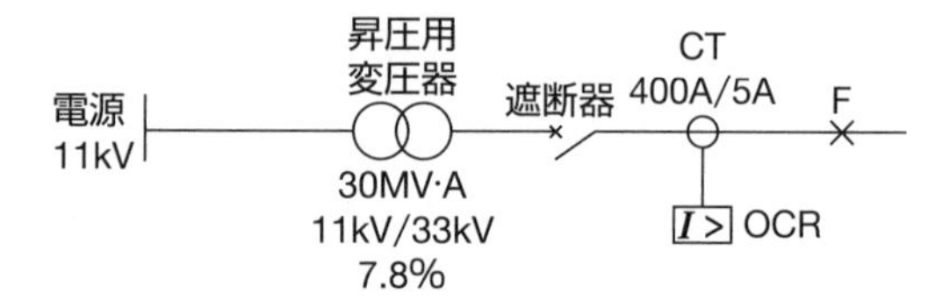

(a) 系統の基準容量を 10〔MV·A〕としたとき，事故点 F から電源側をみた百分率インピーダンス〔%〕の値として，最も近いのは次のうちどれか．

(1) 5.6　(2) 9.7　(3) 12.3　(4) 29.2　(5) 37.0

(b) 過電流継電器（OCR）を 0.09〔s〕で動作させるには，OCR の電流タップ値を何アンペアの位置に整定すればよいか，正しい値を次のうちから選べ．

ただし，OCR のタイムレバー位置は 3 に整定されており，タイムレバー位置 10 における限時特性は図示のとおりである．

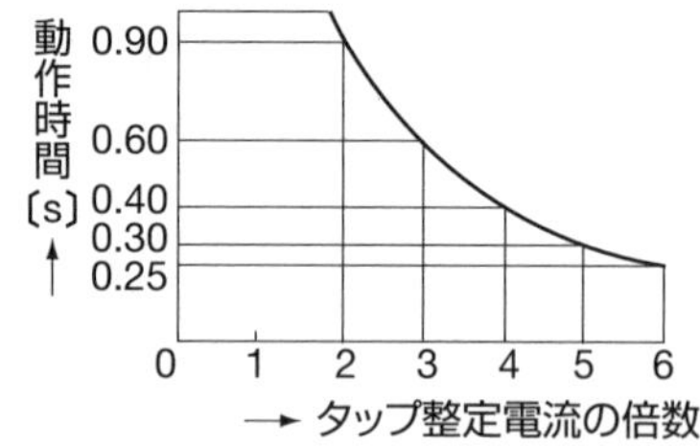

タイムレバー位置10における限時特性図

(1) 3.0〔A〕　(2) 3.5〔A〕　(3) 4.0〔A〕

(4) 4.5〔A〕　(5) 5.0〔A〕

解7 解答 (a)－(2), (b)－(4)

(a) 基準容量を 10〔MV·A〕としたとき，事故点 F 側，すなわち 33〔kV〕側の基準電流 I_n は，

$$I_n = \frac{10 \times 10^3}{\sqrt{3} \times 33} = 174.95 \text{〔A〕}$$

事故点 F から見た 10〔MV·A〕基準の百分率インピーダンスを %Z〔%〕，事故点 F における三相短絡電流 I_s とすると，

$$I_n : I_s = \%Z : 100$$

で表せるから，%Z は，

$$\%Z = 100 \times \frac{I_n}{I_s} = 100 \times \frac{174.95}{1\,800} = 9.719 \fallingdotseq 9.72 \text{〔%〕}$$

(b) 過電流継電器（OCR）の動作時間は，タイムレバー位置に比例するから，タイムレバー位置が 3 に整定されている場合の動作時間はタイムレバー位置が 10 に整定されている場合の 3/10 となる.

よって，タイムレバー位置 3 における限時特性図を示すと，**第 1 図**のようになる.

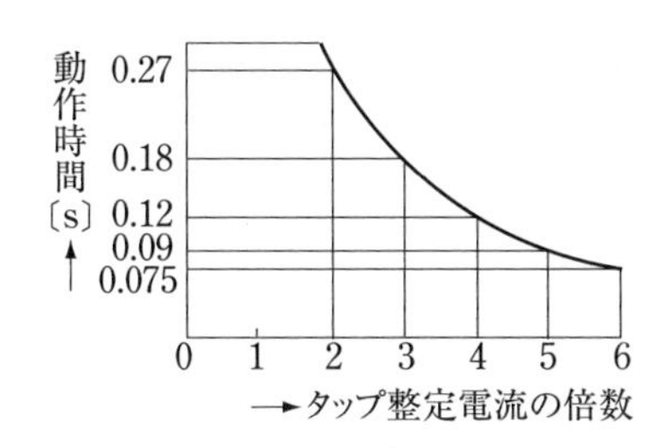

第 1 図　タイムレバー位置 3 における限時特性図

したがって，過電流継電器（OCR）を 0.09〔s〕で動作させるには，タップ整定電流の倍数が 5 であるから，求める電流タップ値は，CT の変流比が 400〔A〕/5〔A〕であるから，次式となる.

$$\text{電源タップ値} = \frac{1\,800 \times \dfrac{5}{400}}{5} = 4.5$$

問8 Check! □□□ (令和元年 A問題 8)

図 1 のように，定格電圧 66 kV の電源から三相変圧器を介して二次側に遮断器が接続された三相平衡系統がある．三相変圧器は定格容量 7.5 MV·A，変圧比 66 kV/6.6 kV，百分率インピーダンスが自己容量基準で 9.5 % である．また，三相変圧器一次側から電源側をみた百分率インピーダンスは基準容量 10 MV·A で 1.9 % である．過電流継電器(OCR)は変流比 1 000 A/5 A の計器用変流器(CT)の二次側に接続されており，整定タップ電流値 5 A，タイムレバー位置 1 に整定されている．図 1 の F 点で三相短絡事故が発生したとき，過電流継電器の動作時間 [s] として，最も近いものを次の(1)～(5)のうちから一つ選べ．

ただし，三相変圧器二次側から F 点までのインピーダンス及び負荷は無視する．また，過電流継電器の動作時間は図 2 の限時特性に従い，計器用変流器の磁気飽和は考慮しないものとする．

(1) 0.29　(2) 0.34　(3) 0.38　(4) 0.46　(5) 0.56

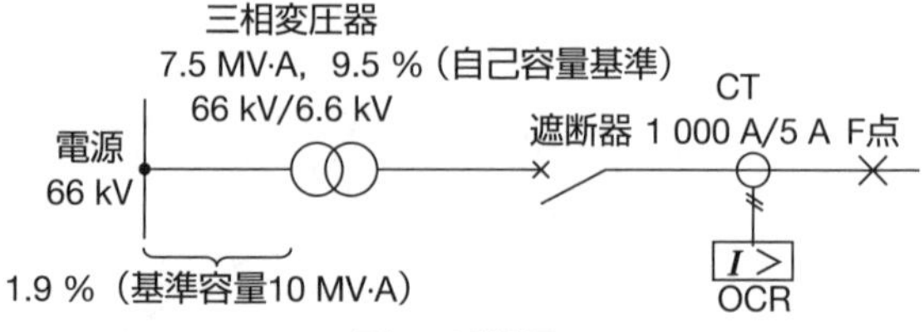

図 1　系統図

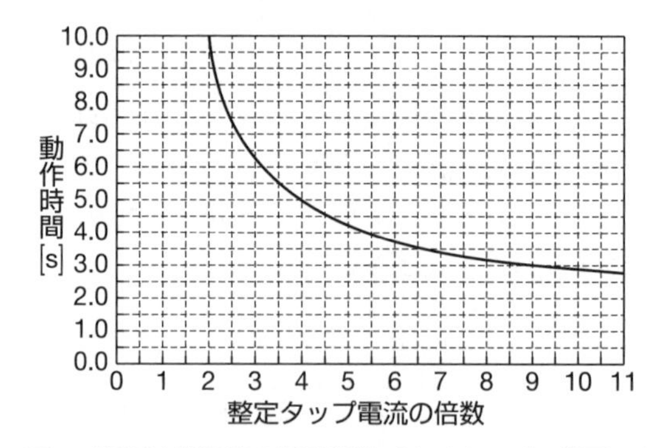

図 2　過電流継電器の限時特性（タイムレバー位置 10）

解8 解答 (3)

三相変圧器一次側から電源側を見た百分率インピーダンスを 7.5 MV·A 基準で表すと，

$$Z_e = 1.9 \times \frac{7.5}{10} = 1.425\ \%$$

であるから，故障点 F から電源側を見た全百分率インピーダンス Z は，

$$Z = Z_e + Z_t = 1.425 + 9.5 = 10.925\ \%$$

また，基準容量 7.5 MV·A に対する 6.6 kV 側の基準電流 I_n は，

$$I_n = \frac{7\,500}{\sqrt{3} \times 6.6} \fallingdotseq 656.08\ \mathrm{A}$$

であるから，F 点における三相短絡電流，すなわち計器用変流器（CT）一次側を通過する三相短絡電流 I_s は，

$$I_s = I_n \times \frac{100}{Z} = 656.08 \times \frac{100}{10.925} \fallingdotseq 6\,005.3\ \mathrm{A}$$

したがって，CT 二次側および過電流継電器（OCR）を流れる電流 I_{CT2} は，変流比が 1 000 A/5 A であるから，

$$I_{CT2} = I_s \times \frac{5}{1\,000} = 6\,005.3 \times \frac{5}{1\,000} = 30.026\,5 \fallingdotseq 30.0\ \mathrm{A}$$

一方，OCR の設定タップ電流値が 5 A であるから，OCR に流れる電流 I_{CT2} の整定タップに対する倍数 n は，

$$n = \frac{30.0}{5} = 6$$

また，OCR の限時整定はタイムレバー位置が 1 であり，求める OCR の動作時間 T はタイムレバー位置が 10，整定タップに対する倍数が 6 における動作時間を図 2 のグラフから読み取れば，3.8 秒であるから，

$$T = 3.8 \times \frac{1}{10} = 0.38\ \mathrm{s}$$

問9 Check! □□□

(平成23年 B 問題16)

変電所に設置された一次電圧66〔kV〕，二次電圧22〔kV〕，容量50〔MV·A〕の三相変圧器に，22〔kV〕の無負荷の線路が接続されている．その線路が，変電所から負荷側500〔m〕の地点で三相短絡を生じた．

三相変圧器の結線は，一次側と二次側がY–Y結線となっている．

ただし，一次側からみた変圧器の1相当たりの抵抗は0.018〔Ω〕，リアクタンスは8.73〔Ω〕，故障が発生した線路の1線当たりのインピーダンスは$(0.20 + j0.48)$〔Ω/km〕とし，変圧器一次電圧側の線路インピーダンス及びその他の値は無視するものとする．次の(a)及び(b)の問に答えよ．

(a) 短絡電流〔kA〕の値として，最も近いものを次の(1)～(5)のうちから一つ選べ．

(1) 0.83　(2) 1.30　(3) 1.42　(4) 4.00　(5) 10.5

(b) 短絡前に，22〔kV〕に保たれていた三相変圧器の母線の線間電圧は，三相短絡故障したとき，何〔kV〕に低下するか．電圧〔kV〕の値として，最も近いものを次の(1)～(5)のうちから一つ選べ．

(1) 2.72　(2) 4.71　(3) 10.1　(4) 14.2　(5) 17.3

解9 解答 (a)－(5)，(b)－(2)

(a) 題意より，変圧器の二次側から見たインピーダンス $\dot{Z}_T$ は，

$$\dot{Z}_T = (0.018 + j8.73) \times \left(\frac{22}{66}\right)^2 = 0.002 + j0.97〔\Omega〕$$

また，線路の故障点までのインピーダンス $\dot{Z}_L$ は，

$$\dot{Z}_L = (0.20 + j0.48) \times 0.5 = 0.10 + j0.24〔\Omega〕$$

であるから，三相短絡故障発生時の 22〔kV〕側換算の等価回路は，下図のようになる．

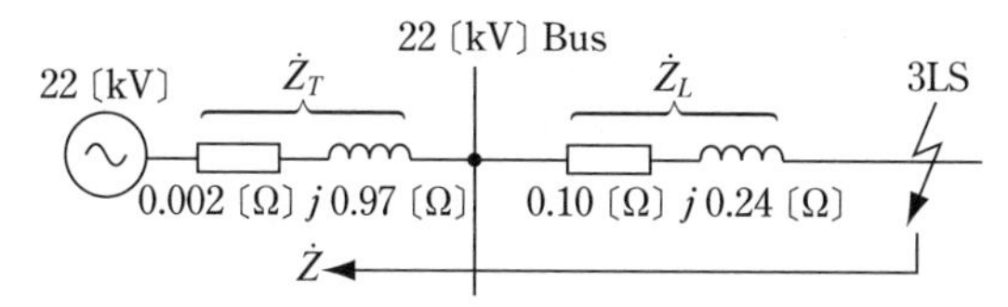

図より，故障点から電源側を見た全インピーダンス $\dot{Z}$ は，

$$\dot{Z} = \dot{Z}_L + \dot{Z}_T = 0.10 + j0.24 + 0.002 + j0.97$$
$$= 0.102 + j1.21〔\Omega〕$$

したがって，求める三相短絡電流の値 I_S は，

$$I_S = \frac{22/\sqrt{3}}{\sqrt{0.102^2 + 1.21^2}} \fallingdotseq 10.460〔\mathrm{kA}〕$$

(b) 三相短絡故障発生時の三相変圧器の母線の線間電圧 V_B は上図から，

$$V_B = 22 \times \left|\frac{\dot{Z}_L}{\dot{Z}}\right| = 22 \times \left|\frac{0.10 + j0.24}{0.102 + j1.21}\right|$$
$$= 22 \times \frac{\sqrt{0.10^2 + j0.24^2}}{\sqrt{0.102^2 + 1.21^2}} \fallingdotseq 22 \times \frac{0.26}{1.2143}$$
$$\fallingdotseq 4.71〔\mathrm{kV}〕$$

となる．

問10 Check! □□□

（令和６年上　B問題 16）

定格容量 80 MV·A，一次側定格電圧 33 kV，二次側定格電圧 11 kV，百分率インピーダンス 18.3 %（定格容量ベース）の三相変圧器 T_A がある．三相変圧器 T_A の一次側は 33 kV の電源に接続され，二次側は負荷のみが接続されている．電源の百分率内部インピーダンスは，1.5 %（系統基準容量ベース）とする．ただし，系統基準容量は 80 MV·A である．なお，抵抗分及びその他の定数は無視する．次の(a)及び(b)の問に答えよ．

(a)　将来の負荷変動等は考えないものとすると，変圧器 T_A の二次側に設置する遮断器の定格遮断電流の値 [kA] として，最も適切なものを次の(1)～(5)のうちから一つ選べ．

(1)　5　　(2)　8　　(3)　12.5　　(4)　20　　(5)　25

(b)　定格容量 50 MV·A，百分率インピーダンスが 12.0 %（定格容量ベース）の三相変圧器 T_B を三相変圧器 T_A と並列に接続した．40 MW の負荷をかけて運転した場合，三相変圧器 T_A の負荷分担の値 [MW] として，最も近いものを次の(1)～(5)のうちから一つ選べ．ただし，三相変圧器群 T_A と T_B にはこの負荷のみが接続されているものとし，抵抗分及びその他の定数は無視する．

(1)　15.8　　(2)　19.5　　(3)　20.5　　(4)　24.2　　(5)　24.6

解10 解答 (a)−(5), (b)−(3)

(a) 三相変圧器 T_A の二次側に設置する遮断器の負荷側A点から見た電源のインピーダンス図は次のようになる.

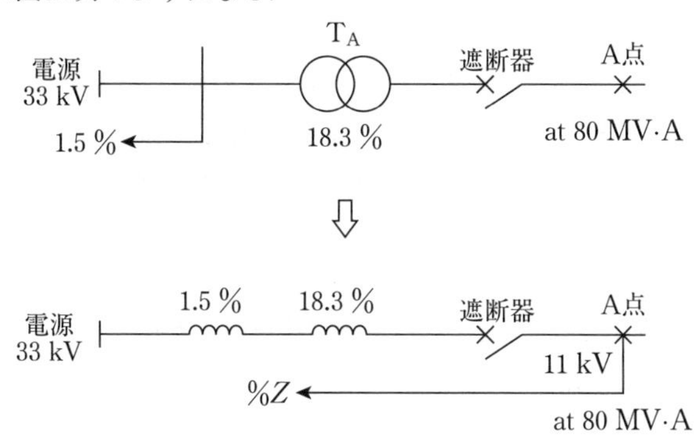

したがって, A点から電源側を見た全インピーダンス $\%Z$ は,

$$\%Z = 1.5 + 18.3 = 19.8\ \%$$

一方, A点は電圧 11 kV の回路にあるため, 電圧に対する 11 kV 基準電流 I_n [kA] は,

$$I_n = \frac{80\times10^6}{\sqrt{3}\times11\times10^3}\times10^{-3} \fallingdotseq 4.20\ \text{kA}$$

よって, A点における三相短絡電流 I_s [kA] は,

$$I_s = I_n\times\frac{100}{\%Z} = 4.20\times\frac{100}{19.8} \fallingdotseq 21.2\ \text{kA}$$

したがって, 設置する遮断器の定格遮断電流の値は, この I_s よりも大きい 25 kA を選定する必要がある.

(b) 三相変圧器 T_B の百分率インピーダンス $\%Z_B$ を 80 MV·A 基準の値に換算すると,

$$\%Z_B = 12.0\times\frac{80}{50} = 19.2\ \%$$

したがって, 三相変圧器 T_A と三相変圧器 T_B を並列運転して, $P = 40$ MW の負荷をかけたときの三相変圧器 T_A の負荷分担 P_A は以下のとおりである.

$$P_A = \frac{\%Z_B}{\%Z_A + \%Z_B}P = \frac{19.2}{18.3+19.2}\times40 \fallingdotseq 20.5\ \text{MW}$$

問11 Check! □□□ (平成22年 B 問題16)

定格容量80〔MV·A〕，一次側定格電圧33〔kV〕，二次側定格電圧11〔kV〕，百分率インピーダンス18.3〔%〕(定格容量ベース)の三相変圧器T_Aがある．三相変圧器T_Aの一次側は33〔kV〕の電源に接続され，二次側は負荷のみが接続されている．電源の百分率内部インピーダンスは，1.5〔%〕(系統基準容量80〔MV·A〕ベース)とする．なお，抵抗分及びその他の定数は無視する．次の(a)及び(b)に答えよ．

(a) 将来の負荷変動等は考えないものとすると，変圧器T_Aの二次側に設置する遮断器の定格遮断電流の値〔kA〕として，最も適切なものは次のうちどれか．

(1) 5　(2) 8　(3) 12.5　(4) 20　(5) 25

(b) 定格容量50〔MV·A〕，百分率インピーダンスが12.0〔%〕の三相変圧器T_Bを三相変圧器T_Aと並列に接続した．40〔MW〕の負荷をかけて運転した場合，三相変圧器T_Aの負荷分担〔MW〕の値として，正しいのは次のうちどれか．

ただし，三相変圧器群T_AとT_Bにはこの負荷のみが接続されているものとし，抵抗分及びその他の定数は無視する．

(1) 15.8　(2) 19.5　(3) 20.5　(4) 24.2　(5) 24.6

解11 解答 (a)−(5), (b)−(3)

(a) 三相変圧器 T_A の二次側に設置する遮断器の負荷側 A 点から見た電源のインピーダンス図は下図のようになる.

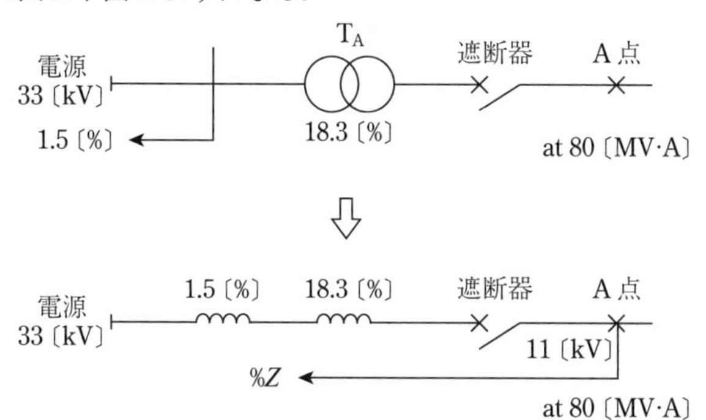

したがって，A 点から電源側を見た全インピーダンス $\%Z$ は,

$$\%Z = 1.5 + 18.3 = 19.8 〔\%〕$$

一方，A 点は電圧 11〔kV〕の回路にあるので，電圧 11〔kV〕に対する基準電流 I_n は，基準容量が 80〔MV·A〕であるので,

$$I_n = \frac{80}{\sqrt{3} \times 11} \fallingdotseq 4.20 〔kA〕$$

となるから，A 点において三相短絡故障が発生した場合の三相短絡電流 I_s は,

$$I_s = I_n \times \frac{100}{\%Z} = 4.20 \times \frac{100}{19.8} \fallingdotseq 21.2 〔kA〕$$

となる.

したがって，求める遮断器の定格遮断電流の値は，選択肢(5)の 25〔kA〕となる.

(b) 三相変圧器 T_B の百分率インピーダンスを 80〔MV·A〕基準の値に換算すると,

$$\%Z_B = 12.0 \times \frac{80}{50} = 19.2 〔\%〕$$

となるから，三相変圧器 T_A および T_B を並列運転して，40〔MW〕の負荷をかけたときの三相変圧器 T_A の負荷分担 P_A は，以下となる.

$$P_A = \frac{\%Z_B}{\%Z_A + \%Z_B} P = \frac{19.2}{18.3 + 19.2} \times 40 = 20.48 〔MW〕$$

問12 Check! □□□ （令和４年上 B問題 16）

定格容量 80 MV·A，一次側定格電圧 33 kV，二次側定格電圧 11 kV，百分率インピーダンス 18.3 %（定格容量ベース）の三相変圧器 T_A がある．三相変圧器 T_A の一次側は 33 kV の電源に接続され，二次側は負荷のみが接続されている．電源の百分率内部インピーダンスは，1.5 %（系統基準容量ベース）とする．ただし，系統基準容量は 80 MV·A である．なお，抵抗分及びその他の定数は無視する．次の(a)及び(b)の問に答えよ．

(a) 将来の負荷変動等は考えないものとすると，変圧器 T_A の二次側に設置する遮断器の定格遮断電流の値 [kA] として，最も適切なものを次の(1)～(5)のうちから一つ選べ．

(1) 5　(2) 8　(3) 12.5　(4) 20　(5) 25

(b) 定格容量 50 MV·A，百分率インピーダンスが 12.0 %（定格容量ベース）の三相変圧器 T_B を三相変圧器 T_A と並列に接続した．40 MW の負荷をかけて運転した場合，三相変圧器 T_A の負荷分担の値 [MW] として，最も近いものを次の(1)～(5)のうちから一つ選べ．ただし，三相変圧器群 T_A と T_B にはこの負荷のみが接続されているものとし，抵抗分及びその他の定数は無視する．

(1) 15.8　(2) 19.5　(3) 20.5　(4) 24.2　(5) 24.6

解12 解答 (a)－(5), (b)－(3)

(a) $\%Z$：基準容量ベースの百分率インピーダンス[%]，I_n：基準電流[kA]，Z：インピーダンス[Ω]，E_n，V_n：基準電圧（相電圧，線間電圧）[kV]，P_n：基準容量[MV·A]，I_s：三相短絡電流[kA]とすると，

$$\%Z = \frac{I_n Z}{E_n} \times 100\,[\%],\quad I_n = \frac{P_n}{\sqrt{3}V_n}$$

三相変圧器 T_A の二次側の三相短絡事故点における三相短絡電流 I_s は，

$$I_s = \frac{E_n}{Z} = \frac{E_n}{\dfrac{\%ZE_n}{100I_n}} = \frac{I_n}{\dfrac{\%Z}{100}} = \frac{\dfrac{P_n}{\sqrt{3}V_n}}{\dfrac{\%Z}{100}} = \frac{\dfrac{80}{\sqrt{3}\times 11}}{\dfrac{18.3+1.5}{100}} \fallingdotseq 21.207\text{ kA}$$

この値以上の定格遮断電流のうち最小のものとして **25 kA** を選ぶ．

【別解】 電力系統の短絡計算や電圧計算では基準容量 P_n に 10 MV·A を選ぶことが多い．10 MV·A ベースの百分率インピーダンス $\%Z_{10}$ は，

$$\%Z_{10} = \frac{(18.3+1.5)\times 10}{80} = 2.475\,\%$$

三相変圧器 T_A の二次側の三相短絡事故点における三相短絡容量 P_s から I_s は，

$$P_s = \frac{1\,000}{\%Z_{10}} = \frac{1\,000}{2.475} \fallingdotseq 404.040\text{ MV·A} \rightarrow I_s = \frac{P_s}{\sqrt{3}V_n} = \frac{404.040}{\sqrt{3}\times 11} \fallingdotseq 21.207\text{ kA}$$

(b) 抵抗分その他の定数は無視するから，2 台並列して運転している三相変圧器のうち T_A の負荷分担 P_A は，それぞれの三相変圧器 T_A と T_B の百分率インピーダンスの逆比となる．

$$P_A = \frac{\%Z_B}{\%Z_A + \%Z_B} \times P$$

ここに，$\%Z_A$，$\%Z_B$：基準容量ベースの三相変圧器 T_A，T_B の百分率インピーダンス，P：並列して運転している 2 台の変圧器が分担する合計負荷[MW]．

基準容量をそろえた $\%Z_A$，$\%Z_B$ の値で負荷分配計算をするため，例えば 80 MV·A ベースの三相変圧器 T_B の百分率インピーダンス $\%Z_B'$ は，

$$\%Z_B' = \%Z_B \times \frac{80}{50} = 12.0 \times \frac{80}{50} = 19.2\,\%$$

$$\therefore\quad P_A = \frac{\%Z_B'}{\%Z_A + \%Z_B'} \times P = \frac{19.2}{18.3+19.2} \times 40 = 20.48 \fallingdotseq \mathbf{20.5}\text{ MW}$$

問13 Check! □□□

(平成21年 B 問題16)

図のような交流三相3線式の系統がある．各系統の基準容量と基準容量をベースにした百分率インピーダンスが図に示された値であるとき，次の(a)及び(b)に答えよ．

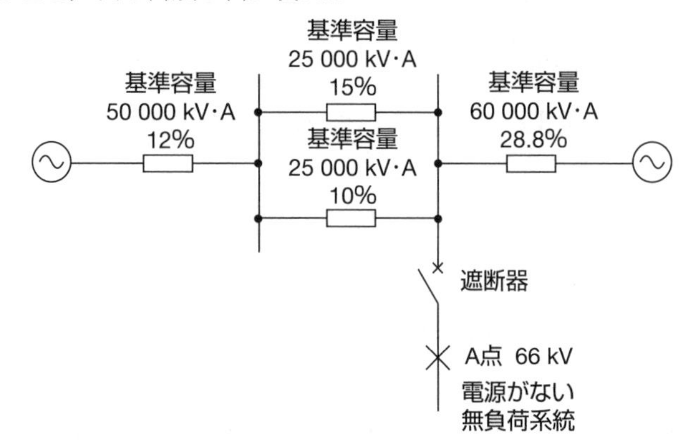

(a) 系統全体の基準容量を 50 000〔kV·A〕に統一した場合，遮断器の設置場所からみた合成百分率インピーダンス〔%〕の値として，正しいのは次のうちどれか．

(1) 4.8　(2) 12　(3) 22　(4) 30　(5) 48

(b) 遮断器の投入後，A点で三相短絡事故が発生した．三相短絡電流〔A〕の値として，最も近いのは次のうちどれか．

ただし，線間電圧は66〔kV〕とし，遮断器からA点までのインピーダンスは無視するものとする．

(1) 842　(2) 911　(3) 1 458　(4) 2 104　(5) 3 645

解13 解答 (a)−(2), (b)−(5)

(a) 基準容量25 000〔kV·A〕, 15〔%〕のインピーダンス, 基準容量25 000〔kV·A〕, 10〔%〕のインピーダンスおよび基準容量60 000〔kV·A〕, 28.8〔%〕のインピーダンスを基準容量50 000〔kV·A〕に換算すると，それぞれ次のようになる．

$$15\times\frac{50\,000}{25\,000}=30〔\%〕,\quad 10\times\frac{50\,000}{25\,000}=20〔\%〕,\quad 28.8\times\frac{50\,000}{60\,000}=24〔\%〕$$

したがって，基準容量50 000〔kV·A〕のインピーダンスマップを描くと図のようになる．

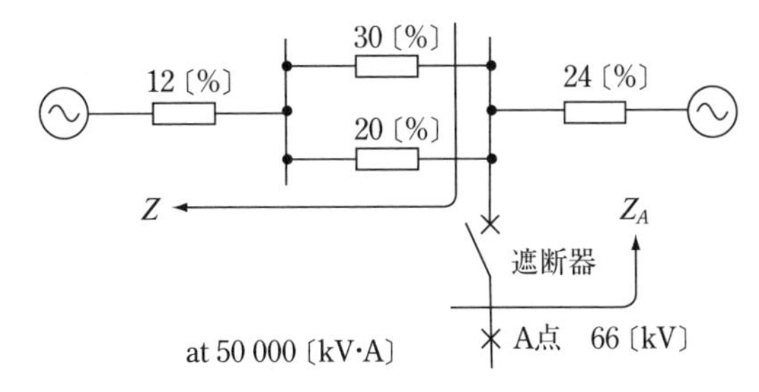

ここに，図のインピーダンス Z は，

$$Z=12+\frac{30\times20}{30+20}=24〔\%〕$$

であるから，求める遮断器設置点から見た合成百分率インピーダンス Z_A は，

$$Z_A=\frac{24Z}{Z+24}=\frac{24\times24}{24+24}=12〔\%〕$$

となる．

(b) 基準容量50 000〔kV·A〕に対する66〔kV〕側の基準電流 I_n は，

$$I_n=\frac{50\,000}{\sqrt{3}\times66}=437.39〔A〕$$

であるから，A点における三相短絡電流 I_s は，

$$I_s=I_n\times\frac{100}{Z_A}=437.39\times\frac{100}{12}=3\,644.9\fallingdotseq3\,645〔A〕$$

となる．

問14 Check! □□□

(平成24年 B 問題17)

定格容量750〔kV·A〕の三相変圧器に遅れ力率0.9の三相負荷500〔kW〕が接続されている.

この三相変圧器に新たに遅れ力率0.8の三相負荷200〔kW〕を接続する場合，次の(a)及び(b)の問に答えよ.

(a) 負荷を追加した後の無効電力〔kvar〕の値として，最も近いものを次の(1)～(5)のうちから一つ選べ.

(1) 339　(2) 392　(3) 472　(4) 525　(5) 610

(b) この変圧器の過負荷運転を回避するために，変圧器の二次側に必要な最小の電力用コンデンサ容量〔kvar〕の値として，最も近いものを次の(1)～(5)のうちから一つ選べ.

(1) 50　(2) 70　(3) 123　(4) 203　(5) 256

問15 Check! □□□

(平成30年 A 問題8)

図のように，単相の変圧器3台を一次側，二次側ともに△結線し，三相対称電源とみなせる配電系統に接続した．変圧器の一次側の定格電圧は6 600 V，二次側の定格電圧は210 Vである．二次側に三相平衡負荷を接続したときに，一次側の線電流20 A，二次側の線間電圧200 Vであった．負荷に供給されている電力[kW]として，最も近いものを次の(1)～(5)のうちから一つ選べ．ただし，負荷の力率は0.8とする．なお，変圧器は理想変圧器とみなすことができ，線路のインピーダンスは無視することができる.

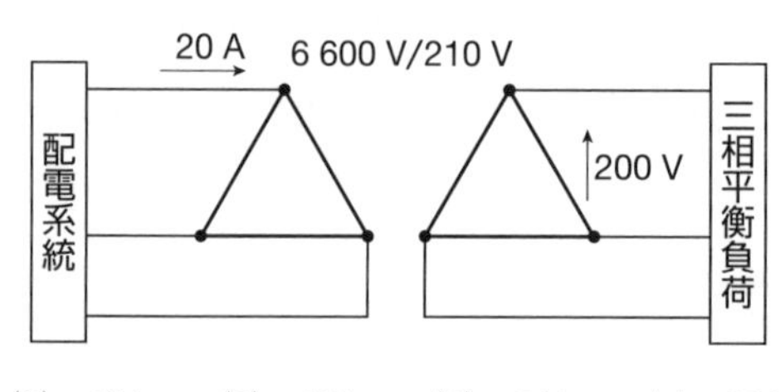

(1) 58　(2) 101　(3) 174　(4) 218　(5) 302

解14 解答 (a)－(2)，(b)－(3)

(a) 題意より，遅れ力率0.9，500〔kW〕の三相負荷の遅れ無効電力 Q_1 は，

$$Q_1 = \frac{500}{0.9} \times \sqrt{1-0.9^2} \fallingdotseq 242.16\,〔\mathrm{kvar}〕$$

また，新たに追加する遅れ力率0.8，200〔kW〕の三相負荷の遅れ無効電力 Q_2 は，

$$Q_2 = \frac{200}{0.8} \times \sqrt{1-0.8^2} = 150\,〔\mathrm{kvar}〕$$

であるから，負荷を追加した後の無効電力 Q は，

$$Q = Q_1 + Q_2 = 242.16 + 150 = 392.16 \fallingdotseq 392\,〔\mathrm{kvar}〕$$

(b) 負荷を追加した後の有効電力 P は，

$$P = 500 + 200 = 700\,〔\mathrm{kW}〕$$

であるから，定格容量750〔kV·A〕の変圧器にかけ得る遅れ無効電力 Q' は，

$$Q' = \sqrt{750^2 - 700^2} \fallingdotseq 269.26\,〔\mathrm{kvar}〕$$

となるから，変圧器の二次側に必要な電力用コンデンサの容量 Q_C は，

$$Q_C = Q - Q' = 392.16 - 269.26 = 122.9 \fallingdotseq 123\,〔\mathrm{kvar}〕$$

となる．

解15 解答 (3)

題意より，変圧器一次側の線間電圧 V は，

$$V = 6\,600 \times \frac{200}{210} \fallingdotseq 6\,285.71\,\mathrm{V}$$

であるから，負荷力率が0.8であるときの負荷に供給されている電力 P は，

$$P = \sqrt{3}\,VI\cos\varphi = \sqrt{3} \times 6\,285.71 \times 20 \times 0.8 \times 10^{-3}$$

$$\fallingdotseq 174.195 \fallingdotseq 174\,\mathrm{kW}$$

問16 Check! □□□

(平成30年 Ⓐ問題12)

変圧器のV結線方式に関する記述として，誤っているものを次の(1)～(5)のうちから一つ選べ．

(1) 単相変圧器2台で三相が得られる．

(2) 同一の変圧器2台を使用して三相平衡負荷に供給している場合，△結線変圧器と比較して，出力は $\frac{\sqrt{3}}{2}$ 倍となる．

(3) 同一の変圧器2台を使用して三相平衡負荷に供給している場合，変圧器の利用率は $\frac{\sqrt{3}}{2}$ となる．

(4) 電灯動力共用方式の場合，共用変圧器には電灯と動力の電流が加わって流れるため，一般に動力専用変圧器の容量と比較して共用変圧器の容量の方が大きい．

(5) 単相変圧器を用いた△結線方式と比較して，変圧器の電柱への設置が簡素化できる．

解16 解答 (2)

(2)が誤りである．

図のように，出力 S_n の単相変圧器2台を使用しV結線として三相平衡負荷に供給している場合，その出力は$\sqrt{3}S_n$ であるが，単相変圧器3台を使用して△結線として同一電流を供給する場合の出力は $3S_n$ となるから，出力比は，

$$\frac{\sqrt{3}S_n}{3S_n}=\frac{\sqrt{3}}{3}\text{ 倍}$$

となる．

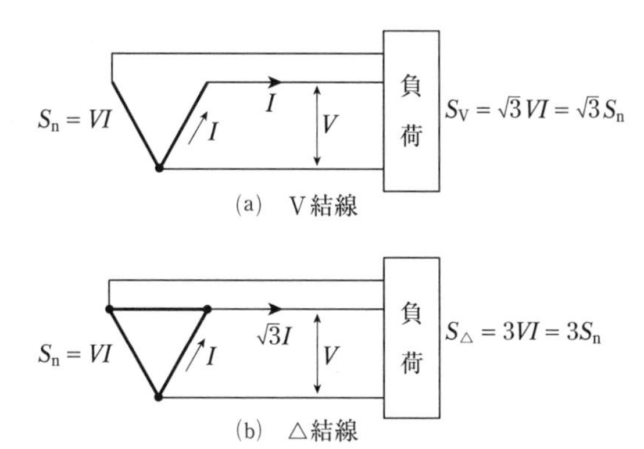

(a) V結線

(b) △結線

問17 Check! □□□

（平成19年 B 問題16）

2台の単相変圧器（容量75〔kV·A〕のT_1及び容量50〔kV·A〕のT_2）をV結線に接続し，下図のように三相平衡負荷45〔kW〕（力率角　進み$\frac{\pi}{6}$〔rad〕）と単相負荷P（力率 = 1）に電力を供給している．これについて，次の(a)及び(b)に答えよ．

ただし，相順はa，b，cとし，図示していないインピーダンスは無視するものとする．

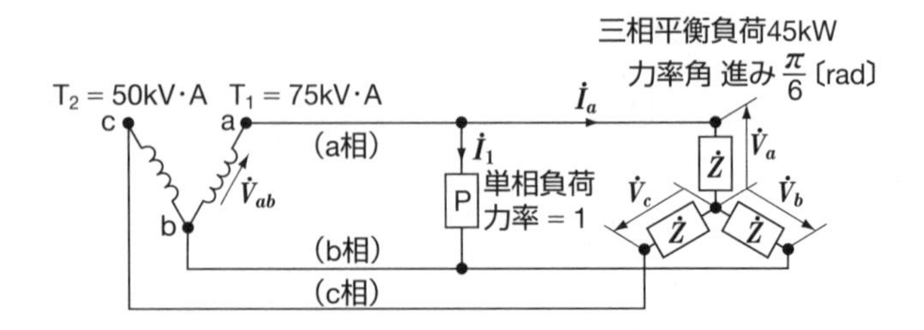

(a)　問題の図において，$\dot{V}_a$を基準とし，$\dot{V}_{ab}$，$\dot{I}_a$，$\dot{I}_1$の大きさと位相関係を表す図として，正しいのは次のうちどれか．

ただし，$|\dot{I}_a| > |\dot{I}_1|$とする．

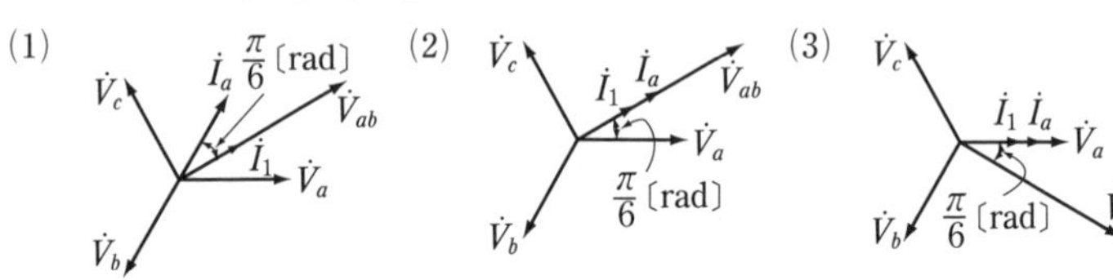

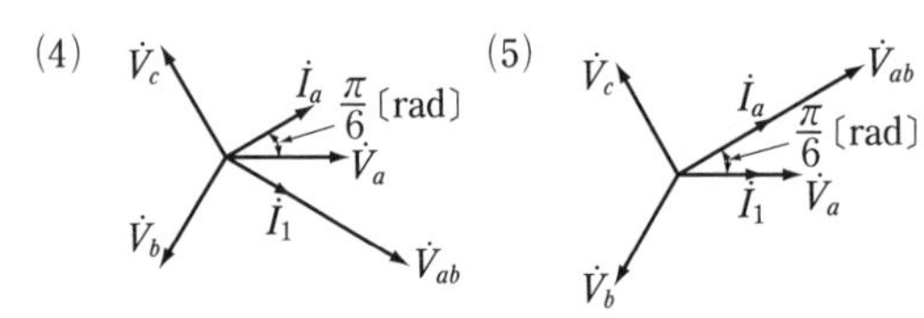

(b)　単相変圧器T_1が過負荷にならない範囲で，単相負荷P（力率 = 1）がとりうる最大電力〔kW〕の値として，正しいのは次のうちどれか．

(1)　23　　(2)　36　　(3)　45　　(4)　49　　(5)　58

解17 解答 (a)－(2), (b)－(3)

(a) 三相負荷の力率は，相電圧と三相負荷電流の位相角の余弦値で与えられるのに対し，単相負荷の力率は，線間電圧と単相負荷電流の位相角の余弦値で与えられる．

したがって，三相負荷の力率が $\cos\frac{\pi}{6}$（進み）であるから，a 相の三相負荷電流 $\dot{I}_a$ は a 相相電圧 $\dot{V}_a$ より $\frac{\pi}{6}$〔rad〕(30°) だけ進み位相となる．

次に，単相負荷 P は a 相と b 相の間に接続され，その力率が 1 であるから，単相負荷電流 $\dot{I}_1$ は線間電圧 $\dot{V}_{ab}$ と同相となる．

また，三相負荷の相電圧 $\dot{V}_a$，$\dot{V}_b$，$\dot{V}_c$ はそれぞれ $\frac{2\pi}{3}$ ずつの位相差を持っているので，線間電圧 $\dot{V}_{ab}$ は，$\dot{V}_a$ より $\frac{\pi}{6}$ 進み位相となり，$\dot{I}_1$，$\dot{I}_a$ と同位相になる．

したがって，これらの関係を満足するベクトル図を探せば，(2)のベクトル図が答となる．

(b) いま，線間電圧の大きさを V〔kV〕とすると，三相負荷電流 $\dot{I}_a$ の大きさ I_3 は，

$$I_3 = I_a = \frac{45}{\sqrt{3}V\cos\frac{\pi}{6}} = \frac{45}{\sqrt{3}V\cdot\frac{\sqrt{3}}{2}} = \frac{30}{V}\text{〔A〕}$$

となる．ここに，T_1 を流れる電流は $\dot{I}_1 + \dot{I}_a$ であるが，ベクトル図より $\dot{I}_a$ と $\dot{I}_1$ は同相であるから，$\dot{I}_1$ の大きさを I_1 とすると，

$$I_a + I_1 = I_3 + I_1 = \frac{30}{V} + I_1\text{〔A〕}$$

となる．

したがって，単相変圧器 T_1 が過負荷とならない範囲でとり得る単相負荷電流 I_1 の最大値を I_{1m} とすると，次式が成立する．

$$\left(\frac{30}{V} + I_{1m}\right)V = 75\text{〔kV·A〕}$$

$$\therefore\quad VI_m = 75 - 30 = 45\text{〔kV·A〕} = 45\text{〔kW〕}\text{（力率 1）}$$

となる．

問18 Check! □□□ （令和5年㊤ Ⓐ問題13）

一次側定格電圧と二次側定格電圧がそれぞれ等しい変圧器Aと変圧器Bがある．変圧器Aは，定格容量 $S_A = 5\,000$ kV·A，パーセントインピーダンス $\%Z_A = 9.0$ %（自己容量ベース），変圧器Bは，定格容量 $S_B = 1\,500$ kV·A，パーセントインピーダンス $\%Z_B = 7.5$ %（自己容量ベース）である．この変圧器2台を並行運転し，6 000 kV·Aの負荷に供給する場合，過負荷となる変圧器とその変圧器の過負荷運転状態[%]（当該変圧器が負担する負荷の大きさをその定格容量に対する百分率で表した値）の組合せとして，正しいものを次の(1)〜(5)のうちから一つ選べ．

	過負荷となる変圧器	過負荷運転状態[%]
(1)	変圧器A	101.5
(2)	変圧器B	105.9
(3)	変圧器A	118.2
(4)	変圧器B	137.5
(5)	変圧器A	173.5

解18 解答 (2)

変圧器Aのパーセントインピーダンスを変圧器Bの定格容量基準の値に換算すると,

$$\%Z_A{}' = \%Z_A \times \frac{S_B}{S_A} = 9.0 \times \frac{1\,500}{5\,000} = 2.7\,\%$$

2台の変圧器を並行運転させて，負荷容量 $P = 6\,000$ kV·A の負荷に供給する場合，変圧器AおよびBの分担負荷 P_A および P_B は，それぞれ以下のとおりとなる.

$$P_A = \frac{\%Z_B}{\%Z_A{}' + \%Z_B} \times P = \frac{7.5}{2.7 + 7.5} \times 6000 \fallingdotseq 4\,411.76\ \text{kV·A}$$

$$P_B = \frac{\%Z_A{}'}{\%Z_A{}' + \%Z_B} \times P = \frac{2.7}{2.7 + 7.5} \times 6\,000 \fallingdotseq 1\,588.24\ \text{kV·A}$$

したがって，**変圧器Bが**定格容量を超えているため，過負荷状態 α [%] は,

$$\alpha = \frac{1\,588.24}{1\,500} \fallingdotseq 1.058\,8 \fallingdotseq \mathbf{105.9}\,\%$$

問19 Check! □□□ (平成28年 Ⓐ問題6)

一次側定格電圧と二次側定格電圧がそれぞれ等しい変圧器 A と変圧器 B がある．変圧器 A は，定格容量 $S_A = 5\ 000$ kV·A，パーセントインピーダンス $\%Z_A = 9.0$ %（自己容量ベース），変圧器 B は，定格容量 $S_B = 1\ 500$ kV·A，パーセントインピーダンス $\%Z_B = 7.5$ %（自己容量ベース）である．この変圧器 2 台を並行運転し，6 000 kV·A の負荷に供給する場合，過負荷となる変圧器とその変圧器の過負荷運転状態 [%]（当該変圧器が負担する負荷の大きさをその定格容量に対する百分率で表した値）の組合せとして，正しいものを次の(1)～(5)のうちから一つ選べ．

	過負荷となる変圧器	過負荷運転状態 [%]
(1)	変圧器 A	101.5
(2)	変圧器 B	105.9
(3)	変圧器 A	118.2
(4)	変圧器 B	137.5
(5)	変圧器 A	173.5

解19 解答 (2)

変圧器 A のパーセントインピーダンスを変圧器 B の定格容量 1 500 kV·A 基準の値に換算すると，

$$\%Z_{A}' = \%Z_{A} \cdot \frac{S_{B}}{S_{A}} = 9.0 \times \frac{1\,500}{5\,000} = 2.7\ \%$$

となるから，2 台の変圧器を並列運転し，$S = 6\,000$ kV·A の負荷に供給する場合，変圧器 A および B の分担量 S_{A} および S_{B} はそれぞれ，次のようになる．

$$S_{A} = \frac{\%Z_{B}}{\%Z_{A}' + \%Z_{B}} S = \frac{7.5}{2.7 + 7.5} \times 6\,000 \fallingdotseq 4\,411.76\ \text{kV·A}$$

$$S_{B} = \frac{\%Z_{A}'}{\%Z_{A}' + \%Z_{B}} S = \frac{2.7}{2.7 + 7.5} \times 6\,000 \fallingdotseq 1\,588.24\ \text{kV·A}$$

したがって，変圧器 B が過負荷となり，過負荷運転状態 α は，

$$\alpha = \frac{1\,588.24}{1\,500} \fallingdotseq 1.058\,83 \fallingdotseq 105.9\ \%$$

問20 Check! □□□

(平成17年 B 問題16)

容量15〔MV·A〕，変圧比33〔kV〕/6.6〔kV〕，百分率インピーダンス降下が自己容量基準で5〔%〕であるA変圧器と，容量8〔MV·A〕，変圧比33〔kV〕/6.6〔kV〕，百分率インピーダンス降下が自己容量基準で4〔%〕であるB変圧器とを並行運転している変電所がある．これについて次の(a)及び(b)に答えよ．

ただし，各変圧器の抵抗とリアクタンスの比は等しいものとする．

(a) 12〔MV·A〕の負荷を加えたとき，A変圧器の分担する負荷〔MV·A〕の値として，正しいのは次のうちどれか．

(1) 4.8　(2) 5.3　(3) 6.7　(4) 7.2　(5) 7.8

(b) 並行運転している2台の変圧器が負担できる最大負荷容量〔MV·A〕の値として，正しいのは次のうちどれか．

(1) 20　(2) 21　(3) 22　(4) 23　(5) 25

解20 解答 (a)−(4), (b)−(1)

(a) B変圧器の百分率インピーダンス降下を15〔MV·A〕基準の値に換算すると，

$$\%Z_B = 4 \times \frac{15}{8} = 7.5〔\%〕$$

となるから，A変圧器の分担電力 S_A は，

$$S_A = \frac{\%Z_B}{\%Z_A + \%Z_B} S = \frac{7.5}{5+7.5} \times 12 = 7.2〔\mathrm{MV \cdot A}〕$$

(b) 並列運転している2台の変圧器に最大負荷 S_m〔MV·A〕をかけたときの各器の分担電力 S_{Am} および S_{Bm} は，それぞれ次式で表せる．

$$S_{Am} = \frac{\%Z_B}{\%Z_A + \%Z_B} S_m〔\mathrm{MV \cdot A}〕 \quad ①$$

$$S_{Bm} = \frac{\%Z_A}{\%Z_A + \%Z_B} S_m〔\mathrm{MV \cdot A}〕 \quad ②$$

したがって，分担電力の比 $S_{Am} : S_{Bm}$ は，

$$S_{Am} : S_{Bm} = \%Z_B : \%Z_A = 7.5 : 5 = 15 : 10 \quad ③$$

となる．いま，A変圧器が定格となる（$S_{Am} = 15$〔MV·A〕）ように負荷をかけたとき，B変圧器の分担電力は，$S_{Bm} = 10$〔MV·A〕となり，過負荷となるから，このような負荷のかけ方はできない．

したがって，B変圧器が定格となるときが（$S_{Bm} = 8$〔MV·A〕），求める最大負荷となる．

よって，求める最大負荷 S_m は②式より，次式となる．

$$S_m = \frac{\%Z_A + \%Z_B}{\%Z_A} S_{Bm} = \frac{5+7.5}{5} \times 8 = 20〔\mathrm{MV \cdot A}〕$$

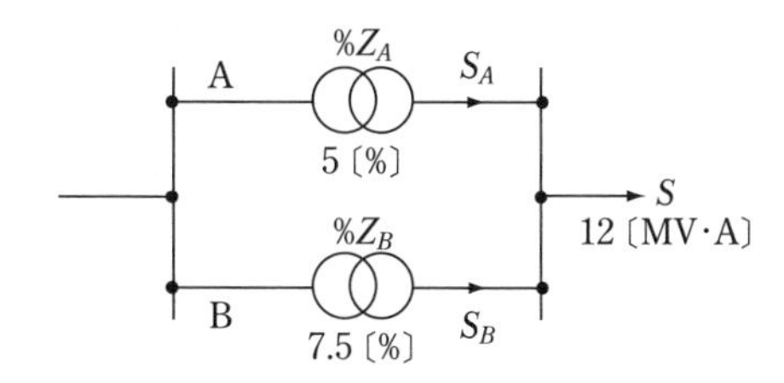

問21 Check! □□□

(平成26年 Ⓐ問題6)

1バンクの定格容量25 MV·Aの三相変圧器を3バンク有する配電用変電所がある．変圧器1バンクが故障した時に長時間の停電なしに故障発生前と同じ電力を供給したい．

この検討に当たっては，変圧器故障時には，他の変電所に故障発生前の負荷の10 %を直ちに切り換えることができるとともに，残りの健全な変圧器は，定格容量の125 %まで過負荷することができるものとする．

力率は常に95 %（遅れ）で変化しないものとしたとき，故障発生前の変電所の最大総負荷の値〔MW〕として，最も近いものを次の(1)～(5)のうちから一つ選べ．

(1) 32.9　(2) 53.4　(3) 65.9　(4) 80.1　(5) 98.9

問22 Check! □□□

(令和3年 Ⓐ問題9)

1台の定格容量が20 MV·Aの三相変圧器を3台有する配電用変電所があり，その総負荷が55 MWである．変圧器1台が故障したときに，残りの変圧器の過負荷運転を行い，不足分を他の変電所に切り換えることにより，故障発生前と同じ電力を供給したい．この場合，他の変電所に故障発生前の負荷の何 %を直ちに切り換える必要があるか，最も近いものを次の(1)～(5)のうちから一つ選べ．ただし，残りの健全な変圧器は，変圧器故障時に定格容量の120 %の過負荷運転をすることとし，力率は常に95 %（遅れ）で変化しないものとする．

(1) 6.2　(2) 10.0　(3) 12.1　(4) 17.1　(5) 24.2

解21 解答 (3)

故障発生前の変電所の最大総負荷の皮相電力を S_m〔MV·A〕とする．題意より，変圧器 1 バンクが故障したとき，故障発生前の負荷の 10〔%〕を他の変電所が分担し，2 バンクの健全変圧器が 125〔%〕の過負荷で運転されることを考慮すれば，次式が成立する．

$$S_m \times 0.9 = 25 \times 2 \times 1.25$$

$$\therefore \quad S_m = \frac{25 \times 2 \times 1.25}{0.9} \fallingdotseq 69.444 \text{〔MV·A〕}$$

よって，求める故障発生前の変電所の最大総負荷 P_m は，力率が常に 95〔%〕（遅れ）であるから，

$$P_m = 0.95 S_m = 0.95 \times 69.444 = 65.97 \text{〔MW〕}$$

解22 解答 (4)

変圧器 1 台が故障し，2 台の変圧器を 120 % 過負荷運転して供給できる負荷の皮相電力 $S_{\max}$ は，

$$S_{\max} = 20 \times 2 \times 1.2 = 48 \text{ Mvar}$$

一方，総負荷の皮相電力 S は，55/0.95 Mvar であるから，切り換えるべき負荷の故障発生前の負荷に対する割合は，

$$\frac{S - S_{\max}}{S} = \frac{\dfrac{55}{0.95} - 48}{\dfrac{55}{0.95}} \fallingdotseq 0.170\,9 \fallingdotseq 17.1\,\%$$

問23 Check! □□□

(令和元年 Ⓐ問題 7)

次の文章は，変電所の主な役割と用途上の分類に関する記述である．

変電所は，主に送電効率向上のための昇圧や需要家が必要とする電圧への降圧を行うが，進相コンデンサや (ア) などの調相設備や，変圧器のタップ切り換えなどを用い，需要地における負荷の変化に対応するための (イ) 調整の役割も担っている．また，送変電設備の局所的な過負荷運転を避けるためなどの目的で，開閉装置により系統切り換えを行って (ウ) を調整する．さらに，送電線において，短絡又は地絡事故が生じた場合，事故回線を切り離すことで事故の波及を防ぐ系統保護の役割も担っている．

変電所は，用途の面から，送電用変電所，配電用変電所などに分類されるが，東日本と西日本の間の連系に用いられる (エ) や北海道と本州の間の連系に用いられる (オ) も変電所の一種として分類されることがある．

上記の記述中の空白箇所(ア)，(イ)，(ウ)，(エ)及び(オ)に当てはまる組合せとして，正しいものを次の(1)〜(5)のうちから一つ選べ．

	(ア)	(イ)	(ウ)	(エ)	(オ)
(1)	分路リアクトル	電圧	電力潮流	周波数変換所	電気鉄道用変電所
(2)	負荷開閉器	周波数	無効電力	自家用変電所	中間開閉所
(3)	分路リアクトル	電圧	電力潮流	周波数変換所	交直変換所
(4)	負荷時電圧調整器	周波数	無効電力	自家用変電所	電気鉄道用変電所
(5)	負荷時電圧調整器	周波数	有効電力	中間開閉所	交直変換所

解23 解答 (3)

変電所では，負荷変化による電圧変動に対し，運転中にタップを切り換えることのできる負荷時タップ切換変圧器（LRT）のタップ変更により電圧調整を行う．また，重負荷時の電圧降下を軽減するため電力用コンデンサを変電所母線に接続したり，夜間など軽負荷時の電圧上昇を軽減するため変電所母線に分路リアクトルを接続して，電圧調整を行う．

また，変電所内の開閉装置により，系統の切換を行い，電力潮流を適正にすることもある．

変電所の一部として分類されることもある周波数変換所は，60 Hz 系統と 50 Hz 系統の連系を行うために施設されたもので，佐久間周波数変換所，新信濃変電所，東清水変電所がある．

交直変換所は，直流連系線の両側に施設されるもので，北海道と本州を結ぶ北本連系線の北海道側の函館変換所，本州側（青森県）の下北変換所や本州と四国を結ぶ紀伊水道直流連系線（阿南紀北線）の本州側（和歌山県）の紀北変換所，四国側（徳島県）の阿南変換所が代表的である．

問24 Check! □□□

(平成25年 Ⓐ問題6)

変圧器の結線方式として用いられるY–Y–△結線に関する記述として，誤っているものを次の(1)～(5)のうちから一つ選べ.

(1) 高電圧大容量変電所の主変圧器の結線として広く用いられている.

(2) 一次若しくは二次の巻線の中性点を接地することができない.

(3) 一次–二次間の位相変位がないため，一次–二次間を同位相とする必要がある場合に用いる.

(4) △結線がないと，誘導起電力は励磁電流による第三調波成分を含むひずみ波形となる.

(5) △結線は，三次回路として用いられ，調相設備の接続用，又は，所内電源用として使用することができる.

問25 Check! □□□

(令和5年㊦ Ⓐ問題6)

次の文章は，変圧器のY-Y結線方式の特徴に関する記述である.

一般に，変圧器のY-Y結線は，一次，二次側の中性点を接地でき，1線地絡などの故障に伴い発生する [(ア)] の抑制，電線路及び機器の絶縁レベルの低減，地絡故障時の [(イ)] の確実な動作による電線路や機器の保護等，多くの利点がある.

一方，相電圧は [(ウ)] を含むひずみ波形となるため，中性点を接地すると，[(ウ)] 電流が線路の静電容量を介して大地に流れることから，通信線への [(エ)] 障害の原因となる等の欠点がある．このため，[(オ)] による三次巻線を設けて，これらの欠点を解消する必要がある.

上記の記述中の空白箇所(ア)～(オ)に当てはまる組合せとして，正しいものを次の(1)～(5)のうちから一つ選べ.

	(ア)	(イ)	(ウ)	(エ)	(オ)
(1)	異常電流	避雷器	第二調波	静電誘導	△結線
(2)	異常電圧	保護リレー	第三調波	電磁誘導	Y結線
(3)	異常電圧	保護リレー	第三調波	電磁誘導	△結線
(4)	異常電圧	避雷器	第三調波	電磁誘導	△結線
(5)	異常電流	保護リレー	第二調波	静電誘導	Y結線

解24 解答 (2)

Y–Y–△ 結線は，三相系統の変圧に使われる変圧器の結線方式の一つで，一次側をY結線，二次側をY結線としており，Y–Y結線の特徴を有している一方，三次側に△結線を加えてY–Y結線の短所を打ち消している．

(1) Y–Y–△ 結線は，一次側と二次側に位相差がなく，Y結線の中性点を接地できるため，高電圧大容量変電所の主変圧器の結線として広く用いられている．設問の記述は正しい．

(2) Y–Y–△ 結線では，Y結線の中性点を接地できる．設問の記述は誤っている．

(3) Y–Y–△ 結線は，一次側と二次側に位相差がない．設問の記述は正しい．

(4) 三次側の△結線がないと，Y–Y結線となり，第3調波電流が環流できないため電圧波形がひずむ．これはY–Y結線の短所である．設問の記述は正しい．

(5) 三次側の△結線は，調相設備を接続したり，所内電源用として使用することができる．設問の記述は正しい．

解25 解答 (3)

変圧器のY-Y結線は，一次，二次側の中性点を接地することができ，1線地絡故障時の健全相対地電圧上昇（**異常電圧**）を抑制できるほか，地絡電流が大きくなることによって地絡**保護リレー**の動作を確実にすることができる．また，変圧器の一次側，二次側の巻線の絶縁レベル低減も可能となる．

一方，中性点を接地しないと，変圧器の励磁電流に含まれる第3調波電流を流すことができず，相電圧は**第3調波**を含むひずみ波電圧となる．また，中性点を接地すると第3調波電流が対地静電容量を介して流れることから，通信線への**電磁誘導**障害の原因となる．

このため，通常Y-Y結線は，**△結線**の三次巻線を設けて第3調波電流を還流させており，この巻線を安定巻線という．

問26 Check! □□□

(平成 29 年 Ⓐ 問題 7)

次の文章は，変圧器の Y–Y 結線方式の特徴に関する記述である．

一般に，変圧器の Y–Y 結線は，一次，二次側の中性点を接地でき，1 線地絡などの故障に伴い発生する (ア) の抑制，電線路及び機器の絶縁レベルの低減，地絡故障時の (イ) の確実な動作による電線路や機器の保護等，多くの利点がある．

一方，相電圧は (ウ) を含むひずみ波形となるため，中性点を接地すると，(ウ) 電流が線路の静電容量を介して大地に流れることから，通信線への (エ) 障害の原因となる等の欠点がある．このため，(オ) による三次巻線を設けて，これらの欠点を解消する必要がある．

上記の記述中の空白箇所(ア)，(イ)，(ウ)，(エ)及び(オ)に当てはまる組合せとして，正しいものを次の(1)～(5)のうちから一つ選べ．

	(ア)	(イ)	(ウ)	(エ)	(オ)
(1)	異常電流	避雷器	第二調波	静電誘導	△結線
(2)	異常電圧	保護リレー	第三調波	電磁誘導	Y 結線
(3)	異常電圧	保護リレー	第三調波	電磁誘導	△結線
(4)	異常電圧	避雷器	第三調波	電磁誘導	△結線
(5)	異常電流	保護リレー	第二調波	静電誘導	Y 結線

解26 解答 (3)

変圧器のY–Y結線は，一次，二次側の中性点を接地することができ，これにより1線地絡故障時の健全相対地電圧上昇を抑えることができるほか，地絡電流が大きくなることによって地絡継電器の動作を確実にすることができる．また，変圧器の一次側および二次側の巻線の絶縁レベルを低減できるなどの利点を有する．しかしながら，中性点を接地しないと，変圧器の励磁電流に含まれる第3調波電流を流すことができず，相電圧は第3調波を含むひずみ波電圧となる．線間電圧には第3調波電圧は相殺されて現れないが，中性点を接地すると，三相各相に同相な第3調波電流が対地静電容量を通して常時流れ，通信線などの弱電流電線に電磁誘導障害を与える原因となる．このため，通常，Y–Y結線は△結線の三次巻線を設けてY–Y–△結線として用いられる．

Y–Y結線は，50 kV·A以下の小容量の三相変圧器に用いられることがある．

問27 Check! □□□

(令和4年㊦ Ⓐ問題7)

次の文章は，変圧器の結線方式に関する記述である.

変圧器の一次側，二次側の結線にＹ結線及び△結線を用いる方式は，結線の組合せにより四つのパターンがある．このうち，(ア)結線はひずみ波の原因となる励磁電流の第3高調波が環流し，吸収される効果が得られるが，一方で中性点の接地が必要となる場合は適さない．(イ)結線は一次側，二次側とも中性点接地が可能という特徴を有する．(ウ)結線及び(エ)結線は第3高調波の環流回路があり，一次側若しくは二次側の中性点接地が可能である．(ウ)結線は昇圧用に，(エ)結線は降圧用に用いられることが多い.

特別高圧系統では変圧器中性点を各種の方法で接地することから，(イ)結線の変圧器が用いられるが，第3高調波の環流の効果を得る狙いから(オ)結線を用いた三次巻線を採用していることが多い.

上記の記述中の空白箇所(ア)～(オ)に当てはまる組合せとして，正しいものを次の(1)～(5)のうちから一つ選べ．ただし，(ア)～(エ)の左側は一次側，右側は二次側の結線を表す.

	(ア)	(イ)	(ウ)	(エ)	(オ)
(1)	Y－Y	△－△	Y－△	△－Y	△
(2)	△－△	Y－Y	△－Y	Y－△	△
(3)	△－△	Y－Y	Y－△	△－Y	△
(4)	Y－△	△－Y	△－△	Y－Y	Y
(5)	△－△	Y－Y	△－Y	Y－△	Y

解27 解答 (2)

配電用・異電圧系統連系用(275/154 kV 等)Y-Y-△ 結線(3 巻線), 発電電圧昇圧用 △-Y 結線(2 巻線), 配電用 Y-△ 結線・△-△ 結線(いずれも 2 巻線)等がある.

① △-△ 結線：当該変圧器において中性点接地を要しない箇所, 主に配電用途に用いる. 角変位はない. 第 3 調波電流や 1 線地絡故障時の零相電流が △ 結線中を環流できる. 単相変圧器 3 台を △ 結線して用いている場合, 1 台が故障しても故障機を切り離して V-V 結線で使用できる.

② △-Y 結線：発電電圧の昇圧目的に, △ 結線側に発電機, Y 結線側を系統に接続する. 系統側巻線で中性点接地が可能で, かつ, 第 3 調波電流や 1 線地絡故障時の零相電流が △ 結線中を環流できる. また角変位が 30° あるが, 発電電圧の昇圧用途では変圧器を並行運転する必要がないため, 問題にはならない.

③ Y-△ 結線：配電用途のための降圧目的に, Y 結線側を高電圧系統, △ 結線側を低電圧系統に接続する. 高電圧系統側巻線で中性点接地が可能で, かつ, 第 3 調波電流や 1 線地絡故障時の零相電流が △ 結線中を環流できる. 低電圧系統側の △ 結線側で当該変圧器において中性点接地ができないのでこれが許容できることが適用の条件となる. また角変位が 30° あるため, 低電圧系統側においてほかの Y-Y-△ 結線の配電用変圧器の系統とは両系統の末端の突き合わせ点において位相が 30° 程度異なるため, 角変位のない系統同士であれば通常, 実施可能なループによる無停電切換は実施できない.

②, ③のいずれの場合であっても, Y 結線を高電圧側, △ 結線を低電圧側で用いるのが常である. Y 結線側の巻線の絶縁性能を低減することができるため, 機器外寸縮小, 軽量化, 製作コストの観点で有利となる.

④ Y-Y-△ 結線：高電圧側, 低電圧側のいずれも中性点接地が可能で, 角変位もない. 変圧器の励磁電流には鉄心の磁気飽和やヒステリシス特性に起因する第 3 調波電流を含むが, 交流三相系統において各相の第 3 調波電流は同相であるから △ 結線中を環流できるめ, 各相端子の相電圧, 端子間の線間電圧のいずれにも第 3 調波成分は現れない. また, 第 3 調波電流が系統へ流出せず, 中性点接地であっても中性線へ流出しないため第 3 調波電流による常時・1 線地絡故障時の電磁誘導障害がない. 1 線地絡故障時の零相電流が △ 結線中を環流できるため, 零相インピーダンスが無限大にならず, 地絡電流回路が形成され中性点接地が意味をなす.

⑤ V-V 結線：変圧器の利用率が低くなり, 三相平衡負荷であっても各相の電圧降下が不平衡となるため, 変圧器設置初期などの負荷が軽い場合や変圧器が 1 台故障した場合の応急用として使用する.

問28 Check! □□□ （平成30年 A 問題7）

変圧器の保全・診断に関する記述として，誤っているものを次の(1)～(5)のうちから一つ選べ．

(1) 変圧器の予防保全は，運転の維持と事故の防止を目的としている．

(2) 油入変圧器の絶縁油の油中ガス分析は内部異常診断に用いられる．

(3) 部分放電は，絶縁破壊が生じる前ぶれである場合が多いため，異常診断技術として，部分放電測定が用いられることがある．

(4) 変圧器巻線の絶縁抵抗測定と誘電正接測定は，鉄心材料の経年劣化を把握することを主な目的として実施される．

(5) ガスケットの経年劣化に伴う漏油の検出には，目視点検に加え，油面計が活用される．

問29 Check! □□□ （平成24年 A 問題6）

次の文章は，ガス絶縁開閉装置（GIS）に関する記述である．

ガス絶縁開閉装置（GIS）は，遮断器，断路器，避雷器，変流器等の機器を絶縁性の高いガスが充填された金属容器に収めた開閉装置である．この絶縁ガスとしては，[(ア)]ガスが現在広く用いられている．機器の充電部を密閉した金属容器は[(イ)]されるため感電の危険性がほとんどない．また，気中絶縁の設備に比べて装置が[(ウ)]する．このようなことから大都市の地下変電所や[(エ)]対策の開閉装置として適している．

上記の記述中の空白箇所(ア)，(イ)，(ウ)及び(エ)に当てはまる組合せとして，正しいものを次の(1)～(5)のうちから一つ選べ．

	(ア)	(イ)	(ウ)	(エ)
(1)	SF_6	絶縁	小形化	塩害
(2)	C_3F_6	絶縁	大形化	水害
(3)	SF_6	接地	小形化	塩害
(4)	C_3F_6	絶縁	大形化	塩害
(5)	SF_6	接地	小形化	水害

解28 解答 (4)

(4)が誤りである.

変圧器巻線の絶縁抵抗測定と誘電正接（tan δ）測定は，変圧器巻線の絶縁状態の経年劣化を把握するために実施されるもので，鉄心材料自体の経年劣化を把握するものではない.

解29 解答 (3)

ガス絶縁開閉装置(GIS)は，遮断器，断路器，接地開閉器，避雷器，計器用変圧器，変流器などを絶縁性の高い六ふっ化硫黄ガス(SF_6)を充てんした金属容器の中に収めた開閉装置で，現在 22〔kV〕以上の設備として広く用いられている.

SF_6 ガスの絶縁耐力は高く，平等電界で空気の約 3 倍あり，0.2 ～ 0.3〔MPa〕（2 ～ 3 気圧）で絶縁油と同等で，アーク消弧能力は空気の約 100 倍である．このため，相間距離を空気に比べて著しく小さくできることから，装置が小形になり，小形化の割合は電圧が高いほど著しい.

また，充電部分は金属容器内にあり，金属容器には A 種接地工事が施されるので，感電の危険性がほとんどないという特長を有している.

問30 Check! □□□

（令和6年㊤ Ⓐ問題6）

次の文章は，ガス絶縁開閉装置（GIS）に関する記述である．

ガス絶縁開閉装置（GIS）は，金属容器に遮断器，断路器，母線などを収納し，絶縁耐力及び消弧能力の優れた (ア) を充填したもので，充電部を支持するスペーサなどの絶縁物には，主に (イ) が用いられる．また，気中絶縁の設備に比べてGISには次のような特徴がある．

① コンパクトである．

② 充電部が密閉されており，安全性が高い．

③ 大気中の汚染物等の影響を受けないため，信頼性が (ウ) ．

④ 内部事故時の復旧時間が (エ) ．

上記の記述中の空白箇所(ア)～(エ)に当てはまる組合せとして，正しいものを次の(1)～(5)のうちから一つ選べ．

	(ア)	(イ)	(ウ)	(エ)
(1)	SF_6 ガス	エポキシ樹脂	低い	短い
(2)	SF_6 ガス	エポキシ樹脂	高い	長い
(3)	窒素ガス	磁器がいし	低い	長い
(4)	窒素ガス	エポキシ樹脂	高い	短い
(5)	SF_6 ガス	磁器がいし	高い	短い

解30 解答 (2)

ガス絶縁開閉装置（GIS：Gas Insulated Switchgear）は絶縁耐力や消弧能力（アークを吹き消す能力）の優れた**SF_6（六ふっ化硫黄）ガス**を充てんした金属容器内に母線や遮断器，断路器，避雷器，計器用変成器（VT，CT）等を**エポキシ樹脂**等の固体絶縁体で支持，収納した開閉装置である．

GISは，充電部や絶縁物が外部の雰囲気や天候，汚損等の影響を受けないため信頼性が**高く**，気中絶縁機器に比べ小形で据付面積も大幅に縮小できることから，現在の主流となっている．

一方，密閉した金属容器内に各機器が収納されているため，内部点検の際はSF_6ガスの回収が必要であり面倒なこと，内部事故時の復旧時間が**長く**なるという欠点がある．

問31 Check! □□□

(令和元年 Ⓐ問題 6)

ガス絶縁開閉装置に関する記述として，誤っているものを次の(1)～(5)のうちから一つ選べ．

(1) ガス絶縁開閉装置の充電部を支持するスペーサにはエポキシ等の樹脂が用いられる．

(2) ガス絶縁開閉装置の絶縁ガスは，大気圧以下の SF_6 ガスである．

(3) ガス絶縁開閉装置の金属容器内部に，金属異物が混入すると，絶縁性能が低下することがあるため，製造時や据え付け時には，金属異物が混入しないよう，細心の注意が払われる．

(4) 我が国では，ガス絶縁開閉装置の保守や廃棄の際，絶縁ガスの大部分は回収されている．

(5) 絶縁性能の高いガスを用いることで装置を小形化でき，気中絶縁の装置を用いた変電所と比較して，変電所の体積と面積を大幅に縮小できる．

問32 Check! □□□

(平成 19 年 Ⓐ 問題 6)

ガス絶縁開閉装置に関する記述として，誤っているのは次のうちどれか．

(1) 金属製容器に遮断器，断路器，避雷器，変流器，母線，接地装置等の機器を収納し，絶縁ガスを充填した装置である．

(2) ガス絶縁開閉装置に充填する絶縁ガスは，六ふっ化硫黄 (SF_6) ガス等が使用される．

(3) 開閉装置が絶縁ガス中に密閉されているため，塩害，塵挨(じんあい)等外部の影響を受けにくい．

(4) ガス絶縁開閉装置はコンパクトに製作でき，変電設備の縮小化が図られる．

(5) 現地の据え付作業後にすべての絶縁ガスの充填を行い，充填後は絶縁試験，動作試験等を実施するため，据え付作業工期は長くなる．

解31 解答 (2)

(2)が誤りである．

ガス絶縁開閉装置（GIS）の絶縁ガスは，大気圧を超えるSF_6（六ふっ化硫黄）ガスで，一般には，ゲージ圧で0.4～0.5 MPa（約4気圧～5気圧）程度の圧力で使用されることが多い．

解32 解答 (5)

ガス絶縁開閉装置（GIS）は，輸送単位ごとに工場で組立て・検査を実施し，品質保証された形で現地へ機器の搬入が行われるので，据付工期は短縮される．

問33 Check! □□□

(令和2年 Ⓐ問題9)

次の文章は，避雷器に関する記述である．

避雷器は，雷又は回路の開閉などに起因する過電圧の (ア) がある値を超えた場合，放電により過電圧を抑制して，電気施設の絶縁を保護する装置である．特性要素としては (イ) が広く用いられ，その (ウ) の抵抗特性により，過電圧に伴う電流のみを大地に放電させ，放電後は (エ) を遮断することができる．発変電所用避雷器では， (イ) の優れた電圧－電流特性を利用し，放電耐量が大きく，放電遅れのない (オ) 避雷器が主に使用されている．

上記の記述中の空白箇所(ア)～(オ)に当てはまる組合せとして，正しいものを次の(1)～(5)のうちから一つ選べ．

	(ア)	(イ)	(ウ)	(エ)	(オ)
(1)	波頭長	SF_6	非線形	続流	直列ギャップ付き
(2)	波高値	ZnO	非線形	続流	ギャップレス
(3)	波高値	SF_6	線形	制限電圧	直列ギャップ付き
(4)	波高値	ZnO	線形	続流	直列ギャップ付き
(5)	波頭長	ZnO	非線形	制限電圧	ギャップレス

解33 解答 (2)

避雷器は，雷，回路の開閉などに起因する過電圧の**波高値**がある値を超えた場合，放電により過電圧を抑制して，電気施設の絶縁を保護する装置である．特性要素としては，ZnO が広く用いられ，その**非線形**の抵抗特性により，過電圧に伴う電流のみを大地に放電させ，放電後は**続流**を遮断することができる．発変電所用避雷器では，ZnO の優れた電圧－電流特性を利用し，放電耐量が大きく，放電遅れのない**ギャップレス**避雷器が主に使用されている．

JEC−2374：2020 酸化亜鉛形避雷器で，避雷器に関する事項が次のように定義されている．

① 避雷器

雷または回路の開閉などに起因する過電圧の波高値がある値を超えた場合，放電することにより過電圧を制限して電気施設の絶縁を保護し，かつ続流を短時間のうちに遮断して，系統の正常な状態を乱すことなく原状に復帰する機能を有する装置．

② 続流

放電現象が実質的に終了した後，引き続き電力系統から供給されて避雷器に流れる電流．

③ 酸化亜鉛形避雷器

非直線電圧電流特性をもつ酸化亜鉛素子を適用した避雷器．

④ 酸化亜鉛素子

酸化亜鉛（ZnO）を主成分とする焼結体で，その非直線電圧電流特性により，放電のときに雷，開閉サージなどによる大電流を通過させて端子間電圧を制限し，放電後は原状に復帰する作用をなす避雷器の構成要素．

また，避雷器の内部・外部に関わりなく，一切のギャップ（直列または並列ギャップ）を使用しない避雷器をギャップレス避雷器という．

問34 Check! □□□

(平成 27 年 Ⓐ 問題 7)

次の文章は，避雷器とその役割に関する記述である.

避雷器とは，大地に電流を流すことで雷又は回路の開閉などに起因する [(ア)] を抑制して，電気施設の絶縁を保護し，かつ，[(イ)] を短時間のうちに遮断して，系統の正常な状態を乱すことなく，原状に復帰する機能をもつ装置である.

避雷器には，炭化けい素（SiC）素子や酸化亜鉛（ZnO）素子などが用いられるが，性能面で勝る酸化亜鉛素子を用いた酸化亜鉛形避雷器が，現在，電力設備や電気設備で広く用いられている．なお，発変電所用避雷器では，酸化亜鉛形 [(ウ)] 避雷器が主に使用されているが，配電用避雷器では，酸化亜鉛形 [(エ)] 避雷器が多く使用されている.

電力系統には，変圧器をはじめ多くの機器が接続されている．これらの機器を異常時に保護するための絶縁強度の設計は，最も経済的かつ合理的に行うとともに，系統全体の信頼度を向上できるよう考慮する必要がある．これを [(オ)] という．このため，異常時に発生する [(ア)] を避雷器によって確実にある値以下に抑制し，機器の保護を行っている.

上記の記述中の空白箇所(ア)，(イ)，(ウ)，(エ)及び(オ)に当てはまる組合せとして，正しいものを次の(1)～(5)のうちから一つ選べ.

	(ア)	(イ)	(ウ)	(エ)	(オ)
(1)	過電圧	続流	ギャップレス	直列ギャップ付き	絶縁協調
(2)	過電流	電圧	直列ギャップ付き	ギャップレス	電流協調
(3)	過電圧	電圧	直列ギャップ付き	ギャップレス	保護協調
(4)	過電流	続流	ギャップレス	直列ギャップ付き	絶縁協調
(5)	過電圧	続流	ギャップレス	直列ギャップ付き	保護協調

解34 解答（1）

JEC（電気学会電気規格調査会標準規格）–2374：2020では，避雷器は，「雷，回路の開閉などに起因する過電圧の波高値がある値を越えた場合，放電することにより過電圧を制限して電気施設の絶縁を保護し，かつ続流を短時間のうちに遮断して，系統の正常な状態を乱すことなく原状に復帰する機能を有する装置.」とされている.

避雷器の素子（特性要素）として，古くは炭化けい素（SiC）素子が用いられていたが，最近ではその電圧－電流特性として優れた性能をもつ酸化亜鉛（ZnO）素子が主として用いられている.

酸化亜鉛形避雷器には，直列または並列ギャップを有するギャップ付き避雷器とギャップをもたないギャップレス避雷器がある．酸化亜鉛形避雷器は，主としてギャップレス避雷器であり，発変電所用避雷器として用いられているが，直列ギャップ付き避雷器は，保護レベルの低い配電用避雷器として多く用いられている.

電力系統には，変圧器や線路など多数の機器があり，絶縁の合理的な協調を図り，安全でしかも経済的な絶縁設計が必要である．これを絶縁協調という．機器の絶縁は，避雷器によって異常電圧を抑制し（制限電圧），機器の絶縁強度をそれ以上にしておくという考え方は絶縁協調の一例である.

問35 Check! □□□

(平成18年 Ⓐ問題4)

変電所に設置される機器に関する記述として，誤っているのは次のうちどれか．

(1) 活線洗浄装置は，屋外に設置された変電所のがいしを常に一定の汚損度以下に維持するため，台風が接近している場合や汚損度が所定のレベルに達したとき等に充電状態のまま注水洗浄が行える装置である．

(2) 短絡，過負荷，地絡を検出する保護継電器は，系統や機器に事故や故障等の異常が生じたとき，速やかに異常状況を検出し，異常箇所を切り離す指示信号を遮断器に送る機器である．

(3) 負荷時タップ切換変圧器は，電源電圧の変動や負荷電流による電圧変動を補償して，負荷側の電圧をほぼ一定に保つために，負荷状態のままタップ切換えを行える装置を持つ変圧器である．

(4) 避雷器は，誘導雷及び直撃雷による雷過電圧や電路の開閉等で生じる過電圧を放電により制限し，機器を保護するとともに直撃雷の侵入を防止するために設置される機器である．

(5) 静止形無効電力補償装置（SVC）は，電力用コンデンサと分路リアクトルを組み合わせ，電力用半導体素子を用いて制御し，進相から遅相までの無効電力を高速で連続制御する装置である．

解35 解答 (4)

避雷器はJEC–2374：2020で，避雷器とは，「雷，回路の開閉などに起因する過電圧の波高値がある値を越えた場合，放電することにより過電圧を制限して電気施設の絶縁を保護し，かつ続流を短時間のうちに遮断して，系統の正常な状態を乱すことなく原状に復帰する機能を有する装置.」と規定されており，直撃雷の侵入を防止することができる装置ではない.

問36 Check! □□□

(平成23年 Ⓐ問題10)

次の文章は，発変電所用避雷器に関する記述である．

避雷器はその特性要素の (ア) 特性により，過電圧サージに伴う電流のみを大地に放電させ，サージ電流に続いて交流電流が大地に放電するのを阻止する作用を備えている．このため，避雷器は電力系統を地絡状態に陥れることなく過電圧の波高値をある抑制された電圧値に低減することができる．この抑制された電圧を避雷器の (イ) という．一般に発変電所用避雷器で処理の対象となる過電圧サージは，雷過電圧と (ウ) である．避雷器で保護される機器の絶縁は，当該避雷器の (イ) に耐えればよいこととなり，機器の絶縁強度設計のほか発変電所構内の (エ) などをも経済的，合理的に決定することができる．このような考え方を (オ) という．

上記の記述中の空白箇所(ア)，(イ)，(ウ)，(エ)及び(オ)に当てはまる組合せとして，正しいものを次の(1)～(5)のうちから一つ選べ．

	(ア)	(イ)	(ウ)	(エ)	(オ)
(1)	非直線抵抗	制限電圧	開閉過電圧	機器配置	絶縁協調
(2)	非直線抵抗	回復電圧	短時間交流過電圧	機器寿命	保護協調
(3)	大容量抵抗	制限電圧	開閉過電圧	機器配置	保護協調
(4)	大容量抵抗	再起電圧	短時間交流過電圧	機器寿命	絶縁協調
(5)	無誘導抵抗	制限電圧	開閉過電圧	機器配置	絶縁協調

解36 解答 (1)

避雷器はJEC−2374：2020で次のように定義されている．

「雷，回路の開閉などに起因する過電圧の波高値がある値を越えた場合，放電することにより過電圧を制限して電気施設の絶縁を保護し，かつ続流を短時間のうちに遮断して，系統の正常な状態を乱すことなく原状に復帰する機能を有する装置.」

また，酸化亜鉛形避雷器の素子（酸化亜鉛素子）については，次のように定義されている.

「酸化亜鉛（ZnO：zinc−oxide）を主成分とする焼結体で，その非直線電圧電流特性により，放電のときに雷，開閉サージなどによる大電流を通過させて端子間電圧を制限し，放電後は原状に復帰する作用をなす避雷器の構成要素.」

発変電所では，雷過電圧や開閉過電圧など種々の過電圧が発生することがあり，設置される変圧器などの機器はこのような過電圧の脅威にさらされている.

しかしながら，変圧器などの機器の絶縁をこのような過電圧すべてに対して耐えられるよう設計・施工することは，コスト的にも構造的にも無理がある.

このような問題に対し，避雷器を保護すべき機器に適当に設置することにより，機器の絶縁強度を避雷器の制限電圧（避雷器の放電中，過電圧が制限されて両端子間に残留するインパルス電圧）レベルまで低下し，効率的な絶縁設計を行うことができる．このような絶縁設計の考え方を絶縁協調という.

問37 Check! □□□ （平成23年 A 問題8）

受変電設備や送配電設備に設置されるリアクトルに関する記述として，誤っているものを次の(1)～(5)のうちから一つ選べ．

(1) 分路リアクトルは，電力系統から遅れ無効電力を吸収し，系統の電圧調整を行うために設置される．母線や変圧器の二次側・三次側に接続し，負荷変動に応じて投入したり切り離したりして使用される．

(2) 限流リアクトルは，系統故障時の故障電流を抑制するために用いられる．保護すべき機器と直列に接続する．

(3) 電力用コンデンサに用いられる直列リアクトルは，コンデンサ回路投入時の突入電流を抑制し，コンデンサによる高調波障害の拡大を防ぐことで，電圧波形のひずみを改善するために設ける．コンデンサと直列に接続し，回路に並列に設置する．

(4) 消弧リアクトルは，三相電力系統において送電線路にアーク地絡を生じた場合，進相電流を補償し，アークを消滅させ，送電を継続するために用いられる．三相変圧器の中性点と大地間に接続する．

(5) 補償リアクトル接地方式は，66kV から 154kV の架空送電線において，対地静電容量によって発生する地絡故障時の充電電流による通信機器への影響を抑制するために用いられる．中性点接地抵抗器と直列に補償リアクトルを接続する．

解37 解答 (5)

(5)の記述が誤りである.

補償リアクトル接地方式は，ケーブル系統の拡大による対地充電電流の増加を補償するために中性点接地抵抗器と並列に補償リアクトルを接続する方式で，これにより保護継電器の動作を確実にし，1線地絡時の健全相対地電圧の異常上昇を抑制するものであり，中性点接地抵抗器と直列に補償リアクトルを接続するものではない.

問38 Check! □□□

(平成18年 Ⓐ問題5)

交流送配電系統では，負荷が変動しても受電端電圧値をほぼ一定に保つために，変電所等に力率を調整する設備を設置している．この装置を調相設備という．

調相設備には，［(ア)］，［(イ)］，同期調相機等がある．［(ウ)］には［(ア)］により調相設備に進相負荷をとらせ，［(エ)］には［(イ)］により遅相負荷をとらせて，受電端電圧を調整する．同期調相機は界磁電流を調整することにより，上記いずれの調整も可能である．

上記の記述中の空白箇所(ア)，(イ)，(ウ)及び(エ)に当てはまる語句として，正しいものを組み合わせたのは次のうちどれか．

	(ア)	(イ)	(ウ)	(エ)
(1)	電力用コンデンサ	分路リアクトル	重負荷時	軽負荷時
(2)	電力用コンデンサ	分路リアクトル	軽負荷時	重負荷時
(3)	直列リアクトル	電力用コンデンサ	重負荷時	軽負荷時
(4)	分路リアクトル	電力用コンデンサ	軽負荷時	重負荷時
(5)	電力用コンデンサ	直列リアクトル	重負荷時	軽負荷時

解38 解答 (1)

交流送配電系統で用いられている調相設備には，電力用コンデンサ，分路リアクトル，同期調相機があり，それぞれの特徴は次のようである．

(1) **電力用コンデンサ（進相コンデンサ）**

電力用コンデンサは，電力系統から進相無効電力をとるので，重負荷時（遅れ無効電力大）に電力系統に接続して，電源の遅相無効電力を軽減させることにより力率を改善する．

(2) **分路リアクトル**

分路リアクトルは，深夜などの軽負荷時に線路の静電容量や需要家に設置された電力用コンデンサなどによる進相無効電力を軽減させることにより力率を改善する．

(3) **同期調相機**

同期調相機は無負荷で運転する同期電動機で，界磁を弱める（励磁電流を低減する）とその電機子電流が遅れ位相となり，界磁を強める（励磁電流を増加する）と電機子電流が進み位相となることを利用した調相設備である．

同期調相機は，界磁調整によって，1台で系統から遅相および進相無効電力をとることができるうえ，連続的な調整ができるが，高価なうえ，回転機であるので保守が面倒といった欠点がある．

問39 Check! □□□

(平成24年 Ⓐ問題8)

次の文章は，調相設備に関する記述である．

送電線路の送・受電端電圧の変動が少ないことは，需要家ばかりでなく，機器への影響や電線路にも好都合である．負荷変動に対応して力率を調整し，電圧値を一定に保つため，調相設備を負荷と （ア） に接続する．

調相設備には，電流の位相を進めるために使われる （イ） ，電流の位相を遅らせるために使われる （ウ） ，また，両方の調整が可能な （エ） や近年ではリアクトルやコンデンサの容量をパワーエレクトロニクスを用いて制御する （オ） 装置もある．

上記の記述中の空白箇所(ア)，(イ)，(ウ)，(エ)及び(オ)に当てはまる組合せとして，正しいものを次の(1)～(5)のうちから一つ選べ．

	(ア)	(イ)	(ウ)	(エ)	(オ)
(1)	並列	電力用コンデンサ	分路リアクトル	同期調相機	静止形無効電力補償
(2)	並列	直列リアクトル	電力用コンデンサ	界磁調整器	PWM制御
(3)	直列	電力用コンデンサ	直列リアクトル	同期調相機	静止形無効電力補償
(4)	直列	直列リアクトル	分路リアクトル	界磁調整器	PWM制御
(5)	直列	分路リアクトル	直列リアクトル	同期調相機	PWM制御

解39 解答 (1)

調相設備は負荷と並列に接続され，負荷の無効電力と調相設備の合成無効電力を変化させて，力率を改善するものである．

電力用コンデンサは負荷の遅れ無効電力を補償し，負荷電流の位相を進めるために用いられる．

分路リアクトルは，供給変電所において，夜間に負荷が減少し，変電所母線に接続された地中線による充電電流や需要設備に設置された電力用コンデンサの充電電流により，供給電流が進み位相となったときの電圧上昇を抑制するために変電所母線に接続して，母線から遅れ電流をとらせて母線の力率を改善するために用いられる．

同期調相機は，無負荷で運転される同期電動機で，供給変電所母線に接続され，界磁電流を変化させることによって，遅れから進み電流を連続的にとらせることによって力率調整を行うことができる．

静止形無効電力補償装置は，サイリスタなどの電力用半導体素子とコンデンサおよびリアクトルを用いたもので，構成としては，サイリスタを用いてリアクトル電流の位相制御やコンデンサの開閉制御を行う方式と自励変換装置を用いて無効電力の制御を行う方式がある．

問40 Check! □□□

(令和4年㊤ Ⓐ問題6)

電力系統の電圧調整に関する記述として，誤っているものを次の(1)～(5)のうちから一つ選べ．

(1) 線路リアクタンスが大きい送電線路では，受電端において進相コンデンサを負荷に並列することで，受電端での進み無効電流を増加させ，受電端電圧を上げることができる．

(2) 送電線路において送電端電圧と受電端電圧が一定であるとすると，負荷の力率が変化すれば受電端電力が変化する．このため，負荷が変動しても力率を調整することによって受電端電圧を一定に保つことができる．

(3) 送電線路での有効電力の損失は電圧に反比例するため，電圧調整により電圧を高めに運用することが損失を減らすために有効である．

(4) 進相コンデンサは無効電力を段階的にしか調整できないが，静止型無効電力補償装置は無効電力の連続的な調整が可能である．

(5) 電力系統の電圧調整には調相設備と共に，発電機の励磁調整による電圧調整が有効である．

解40 解答 (3)

(1) 調相設備による電圧調整

・電力用コンデンサ(力率改善用コンデンサ，進相コンデンサ)：遅れ力率負荷(遅れ電流が流入)に並列に接続してコンデンサに進み電流を流入させる．これにより受電端における総合力率が改善され，線路リアクタンスに流れる遅れ電流による線路電圧降下が軽減され，受電端電圧はコンデンサ接続前に比べて上昇する．

・静止形無効電力補償装置（SVC）：サイリスタの点弧角制御により遅れから進みまで連続的かつ高速に無効電力を制御する．

(2) 同期発電機による電圧調整

電力系統の同期発電機には例外なく自動電圧調整器(AVR)が設置される．界磁電流を増減（励磁調整）することにより内部誘起電圧を増減させて，発電機電機子電流の大きさと位相を変化させることにより，系統電圧を調整する．

(3) 電圧降下

三相3線式の場合，受電端の負荷電力 P は，

$$P=\sqrt{3}V_{\mathrm{r}}I\cos\theta\,[\mathrm{W}] \qquad ①$$

三相3線式の場合，送電端と受電端の間の電圧降下 v の近似式は，

$$v \fallingdotseq V_{\mathrm{s}}-V_{\mathrm{r}}=\sqrt{3}I(R\cos\theta+X\sin\theta)=\frac{RP+XQ}{V_{\mathrm{r}}} \qquad ②$$

ここに，V_{s}：送電端の線間電圧 [V]，V_{r}：受電端の線間電圧 [V]，R：線路抵抗 [Ω]，X：線路リアクタンス [Ω]，I：負荷電流 [A]，$\cos\theta$：負荷力率（遅れ），P：三相負荷有効電力 [W]，Q：三相負荷無効電力 [var]（遅れのとき正値）．

①式　V_{r} を一定とする場合，P は θ によって（I によっても）変化する．

②式　P が変化した場合，力率（すなわち Q）を調整すれば V_{r} および左辺 v を一定とすることができる．

(4) 電力損失

三相3線式の場合，線路損失 p は，

$$p=3I^2R=\frac{P^2R}{(V_{\mathrm{r}}\cos\theta)^2}\,[\mathrm{W}] \qquad ③$$

ここに，V_{r}：受電端の線間電圧 [V]，R：線路抵抗 [Ω]，I：負荷電流 [A]，$\cos\theta$：負荷力率，P：三相負荷有効電力 [W]．

③式　線路損失 p は電圧の2乗に反比例する．受電端電圧 V_{r} を大きくすれば線路損失は減少する．

問41 Check! □□□

（平成21年 Ⓐ問題6）

電力系統における変電所の役割と機能に関する記述として，誤っているのは次のうちどれか．

(1) 構外から送られる電気を，変圧器やその他の電気機械器具等により変成し，変成した電気を構外に送る．

(2) 送電線路で短絡や地絡事故が発生したとき，保護継電器により事故を検出し，遮断器にて事故回線を系統から切り離し，事故の波及を防ぐ．

(3) 送変電設備の局部的な過負荷運転を避けるため，開閉装置により系統切換を行って電力潮流を調整する．

(4) 無効電力調整のため，重負荷時には分路リアクトルを投入し，軽負荷時には電力用コンデンサを投入して，電圧をほぼ一定に保持する．

(5) 負荷変化に伴う供給電圧の変化時に，負荷時タップ切換変圧器等により電圧を調整する．

問42 Check! □□□

（平成27年 Ⓐ問題6）

保護リレーに関する記述として，誤っているものを次の(1)～(5)のうちから一つ選べ．

(1) 保護リレーは電力系統に事故が発生したとき，事故を検出し，事故の位置や種類を識別して，事故箇所を系統から直ちに切り離す指令を出して遮断器を動作させる制御装置である．

(2) 高圧配電線路に短絡事故が発生した場合，配電用変電所に設けた過電流リレーで事故を検出し，遮断器に切り離し指令を出し事故電流を遮断する．

(3) 変圧器の保護に最も一般的に適用される電気式リレーは，変圧器の一次側と二次側の電流の差から異常を検出する差動リレーである．

(4) 後備保護は，主保護不動作や遮断器不良など，何らかの原因で事故が継続する場合に備え，最終的に事故除去する補完保護である．

(5) 高圧需要家に構内事故が発生した場合，同需要家の保護リレーよりも先に配電用変電所の保護リレーが動作して遮断器に切り離し指令を出すことで，確実に事故を除去する．

解41 解答 (4)

⑷の記述が誤りで，正しくは，「無効電力調整のため，重負荷時には電力用コンデンサを投入し，軽負荷時には分路リアクトルを投入して，電圧をほぼ一定に保持する.」である.

負荷は，一般に遅相無効電力をとるので，重負荷時には電圧降下が大きくなって，変電所母線や需要家端の電圧が低下する．このため，変電所において母線に電力用コンデンサを投入し，これにより，遅相無効電力を供給させて電圧低下の改善を図る.

一方，軽負荷時には，地中送電線路や需要家の電力ケーブル，電力用コンデンサなどによる進相無効電力が顕著になって，フェランチ効果による電圧上昇が発生する.

このため，変電所において母線に分路リアクトルを投入し，これにより，進相無効電力を供給させて電圧上昇の改善を図っている.

解42 解答 (5)

⑸が誤りである.

高圧需要家に構内事故が発生した場合，同一の高圧配電線から供給を受ける他の需要家への事故波及を防止するため，事故が発生した需要家が設置する保護リレーが配電用変電所の保護リレーより確実に先行動作し，該当需要家を高圧配電線から除去する必要がある.

このため，「同需要家の保護リレーよりも配電用変電所の保護リレーが先に動作して遮断器に切り離し指令を出す」という記述は誤りである.

問43 Check! □□□

（平成30年 Ⓐ問題6）

次の文章は，保護リレーに関する記述である．

電力系統において，短絡事故や地絡事故が発生した場合，事故区間は速やかに系統から切り離される．このとき，保護リレーで異常を検出し，［(ア)］を動作させる．架空送電線は特に距離が長く，事故発生件数も多い．架空送電線の事故の多くは［(イ)］による気中フラッシオーバに起因するため，事故区間を高速に遮断し，フラッシオーバを消滅させれば，絶縁は回復し，架空送電線は通電可能な状態となる．このため，事故区間の遮断の後，一定時間（長くて1分程度）を経て，［(ウ)］が行われる．一般に，主保護の異常に備え，［(エ)］保護が用意されており，動作の確実性を期している．

上記の記述中の空白箇所(ア)，(イ)，(ウ)及び(エ)に当てはまる組合せとして，正しいものを次の(1)～(5)のうちから一つ選べ．

	(ア)	(イ)	(ウ)	(エ)
(1)	遮断器	落雷	保守	常備
(2)	断路器	落雪	再閉路	常備
(3)	変圧器	落雷	点検	後備
(4)	断路器	落雪	点検	後備
(5)	遮断器	落雷	再閉路	後備

解43 解答 (5)

電力系統では，系統に短絡事故や地絡事故が発生した場合，事故を保護継電器（リレー）で検出して，遮断器に遮断指令を出し，遮断器をトリップ（開放）させて事故区間を速やかに電力系統から切り離すようにしている．

系統において，架空送電線は特に距離が長く広範囲にわたっているため，事故発生件数が多い．

架空送電線に発生する事故の多くは，雷などによるがいしフラッシオーバのような気中フラッシオーバ事故が多く，このような事故はいったん送電を停止してアークを消滅させれば，再び送電しても再フラッシオーバしない場合が多い．このように，事故発生後に遮断器を開放し，一定時間後に自動的に遮断器を再投入する方式が採用されており，これを再閉路方式と呼んでいる．

再閉路方式には，事故遮断後1秒程度以内で再閉路する高速再閉路，1秒～15秒程度で再閉路する中速再閉路，1分程度で再閉路する低速再閉路がある．

また，後備保護とは，主保護が何らかの原因で保護し損ねた場合や保護し得ない場合に動作する保護継電方式をいう．

問44 Check! □□□

（令和４年㊤ Ⓐ問題７）

図に示す過電流継電器の各種限時特性(ア)～(エ)に対する名称の組合せとして，正しいものを次の(1)～(5)のうちから一つ選べ．

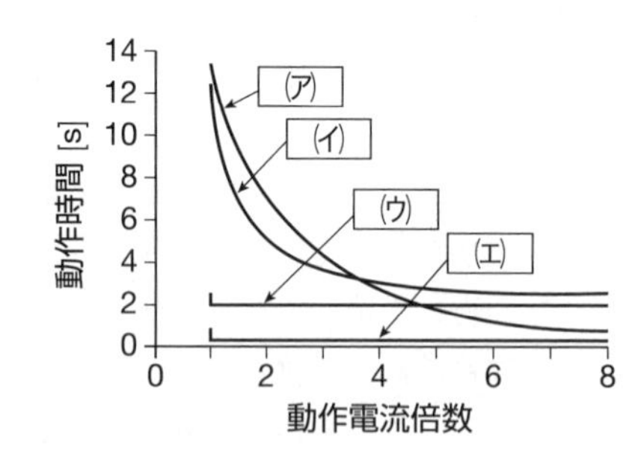

	(ア)	(イ)	(ウ)	(エ)
(1)	反限時特性	反限時定限時特性	定限時特性	瞬時特性
(2)	反限時定限時特性	反限時特性	定限時特性	瞬時特性
(3)	反限時特性	定限時特性	瞬時特性	反限時定限時特性
(4)	定限時特性	反限時定限時特性	反限時特性	瞬時特性
(5)	反限時定限時特性	反限時特性	瞬時特性	定限時特性

解44 解答 (1)

⑴ 限時特性と瞬時特性

反限時特性とは，動作電流が大きい（小さい）場合には動作開始までの時間が短く（長く）なるという，互いに反比例の関係がある特性である．

定限時特性とは，動作電流の大きさに関係なく動作開始までの時間が一定の特性である．

瞬時特性とは，動作電流の大きさに関係なく動作開始が瞬時に行われる特性である．定限時特性において動作開始までの時間が瞬時であるものである．

㈠は動作開始電流以上の全領域で反比例の関係にあるので**反限時**，㈡は動作開始電流以上の領域のうち動作電流が小さい領域は反比例の関係にあるので**反限時**だが動作電流が大きい領域になると**定限時**，㈢は動作開始電流以上の全領域で**定限時**，㈣は動作開始電流以上の全領域で**瞬時**の限時特性となっている．

⑵ 過電流リレー適用の考え方

配電線の短絡保護用の過電流リレーに反限時特性のものが，配電用・受電用変圧器の高電圧側，変圧器内部巻線，および低電圧側の，それぞれ相間短絡保護用の過電流リレーに瞬時特性付き反限時特性のものが，それぞれ用いられる．

後者は，動作電流が大きい場合は変圧器の内部の相間短絡が考えられるため瞬時に動作させるが，動作電流が小さい場合は配電線または受電設備構内の負荷供給線の過電流リレーとの時限協調をとり，配電線または受電設備構内の負荷供給線の過電流リレーが何らかの理由により動作しなかった場合の後備保護として，または，変圧器低電圧側の母線の相間短絡事故時に動作させる．

また，変圧器や線路などの設備過負荷保護用の過電流リレーには定限時特性のものが用いられる．一定の動作電流を超えてから一定の時間経過後に動作させるものである．

反限時定限時特性の過電流リレーは，直列方向に保護区間が数多く分割されており，各区間の短絡保護リレーの時限協調をとることが難しい場合などに用いられる．

問45 Check! □□□

(平成17年 Ⓐ問題6)

次の文章は，送変電設備の断路器に関する記述である．

断路器は [(ア)] をもたないため，定格電圧のもとにおいて [(イ)] の開閉をたてまえとしないものである．[(イ)] が流れている断路器を誤って開くと，接触子間にアークが発生して接触子は損傷を受け，焼損や短絡事故を生じる．したがって，誤操作防止のため，直列に接続されている遮断器の開放後でなければ断路器を開くことができないように [(ウ)] 機能を設けてある．

なお，断路器の種類によっては，短い線路や母線の [(エ)] 及びループ電流の開閉が可能な場合もある．

上記の記述中の空白箇所(ア)，(イ)，(ウ)及び(エ)に記入する語句として，正しいものを組み合わせたのは次のうちどれか．

	(ア)	(イ)	(ウ)	(エ)
(1)	消弧装置	励磁電流	インタロック	地絡電流
(2)	冷却装置	励磁電流	インタロック	充電電流
(3)	消弧装置	負荷電流	インタフェース	地絡電流
(4)	冷却装置	励磁電流	インタフェース	充電電流
(5)	消弧装置	負荷電流	インタロック	充電電流

解45 解答 (5)

断路器は，JEC（電気学会電気規格調査会標準規格）で，定格電圧のもとにおいて，単に充電された電路を開閉するもので，負荷電流の開閉をたてまえとしないものであるとされており，遮断器のように（アーク）消弧装置を有していないため負荷電流を遮断することができない．

このため，負荷電流が流れているときに誤って断路器が操作されないように，遮断器とインタロックし，遮断器が開放状態でなければ，断路器は操作できないようにしておく必要がある．

また，断路器にはその仕様により，ループ電流や進み小電流および遅れ小電流を開閉可能なものがあり，これらは線路開閉器 (LS：Line Switch) と呼ばれることもある．

問46 Check! □□□

（令和３年 Ａ問題８）

変電所の断路器に関する記述として，誤っているものを次の(1)～(5)のうちから一つ選べ．

(1) 断路器は消弧装置をもたないため，負荷電流の遮断を行うことはできない．

(2) 断路器は機器の点検や修理の際，回路を切り離すのに使用する．断路器で回路を開く前に，まず遮断器で故障電流や負荷電流を切る必要がある．

(3) 断路器を誤って開くと，接触子間にアークが発生し，焼損や短絡事故を生じることがある．

(4) 断路器の種類によっては，短い線路や母線の地絡電流の遮断が可能な場合がある．

(5) 断路器の誤操作防止のため，一般にインタロック装置が設けられている．

問47 Check! □□□

（平成28年 Ａ問題７）

遮断器に関する記述として，誤っているものを次の(1)～(5)のうちから一つ選べ．

(1) 遮断器は，送電線路の運転・停止，故障電流の遮断などに用いられる．

(2) 遮断器では一般的に，電流遮断時にアークが発生する．ガス遮断器では圧縮ガスを吹き付けることで，アークを早く消弧することができる．

(3) ガス遮断器で用いられる六ふっ化硫黄（SF_6）ガスは温室効果ガスであるため，使用量の削減や回収が求められている．

(4) 電圧が高い系統では，真空遮断器に比べてガス遮断器が広く使われている．

(5) 直流電流には電流零点がないため，交流電流に比べ電流の遮断が容易である．

解46 解答（4）

⑷の記述が誤りである．

正しくは，「断路器の種類によっては，短い線路や母線の充電電流の遮断が可能な場合がある．」である．

解47 解答（5）

⑸の記述が誤りで，“直流電流には電流零点がないため，交流電流に比べ電流の遮断が困難である．”が正しい．

負荷電流や故障電流などの交流電流を遮断器で遮断する場合，遮断器の接点が開極してもアークによって電流が継続して流れ，数サイクル経過した後の電流零点においてアークが消弧し，電流が遮断される．直流電流には，この電流零点がないため，直流遮断器には過酷な動作責務が要求される．

問48 Check! □□□ (令和2年 Ⓐ問題7)

真空遮断器に関する記述として，誤っているものを次の(1)～(5)のうちから一つ選べ．

(1) 真空遮断器は，高真空状態のバルブの中で接点を開閉し，真空の優れた絶縁耐力を利用して消弧するものである．

(2) 真空遮断器の開閉サージが高いことが懸念される場合，避雷器等を用いて，真空遮断器に接続される機器を保護することがある．

(3) 真空遮断器は，小形軽量で電極の寿命が長く，保守も容易である．

(4) 真空遮断器は，消弧媒体として SF_6 ガスや油を使わない機器であり，多頻度動作にも適している．

(5) 真空遮断器は経済性に優れるが，空気遮断器に比べて動作時の騒音が大きい．

問49 Check! □□□ (平成25年 Ⓐ問題7)

次の文章は，真空遮断器の構造や特徴に関する記述である．

真空遮断器の開閉電極は，(ア)内に密閉され，電極を開閉する操作機構，可動電極が動作しても真空を保つ(イ)，回路と接続する導体などで構成されている．

電路を開放した際に発生するアーク生成物は，真空中に拡散するが，その後，絶縁筒内部に付着することで，その濃度が下がる．

真空遮断器は，空気遮断器と比べると動作時の騒音が(ウ)，機器は小形軽量である．また，真空遮断器は，ガス遮断器と比べると電圧が(エ)系統に広く使われている．

上記の記述中の空白箇所(ア)，(イ)，(ウ)及び(エ)に当てはまる組合せとして，正しいものを次の(1)～(5)のうちから一つ選べ．

	(ア)	(イ)	(ウ)	(エ)
(1)	真空バルブ	ベローズ	小さく	高い
(2)	パッファシリンダ	ベローズ	大きく	高い
(3)	真空バルブ	ベローズ	小さく	低い
(4)	パッファシリンダ	ブッシング変流器	小さく	高い
(5)	真空バルブ	ブッシング変流器	大きく	低い

解48 解答 (5)

(5)が誤りである.

空気遮断器（ABB）は電流遮断時に生じるアークに圧縮空気を吹き付けてアークを遮断するため，動作時の騒音が非常に大きい．これに対し，真空遮断器(VCB)はバルブ内の高真空におけるアークの拡散によってアークを遮断するため，動作時の騒音は機構部の動作音がほとんどで，空気遮断器に比べて小さい.

解49 解答 (3)

真空遮断器は遮断器の一種で，高圧線路を中心に広く用いられている.

真空遮断器（VCB : Vacuum circuit breaker）の真空バルブの構造を図に示す．真空中で電極を開閉することにより，遮断時に発生するアークの金属蒸気を高真空によって拡散させ電流を遮断する.

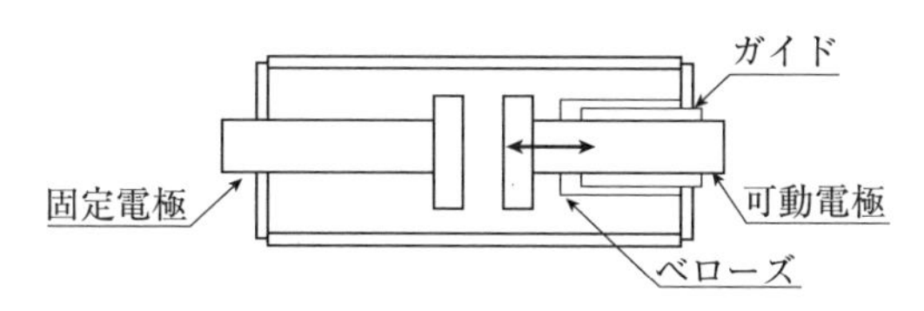

(ア) 真空遮断器の開閉電極は真空バルブ内に密封されている.

(イ) 真空遮断器では，真空バルブ内で可動電極が動作してもベローズにより真空を保つことができる.

(ウ) 真空遮断器は空気遮断器と比べて動作時の騒音が小さい．空気遮断器は開閉時に圧縮空気を吹きつけるが，囲いがないため大きな音が周囲に発せられる.

(エ) 真空遮断器が主に適用されているのは，高圧 6.6〔kV〕配電線用であり，特別高圧では 22〔kV〕程度までである．ガス遮断器は特別高圧 550〔kV〕用などほとんどの電圧階級に対応している．よって，真空遮断器はガス遮断器と比べて電圧が低い系統に広く使われている.

問50 Check! □□□

(平成20年 Ⓐ問題6)

変電所に設置される機器に関する記述として，誤っているのは次のうちどれか.

(1) 周波数変換装置は，周波数の異なる系統間において，系統又は電源の事故後の緊急応援電力の供給や電力の融通等を行うために使用する装置である.

(2) 線路開閉器（断路器）は，平常時の負荷電流や異常時の短絡電流及び地絡電流を通電でき，遮断器が開路した後，主として無負荷状態で開路して，回路の絶縁状態を保つ機器である.

(3) 遮断器は，負荷電流の開閉を行うだけではなく，短絡や地絡などの事故が生じたとき事故電流を迅速確実に遮断して，系統の正常化を図る機器である.

(4) 三巻線変圧器は，一般に一次側及び二次側をY結線，三次側を△結線とする．三次側に調相設備を接続すれば，送電線の力率調整を行うことができる.

(5) 零相変流器は，三相の電線を一括したものを一次側とし，三相短絡事故や3線地絡事故が生じたときのみ二次側に電流が生じる機器である.

解50 解答（5）

零相変流器（ZCT）は，零相電流を検出する変流器である．

平常時には，三相を流れる電流のベクトル和は0で，零相電流は流れない．1線地絡時など三相のバランスが崩れるとベクトル和は0にならず零相電流が流れ，二次側に電流が生じる．すなわち，一次側が不平衡となり零相電流が発生しないと，二次側に電流は生じない．

三相短絡事故時に流れる短絡電流は平衡電流で，正相電流のみとなり，零相電流は含まれていないから，零相変流器でこれを検出することはできない．

問51 Check! □□□

(平成22年 Ⓐ問題9)

計器用変成器において，変流器の二次端子は，常に (ア) 負荷を接続しておかねばならない．特に，一次電流（負荷電流）が流れている状態では，絶対に二次回路を (イ) してはならない．これを誤ると，二次側に大きな (ウ) が発生し， (エ) が過大となり，変流器を焼損する恐れがある．また，一次端子のある変流器は，その端子を被測定線路に (オ) に接続する．

上記の記述中の空白箇所(ア)，(イ)，(ウ)，(エ)及び(オ)に当てはまる語句として，正しいものを組み合わせたのは次のうちどれか．

	(ア)	(イ)	(ウ)	(エ)	(オ)
(1)	高インピーダンス	開放	電圧	銅損	並列
(2)	低インピーダンス	短絡	誘導電流	銅損	並列
(3)	高インピーダンス	短絡	電圧	鉄損	直列
(4)	高インピーダンス	短絡	誘導電流	銅損	直列
(5)	低インピーダンス	開放	電圧	鉄損	直列

問52 Check! □□□

(令和5年㊤ Ⓐ問題7)

次の文章は，変電所の計器用変成器に関する記述である．

計器用変成器は， (ア) と変流器とに分けられ，高電圧あるいは大電流の回路から計器や (イ) に必要な適切な電圧や電流を取り出すために設置される．変流器の二次端子には，常に (ウ) インピーダンスの負荷を接続しておく必要がある．また，一次端子のある変流器は，その端子を被測定線路に (エ) に接続する．

上記の記述中の空白箇所(ア)～(エ)に当てはまる組合せとして，正しいものを次の(1)～(5)のうちから一つ選べ．

	(ア)	(イ)	(ウ)	(エ)
(1)	主変圧器	避雷器	高	縦列
(2)	CT	保護継電器	低	直列
(3)	計器用変圧器	遮断器	中	並列
(4)	CT	遮断器	高	縦列
(5)	計器用変圧器	保護継電器	低	直列

解51 解答 (5)

変流器（CT）は，高電圧回路に流れる大きな電流を，低電圧小電流に変成するもので，電流計や電力計・電力量計などの計量用に広く用いられている．

変流器は，励磁電流を無視すれば，一次アンペアターン（変流器一次巻数 n_1 と一次電流 I_1 との積：$n_1 I_1$）と二次アンペアターン（変流器二次巻数 n_2 と二次電流 I_2 との積：$n_2 I_2$）が等しくなる（$n_1 I_1 = n_2 I_2$）ように動作する．

変流器二次回路が開放されると，変流器二次電流 I_2 が流れなくなるため，変流器は二次電流 I_2 を流そうとして，二次側に大きな電圧が発生して非常に危険な状態となる．また，変流器一次電流 I_1 のすべてが変流器の励磁電流となるため，変流器鉄心が極端に飽和して，鉄損が過大となり，最悪の場合，変流器が焼損することもあるので，変流器の二次回路は開放しないようにしなければならない．このため，変流器の二次回路が不要になるようなことがあっても，二次側回路を開放状態にせず短絡しておくのが普通である．

解52 解答 (5)

計器用変成器は，**計器用変圧器**（VT）と変流器（CT）に分類される．これらは，高電圧または大電流の回路から計器（メータ）や**保護継電器**（リレー）に必要な電圧や電流を取り出すために設置される．

変流器（CT）の二次端子には，常に**低**インピーダンスの負荷を接続しておく必要がある．理由は，一次電流が流れている状態で二次端子を開放（オープン）させると，鉄心内で磁気飽和を引き起こし，鉄心内部の急激な磁束変化により二次端子に高電圧が発生し，これにより二次巻線が絶縁破壊，短絡回路ができて焼損事故になるおそれがあるためである．一方，高インピーダンスにすると，変流器の定格負担 [V·A] を超えてしまうおそれがあるためである．

なお，計器用変圧器（VT）の二次側は短絡してはならない．これは，二次巻線に過大電流が流れ，二次巻線の焼損が一次巻線の絶縁破壊を招いてしまうためである．

変流器（CT）には，主に巻線型と貫通型がある．一次端子のあるものは，その端子を被測定線路に**直列**に接続して使用する．

問53 Check! □□□

(令和3年 Ⓐ問題7)

次の文章は，変電所の計器用変成器に関する記述である．

計器用変成器は，(ア)と変流器とに分けられ，高電圧あるいは大電流の回路から計器や(イ)に必要な適切な電圧や電流を取り出すために設置される．変流器の二次端子には，常に(ウ)インピーダンスの負荷を接続しておく必要がある．また，一次端子のある変流器は，その端子を被測定線路に(エ)に接続する．

上記の記述中の空白箇所(ア)～(エ)に当てはまる組合せとして，正しいものを次の(1)～(5)のうちから一つ選べ．

	(ア)	(イ)	(ウ)	(エ)
(1)	主変圧器	避雷器	高	縦続
(2)	CT	保護継電器	低	直列
(3)	計器用変圧器	遮断器	中	並列
(4)	CT	遮断器	高	縦続
(5)	計器用変圧器	保護継電器	低	直列

解53 解答 (5)

計器用変成器には，計器用変圧器（VT）と変流器（CT）がある．計器用変圧器は高電圧回路の電圧を計測する場合に用いられ，一次側に接続された高電圧を二次側で低圧に変成し，電圧計や電力計および保護継電器の電圧端子に接続する．主として 400 V 以上の低圧，高圧および特別高圧回路に用いられ，一次側の定格電圧は回路の公称電圧とし，二次側の定格電圧は 110 V とされる．

また，高圧以上の回路の地絡保護として一次側中性点を直接接地する接地形計器用変圧器（EVT）もある．

変流器は大電流回路の電流を測定する場合に用いられ，一次側の大電流を二次側で小電流に変成し，電流計や電力計および保護継電器の電流端子に接続する．変流器の一次側の定格電流は回路に想定される以上の規格電流値とし，二次側の定格電流は 5 A または 1 A とされる．

変流器には線路を貫通させるリング状の CT と，一次側端子の 2 端子を線路に直列に接続して使用する CT があり，また，地絡保護として 3 線全部を貫通させて地絡電流を検出するリング状の零相変流器（ZCT）や，零相電流のみを流す三次巻線を有する変流器もある．

第5章

送電

●計算

- 線路損失・送電電力・電圧降下
- パーセントインピーダンス
- 消弧リアクトル接地方式
- 電線のたるみ・張力・荷重

●論説・空白

- 直流送電
- 線路定数
- 中性点接地方式の特徴
- 誘導障害の防止
- フェランチ効果
- 送電線用各種機材
- 多導体方式の特徴
- 電線の雷害・塩害・振動対策
- コロナ放電
- 絶縁設計

問1 Check! □□□

(令和2年 B問題16)

こう長 25 km の三相3線式2回線送電線路に，受電端電圧が 22 kV，遅れ力率 0.9 の三相平衡負荷 5 000 kW が接続されている．次の(a)及び(b)の問に答えよ．ただし，送電線は2回線運用しており，与えられた条件以外は無視するものとする．

(a) 送電線1線当たりの電流の値 [A] として，最も近いものを次の(1)～(5)のうちから一つ選べ．ただし，送電線は単導体方式とする．

(1) 42.1　(2) 65.6　(3) 72.9　(4) 126.3　(5) 145.8

(b) 送電損失を三相平衡負荷に対し 5 % 以下にするための送電線1線の最小断面積の値 [mm^2] として，最も近いものを次の(1)～(5)のうちから一つ選べ．ただし，使用電線は，断面積 1 mm^2，長さ 1 m 当たりの抵抗を $\frac{1}{35}$ Ω とする．

(1) 31　(2) 46　(3) 74　(4) 92　(5) 183

問2 Check! □□□

(平成30年 A問題13)

三相3線式高圧配電線で力率 $\cos\phi_1 = 0.76$（遅れ），負荷電力 P_1 [kW] の三相平衡負荷に電力を供給している．三相平衡負荷の電力が P_2 [kW]，力率が $\cos\phi_2$（遅れ）に変化したが線路損失は変わらなかった．P_1 が P_2 の 0.8 倍であったとき，負荷電力が変化した後の力率 $\cos\phi_2$（遅れ）の値として，最も近いものを次の(1)～(5)のうちから一つ選べ．ただし，負荷の端子電圧は変わらないものとする．

(1) 0.61　(2) 0.68　(3) 0.85　(4) 0.90　(5) 0.95

解1　解答 (a)−(3), (b)−(4)

(a)　送電線1線当たりの電流 I [A] の値は,

$$I = \frac{1}{2} \times \frac{5\,000}{\sqrt{3} \times 22 \times 0.9} \fallingdotseq 72.898 \fallingdotseq 72.9\ \text{A}$$

(b)　送電線1線の断面積を S [mm²] とすると, 送電損失を三相平衡負荷に対し5％以下とする場合, 2回線6線分を考慮すれば, 次式が成立する.

$$6 \times \frac{1}{35} \times 25 \times 10^3 \times \frac{1}{S} \times 72.898^2 \times 10^{-3} \leqq 0.05 \times 5\,000$$

$$\therefore \quad S \geqq 91.099\ \text{mm}^2$$

したがって, 最小断面積は直近上位の 92 mm² となる.

解2　解答 (5)

題意より, 負荷電力が P_1 [kW], 力率 0.76（遅れ）から P_2 [kW], 力率 $\cos\phi_2$（遅れ）に変化したが線路損失が変化しなかったことより, 負荷変化の前後でその皮相電力は変化しなかったことを示している. したがって, 負荷変化の前後について次式が成立する.

$$\frac{P_1}{\cos\phi_1} = \frac{P_2}{\cos\phi_2}$$

$$\therefore \quad \cos\phi_2 = \frac{P_2}{P_1}\cos\phi_1$$

よって, 上式へ, $\cos\phi_1 = 0.76$, $P_1 = 0.8P_2$ を代入すると,

$$\cos\phi_2 = \frac{P_2}{0.8P_2} \times 0.76 = \frac{0.76}{0.8} = 0.95$$

問3 Check! □□□

(平成17年 Ⓐ問題9)

受電端電圧が20〔kV〕の三相3線式の送電線路において，受電端での電力が2 000〔kW〕，力率が0.9（遅れ）である場合，この送電線路での抵抗による全電力損失〔kW〕の値として，最も近いのは次のうちどれか．

ただし，送電線1線当たりの抵抗値は8〔Ω〕とし，線路のインダクタンスは無視するものとする．

(1) 33.3　(2) 57.8　(3) 98.8　(4) 171　(5) 333

問4 Check! □□□

(令和4年㊤ Ⓐ問題8)

受電端電圧が20 kVの三相3線式の送電線路において，受電端での電力が2 000 kW，力率が0.9（遅れ）である場合，この送電線路での抵抗による全電力損失の値[kW]として，最も近いものを次の(1)～(5)のうちから一つ選べ．

ただし，送電線1線当たりの抵抗値は9 Ωとし，線路のインダクタンスは無視するものとする．

(1) 12.3　(2) 37.0　(3) 64.2　(4) 90.0　(5) 111

解3 解答 (3)

送電線を流れる電流 I は，次式から求まる．

$$I = \frac{2\,000}{\sqrt{3} \times 20 \times 0.9} \fallingdotseq 64.15 \text{〔A〕}$$

この送電線路での抵抗による全電力損失 P_l は，3 線分を考慮して，次式のようになる．

$$P_l = 3 \times 8 \times 64.15^2 \times 10^{-3} \fallingdotseq 98.77 \text{〔kW〕}$$

解4 解答 (5)

三相 3 線式の場合，送電線路での抵抗による全電力損失 p は，

$$p = 3I^2R = \frac{P^2R}{(V_r \cos\theta)^2} \, [\mathrm{W}]$$

ここに，V_r：受電端の線間電圧 [V]，R：三相 3 線のうち 1 線当たりの線路抵抗 [Ω]，I：負荷電流 [A]，$\cos\theta$：負荷力率，P：受電端の三相負荷有効電力 [W]．

$$p = \frac{P^2R}{(V_r \cos\theta)^2} = \frac{(2\,000 \times 10^3)^2 \times 9}{(20 \times 10^3 \times 0.9)^2} \fallingdotseq 111\,111.1 \text{ W} \fallingdotseq 111 \text{ kW}$$

問5 Check! □□□ (令和6年㊤ Ⓐ問題13)

こう長 20 km の三相 3 線式 2 回線の送電線路がある．受電端で 33 kV，6 600 kW，力率 0.9 の三相負荷に供給する場合，受電端電力に対する送電損失を 5 % 以下にするための電線の最小断面積の値 [mm²] として，計算値が最も近いものを次の(1)〜(5)のうちから一つ選べ．

ただし，使用電線は，断面積 1 mm²，長さ 1 m 当たりの抵抗を $\frac{1}{35}$ Ω とし，その他の条件は無視する．

(1) 14.3　(2) 23.4　(3) 24.7　(4) 42.8　(5) 171

解5 解答 (4)

負荷電流 I [A] は,

$$I = \frac{6\,600 \times 10^3}{\sqrt{3} \times 33 \times 10^3 \times 0.9} \fallingdotseq 128.30\ \mathrm{A}$$

本送電線は 2 回線であるため，1 回線当たりの電流 I' は,

$$I' = \frac{I}{2} = 64.15\ \mathrm{A}$$

送電線 1 線当たりの抵抗を r [Ω]，求める最小断面積を S [mm²] とすると,

$$r = \frac{1}{35} \times \frac{20 \times 10^3}{S} \fallingdotseq \frac{571.43}{S}\ [\Omega]$$

よって，この場合の線路損失 P_1 [kW] は，2 回線および 3 線式であるため,

$$P_1 = 2 \times 3 \times r \times (I')^2 = 2 \times 3 \times \frac{571.43}{S} \times 64.15^2 \times 10^{-3} \fallingdotseq \frac{14\,109.37}{S}\ [\mathrm{kW}]$$

題意より，これが受電端電力の 5 % 以下となるためには，次式が成立する.

$$\frac{14\,109.37}{S} \leqq 6\,600 \times 0.05$$

したがって，求める S [mm²] は,

$$S \geqq \frac{14\,109.37}{6\,600 \times 0.05} \fallingdotseq 42.757 \fallingdotseq 42.8\ \mathrm{mm^2}$$

問6 Check! □□□

(平成 24 年 Ⓐ 問題 10)

こう長 20〔km〕の三相 3 線式 2 回線の送電線路がある．受電端で 33〔kV〕，6 600〔kW〕，力率 0.9 の三相負荷に供給する場合，受電端電力に対する送電損失を 5〔%〕以下にするための電線の最小断面積〔mm²〕の値として，計算値が最も近いものを次の(1)〜(5)のうちから一つ選べ．

ただし，使用電線は，断面積 1〔mm²〕，長さ 1〔m〕当たりの抵抗を $\frac{1}{35}$〔Ω〕とし，その他の条件は無視する．

(1) 14.3　(2) 23.4　(3) 24.7　(4) 42.8　(5) 171

問7 Check! □□□

(平成 19 年 Ⓐ 問題 10)

三相 3 線式交流送電線があり，電線 1 線当たりの抵抗が R〔Ω〕，受電端の線間電圧が V_r〔V〕である．いま，受電端から力率 $\cos\theta$ の負荷に三相電力 P〔W〕を供給しているものとする．

この送電線での 3 線の電力損失を P_L とすると，電力損失率 P_L/P を表す式として，正しいのは次のうちどれか．

ただし，線路のインダクタンス，静電容量及びコンダクタンスは無視できるものとする．

(1) $\dfrac{RP}{(V_r\cos\theta)^2}$　(2) $\dfrac{3RP}{(V_r\cos\theta)^2}$　(3) $\dfrac{RP}{3(V_r\cos\theta)^2}$

(4) $\dfrac{RP^2}{(V_r\cos\theta)^2}$　(5) $\dfrac{3RP^2}{(V_r\cos\theta)^2}$

解6 解答 (4)

題意より，負荷電流 I は，

$$I=\frac{6\,600}{\sqrt{3}\times 33\times 0.9}\fallingdotseq 128.30\ [\mathrm{A}]$$

いま，受電端電力に対する送電損失を 5〔%〕以下にするための電線の最小断面積を S〔mm^2〕とすると，送電線 1 線の抵抗 r は，次式で与えられる．

$$r=\frac{1}{35}\times\frac{20\times 10^3}{S}\fallingdotseq\frac{571.43}{S}\ [\Omega]$$

したがって，この場合の線路損失 P_l は 2 回線および 3 線分を考慮すれば，

$$P_l=2\times 3\times r\times\left(\frac{I}{2}\right)^2=6\times\frac{571.43}{S}\times\left(\frac{128.30}{2}\right)^2\times 10^{-3}\fallingdotseq\frac{14\,109.37}{S}\ [\mathrm{kW}]$$

となるから，これが受電端電力の 5〔%〕以下となるには，次式が成立する．

$$\frac{14\,109.37}{S}\leqq 6\,600\times 0.05$$

よって，求める電線の最小面積 S は，

$$S\geqq\frac{14\,109.37}{6\,600\times 0.05}=42.76\fallingdotseq 42.8\ [\mathrm{mm}^2]$$

となる．

解7 解答 (1)

題意より，線電流 I は，

$$I=\frac{P}{\sqrt{3}V_r\cos\theta}\ [\mathrm{A}]$$

であるから，この送電線の 3 線の電力損失 P_L は，

$$P_L=3RI^2=3R\cdot\frac{P^2}{3(V_r\cos\theta)^2}=\frac{RP^2}{(V_r\cos\theta)^2}\ [\mathrm{W}]$$

で表せる．

したがって，求める電力損失率 P_L/P は，次式となる．

$$\frac{P_L}{P}=\frac{RP}{(V_r\cos\theta)^2}$$

問8 Check! □□□

(令和4年㊦ Ⓐ問題9)

交流三相3線式1回線の送電線路があり，受電端に遅れ力率角 θ [rad] の負荷が接続されている．送電端の線間電圧を V_s [V]，受電端の線間電圧を V_r [V]，その間の相差角は δ [rad] である．

受電端の負荷に供給されている三相有効電力 [W] を表す式として，正しいものを次の(1)〜(5)のうちから一つ選べ．

ただし，送電端と受電端の間における電線1線当たりの誘導性リアクタンスは X [Ω] とし，線路の抵抗，静電容量は無視するものとする．

(1) $\dfrac{V_s V_r}{X}\sin\delta$　(2) $\dfrac{\sqrt{3}V_s V_r}{X}\cos\theta$　(3) $\dfrac{\sqrt{3}V_s V_r}{X}\sin\delta$

(4) $\dfrac{V_s V_r}{X}\cos\delta$　(5) $\dfrac{V_s V_r}{X\sin\delta}\cos\theta$

解8 解答（1）

・三相３線式送電線路の送受電端電圧と受電端電力

送電端，受電端の相電圧の大きさをそれぞれ E_s [V]，E_r [V]，送電線の１線当たりのリアクタンスを X [Ω]，E_s と E_r の相差角を δ [rad]，線路電流の大きさを I [A]（本問では送受電端のいずれにも調相設備がないからこれは負荷電流の大きさに等しい），受電端負荷力率を θ [rad] とすると，送電線の抵抗と静電容量は無視するから，図より，

$$E_s \sin\delta = XI\cos\theta$$

より，

$$I\cos\theta = \frac{E_s \sin\delta}{X}$$

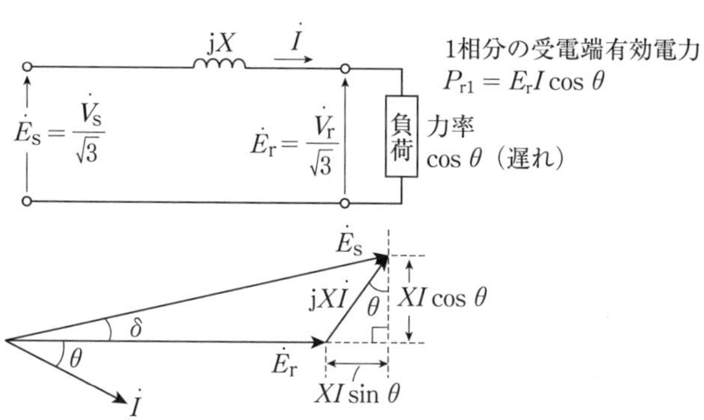

１相当たりの等価回路と電圧・電流ベクトル図（送電線抵抗無視）

受電端の三相有効電力 P_r は，送電端，受電端の線間電圧の大きさをそれぞれ V_s [V]，V_r [V] とすると，

$$P_r = 3E_r I\cos\theta = 3E_r \times \frac{E_s \sin\delta}{X} = 3\times\frac{\frac{V_r}{\sqrt{3}}\times\frac{V_s}{\sqrt{3}}}{X}\sin\delta$$

$$= \boldsymbol{\frac{V_s V_r}{X}\sin\delta}\ \text{[W]}$$

問9 Check! □□□

(平成 21 年 Ⓐ 問題 7)

交流三相 3 線式 1 回線の送電線路があり，受電端に遅れ力率角 θ〔rad〕の負荷が接続されている．送電端の線間電圧を V_s〔V〕，受電端の線間電圧を V_r〔V〕，その間の相差角は δ〔rad〕である．

受電端の負荷に供給されている三相有効電力〔W〕を表す式として，正しいのは次のうちどれか．

ただし，送電端と受電端の間における電線 1 線当たりの誘導性リアクタンスは X〔Ω〕とし，線路の抵抗，静電容量は無視するものとする．

(1) $\dfrac{V_sV_r}{X}\cos\delta$　(2) $\dfrac{\sqrt{3}V_sV_r}{X}\cos\theta$　(3) $\dfrac{V_sV_r}{X}\sin\delta$

(4) $\dfrac{\sqrt{3}V_sV_r}{X}\sin\delta$　(5) $\dfrac{V_sV_r}{X\sin\delta}\cos\theta$

問10 Check! □□□

(平成 22 年 Ⓐ 問題 6)

50〔Hz〕，200〔V〕の三相配電線の受電端に，力率 0.7，50〔kW〕の誘導性三相負荷が接続されている．この負荷と並列に三相コンデンサを挿入して，受電端での力率を遅れ 0.8 に改善したい．

挿入すべき三相コンデンサの無効電力容量〔kV·A〕の値として，最も近いのは次のうちどれか．

(1) 4.58　(2) 7.80　(3) 13.5　(4) 19.0　(5) 22.5

解9　解答 (3)

送電端相電圧を $\dot{E}_s$〔V〕，受電端相電圧を $\dot{E}_r$〔V〕，線電流を $\dot{I}$〔A〕としたときの送電線１相の等価回路とその電圧・電流ベクトルは，図のようになる．

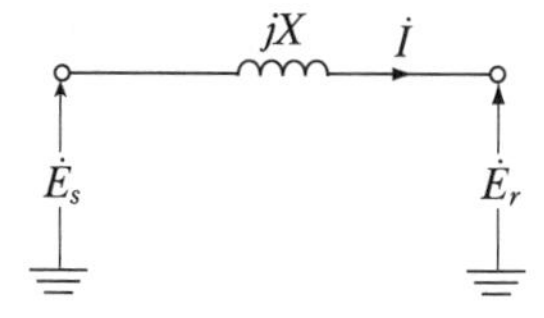

等価回路

ベクトル図より，

$$\overline{\mathrm{bc}} = E_s \sin\delta = XI\cos\theta$$

$$\therefore \quad I\cos\theta = \frac{E_s}{X}\sin\delta$$

であるから，受電端の三相有効電力 P は，次式で与えられる．

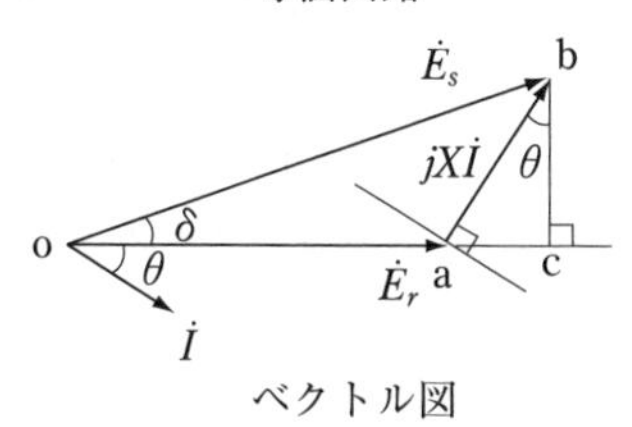

ベクトル図

$$P = 3E_r I\cos\theta = 3E_r \cdot \frac{E_s}{X}\sin\delta$$

$$= \frac{3E_s E_r}{X}\sin\delta \text{〔W〕}$$

ここに，送電端線間電圧 V_s および受電端線間電圧 V_r はそれぞれ，

$$V_s = \sqrt{3}\,E_s,\quad V_r = \sqrt{3}\,E_r$$

で表せるから，これを上式へ代入すると，求める三相有効電力 P は，以下となる．

$$P = \frac{3E_s E_r}{X}\sin\delta = \frac{V_s V_r}{X}\sin\delta \text{〔W〕}$$

解10　解答 (3)

題意より，力率 0.7，50〔kW〕の誘導性三相負荷の無効電力 Q_L は，

$$Q_L = \frac{50}{0.7}\times\sqrt{1-0.7^2} \fallingdotseq 51.01 \text{〔kvar〕（遅れ）}$$

一方，三相コンデンサを接続して総合力率を 0.8（遅れ）にした場合の合成無効電力 Q は，

$$Q = \frac{50}{0.8}\times 0.6 = 37.5 \text{〔kvar〕（遅れ）}$$

であるから，求める挿入すべき三相コンデンサの無効電力容量 Q_C は，

$$Q_C = Q_L - Q = 51.01 - 37.5 = 13.51 \text{〔kV·A〕}$$

問11 Check! □□□

(平成21年 Ⓐ問題10)

こう長2〔km〕の交流三相3線式の高圧配電線路があり，その端末に受電電圧6 500〔V〕，遅れ力率80〔%〕で消費電力400〔kW〕の三相負荷が接続されている．

いま，この三相負荷を力率100〔%〕で消費電力400〔kW〕のものに切り替えたうえで，受電電圧を6 500〔V〕に保つ．高圧配電線路での電圧降下は，三相負荷を切り替える前と比べて何倍になるか，最も近いのは次のうちどれか．

ただし，高圧配電線路の1線当たりの線路定数は，抵抗が0.3〔Ω/km〕，誘導性リアクタンスが0.4〔Ω/km〕とする．また，送電端電圧と受電端電圧との相差角は小さいものとする．

(1) 1.6　(2) 1.3　(3) 0.8　(4) 0.6　(5) 0.5

問12 Check! □□□

(令和5年㊤ Ⓐ問題12)

こう長2 kmの三相3線式配電線路が，遅れ力率85 %の平衡三相負荷に電力を供給している．負荷の端子電圧を6.6 kVに保ったまま，線路の電圧降下率が5.0 %を超えないようにするための負荷電力[kW]の最大値として，最も近いものを次の(1)～(5)のうちから一つ選べ．

ただし，1 km 1線当たりの抵抗は0.45 Ω，リアクタンスは0.25 Ωとし，その他の条件は無いものとする．なお，本問では送電端電圧と受電端電圧との相差角が小さいとして得られる近似式を用いて解答すること．

(1) 1 023　(2) 1 799　(3) 2 117　(4) 3 117　(5) 3 600

解11 解答 (5)

問題の高圧配電線路1線当たりの抵抗 r およびリアクタンスは題意より，

$$r = 0.3 \times 2 = 0.6\ 〔\Omega〕$$

$$x = 0.4 \times 2 = 0.8\ 〔\Omega〕$$

また，負荷切り換え前の線電流 I は，

$$I = \frac{400}{\sqrt{3} \times 6.5 \times 0.8} \fallingdotseq 44.41\ 〔A〕$$

であるから，負荷切り換え前の高圧配電線路における電圧降下 e は，

$$e = \sqrt{3}\, I(r\cos\theta + x\sin\theta)$$

$$= \sqrt{3} \times 44.41 \times (0.6 \times 0.8 + 0.8 \times \sqrt{1 - 0.8^2}) \fallingdotseq 73.84\ 〔V〕$$

次に，負荷切り換え後の線電流 I' は，力率が100〔%〕であるから，

$$I' = \frac{400}{\sqrt{3} \times 6.5 \times 1} \fallingdotseq 35.53\ 〔A〕$$

となり，負荷切り換え後の高圧配電線路における電圧降下 e' は，

$$e' = \sqrt{3}\, I'(r\cos\theta' + x\sin\theta') = \sqrt{3} \times 35.53 \times (0.6 \times 1 + 0.8 \times 0) \fallingdotseq 36.92\ 〔V〕$$

となる．ここに，

$$\frac{e'}{e} = \frac{36.92}{73.84} = 0.5$$

となり，高圧配電線路での電圧降下は，三相負荷を切り換える前の0.5倍となる．

解12 解答 (2)

電圧降下の許容値を v [V]，線路電流を I [A]，線路抵抗を R [Ω]，線路リアクタンスを X [Ω] とすれば，

$$v = \sqrt{3}\, I(R\cos\theta + X\sin\theta)\ [\mathrm{V}]$$

これより，

$$I = \frac{6\,600 \times 0.05}{\sqrt{3} \times (0.45 \times 2 \times 0.85 + 0.25 \times 2 \times \sqrt{1 - 0.85^2})} \fallingdotseq 185.2\ \mathrm{A}$$

また，以上の条件における負荷電力を P [kW]，受電端電圧（一定）を V_r [kV] とすると，

$$P = \sqrt{3} \times V_r \times I \times \cos\theta$$

$$= \sqrt{3} \times 6.6 \times 185.2 \times 0.85 \fallingdotseq 1\,799\ \mathrm{kW}$$

問13 Check! □□□

(平成26年 Ⓐ問題7)

こう長2 kmの三相3線式配電線路が，遅れ力率85 %の平衡三相負荷に電力を供給している．負荷の端子電圧を6.6 kVに保ったまま，線路の電圧降下率が5.0 %を超えないようにするための負荷電力の最大値〔kW〕として，最も近いものを次の(1)〜(5)のうちから一つ選べ．

ただし，1 km 1線当たりの抵抗は0.45 Ω，リアククンスは0.25 Ωとし，その他の条件は無いものとする．なお，本問では送電端電圧と受電端電圧との相差角が小さいとして得られる近似式を用いて解答すること．

(1) 1 023　(2) 1 799　(3) 2 117　(4) 3 117　(5) 3 600

問14 Check! □□□

(平成18年 Ⓑ問題16)

三相3線式1回線の専用配電線がある．変電所の送り出し電圧が6 600〔V〕，末端にある負荷の端子電圧が6 450〔V〕，力率が遅れの70〔%〕であるとき，次の(a)及び(b)に答えよ．

ただし，電線1線当たりの抵抗は0.45〔Ω/km〕，リアクタンスは0.35〔Ω/km〕，線路のこう長は5〔km〕とする．

(a) この負荷に供給される電力W_1〔kW〕の値として，最も近いのは次のうちどれか．

(1) 180　(2) 200　(3) 220　(4) 240　(5) 260

(b) 負荷が遅れ力率80〔%〕，W_2〔kW〕に変化した線路損失は変わらなかった．W_2〔kW〕の値として，最も近いのは次のうちどれか．

(1) 254　(2) 274　(3) 294　(4) 314　(5) 334

解13 解答 (2)

問題の三相3線式配電線路の1線当たりのインピーダンス $\dot{Z}$ は,

$$\dot{Z} = (0.45 + j0.25) \times 2 = 0.9 + j0.5 \text{〔}\Omega\text{〕}$$

である．いま，線路の電圧降下率が5.0〔%〕を超えない最大負荷電流を I_m〔A〕とすると，I_m について次式が成立する．

$$\sqrt{3} I_m (0.9 \times 0.85 + 0.5 \times \sqrt{1 - 0.85^2}) \leqq 6\,600 \times 0.05$$

$$I_m \leqq \frac{6\,600 \times 0.05}{\sqrt{3} \times (0.9 \times 0.85 + 0.5 \times 0.5268)}$$

$$\therefore \quad I_m \leqq \frac{320.89}{\sqrt{3}} \text{〔A〕}$$

したがって，求める負荷電力の最大値 P_m は,

$$P_m = \sqrt{3} \times 6.6 \times \frac{320.89}{\sqrt{3}} \times 0.85 \fallingdotseq 1\,800 \text{〔kW〕}$$

解14 解答 (a)−(4), (b)−(2)

(a) 電線1線当たりの抵抗 R およびリアクタンス X は題意よりそれぞれ,

$$R = 0.45 \times 5 = 2.25 \text{〔}\Omega\text{〕}, \quad X = 0.35 \times 5 = 1.75 \text{〔}\Omega\text{〕}$$

いま, 線電流を I〔A〕, 負荷力率を $\cos\varphi$（遅れ）とすると, 配電線の電圧降下 e は,

$$e = \sqrt{3} I (R \cos\varphi + X \sin\varphi) \text{〔V〕}$$

で表されるから，線電流 I〔A〕は次式で表される．

$$I = \frac{e}{\sqrt{3}(R \cos\varphi + X \sin\varphi)} \text{〔A〕}$$

ここに，上式へ，$e = 6\,600 - 6\,450 = 150$〔V〕，$R = 2.25$〔Ω〕，$X = 1.75$〔Ω〕，$\cos\varphi = 0.7$，$\sin\varphi = \sqrt{1 - \cos^2\varphi} = \sqrt{1 - 0.7^2} = \sqrt{0.51} \fallingdotseq 0.714$ を代入すると，線電流 I は,

$$I = \frac{150}{\sqrt{3}(2.25 \times 0.7 + 1.75 \times 0.714)} = \frac{150}{\sqrt{3} \times 2.8245} \fallingdotseq 30.66 \text{〔A〕}$$

となる．よって，求める負荷に供給される電力 W_1 は,

$$W_1 = \sqrt{3} \times 6\,450 \times 30.66 \times 0.7 \times 10^{-3} \fallingdotseq 239.8 \text{〔kW〕}$$

(b) 線路損失は，負荷の皮相電力の2乗に比例するから，負荷の有効電力 W および力率 $\cos\varphi$ が変化しても線路損失が変化しない場合，負荷の皮相電力が一定であることを意味する．したがって，求める変化後の有効電力 W_2 は,

$$W_2 = (239.8/0.7) \times 0.8 \fallingdotseq 274.1 = 274 \text{〔kW〕}$$

問15 Check! □□□

(平成28年 Ⓐ問題9)

図のように，こう長 5 km の三相 3 線式 1 回線の送電線路がある．この送電線路における送電端線間電圧が 22 200 V，受電端線間電圧が 22 000 V，負荷力率が 85 %（遅れ）であるとき，負荷の有効電力 [kW] として，最も近いものを次の(1)～(5)のうちから一つ選べ．

ただし，1 km 当たりの電線 1 線の抵抗は 0.182 Ω，リアクタンスは 0.355 Ω とし，その他の条件はないものとする．なお，本問では，送電端線間電圧と受電端線間電圧との位相角は小さいとして得られる近似式を用いて解答すること．

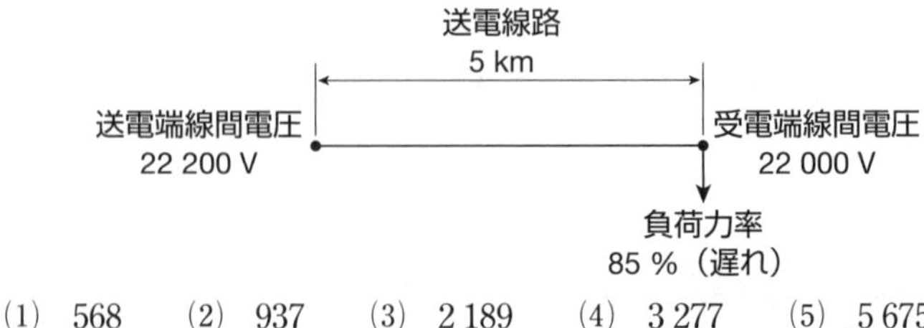

(1) 568　(2) 937　(3) 2 189　(4) 3 277　(5) 5 675

問16 Check! □□□

(令和元年 Ⓑ問題17)

三相 3 線式配電線路の受電端に遅れ力率 0.8 の三相平衡負荷 60 kW（一定）が接続されている．次の(a)及び(b)の問に答えよ．

ただし，三相負荷の受電端電圧は 6.6 kV 一定とし，配電線路のこう長は 2.5 km，電線 1 線当たりの抵抗は 0.5 Ω/km，リアクタンスは 0.2 Ω/km とする．なお，送電端電圧と受電端電圧の位相角は十分小さいものとして得られる近似式を用いて解答すること．また，配電線路こう長が短いことから，静電容量は無視できるものとする．

(a) この配電線路での抵抗による電力損失の値 [W] として，最も近いものを次の(1)～(5)のうちから一つ選べ．

(1) 22　(2) 54　(3) 65　(4) 161　(5) 220

(b) 受電端の電圧降下率を 2.0 % 以内にする場合，受電端でさらに増設できる負荷電力（最大）の値 [kW] として，最も近いものを次の(1)～(5)のうちから一つ選べ．ただし，負荷の力率（遅れ）は変わらないものとする．

(1) 476　(2) 536　(3) 546　(4) 1 280　(5) 1 340

解15 解答 (3)

送電線路1相のインピーダンス$\dot{Z}$は，

$$\dot{Z} = (0.182 + \mathrm{j}0.355) \times 5 = 0.91 + \mathrm{j}1.775\ \Omega$$

題意より，負荷力率が$\cos\theta = 0.85$（遅れ）であるから，負荷の無効率$\sin\theta$は，

$$\sin\theta = \sqrt{1 - 0.85^2} \fallingdotseq 0.526\,8$$

したがって，送電線の線電流の大きさIは，

$$I = \frac{e}{\sqrt{3}(r\cos\theta + x\sin\theta)} = \frac{22\,200 - 22\,000}{\sqrt{3} \times (0.91 \times 0.85 + 1.775 \times 0.526\,8)}$$

$$\fallingdotseq \frac{200}{2.959\,33} \fallingdotseq 67.583\ \mathrm{A}$$

となるから，求める負荷の有効電力Pは，

$$P = \sqrt{3}VI\cos\theta = \sqrt{3} \times 22 \times 67.583 \times 0.85 \fallingdotseq 2\,188.97 \fallingdotseq 2\,189\ \mathrm{kW} \quad 6$$

解16 解答 (a)−(4), (b)−(1)

(a) 題意より，配電線1線のインピーダンス$\dot{Z}$は，

$$\dot{Z} = (0.5 + \mathrm{j}0.2) \times 2.5 = 1.25 + \mathrm{j}0.5\ \Omega$$

また，配電線電流の大きさIは，

$$I = \frac{60}{\sqrt{3} \times 6.6 \times 0.8} \fallingdotseq 6.56\ \mathrm{A}$$

であるから，配電線路の抵抗による電力損失P_1は，

$$P_1 = 3RI^2 = 3 \times 1.25 \times 6.56^2 = 161.376 \fallingdotseq 161\ \mathrm{W}$$

(b) 受電端の電圧降下率を2.0％以内とする場合の配電線電流の大きさの条件は，

$$\sqrt{3}I(1.25 \times 0.8 + 0.5 \times 0.6) \leqq 6\,600 \times 0.02$$

$$I \leqq \frac{6\,600 \times 0.02}{\sqrt{3} \times (1.25 \times 0.8 + 0.5 \times 0.6)}$$

$$\therefore\quad I \leqq 58.623\ \mathrm{A}$$

したがって，受電端でさらに増設できる負荷電力ΔPは，受電端電圧が6.6 kV一定であるから，

$$\Delta P = \sqrt{3} \times 6.6 \times 58.623 \times 0.8 - 60 \fallingdotseq 476.12 \fallingdotseq 476\ \mathrm{kW}$$

問17 Check! □□□

（令和４年㊤　Ⓑ問題 17）

三相３線式１回線の専用配電線がある．変電所の送り出し電圧が 6 600 V，末端にある負荷の端子電圧が 6 450 V，力率が遅れの 70 % であるとき，次の(a)及び(b)の問に答えよ．

ただし，電線１線当たりの抵抗は 0.45 Ω/km，リアクタンスは 0.35 Ω/km，線路のこう長は 5 km とする．

(a)　この負荷に供給される電力 P_1 の値 [kW] として，最も近いものを次の(1)～(5)のうちから一つ選べ．

(1)　180　　(2)　200　　(3)　220　　(4)　240　　(5)　260

(b)　負荷が遅れ力率 80 %，P_2 [kW] に変化したが線路損失は変わらなかった．P_2 の値 [kW] として，最も近いものを次の(1)～(5)のうちから一つ選べ．

(1)　254　　(2)　274　　(3)　294　　(4)　314　　(5)　334

解17 解答 (a)－(4), (b)－(2)

(a) 三相3線式の回路の電圧降下の式から負荷電流を求める．送電端電圧を V_s [V], 受電端電圧を V_r [V]，負荷電流を I [A]，電線1線当たりの抵抗とリアクタンスをそれぞれ R [Ω]，X [Ω]，負荷力率を $\cos\theta$ とすると，近似式による電圧降下 v は，

$$v \fallingdotseq V_s - V_r = \sqrt{3}I(R\cos\theta + X\sin\theta)\ [\mathrm{V}]$$

よって，負荷電流 I は，

$$I = \frac{V_s - V_r}{\sqrt{3}\times(R\cos\theta + X\sin\theta)} = \frac{6\,600 - 6\,450}{\sqrt{3}\times(0.45\times5\times0.7 + 0.35\times5\times\sqrt{1-0.7^2})}$$

$$\fallingdotseq 30.66\ \mathrm{A}$$

したがって，負荷への供給電力 P_1 は，

$$P_1 = \sqrt{3}V_rI\cos\theta = \sqrt{3}\times6\,450\times30.66\times0.7 \fallingdotseq 239.8\times10^3\ \mathrm{W}$$

$$\fallingdotseq 240\ \mathrm{kW}$$

(b) 線路損失（$3I^2R$）が変わらないことから，電流の大きさには変化がない．負荷変化後の受電端電圧 V_r' [V]，負荷変化後の負荷力率を $\cos\theta'$とすると，

$$V_s - V_r' = \sqrt{3}I(R\cos\theta' + X\sin\theta')$$

$$= \sqrt{3}\times30.66\times(2.25\times0.8 + 1.75\times\sqrt{1-0.8^2})$$

$$\fallingdotseq 151.35\ \mathrm{V}$$

$$V_r' = 6\,600 - 151.35 = 6\,448.65\ \mathrm{V}$$

したがって，負荷変化後の負荷への供給電力 P_2 は，

$$P_2 = \sqrt{3}V_r'I\cos\theta' = \sqrt{3}\times6\,448.65\times30.66\times0.8 \fallingdotseq 273.96\times10^3\ \mathrm{W}$$

$$\fallingdotseq 274\ \mathrm{kW}$$

問18 Check! □□□ (令和4年㊦ Ⓑ問題16)

電線1線の抵抗が6 Ω，誘導性リアクタンスが4 Ωである三相3線式送電線について，次の(a)及び(b)の問に答えよ.

(a) 受電端電圧を60 kV，送電線での電圧降下率を受電端電圧基準で10 %に保つものとする．この受電端に，力率80 %（遅れ）の負荷を接続する．この場合，受電可能な三相皮相電力の値[MV·A]として，最も近いものを次の(1)～(5)のうちから一つ選べ.

(1) 28.9　(2) 42.9　(3) 50.0　(4) 60.5　(5) 86.6

(b) 受電端に接続する負荷の条件を，遅れ力率60 %，三相皮相電力65 MV·Aに変更することになった．この場合でも，受電端電圧を60 kV，送電線での電圧降下率を受電端電圧基準で10 %に保ちたい．受電端に設置された調相設備から系統に供給すべき無効電力の値[Mvar]として，最も近いものを次の(1)～(5)のうちから一つ選べ.

(1) 12.0　(2) 20.5　(3) 27.0　(4) 31.5　(5) 47.1

解18 解答 (a)−(3), (b)−(2)

(a) 送電端線間電圧 $\dot{V}_s$ [kV] は，受電端線間電圧を $\dot{V}_r = V_r$ [kV]（位相基準），送電線インピーダンスを $\dot{Z} = R + jX$ [Ω]，線路電流を $\dot{I}$ [kA]，受電端力率を $\cos\theta$（遅れ）とすると（図），

$$\dot{V}_s = \dot{V}_r + \sqrt{3}\dot{Z}\dot{I} = V_r + \sqrt{3}\times(R + jX)\times(I\cos\theta - jI\sin\theta)$$

$$= V_r + \sqrt{3}\times\{RI\cos\theta + XI\sin\theta + j(XI\cos\theta - RI\sin\theta)\}$$

$$= V_r + \frac{R\cdot\sqrt{3}V_rI\cos\theta + X\cdot\sqrt{3}V_rI\sin\theta}{V_r}$$

$$+ j\frac{X\cdot\sqrt{3}V_rI\cos\theta - R\cdot\sqrt{3}V_rI\sin\theta}{V_r}$$

$$= V_r + \frac{RP + XQ}{V_r} + j\frac{XP - RQ}{V_r} \qquad ①$$

ここに，$P = S\cos\theta = \sqrt{3}V_rI\cos\theta$ [MW]，$Q = S\sin\theta = \sqrt{3}V_rI\sin\theta$ [Mvar]（S：受電端負荷皮相電力 [MV·A]）である．

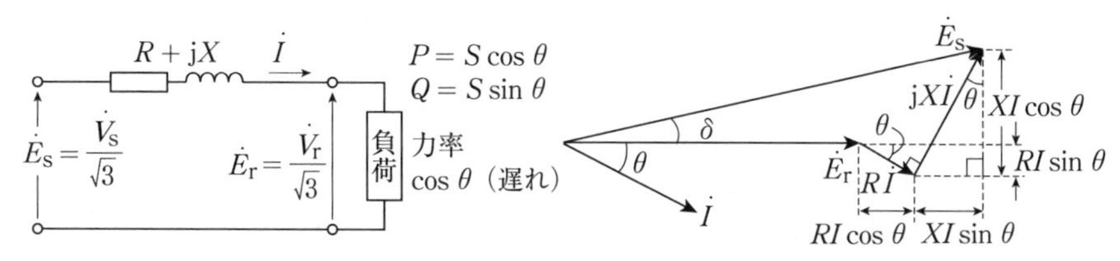

図　送電線１線の等価回路と諸量ベクトル図

①式の右辺について，SI 接頭語 M の単位の P，Q を，SI 接頭語 k の単位の V_r で割ると k の単位となり，左辺の SI 接頭語 k の単位の V_s と単位が一致し，数式は成立している．

①式は厳密式であるが，ここでは虚数項を無視し近似式で計算する．これにより $\dot{V}_s$ は位相基準である $\dot{V}_r = V_r$ と同相とみなしたこととなり，以下のスカラ式になる．

$$V_s = V_r + \frac{RP + XQ}{V_r} = V_r + \frac{(R\cos\theta + X\sin\theta)S}{V_r}$$

未知数 S について解くと，

$$S = \frac{(V_s - V_r)V_r}{R\cos\theta + X\sin\theta}$$

$V_s = 66$ kV，$V_r = 60$ kV，$R = 6$ Ω，$X = 4$ Ω，$\cos\theta = 0.8$，$\sin\theta = 0.6$ を

代入すると，

$$S=\frac{(66-60)\times 60}{6\times 0.8+4\times 0.6}=\mathbf{50}\ \mathrm{MV{\cdot}A}$$

参考：厳密式のまま解くと以下となる．

①式の両辺に V_r を乗じたのち両辺を 2 乗すると，厳密性を保ったまま以下のスカラ式になる．

$$\begin{aligned}V_s^2V_r^2 &= \{V_r^2+(RP+XQ)\}^2+(XP-RQ)^2\\ &= V_r^4+2(RP+XQ)V_r^2+R^2P^2+2RPXQ+X^2Q^2+X^2P^2\\ &\quad -2XPRQ+R^2Q^2\\ &= V_r^4+2(RP+XQ)V_r^2+(R^2+X^2)(P^2+Q^2) \qquad ②\\ &= V_r^4+2(RP+XQ)V_r^2+Z^2S^2\\ &= V_r^4+2(R\times S\cos\theta+X\times S\sin\theta)V_r^2+Z^2S^2\end{aligned}$$

ここに，$R^2+X^2=Z^2$（Z：線路インピーダンス [Ω]），$P^2+Q^2=S^2$（S：受電端負荷皮相電力 [MV·A]）である．

$V_s=66$ kV，$V_r=60$ kV，$R=6\ \Omega$，$X=4\ \Omega$，$\cos\theta=0.8$，$\sin\theta=0.6$，$Z^2=R^2+X^2=6^2+4^2=52\ \Omega^2$ を代入すると，S の 2 次方程式になる．

$$66^2\times 60^2=60^4+2\times(6\times 0.8S+4\times 0.6S)\times 60^2+52S^2$$

$$66^2\times 60^2=60^4+14.4S\times 3\,600+52S^2$$

$$52S^2+51\,840S-(66^2-60^2)\times 60^2=0$$

$$52S^2+51\,840S-(66+60)\times(66-60)\times 3\,600=0$$

$$13S^2+12\,960S-680\,400=0$$

$$S=\frac{-6\,480\pm\sqrt{6\,480^2+13\times 680\,400}}{13}$$

$$\fallingdotseq 49.993\,0,\ -1\,046.92\ \mathrm{MV{\cdot}A}$$

S は皮相電力であるから正値であり，後者は不適．よって，**50.0** MV·A となる．

(b) 受電端負荷電力を $\dot{S}_L=P_L+\mathrm{j}Q_L$（単位は MV·A，MW，Mvar）とする．

受電端に設置する調相設備から無効電力 Q_c（負荷力率が遅れ方向に悪化したので受電端電圧をもち上げる方向，すなわち電力用コンデンサだと仮定して「$-\mathrm{j}Q_c$」）を供給するとする．答の Q_c が正値なら電力用コンデンサ，負値なら並列リアクトルとなる．

受電端電力 $\dot{S}$ は次のようになる．無効電力については受電端負荷の無効電力と調相設備の無効電力とを合わせたものとなる．

$$\dot{S} = P_L + j(Q_L - Q_c) \equiv P + jQ$$

$P = P_L = S_L \cos\theta = 65 \times 0.6 = 39$ MW, $Q_L = S_L \sin\theta = 65 \times 0.8 = 52$ Mvar, Q は Q_c がわからないから未知数である.

(a)の①式は厳密式であるが, (a)と同様, ここでは虚数項を無視し近似式で計算する. これにより $\dot{V}_s$ は位相基準である $\dot{V}_r = V_r$ と同相とみなしたこととなり, 以下のスカラ式になる.

$$V_s = V_r + \frac{RP + XQ}{V_r}$$

未知数 Q について解くと,

$$Q = \frac{(V_s - V_r)V_r - RP}{X}$$

$V_s = 66$ kV, $V_r = 60$ kV, $R = 6\ \Omega$, $X = 4\ \Omega$, $P = 39$ MW を代入すると,

$$Q = \frac{(66 - 60) \times 60 - 6 \times 39}{4} = 31.5 \text{ Mvar}$$

受電端に設置する調相設備から供給すべき無効電力 Q_c は, $Q = Q_L - Q_c$ より,

$$Q_c = Q_L - Q = 52 - 31.5$$
$$= 20.5 \text{ Mvar}$$（電力用コンデンサ, 進み無効電力）

問19 Check! □□□

(平成20年 B 問題16)

電線1線の抵抗が5〔Ω〕，誘導性リアクタンスが6〔Ω〕である三相3線式送電線について，次の(a)及び(b)に答えよ．

(a) この送電線で受電端電圧を60〔kV〕に保ちつつ，かつ，送電線での電圧降下率を受電端電圧基準で10〔%〕に保つには，負荷の力率が80〔%〕（遅れ）の場合に受電可能な三相皮相電力〔MV･A〕の値として，最も近いのは次のうちどれか．

(1) 27.4　(2) 37.9　(3) 47.4　(4) 56.8　(5) 60.5

(b) この送電線の受電端に，遅れ力率60〔%〕で三相皮相電力63.2〔MV･A〕の負荷を接続しなければならなくなった．この場合でも受電端電圧を60〔kV〕に，かつ，送電線での電圧降下率を受電端電圧基準で10〔%〕に保ちたい．受電端に設置された調相設備から系統に供給すべき無効電力〔Mvar〕の値として，最も近いのは次のうちどれか．

(1) 12.6　(2) 15.8　(3) 18.3　(4) 22.1　(5) 34.8

解19 解答 (a)−(3), (b)−(4)

(a) 題意より，送電線での電圧降下率を受電端基準で10〔%〕に保つので，送電線における電圧降下eは，電線1線の抵抗をr〔Ω〕，誘導性リアクタンスをx〔Ω〕，負荷力率を$\cos\theta$（遅れ）とすれば，

$$e = \sqrt{3}\,I(r\cos\theta + x\sin\theta) = 60 \times 10^3 \times 0.1 = 6\,000〔V〕$$

となる．

いま，電圧降下eが6 000〔V〕となる場合の送電線の線電流をIとすると，負荷力率80〔%〕（遅れ）を考慮すれば，次式が成立する．

$$\sqrt{3}\,I(5 \times 0.8 + 6 \times 0.6) = 6\,000$$

$$I = \frac{6\,000}{\sqrt{3} \times (5 \times 0.8 + 6 \times 0.6)} \fallingdotseq 455.80〔A〕$$

したがって，求める受電可能な三相皮相電力Sは，

$$S = \sqrt{3} \times 60 \times 455.80 \times 10^{-3} = 47.37 = 47.4〔MV·A〕$$

となる．

(b) (a)で用いた電圧降下eの式より，

$$\sqrt{3}\,V_r I\cos\theta = P \text{（受電端有効電力）}$$

$$\sqrt{3}\,V_r I\sin\theta = Q \text{（受電端遅れ無効電力）}$$

とすれば，eの式は次のように表せる．

$$eV_r = rP + xQ \tag{1}$$

さて，与えられた遅れ力率60〔%〕，三相皮相電力63.2〔MV·A〕の負荷の有効電力P_Lおよび無効電力Q_Lはそれぞれ，

$$P_L = 63.2 \times 0.6 = 37.92〔MW〕$$

$$Q_L = 63.2 \times 0.8 = 50.56〔Mvar〕\text{（遅れ）}$$

であるが，電圧降下率を受電端基準で10〔%〕に保つために許容される受電端無効電力Qは，(1)式より，

$$Q = \frac{eV_r - rP}{x} = \frac{6 \times 60 - 5 \times 37.92}{6} = 28.4〔Mvar〕\text{（遅れ）}$$

となるから，受電端に設置された調相設備から系統に供給すべき無効電力Q'は，

$$Q' = Q_L - Q = 50.56 - 28.4 = 22.16〔Mvar〕\text{（遅れ）}$$

となる．

問20 Check! □□□

(平成20年 Ⓑ問題17)

図のような三相高圧配電線路A－Bがある．B点の負荷に電力を供給するとき，次の(a)及び(b)に答えよ．

ただし，配電線路の使用電線は硬銅より線で，その抵抗率は，$\frac{1}{55}$〔Ω·mm^2/m〕，線路の誘導性リアクタンスは無視するものとし，A点の電圧は三相対称であり，その線間電圧は6 600〔V〕で一定とする．またB点の負荷は三相平衡負荷とし，一相当たりの負荷電流は200〔A〕，力率100〔%〕で一定とする．

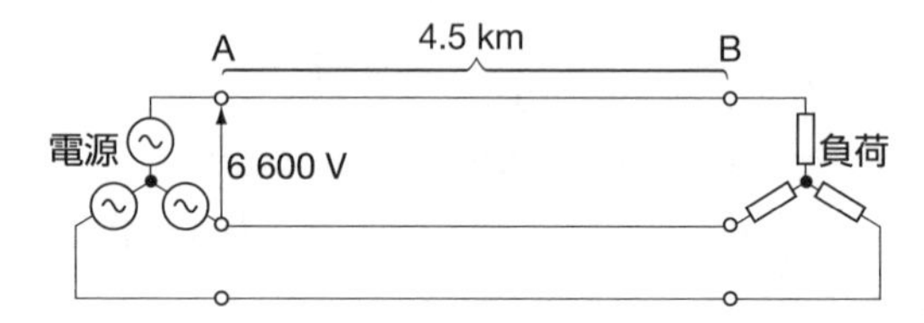

(a) 配電線路の使用電線が各相とも硬銅より線の断面積が60〔mm^2〕であったとき，負荷B点における線間電圧〔V〕の値として，最も近いのは次のうちどれか．

(1) 6 055　(2) 6 128　(3) 6 205　(4) 6 297　(5) 6 327

(b) 配電線路A－B間の線間の電圧降下を300〔V〕以内にすることができる電線の断面積〔mm^2〕を次のうちから選ぶとすれば，最小のものはどれか．

ただし，電線は各相とも同じ断面積とする．

(1) 60　(2) 80　(3) 100　(4) 120　(5) 150

解20 解答 (a)－(2), (b)－(3)

(a) 題意より，配電線路1線の抵抗 r は，

$$r = \frac{1}{55} \times 4.5 \times 10^3 \times \frac{1}{60} \fallingdotseq 1.364 \text{〔}\Omega\text{〕}$$

であるから，配電線の電圧降下は，線路の誘導性リアクタンスを無視するので，

$$e = \sqrt{3}\, Ir \cos\theta = \sqrt{3} \times 200 \times 1.364 \times 1 \fallingdotseq 472.50 \text{〔V〕}$$

となる．

したがって，求める負荷B点における線間電圧は，

$$V_B = 6\,600 - 472.50 = 6\,127.5 \fallingdotseq 6\,128 \text{〔V〕}$$

(b) 配電線路A－B間の線間の電圧降下を300〔V〕以内にするための配電線路1線の抵抗の最大値 r_m は，次式で求められる．

$$\sqrt{3} \times 200 \times r_m \times 1 = 300$$

$$\therefore \quad r_m = \frac{300}{\sqrt{3} \times 200} \fallingdotseq 0.8660 \text{〔}\Omega\text{〕}$$

したがって，配電線路1線の抵抗が r_m となるための電線断面積を S とすると，

$$\frac{1}{55} \times 4.5 \times 10^3 \times \frac{1}{S} = 0.8660$$

$$\therefore \quad S = \frac{4.5 \times 10^3}{55 \times 0.8660} \fallingdotseq 94.48 \text{〔mm}^2\text{〕}$$

となるから，解答群から $S = 94.48$〔mm^2〕の直近上位の断面積を選ぶと，100〔mm^2〕が正解となる．

問21 Check! □□□

(平成24年 Ⓑ問題16)

三相3線式1回線無負荷送電線の送電端に線間電圧66.0〔kV〕を加えると，受電端の線間電圧は72.0〔kV〕，1線当たりの送電端電流は30.0〔A〕であった．この送電線が，線路アドミタンスB〔mS〕と線路リアクタンスX〔Ω〕を用いて，図に示す等価回路で表現できるとき，次の(a)及び(b)の問に答えよ．

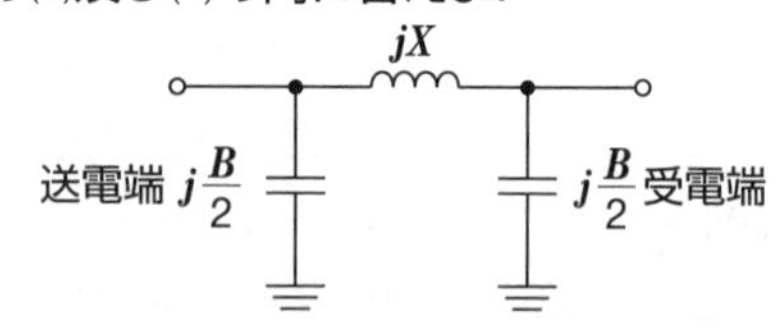

(a) 線路アドミタンスB〔mS〕の値として，最も近いものを次の(1)～(5)のうちから一つ選べ．

(1) 0.217　(2) 0.377　(3) 0.435　(4) 0.545　(5) 0.753

(b) 線路リアクタンスX〔Ω〕の値として，最も近いものを次の(1)～(5)のうちから一つ選べ．

(1) 222　(2) 306　(3) 384　(4) 443　(5) 770

解21　解答　(a)－(5)，(b)－(1)

(a)　送電線路が，抵抗分を無視した線路リアクタンス X〔Ω〕と線路アドミタンス B〔mS〕のみからなる π 形等価回路で表されているから，送電線路が無負荷で運転しているときの送電端電圧と受電端電圧は同位相となる．

したがって，無負荷運転時の1線の等価回路は下図のように表せる．

等価回路より，受電端の線路アドミタンスに流れる電流 $\dot{I}_{br}$ および送電端の線路アドミタンスに流れる電流 $\dot{I}_{bs}$ はそれぞれ，次式で与えられる．

$$\dot{I}_{br}=j\frac{B}{2}\times\frac{72}{\sqrt{3}}=j12\sqrt{3}B\text{〔A〕} \quad ①$$

$$\dot{I}_{bs}=j\frac{B}{2}\times\frac{66}{\sqrt{3}}=j11\sqrt{3}B\text{〔A〕} \quad ②$$

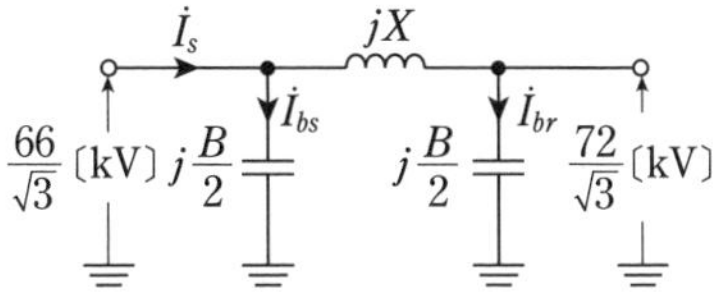

したがって，送電端電流 $\dot{I}_s$ は，題意よりその大きさが30.0〔A〕であることから次式が成立する．

$$\dot{I}_s=\dot{I}_{bs}+\dot{I}_{br}=j11\sqrt{3}B+j12\sqrt{3}B=j23\sqrt{3}B\text{〔A〕}$$

$$I_s=23\sqrt{3}B=30.0\text{〔A〕} \quad ③$$

よって，求める線路アドミタンス B は，

$$B=\frac{30.0}{23\sqrt{3}}\fallingdotseq 0.7531\text{〔mS〕}$$

となる．

(b)　送電端相電圧 $\dot{E}_s=\dfrac{66}{\sqrt{3}}$〔kV〕は次式で与えられる．

$$\dot{E}_s=\frac{66}{\sqrt{3}}=\frac{72}{\sqrt{3}}+jX\dot{I}_{br} \quad ④$$

ここで，①式より，

$$\dot{I}_{br}=j12\sqrt{3}\times 0.7531\fallingdotseq j15.653\text{〔A〕}=j0.015653\text{〔kA〕}$$

であるから，これを④式へ代入すれば，

$$\frac{66}{\sqrt{3}}=\frac{72}{\sqrt{3}}+jX\times j0.015653=\frac{72}{\sqrt{3}}-0.015653X \quad ⑤$$

よって，求める線路リアクタンスは，

$$X=\frac{72-66}{\sqrt{3}\times 0.015653}\fallingdotseq 221.31\text{〔Ω〕}$$

となる．

問22 Check! □□□

(令和元年 B問題 16)

送電線のフェランチ現象に関する問である．三相 3 線式 1 回線送電線の一相が図の π 形等価回路で表され，送電線路のインピーダンス jX = j200 Ω，アドミタンス jB = j0.800 mS とし，送電端の線間電圧が 66.0 kV であり，受電端が無負荷のとき，次の(a)及び(b)の問に答えよ．

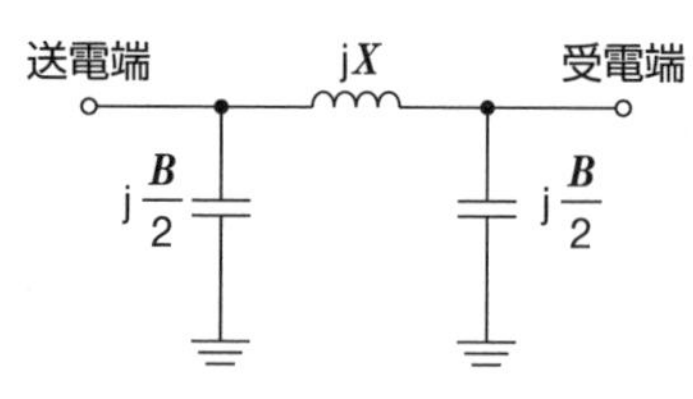

(a) 受電端の線間電圧の値 [kV] として，最も近いものを次の(1)～(5)のうちから一つ選べ．

(1) 66.0 (2) 71.7 (3) 78.6 (4) 114 (5) 132

(b) 1 線当たりの送電端電流の値 [A] として，最も近いものを次の(1)～(5)のうちから一つ選べ．

(1) 15.2 (2) 16.6 (3) 28.7 (4) 31.8 (5) 55.1

問23 Check! □□□

(平成 21 年 B 問題 17)

配電線に 100〔kW〕，遅れ力率 60〔%〕の三相負荷が接続されている．この受電端に 45〔kvar〕の電力用コンデンサを接続した．次の(a)及び(b)に答えよ．

ただし，電力用コンデンサ接続前後の電圧は変わらないものとする．

(a) 電力用コンデンサを接続した後の受電端の無効電力〔kvar〕の値として，最も近いのは次のうちどれか．

(1) 56 (2) 60 (3) 75 (4) 88 (5) 133

(b) 電力用コンデンサ接続前と後の力率〔%〕の差の大きさとして，最も近いのは次のうちどれか．

(1) 5 (2) 15 (3) 25 (4) 55 (5) 75

解22 解答 (a)−(2), (b)−(4)

(a) 受電端線間電圧の大きさ V_r は，次式で求められる．

$$\frac{V_r}{\sqrt{3}}=\frac{-j\frac{2}{B}}{jX-j\frac{2}{B}}\cdot\frac{V_s}{\sqrt{3}}=\frac{-j2}{jXB-j2}\cdot\frac{V_s}{\sqrt{3}}=\frac{2}{2-XB}\cdot\frac{V_s}{\sqrt{3}}$$

$$\therefore\quad V_r=\frac{2}{2-XB}V_s=\frac{2}{2-0.2\times0.800}\times66.0$$

$$=\frac{2}{1.84}\times66.0\fallingdotseq71.739\fallingdotseq71.7\,\text{kV}$$

(b) 1線当たりの送電端電流 $\dot{I}_s$ は，次式で与えられる．

$$\dot{I}_s=j\frac{B}{2}\cdot\frac{V_s}{\sqrt{3}}+j\frac{B}{2}\cdot\frac{V_r}{\sqrt{3}}$$

$$=j\frac{0.800}{2}\cdot\frac{66.0}{\sqrt{3}}+j\frac{0.800}{2}\cdot\frac{71.739}{\sqrt{3}}$$

$$\fallingdotseq j15.242+j16.567=j31.809\fallingdotseq j31.8\,\text{A}$$

$$\therefore\quad I_s=31.8\,\text{A}$$

解23 解答 (a)−(4), (b)−(2)

(a) 三相負荷の無効電力 Q_L は題意より，

$$Q_L=\frac{100}{0.6}\times\sqrt{1-0.6^2}\fallingdotseq133.33\,〔\text{kvar}〕（遅れ）$$

であるから，受電端に45〔kvar〕の電力用コンデンサを接続した後の受電端の無効電力 Q は，

$$Q=133.33-45=88.33\fallingdotseq88.3\,〔\text{kvar}〕（遅れ）$$

(b) 電力用コンデンサを接続した後の受電端の力率 pf は，

$$pf=\frac{100}{\sqrt{100^2+88.33^2}}\times100\fallingdotseq74.95\,〔\%〕（遅れ）$$

であるから，電力用コンデンサ接続前と後の力率の差 $\varDelta pf$ は，

$$\varDelta pf=74.95-60=14.95\fallingdotseq15\,〔\%〕$$

問24 Check! □□□ （平成25年 B 問題16）

図のように，特別高圧三相3線式1回線の専用架空送電線路で受電している需要家がある．需要家の負荷は，40〔MW〕，力率が遅れ0.87で，需要家の受電端電圧は66〔kV〕である．

ただし，需要家から電源側をみた電源と専用架空送電線路を含めた百分率インピーダンスは，基準容量10〔MV·A〕当たり6.0〔%〕とし，抵抗はリアクタンスに比べ非常に小さいものとする．その他の定数や条件は無視する．

次の(a)及び(b)の問に答えよ．

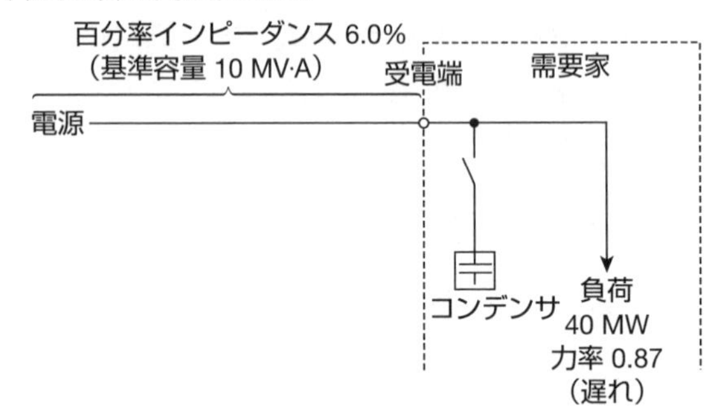

(a) 需要家が受電端において，力率1の受電になるために必要なコンデンサ総容量〔Mvar〕の値として，最も近いものを次の(1)～(5)のうちから一つ選べ．

ただし，受電端電圧は変化しないものとする．

(1) 9.7　(2) 19.7　(3) 22.7　(4) 34.8　(5) 81.1

(b) 需要家のコンデンサが開閉動作を伴うとき，受電端の電圧変動率を2.0〔%〕以内にするために必要なコンデンサ単機容量〔Mvar〕の最大値として，最も近いものを次の(1)～(5)のうちから一つ選べ．

(1) 0.46　(2) 1.9　(3) 3.3　(4) 4.3　(5) 5.7

解24 解答 (a)−(3), (b)−(3)

(a) 負荷電力 $P_L = 40$〔MW〕，負荷力率 $\cos\theta = 0.87$（遅れ）であるから，受電端において力率1とするには，負荷の消費する無効電力分に等しいコンデンサ容量〔Mvar〕があればよい．負荷の無効電力 Q_L〔Mvar〕は，

$$Q_L = \frac{P_L}{\cos\theta}\sin\theta = \frac{40}{0.87}\sin\theta$$

であり，

$$\sin\theta = \sqrt{1-\cos^2\theta} = \sqrt{1-0.87^2} = \sqrt{0.2431} \fallingdotseq 0.493$$

より，次のようになる．

$$Q_L = \frac{40}{0.87}\times 0.493 \fallingdotseq 22.7\text{〔Mvar〕}$$

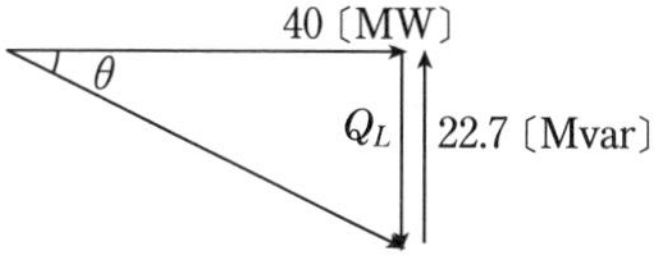

電力ベクトル図を第1図に示す．

第1図

(b) 送電線路の百分率インピーダンスが6〔%〕で，題意より抵抗分は無視できるものとすると，無効電力が Q_L〔Mvar〕のとき，基準容量10〔MV·A〕ベースでの電圧降下 v〔%〕は次式で与えられる．

$$v = 6\times\frac{Q_L}{10}\text{〔\%〕}$$

コンデンサ22.7〔Mvar〕を接続して力率1となっているとき $Q_L = 0$ であるから電圧降下 $v = 0$〔%〕である．この状態からコンデンサ単機容量 Q_0〔Mvar〕を開放したとき，$Q_L = Q_0$〔Mvar〕となるから，電圧降下 v_0〔%〕は次式となる．

$$v_0 = 6\times\frac{Q_0}{10}\text{〔\%〕}$$

この電圧変動率が2.0〔%〕以内となるためには，

$$v_0 = 6\times\frac{Q_0}{10} \leqq 2.0$$

を満たす必要があり，

$$Q_0 \leqq \frac{2.0\times 10}{6} \fallingdotseq 3.33$$

となる．よって，コンデンサ単機容量の最大値は3.3〔Mvar〕が最も近い．

受電端の電圧変動率を2.0〔%〕以内とするためのコンデンサ単機容量 Q_0〔Mvar〕は第2図のようになる．

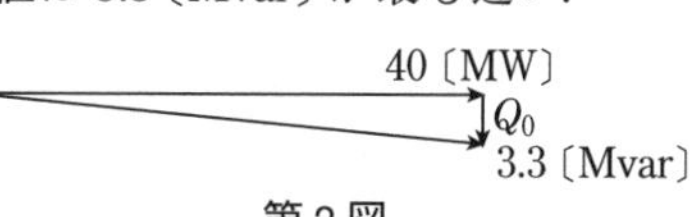

第2図

問25 Check! □□□

(平成 29 年 Ⓑ 問題 17)

特別高圧三相 3 線式専用 1 回線で，6 000 kW（遅れ力率 90 %）の負荷 A と 3 000 kW（遅れ力率 95 %）の負荷 B に受電している需要家がある．次の(a)及び(b)の問に答えよ．

(a) 需要家全体の合成力率を 100 % にするために必要な力率改善用コンデンサの総容量の値 [kvar] として，最も近いものを次の(1)～(5)のうちから一つ選べ．

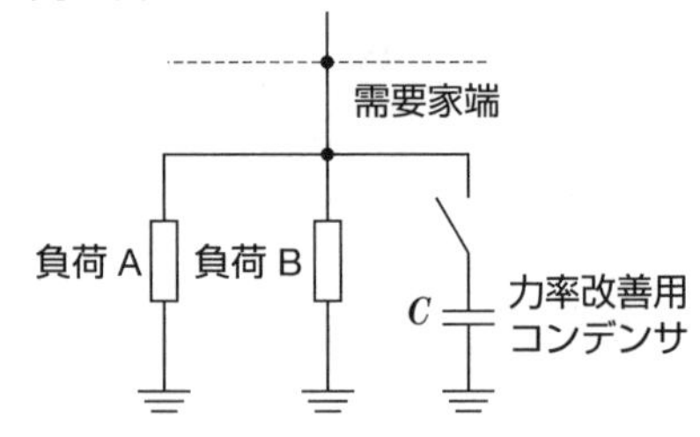

(1) 1 430　(2) 2 900　(3) 3 550　(4) 3 900　(5) 4 360

(b) 力率改善用コンデンサの投入・開放による電圧変動を一定値に抑えるために力率改善用コンデンサを分割して設置・運用する．下図のように分割設置する力率改善用コンデンサのうちの 1 台（$C1$）は容量が 1 000 kvar である．$C1$ を投入したとき，投入前後の需要家端 D の電圧変動率が 0.8 % であった．需要家端 D から電源側を見たパーセントインピーダンスの値 [%]（10 MV·A ベース）として，最も近いものを次の(1)～(5)のうちから一つ選べ．

ただし，線路インピーダンス X はリアクタンスのみとする．また，需要家構内の線路インピーダンスは無視する．

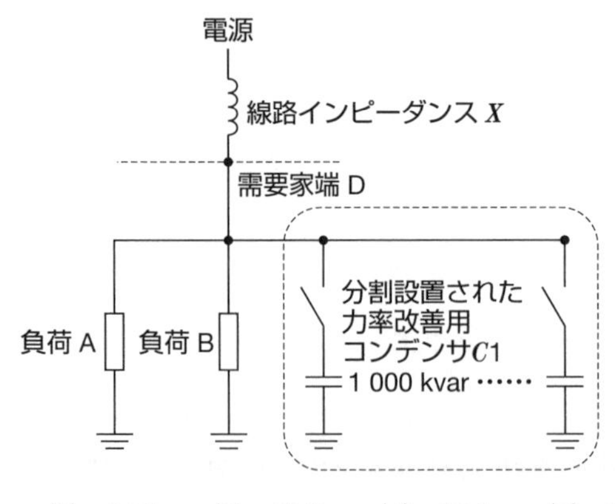

(1) 1.25　(2) 8.00　(3) 10.0　(4) 12.5　(5) 15.0

解25 解答 (a)−(4), (b)−(2)

(a) 題意より，需要家全体の無効電力 Q は，

$$Q=\frac{6\,000}{0.9}\sqrt{1-0.9^2}+\frac{3\,000}{0.95}\sqrt{1-0.95^2}\fallingdotseq 2\,905.93+986.05=3\,891.98$$

$$\fallingdotseq 3\,900\ \text{kvar}\quad（遅れ）$$

であるから，需要家全体の合成力率を 100 % にするために必要な力率改善用コンデンサの総容量の値 Q_C は，

$$Q_C=3\,900\ \text{kvar}$$

(b) 基準容量を 10 MV·A とし，コンデンサを投入する前の需要家端 D の電圧を 1 p.u. とする．

容量 1 000 kvar のコンデンサ $C1$ を投入したとき，このコンデンサには，次のような単位法で表した電流 $\dot{I}_{C1}$ が流れる．

$$\dot{I}_{C1}=\mathrm{j}\frac{1000}{10\times10^3}=\mathrm{j}0.1\ \text{p.u.}\quad（進み電流）$$

コンデンサ投入による需要家端 D の単位法で表した電圧変動 $\Delta\dot{V}_D$ [p.u.] は，追加されたコンデンサ電流 $\dot{I}_{C1}$ による電圧降下に等しいから，単位法で表した需要家端 D から電源側を見たインピーダンスを jx [p.u] で表すと，

$$\Delta\dot{V}_D=\mathrm{j}x\cdot\dot{I}_{C1}=\mathrm{j}x\cdot\mathrm{j}0.1=-0.1x\ [\text{p.u.}]$$

$$\therefore\quad \Delta V_D=0.1x=0.008\ \text{p.u.}$$

$$x=\frac{0.008}{0.1}=0.08\ \text{p.u.}$$

よって，求めるパーセントインピーダンスの値 X は，

$$X=100x=0.08\times100=8\ \%$$

となる．

問26 Check! □□□

(平成 23 年 Ⓑ 問題 17)

単相 2 線式配電線があり，この末端に 300〔kW〕の需要家がある.

この配電線の途中，図に示す位置に 6 300〔V〕/6 900〔V〕の昇圧器を設置して受電端電圧を 6 600〔V〕に保つとき，次の(a)及び(b)の問に答えよ.

ただし，配電線の 1 線当たりの抵抗は 1〔Ω/km〕，リアクタンスは 1.5〔Ω/km〕とし，昇圧器のインピーダンスは無視するものとする.

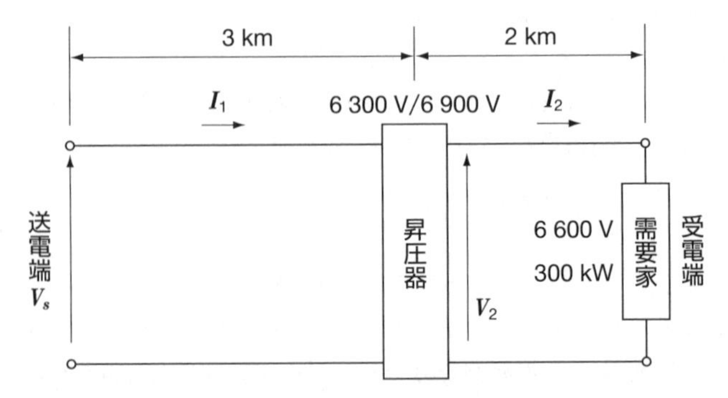

(a) 末端の需要家が力率 1 の場合，受電端電圧を 6 600〔V〕に保つとき，昇圧器の二次側の電圧 V_2〔V〕の値として，最も近いものを次の(1)～(5)のうちから一つ選べ.

(1) 6 691 (2) 6 757 (3) 6 784 (4) 6 873 (5) 7 055

(b) 末端の需要家が遅れ力率 0.8 の場合，受電端電圧を 6 600〔V〕に保つとき，送電端の電圧 V_s〔V〕の値として，最も近いものを次の(1)～(5)のうちから一つ選べ.

(1) 6 491 (2) 6 519 (3) 6 880 (4) 7 016 (5) 7 189

解26 解答 (a)−(3)，(b)−(4)

(a) 題意より，負荷電流の大きさ I_2 は，需要家の力率が１であるから，

$$I_2 = \frac{300}{6.6} \fallingdotseq 45.455 \text{〔A〕}$$

また，昇圧器と需要家間の配電線１線のインピーダンス $\dot{Z}_2$ は，

$$\dot{Z}_2 = 2 \times (1 + j1.5) = 2 + j3 \text{〔Ω〕}$$

であるから，求める昇圧器二次側の電圧の大きさ V_2 は，

$$V_2 = 6\,600 + 2 \times 45.455 \times (2 \times 1 + 3 \times 0) = 6\,781.82 \text{〔V〕}$$

(b) 末端の需要家が遅れ力率 0.8 の場合の負荷電流の大きさ I_2' は，

$$I_2' = \frac{300}{6.6 \times 0.8} \fallingdotseq 56.818 \text{〔A〕}$$

であるから，この場合の昇圧器二次側の電圧の大きさ V_2' は，

$$V_2' = 6\,600 + 2 \times 56.818 \times (2 \times 0.8 + 3 \times 0.6)$$
$$= 6\,986.36 \text{〔V〕}$$

となる．

次に，昇圧器一次側の負荷電流 I_1' は，

$$I_1' = \frac{6\,900}{6\,300} \times 56.818 \fallingdotseq 62.229 \text{〔A〕}$$

また，昇圧器一次側の電圧 V_1' は，

$$V_1' = 6\,986.36 \times \frac{6\,300}{6\,900} \fallingdotseq 6\,378.85 \text{〔V〕}$$

また，配電線と昇圧器間の配電線１線のインピーダンス $\dot{Z}_1$ は，

$$\dot{Z}_1 = 3 \times (1 + j1.5) = 3 + j4.5 \text{〔Ω〕}$$

であるから，求める送電端電圧 V_s は，

$$V_s = 6\,378.85 + 2 \times 62.229 \times (3 \times 0.8 + 4.5 \times 0.6)$$
$$= 7\,013.59 \text{〔V〕}$$

となる．

問27 Check! □□□

(平成27年 Ⓑ問題17)

図に示すように，線路インピーダンスが異なるA，B回線で構成される154 kV系統があったとする．A回線側にリアクタンス5 %の直列コンデンサが設置されているとき，次の(a)及び(b)の問に答えよ．なお，系統の基準容量は，10 MV·Aとする．

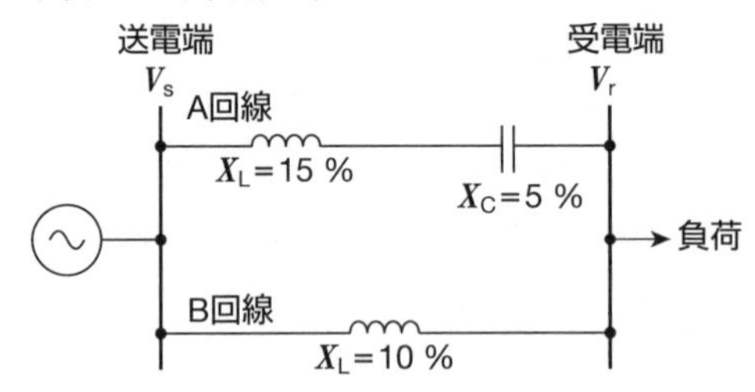

送電端と受電端の電圧位相差 δ

(a) 図に示す系統の合成線路インピーダンスの値 [%] として，最も近いものを次の(1)～(5)のうちから一つ選べ．

(1) 3.3　(2) 5.0　(3) 6.0　(4) 20.0　(5) 30.0

(b) 送電端と受電端の電圧位相差 δ が30度であるとき，この系統での送電電力 P の値 [MW] として，最も近いものを次の(1)～(5)のうちから一つ選べ．

ただし，送電端電圧 V_s，受電端電圧 V_r は，それぞれ154 kVとする．

(1) 17　(2) 25　(3) 83　(4) 100　(5) 152

解27 解答 (a)－(2), (b)－(4)

(a) 系統の合成線路インピーダンス$\dot{Z}$は，次式で求められる．

$$\dot{Z}=\frac{\mathrm{j}10\times(\mathrm{j}15-\mathrm{j}5)}{\mathrm{j}10+\mathrm{j}15-\mathrm{j}5}=\mathrm{j}5.0\ \%$$

(b) この系統での送電電力P_{pu}は，送電端電圧をV_{s} [p.u.]，受電端電圧V_{r} [p.u.]，線路リアクタンスをX [p.u.] とすると，次式で与えられる．

$$P_{\mathrm{pu}}=\frac{V_{\mathrm{s}}V_{\mathrm{r}}}{X}\sin\delta\ [\mathrm{p.u.}]$$

ここに，$V_{\mathrm{s}}=V_{\mathrm{r}}=1.0$ p.u.，$X=5/100=0.05$ p.u.，$\delta=30°$ を上式へ代入すると，

$$P_{\mathrm{pu}}=\frac{V_{\mathrm{s}}V_{\mathrm{r}}}{X}\sin\delta=\frac{1.0\times1.0}{0.05}\times\sin30°=\frac{1.0\times1.0}{0.05}\times\frac{1}{2}=10\ \mathrm{p.u.}$$

したがって，求める送電電力P [MW] は，基準容量が 10 MV·A であるから，

$$P=10\times10=100\ \mathrm{MW}$$

となる．

問28 Check! □□□ (平成30年 B 問題17)

図のように，抵抗を無視できる一回線短距離送電線路のリアクタンスと送電電力について，次の(a)及び(b)の問に答えよ．ただし，一相分のリアクタンス $X = 11\ \Omega$，受電端電圧 V_r は 66 kV で常に一定とする．

(a) 基準容量を 100 MV·A，基準電圧を受電端電圧 V_r としたときの送電線路のリアクタンスをパーセント法で示した値 [%] として，最も近いものを次の(1)～(5)のうちから一つ選べ．

(1) 0.4　(2) 2.5　(3) 25　(4) 40　(5) 400

(b) 送電電圧 V_s を 66 kV，相差角（送電端電圧 $\dot{V}_s$ と受電端電圧 $\dot{V}_r$ の位相差）δ を 30° としたとき，送電電力 P_s の値 [MW] として，最も近いものを次の(1)～(5)のうちから一つ選べ．

(1) 22　(2) 40　(3) 198　(4) 343　(5) 3 960

解28 解答 (a)−(3), (b)−(3)

(a) 送電線路のパーセントリアクタンス x は,

$$x = \frac{SZ}{10V^2} = \frac{100 \times 10^3 \times 11}{10 \times 66^2} \fallingdotseq 25.253 \fallingdotseq 25\ \%$$

(b) 題意より,送電端電圧が 66 kV で,受電端電圧との相差角が 30° であるから,単位法で表した送電端電圧は $\dot{V}_{\mathrm{spu}} = 1 \angle 30°$ p.u. で表せる.

したがって,単位法で表した線路電流 $\dot{I}_{\mathrm{pu}}$ は,

$$\dot{I}_{\mathrm{pu}} = \frac{1\angle 30° - 1\angle 0°}{\mathrm{j}\,0.252\,53} = \frac{1\angle 30° - 1}{\mathrm{j}\,0.252\,53}\ \text{p.u.}$$

で表せるから,単位法で表した送電端皮相電力 $\dot{S}_{\mathrm{spu}}$ は,遅れ無効電力を正とすれば,

$$\dot{S}_{\mathrm{spu}} = \dot{V}_{\mathrm{spu}}\overline{\dot{I}_{\mathrm{pu}}} = 1\angle 30° \times \frac{1\angle -30° - 1}{-\mathrm{j}\,0.252\,53} = \frac{1 - 1\angle 30°}{-\mathrm{j}\,0.252\,53}$$

$$= \frac{1 - (\cos 30° + \mathrm{j}\sin 30°)}{-\mathrm{j}\,0.252\,53} = \frac{1 - \cos 30° - \mathrm{j}\sin 30°}{-\mathrm{j}\,0.252\,53}$$

$$= \frac{\sin 30° + \mathrm{j}(1 - \cos 30°)}{0.252\,53}\ \text{p.u.}$$

よって,単位法で表した送電電力 P_{spu} は,

$$P_{\mathrm{spu}} = \mathrm{Re}\left[\dot{S}_{\mathrm{spu}}\right] = \frac{\sin 30°}{0.252\,53} = \frac{0.5}{0.252\,53} \fallingdotseq 1.980\ \text{p.u.}$$

となるから,単位をメガワットで表した送電電力 P_{s} は,

$$P_{\mathrm{s}} = 1.980 \times 100 = 198\ \mathrm{MW}$$

問29 Check! □□□

(平成19年 Ⓐ問題12)

図のような三相3線式配電系統がある．配電用変電所の変圧器容量は10 000〔kV·A〕，変圧比は66〔kV〕/6.6〔kV〕，百分率リアクタンスは自己容量基準で7.5〔%〕であり，配電用変電所より上位系統側の百分率インピーダンスは基準容量10 000〔kV·A〕で0.5〔%〕とする．配電系統の末端L点には負荷（抵抗負荷とする）が接続されており，配電用変電所の引出口F点からL点までの百分率インピーダンスは基準容量10 000〔kV·A〕で10〔%〕とする．F点において三相完全短絡事故が発生したとき，F点における短絡電流〔kA〕の値として，最も近いのは次のうちどれか．

ただし，百分率インピーダンスは抵抗分を無視するものとする．

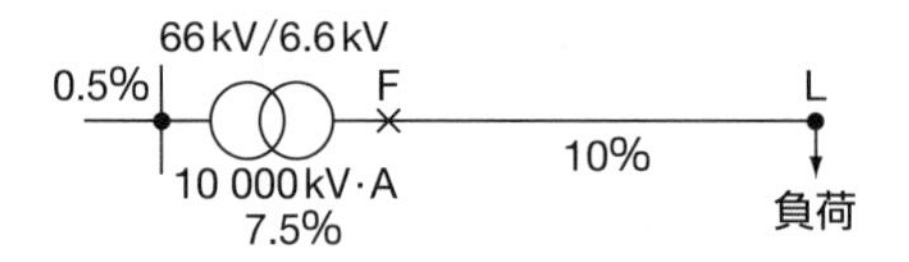

(1) 4.9　(2) 8.7　(3) 10.9　(4) 11.7　(5) 12.5

解29 解答 (3)

基準容量 10 000〔kV·A〕に対する 6.6〔kV〕側の基準電流 I_n は,

$$I_n = \frac{10\,000}{\sqrt{3} \times 6.6} \fallingdotseq 874.77〔A〕$$

題意より，負荷側には電源がないので，F 点から系統を見た全パーセントインピーダンス %Z は,

$$\%Z = 7.5 + 0.5 = 8〔\%〕$$

よって，求める F 点の三相完全短絡電流 I_s は，以下となる.

$$I_s = I_n \times \frac{100}{\%Z} = 874.77 \times \frac{100}{8} \times 10^{-3} \fallingdotseq 10.93〔kA〕$$

問30 Check! □□□

(平成28年 B 問題16)

図に示すように，発電機，変圧器と公称電圧 66 kV で運転される送電線からなる系統があるとき，次の(a)及び(b)の問に答えよ．ただし，中性点接地抵抗は図の変圧器のみに設置され，その値は 300 Ω とする．

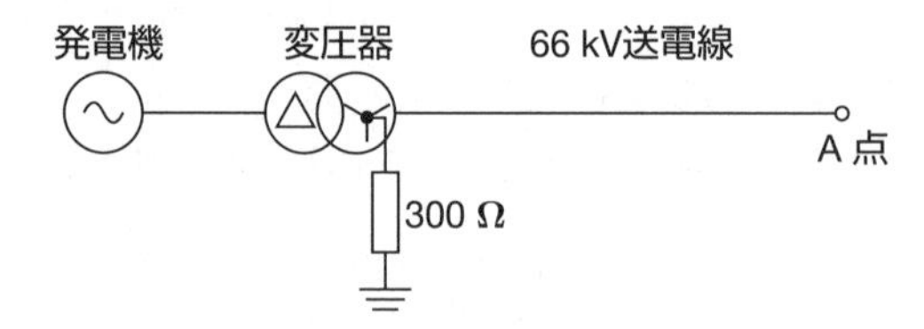

(a) A 点で 100 Ω の抵抗を介して一線地絡事故が発生した．このときの地絡電流の値 [A] として，最も近いものを次の(1)〜(5)のうちから一つ選べ．

ただし，発電機，発電機と変圧器間，変圧器及び送電線のインピーダンスは無視するものとする．

(1) 95　(2) 127　(3) 165　(4) 381　(5) 508

(b) A 点で三相短絡事故が発生した．このときの三相短絡電流の値 [A] として，最も近いものを次の(1)〜(5)のうちから一つ選べ．

ただし，発電機の容量は 10 000 kV·A，出力電圧 6.6 kV，三相短絡時のリアクタンスは自己容量ベースで 25 %，変圧器容量は 10 000 kV·A，変圧比は 6.6 kV/66 kV，リアクタンスは自己容量ベースで 10 %，66 kV 送電線のリアクタンスは，10 000 kV·A ベースで 5 % とする．なお，発電機と変圧器間のインピーダンスは無視する．また，発電機，変圧器及び送電線の抵抗は無視するものとする．

(1) 33　(2) 219　(3) 379　(4) 656　(5) 3 019

解30 解答 (a)−(1), (b)−(2)

(a) A点で100 Ωの抵抗を介して1線地絡事故が発生したときの等価回路は，**第1図**のようになる．

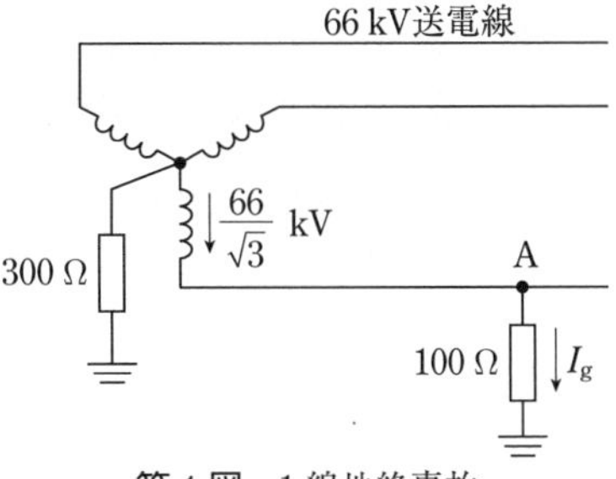

第1図 1線地絡事故

したがって，求める地絡電流 I_g は，

$$I_g = \frac{\frac{66\,000}{\sqrt{3}}}{100 + 300} \fallingdotseq 95.263 \fallingdotseq 95 \text{ A}$$

(b) 基準容量を10 000 kV·Aとしたリアクタンス図を描くと，**第2図**のようになる．

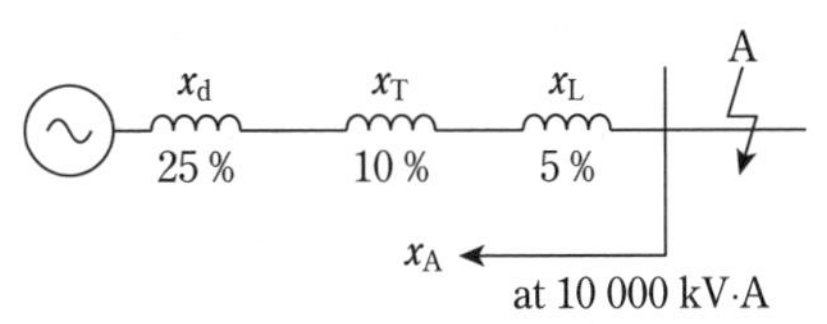

第2図 三相短絡事故

ただし，$x_d = 25$ % は発電機の同期リアクタンス，$x_T = 10$ % は変圧器のリアクタンス，$x_L = 5$ % は送電線のリアクタンスである．

第2図より，故障点Aから電源側を見た全リアクタンス x_A は，

$$x_A = x_L + x_T + x_d = 5 + 10 + 25 = 40 \text{ \%}$$

となる．ここに，基準容量10 000 kV·A，基準電圧66 kVにおける基準電流 I_n は，

$$I_n = \frac{10\,000}{\sqrt{3} \times 66} \fallingdotseq 87.477\,3 \text{ A}$$

であるから，求める三相短絡電流 I_s は，

$$I_s = 87.477\,3 \times \frac{100}{40} \fallingdotseq 218.69 \fallingdotseq 219 \text{ A}$$

問31 Check! □□□

（平成26年 B 問題16）

図に示すように，中性点をリアクトル L を介して接地している公称電圧 66 kV の系統があるとき，次の(a)及び(b)の問に答えよ．なお，図中の C は，送電線の対地静電容量に相当する等価キャパシタを示す．また，図に表示されていない電気定数は無視する．

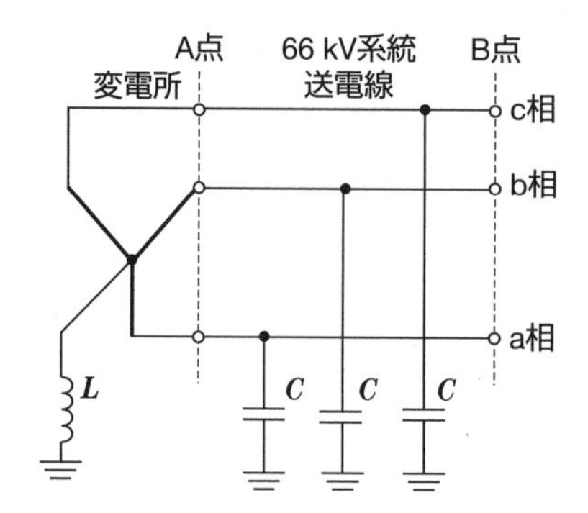

(a) 送電線の線路定数を測定するために，図中のA点で変電所と送電線を切り離し，A点で送電線の3線を一括して，これと大地間に公称電圧の相電圧相当の電圧を加えて充電すると，一括した線に流れる全充電電流は 115 A であった．このとき，この送電線の1相当たりのアドミタンスの大きさ〔mS〕として，最も近いものを次の(1)～(5)のうちから一つ選べ．

(1) 0.58　(2) 1.0　(3) 1.7　(4) 3.0　(5) 9.1

(b) 図中のB点のa相で1線地絡事故が発生したとき，地絡点を流れる電流を零とするために必要なリアクトル L のインピーダンスの大きさ〔Ω〕として，最も近いものを次の(1)～(5)のうちから一つ選べ．

ただし，送電線の電気定数は，(a)で求めた値を用いるものとする．

(1) 111　(2) 196　(3) 333　(4) 575　(5) 1 000

解31 解答 (a)－(2), (b)－(3)

(a) 第1図のように，A点で送電線の3線を一括して，これと大地との間に $E=\dfrac{66}{\sqrt{3}}$〔kV〕を加えたときの全充電電流 I_c が115〔A〕であったことから，求める送電線1相当たりのアドミタンスの大きさ Y_C は，次式で求められる．

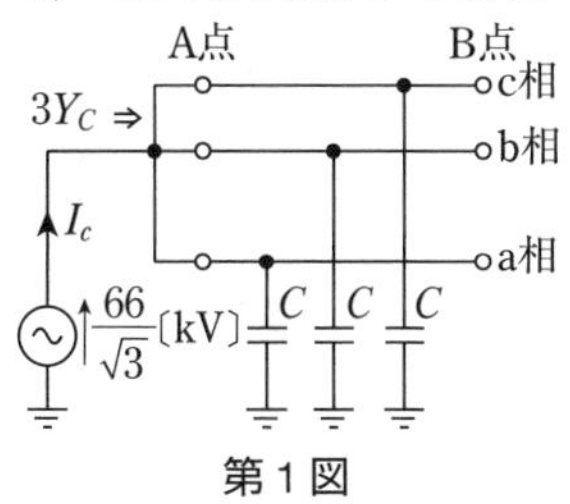

第1図

$$Y_C=\frac{I_c}{3E}=\frac{115}{3}\times\frac{\sqrt{3}}{66}\fallingdotseq 1.0〔\mathrm{mS}〕$$

(b) リアクトル L のアドミタンスを $\dot{Y}_L$ として，B点のa相で1線地絡事故が発生したときの回路を描くと，第2図のようになり，B点のa相と大地の間に設けたスイッチSを閉じたとき，a相1線地絡事故が発生すると考える．

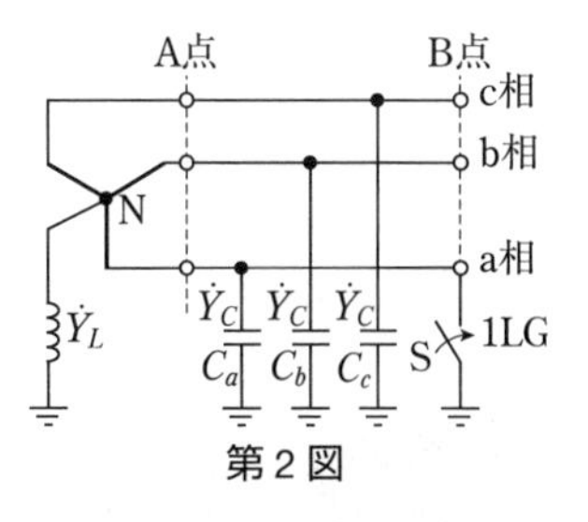

第2図

スイッチSを閉じる前のSの極間電圧は相電圧 $E=\dfrac{66}{\sqrt{3}}$〔kV〕であり，また，三相電源をすべて短絡して，Sの極間から送電線および変電所側をながめたときの全アドミタンスが $\dot{Y}$ であるとき，Sを閉じてa相に1線地絡事故を発生させたときの等価回路は，テブナンの定理より，第3図のようになる．

ここにNは，第2図における変圧器の中性点であり，第3図よりSの極間すなわち，電源 E から送電線および変電所側をながめたときの全アドミタンス $\dot{Y}$ は，

$$\dot{Y}=3\dot{Y}_C+\dot{Y}_L$$

で表せるから，1線地絡電流 $\dot{I}_g$ は次式で与えられる．

$$\dot{I}_g=\dot{Y}E=(3\dot{Y}_C+\dot{Y}_L)E$$

よって，地絡電流 $\dot{I}_g$ が0となるためには，

$$\dot{Y}=3\dot{Y}_C+\dot{Y}_L=0$$

すなわち，

$$\dot{Y}_L=-3\dot{Y}_C=-3\times j1.0=-j3.0〔\mathrm{mS}〕$$

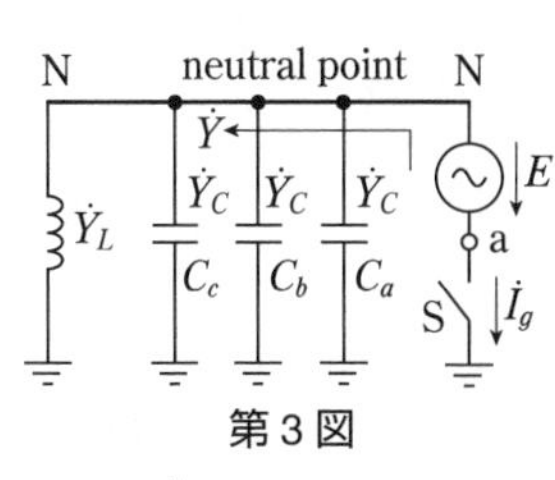

第3図

であればよいから，求めるリアクトル L のインピーダンス $\dot{Z}_L$ は，

$$\dot{Z}_L=\frac{1}{\dot{Y}_L}=\frac{1}{-j3.0}\fallingdotseq j0.333〔\mathrm{k\Omega}〕$$

$$\therefore\quad \dot{Z}_L=0.333〔\mathrm{k\Omega}〕=333〔\Omega〕$$

問32 Check! □□□

（令和6年㊤ Ⓐ問題12）

図のように高低差のない支持点A，Bで，径間長Sの架空送電線において，架線の水平張力Tを調整してたるみDを10％小さくし，電線地上高を高くしたい．この場合の水平張力の値として，正しいものを次の(1)～(5)のうちから一つ選べ．ただし，両側の鉄塔は十分な強度があるものとする．

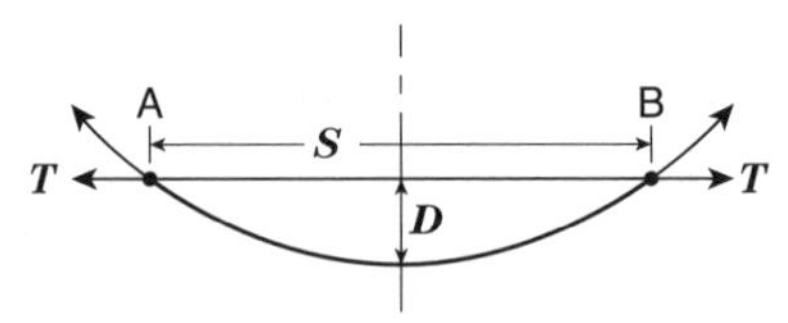

(1) 0.9^2T　(2) $0.9T$　(3) $\dfrac{T}{\sqrt{0.9}}$　(4) $\dfrac{T}{0.9}$　(5) $\dfrac{T}{0.9^2}$

問33 Check! □□□

（平成24年 Ⓐ問題13）

図のように高低差のない支持点A，Bで支持されている径間Sが100〔m〕の架空電線路において，導体の温度が30〔°C〕のとき，たるみDは2〔m〕であった．

導体の温度が60〔°C〕になったとき，たるみD〔m〕の値として，最も近いものを次の(1)～(5)のうちから一つ選べ．

ただし，電線の線膨張係数は1〔°C〕につき1.5×10^{-5}とし，張力による電線の伸びは無視するものとする．

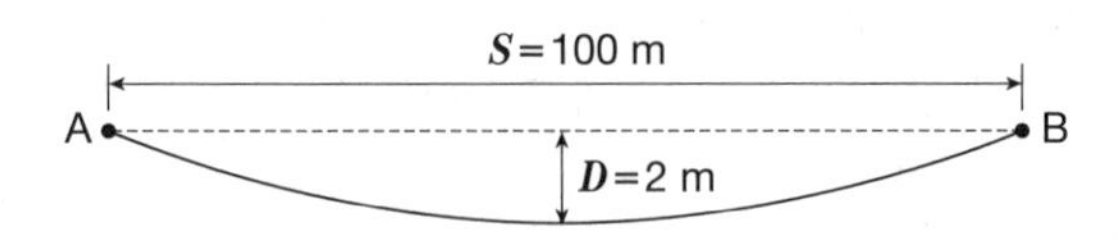

(1) 2.05　(2) 2.14　(3) 2.39　(4) 2.66　(5) 2.89

解32 解答 (4)

最初の水平張力とたるみをそれぞれ T および D とし，調整後のそれぞれを T' および $D' = 0.9D$ とする．これから求める T' の値は，単位長当たりの電線重量を W とすれば，

$$T' = \frac{WS^2}{8D'} = \frac{WS^2}{8 \times 0.9D} = \frac{WS^2}{8D} \times \frac{1}{0.9} = \frac{T}{0.9}$$

となる．

解33 解答 (3)

題意より，導体の温度が 30〔°C〕のときの電線実長 L_{30} は，

$$L_{30} = 100 + \frac{8 \times 2^2}{3 \times 100} \fallingdotseq 100.1067〔\mathrm{m}〕$$

であるから，導体の温度が 60〔°C〕になったときの電線長 L_{60} は，

$$\begin{aligned} L_{60} &= 100.1067 \times \{1 + 1.5 \times 10^{-5} \times (60 - 30)\} \\ &= 100.1067 \times 1.00045 \fallingdotseq 100.1517〔\mathrm{m}〕 \end{aligned}$$

したがって，導体の温度が 60〔°C〕になったときのたるみを D_{60}〔m〕とすれば，次式が成立する．

$$L_{60} = 100 + \frac{8{D_{60}}^2}{3 \times 100} = 100.1517〔\mathrm{m}〕$$

よって，求めるたるみ D_{60} は，次式のようになる．

$$\therefore \quad D_{60} = \sqrt{\frac{3 \times 100 \times (100.1517 - 100)}{8}} \fallingdotseq 2.39〔\mathrm{m}〕$$

問34 Check! □□□

(平成 29 年 Ⓐ 問題 8)

支持点間が 180 m，たるみが 3.0 m の架空電線路がある．

いま架空電線路の支持点間を 200 m にしたとき，たるみを 4.0 m にしたい．電線の最低点における水平張力をもとの何 [%] にすればよいか．最も近いものを次の(1)～(5)のうちから一つ選べ．

ただし，支持点間の高低差はなく，電線の単位長当たりの荷重は変わらないものとし，その他の条件は無視するものとする．

(1) 83.3 (2) 92.6 (3) 108.0 (4) 120.0 (5) 148.1

問35 Check! □□□

(令和 5 年㊦ Ⓐ問題 12)

両端の高さが同じで径間距離 250 m の架空電線路があり，電線 1 m 当たりの重量は 20.0 N で，風圧荷重はないものとする．

今，水平引張荷重が 40.0 kN の状態で架線されているとき，たるみ D の値 [m] として，最も近いものを次の(1)～(5)のうちから一つ選べ．

(1) 2.1 (2) 3.9 (3) 6.3 (4) 8.5 (5) 10.4

解34 解答 (2)

電線単位長当たりの荷重を W [N/m] とし，支持点間の距離 180 m，たるみ 3.0 m のときの電線最下点における水平張力を T_0 [N] とすると，これらの間には次式が成立する．

$$\frac{W \times 180^2}{8T_0} = 3.0\ \text{m} \tag{1}$$

次に，架空電線の支持点間を 200 m，たるみを 4.0 m としたときの電線最下点の水平張力を T [N] とすると，次式が成立する．

$$\frac{W \times 200^2}{8T} = 4.0\ \text{m} \tag{2}$$

ここで，(1)式を(2)式で辺々除せば，

$$\frac{W \times 180^2}{8T_0} \cdot \frac{8T}{W \times 200^2} = \frac{3.0}{4.0}$$

$$\frac{T}{T_0} = \frac{200^2}{180^2} \cdot \frac{3.0}{4.0} \fallingdotseq 0.926 = 92.6\ \%$$

解35 解答 (2)

図のように，支持点 AB 間の距離を S [m]，電線の水平張力を T [N]，電線 1 m 当たりの重力による荷重を w [N] とすれば，たるみ D [m] は次式となる．

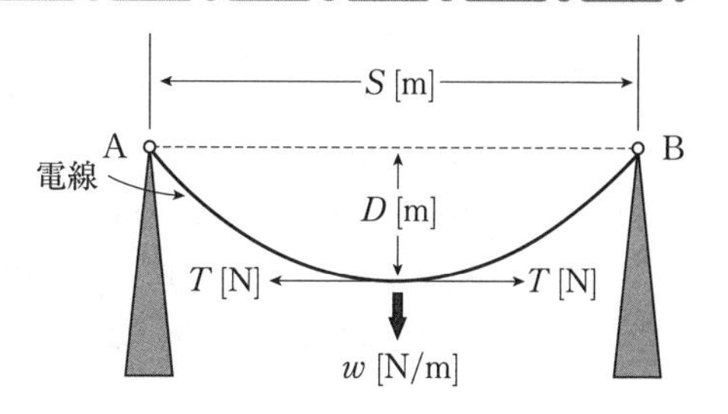

$$D = \frac{wS^2}{8T}\ [\text{m}]$$

本式に与えられた数値を代入して，

$$D = \frac{20.0 \times 250^2}{8 \times 40.0 \times 10^3} = 3.91 \fallingdotseq 3.9\ \text{m}$$

問36 Check! □□□

(平成18年 Ⓐ問題14)

両端の高さが同じで径間距離 250〔m〕の架空電線路があり，電線 1〔m〕当たりの重量は 20.0〔N〕で，風圧荷重はないものとする．

いま，水平引張荷重が 40.0〔kN〕の状態で架線されているとき，たるみ D〔m〕の値として，最も近いのは次のうちどれか．

(1) 2.1　(2) 3.9　(3) 6.3　(4) 8.5　(5) 10.4

問37 Check! □□□

(令和3年 Ⓑ問題16)

支持点の高さが同じで径間距離 150 m の架空電線路がある．電線の質量による荷重が 20 N/m，線膨張係数は 1 °C につき 0.000 018 である．電線の導体温度が −10 °C のとき，たるみは 3.5 m であった．次の(a)及び(b)の問に答えよ．ただし，張力による電線の伸縮はないものとし，その他の条件は無視するものとする．

(a) 電線の導体温度が 35 °C のとき，電線の支持点間の実長の値 [m] として，最も近いものを次の(1)〜(5)のうちから一つ選べ．

(1) 150.18　(2) 150.23　(3) 150.29

(4) 150.34　(5) 151.43

(b) (a)と同じ条件のとき，電線の支持点間の最低点における水平張力の値 [N] として，最も近いものを次の(1)〜(5)のうちから一つ選べ．

(1) 6 272　(2) 12 863　(3) 13 927

(4) 15 638　(5) 17 678

解36 解答 (2)

架空電線のたるみ D〔m〕は，径間を S〔m〕，電線の単位長当たりの質量による荷重を w〔N/m〕，電線最下点の水平方向の張力を T〔N〕とすると，

$$D = \frac{wS^2}{8T} \text{〔m〕}$$

で表される．

よって，求めるたるみ D は，上式に $w = 20.0$〔N/m〕，$S = 250$〔m〕，$T = 40.0 \times 10^3$〔N〕を代入すれば，

$$D = \frac{20.0 \times 250^2}{8 \times 40.0 \times 10^3} \fallingdotseq 3.91 \text{〔m〕}$$

解37 解答 (a)－(4), (c)－(2)

(a) 電線の導体温度が −10 °C の場合の電線実長 L は，

$$L = 150 + \frac{8 \times 3.5^2}{3 \times 150} \fallingdotseq 150.217\,8 \text{ m}$$

次に，電線の導体温度が 35 °C の場合の電線実長 L' は，電線の線膨張係数が 0.000 018 であるから，

$$L' = 150.217\,8 \times \{1 + 0.000\,018 \times (35 + 10)\}$$
$$\fallingdotseq 150.339\,5 \fallingdotseq 150.34 \text{ m}$$

(b) この場合の電線たるみ D' は，径間を S [m] とすれば，

$$L' = S + \frac{8D'^2}{3S}$$

$$8D'^2 = 3S(L' - S)$$

$$D' = \sqrt{\frac{3S(L' - S)}{8}} = \sqrt{\frac{3 \times 150 \times (150.34 - 150)}{8}} \fallingdotseq 4.373 \text{ m}$$

一方，電線最低点の水平張力を T' [N]，電線の単位長当たりの質量による荷重を W [N/m] とすれば，

$$D' = \frac{WS^2}{8T'}$$

$$\therefore \quad T' = \frac{WS^2}{8D'} = \frac{20 \times 150^2}{8 \times 4.373} \fallingdotseq 12\,863 \text{ N}$$

問38 Check! □□□

（平成29年 Ⓐ問題6）

電力系統で使用される直流送電系統の特徴に関する記述として，誤っているものを次の(1)～(5)のうちから一つ選べ．

(1) 直流送電系統は，交流送電系統のように送電線のリアクタンスなどによる発電機間の安定度の問題がないため，長距離・大容量送電に有利である．

(2) 一般に，自励式交直変換装置では，運転に伴い発生する高調波や無効電力の対策のために，フィルタや調相設備の設置が必要である．一方，他励式交直変換装置では，自己消弧形整流素子を用いるため，フィルタや調相設備の設置が不要である．

(3) 直流送電系統では，大地帰路電流による地中埋設物の電食や直流磁界に伴う地磁気測定への影響に注意を払う必要がある．

(4) 直流送電系統では，交流送電系統に比べ，事故電流を遮断器により遮断することが難しいため，事故電流の遮断に工夫が行われている．

(5) 一般に，直流送電系統の地絡事故時の電流は，交流送電系統に比べ小さいため，がいしの耐アーク性能が十分な場合，がいし装置からアークホーンを省くことができる．

問39 Check! □□□

（令和5年㊦ Ⓐ問題11）

直流送電に関する記述として，誤っているものを次の(1)～(5)のうちから一つ選べ．

(1) 系統連系のための直流送電では，交直変換所の設置が必要となる．

(2) 交流送電のような同期安定度の問題がないので，長距離送電に適している．

(3) 直流の高電圧大電流の遮断は，交流の場合より容易である．

(4) 直流は，変圧器で簡単に昇圧や降圧ができない．

(5) 交直変換器からは高調波が発生するので，フィルタ設置等の対策が必要である．

解38 解答 (2)

(2)の記述が誤りである.

交直変換装置では，順変換・逆変換のどちらにおいても高調波が発生するので，自励式・他励式を問わずフィルタの設置が必要である．また，直流送電系統では，無効電力を送電できないので，変換装置の形式を問わず調相設備が必要である.

ただし，自励式と比較すると，他励式のほうが調相設備・フィルタ設備とも大規模なものが必要である.

解39 解答 (3)

直流送電は，実効値が同じ交流送電よりも最大電圧が小さいため絶縁が容易であることや交流送電のような表皮効果がないこと，リアクタンスや静電容量の影響がないこと，安定度の問題がないため，長距離送電に適しているといった長所がある.

一方，直流送電は電流の零点がないため遮断が困難であること，交流系統と連系するためには交直変換所の設置が必要であり，変換器から発生する高調波対策が必要であること，交流の変圧器のように昇圧や降圧が容易にできないといった短所がある.

よって，(3)が誤りである.

問40 Check! □□□

(平成21年 Ⓐ問題9)

電力系統における直流送電について交流送電と比較した次の記述のうち，誤っているのはどれか．

(1) 直流送電線の送・受電端でそれぞれ交流－直流電力変換装置が必要であるが，交流送電のような安定度問題がないため，長距離・大容量送電に有利な場合が多い．

(2) 直流部分では交流のような無効電力の問題はなく，また，誘電体損がないので電力損失が少ない．そのため，海底ケーブルなど長距離の電力ケーブルの使用に向いている．

(3) 系統の短絡容量を増加させないで交流系統間の連系が可能であり，また，異周波数系統間連系も可能である．

(4) 直流電流では電流零点がないため，大電流の遮断が難しい．また，絶縁については，公称電圧値が同じであれば，一般に交流電圧より大きな絶縁距離が必要となる場合が多い．

(5) 交流－直流電力変換装置から発生する高調波・高周波による障害への対策が必要である．また，漏れ電流による地中埋設物の電食対策も必要である．

問41 Check! □□□

(平成24年 Ⓐ問題9)

直流送電に関する記述として，誤っているものを次の(1)～(5)のうちから一つ選べ．

(1) 直流送電線は，線路の回路構成をするうえで，交流送電線に比べて導体本数が少なくて済むため，同じ電力を送る場合，送電線路の建設費が安い．

(2) 直流は，変圧器で容易に昇圧や降圧ができない．

(3) 直流送電は，交流送電と同様にケーブル系統での充電電流の補償が必要である．

(4) 直流送電は，短絡容量を増大させることなく異なる交流系統の非同期連系を可能とする．

(5) 直流系統と交流系統の連系点には，交直変換所を設置する必要がある．

解40 解答 (4)

交流電圧は，1サイクルの間に実効値の $\sqrt{2}$ 倍の最大値が現れるので，最大値においても絶縁が保たれる必要があるが，直流は実効値と最大値が等しいので，公称電圧値が同じであれば，交流に比べて絶縁を $1/\sqrt{2}$ に低減できる利点がある．

また，遮断器で故障電流などの大電流を遮断する場合，交流電流においては，電流零点付近で電流が遮断されるが，直流電流は一定電流で電流零点がないので，電流遮断が交流に比べて著しく困難になる．

解41 解答 (3)

(3)の記述が誤りである．

直流送電では，静電容量の影響を受けず充電電流は流れないので，ケーブル系統でも充電電流の補償の必要はない．

問42 Check! □□□

(令和2年 A問題10)

次の文章は，架空送電線路に関する記述である．

架空送電線路の線路定数には，抵抗，作用インダクタンス，作用静電容量，[(ア)]コンダクタンスがある．線路定数のうち，抵抗値は，表皮効果により[(イ)]のほうが増加する．また，作用インダクタンスと作用静電容量は，線間距離 D と電線半径 r の比 D/r に影響される．D/r の値が大きくなれば，作用静電容量の値は[(ウ)]なる．

作用静電容量を無視できない中距離送電線路では，作用静電容量によるアドミタンスを1か所又は2か所にまとめる[(エ)]定数回路が近似計算に用いられる．このとき，送電端側と受電端側の2か所にアドミタンスをまとめる回路を[(オ)]形回路という．

上記の記述中の空白箇所(ア)～(オ)に当てはまる組合せとして，正しいものを次の(1)～(5)のうちから一つ選べ．

	(ア)	(イ)	(ウ)	(エ)	(オ)
(1)	漏れ	交流	小さく	集中	π
(2)	漏れ	交流	大きく	集中	π
(3)	伝達	直流	小さく	集中	T
(4)	漏れ	直流	大きく	分布	T
(5)	伝達	直流	小さく	分布	π

解42 解答 (1)

架空送電線路の線路定数には，抵抗，作用インダクタンス，作用静電容量，**漏れ**コンダクタンスがある．線路定数のうち，抵抗値は，表皮効果により**交流**のほうが増加する．また，作用インダクタンスと作用静電容量は，線間距離 D と電線半径 r の比 D/r に影響される．D/r の値が大きくなれば，作用静電容量の値は**小さく**なる．

作用静電容量を無視できない中距離送電線路では，作用静電容量によるアドミタンスを1か所または2か所にまとめる**集中**定数回路が近似計算に用いられる．このとき，送電端側と受電端側の2か所にアドミタンスをまとめる回路を π 形回路という．

作用インダクタンスおよび作用静電容量は，1線の中性点に対するインダクタンスおよび静電容量をいう．

送電線の抵抗は，表皮効果の影響により，直流抵抗より交流抵抗のほうが大きくなる．

作用インダクタンス L および作用静電容量 C はそれぞれ，

$$L = 0.05 + 0.4605 \log_{10} \frac{D}{r} \ [\mathrm{mH/km}]$$

$$C = \frac{0.02413}{\log_{10}(D/r)} \ [\mu\mathrm{F/km}]$$

で表せるから，D/r の値が大きくなれば作用静電容量はは小さくなり，作用インダクタンスは大きくなる．

短距離送電線路では一般に作用静電容量を無視し，抵抗と作用インダクタンスのみを考えるが，中距離送電線路では作用静電容量の影響を無視できなくなり，無視すると，誤差が大きくなる．

このため，中距離送電線路では，作用静電容量によるアドミタンス $\dot{Y}$ を2等分し，$\dot{Y}/2$ ずつを送電端および受電端に接続した π 形等価回路，または抵抗と作用インダクタンスからなる直列インピーダンス $\dot{Z}$ を線路中央で2等分し，線路中央にアドミタンス $\dot{Y}$ を接続したT形等価回路が用いられる．

π 形等価回路およびT形等価回路は，線路のある1点にインピーダンスやアドミタンスが存在すると考えた集中定数回路であるが，インピーダンスやアドミタンスが線路の1点に集中していることはなく，一般に，線路にわたって一様に分布している．長距離送電線路ではこのことが問題となり，π 形等価回路およびT形等価回路では，計算誤差が大きくなる．このため，線路の等価回路を分布定数回路として取り扱う必要があり，四端子定数回路が主として用いられる．

問43 Check! □□□

(平成 17 年 Ⓐ 問題 8)

架空送電線路の線路定数には，抵抗 R，作用インダクタンス L，作用静電容量 C 及び漏れコンダクタンス G がある．このうち，G は実用上無視できるほど小さい場合が多い．R の値は電線断面積が大きくなると小さくなり，温度が高くなれば (ア) なる．また，一般に電線の交流抵抗値は直流抵抗値より (イ) なる．L と C は等価線間距離 D と電線半径 r の比 (D/r) により大きく影響される．比 (D/r) の値が大きくなれば，L の値は (ウ) なり，C の値は (エ) なる．

上記の記述中の空白箇所(ア)，(イ)，(ウ)及び(エ)に記入する語句として，正しいものを組み合わせたのは次のうちどれか．

	(ア)	(イ)	(ウ)	(エ)
(1)	大きく	大きく	大きく	小さく
(2)	大きく	小さく	大きく	大きく
(3)	小さく	大きく	小さく	小さく
(4)	小さく	大きく	大きく	小さく
(5)	大きく	大きく	小さく	大きく

問44 Check! □□□

(平成 24 年 Ⓐ 問題 7)

送電線の送電容量に関する記述として，誤っているものを次の(1)～(5)のうちから一つ選べ．

(1) 送電線の送電容量は，送電線の電流容量や送電系統の安定度制約などで決定される．

(2) 長距離送電線の送電電力は，原理的に送電電圧の 2 乗に比例するため，送電電圧の格上げは，送電容量の増加に有効な方策である．

(3) 電線の太線化は，送電線の電流容量を増すことができるので，短距離送電線の送電容量の増加に有効な方策である．

(4) 直流送電は，交流送電のような安定度の制約がないため，理論上，送電線の電流容量の限界まで電力を送電することができるので，長距離・大容量送電に有効な方策である．

(5) 送電系統の中性点接地方式に抵抗接地方式を採用することは，地絡電流を効果的に抑制できるので，送電容量の増加に有効な方策である．

解43 解答 (1)

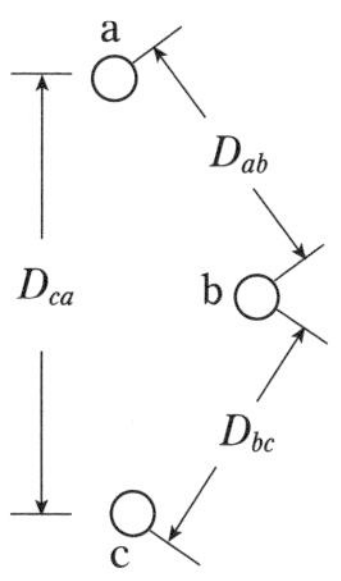

電線の抵抗は，抵抗の温度係数が正であるため，温度が高くなれば大きくなる．また表皮効果によって交流の場合は直流の場合より大きくなる．

電線の等価線間距離を D〔m〕，電線半径を r〔m〕とすると，電線１条の作用インダクタンス（中性点に対するインダクタンス）L は，

a
D_{ab}
D_{ca}
b
D_{bc}
c

$$L = 0.05 + 0.4605 \log_{10} \frac{D}{r} \text{〔mH/km〕}$$

で表せるから，インダクタンス L は，D/r の値が大きくなると，大きくなることがわかる．

また，１線の作用静電容量 C は，

$$C = \frac{0.02413}{\log_{10} \dfrac{D}{r}} \text{〔}\mu\text{F/km〕}$$

で表せるから，静電容量 C の値は，D/r の値が大きくなると小さくなることがわかる．

ここに，L および C の式の D は等価線間距離で，図のような三相３線式の場合，

$$D = \sqrt[3]{D_{ab} D_{bc} D_{ca}}$$

で計算される値をいう．

解44 解答 (5)

送電系統に中性点抵抗接地方式を用いれば，中性点直接接地方式に比べて地絡電流を抑制することができるが，接地方式の変更は，送電容量の増加に有効な方策とはならない．

問45 Check! □□□

(平成30年 A 問題10)

送配電系統における過電圧の特徴に関する記述として，誤っているものを次の(1)～(5)のうちから一つ選べ．

(1) 鉄塔又は架空地線が直撃雷を受けたとき，鉄塔の電位が上昇し，逆フラッシオーバが起きることがある．

(2) 直撃でなくても電線路の近くに落雷すれば，電磁誘導や静電誘導で雷サージが発生することがある．これを誘導雷と呼ぶ．

(3) フェランチ効果によって生じる過電圧は，受電端が開放又は軽負荷のとき，進み電流が線路に流れることによって起こる．この現象は，送電線のこう長が長いほど著しくなる．

(4) 開閉過電圧は，遮断器や断路器などの開閉操作によって生じる過電圧である．

(5) 送電線の1線地絡時，健全相に現れる過電圧の大きさは，地絡場所や系統の中性点接地方式に依存する．直接接地方式の場合，非接地方式と比較すると健全相の電圧上昇倍率が低く，地絡電流を小さくすることができる．

問46 Check! □□□

(平成17年 A 問題10)

送配電線路に接続する変圧器の中性点接地方式に関する記述として，誤っているのは次のうちどれか．

(1) 非接地方式は，高圧配電線路で広く用いられている．

(2) 消弧リアクトル接地方式は，電磁誘導障害が小さいという特長があるが，設備費は高めになる．

(3) 抵抗接地方式は，変圧器の中性点を100〔Ω〕から1〔kΩ〕程度の抵抗で接地する方式で，66〔kV〕から，154〔kV〕の送電線路に主に用いられている．

(4) 直接接地方式や低抵抗接地方式は，接地線に流れる電流が大きくなり，その結果として電磁誘導障害が大きくなりがちである．

(5) 直接接地方式は，変圧器の中性点を直接大地に接続する方式で，その簡便性から電圧の低い送電線路や配電線路に広く用いられている．

解45 解答 (5)

(5)が誤りである.

送電線の1線地絡時，中性点直接接地方式は，非接地方式をはじめとする他の接地方式に比べて地絡電流は最も大きくなるが，中性点が大地に直接接地されているので，中性点電圧上昇は小さく，健全相の対地電圧も常規対地電圧よりわずかに上昇するのみである.

解46 解答 (5)

中性点直接接地方式は問題文(4)の記述のように，1線地絡時の地絡電流が非常に大きくなり，付近の弱電流電線に大きな電磁誘導障害を及ぼすおそれがあり，市街地を通る電圧の低い送電線路や配電線路には用いられない. 一方，直接接地方式は1線地絡時の地絡電流は大きいが，健全相の対地電圧上昇がほとんどなく，送電線路や機器の絶縁レベルを低減できるので，187〔kV〕以上の超高圧送電線路に広く用いられている.

問47 Check! □□□

(平成22年 Ⓐ問題8)

一般に，三相送配電線に接続される変圧器は△–Y又はY–△結線されることが多く，Y結線の中性点は接地インピーダンス Z_n で接地される．この接地インピーダンス Z_n の大きさや種類によって種々の接地方式がある．中性点の接地方式に関する記述として，誤っているのは次のうちどれか．

(1) 中性点接地の主な目的は，1線地絡などの故障に起因する異常電圧（過電圧）の発生を抑制したり，地絡電流を抑制して故障の拡大や被害の軽減を図ることである．中性点接地インピーダンスの選定には，故障点のアーク消弧作用，地絡リレーの確実な動作などを勘案する必要がある．

(2) 非接地方式（$Z_n \to \infty$）では，1線地絡時の健全相電圧上昇倍率は大きいが，地絡電流の抑制効果が大きいのがその特徴である．わが国では，一般の需要家に供給する6.6〔kV〕配電系統においてこの方式が広く採用されている．

(3) 直接接地方式（$Z_n \to 0$）では，故障時の異常電圧（過電圧）倍率が小さいため，わが国では，187〔kV〕以上の超高圧系統に広く採用されている．

一方，この方式は接地が簡単なため，わが国の77〔kV〕以下の下位系統でもしばしば採用されている．

(4) 消弧リアクトル接地方式は，送電線の対地静電容量と並列共振するように設定されたリアクトルで接地する方式で，1線地絡時の故障電流はほとんど零に抑制される．このため，遮断器によらなくても地絡故障が自然消滅する．しかし，調整が煩雑なため近年この方式の新たな採用は多くない．

(5) 抵抗接地方式（Z_n = ある適切な抵抗値 R〔Ω〕）は，わが国では主として154〔kV〕以下の送電系統に採用されており，中性点抵抗により地絡電流を抑制して，地絡時の通信線への誘導電圧抑制に大きな効果がある．しかし，地絡リレーの検出機能が低下するため，何らかの対応策を必要とする場合もある．

解47 解答 (3)

(3)の記述が誤りである．

直接接地方式は，わが国では 187〔kV〕以上の超高圧系統にのみ採用されている．直接接地方式では，故障時（1 線地絡時）の健全相対地電圧上昇倍率は小さいが，地絡電流が非常に大きくなる（場合によっては短絡電流よりも大きくなることがある．）ので，77〔kV〕以下の系統には用いられない．77〔kV〕以下の系統では(5)の記述にあるように，抵抗接地方式が広く用いられている．

問48 Check! □□□ (平成23年 Ⓐ問題6)

架空送配電線路の誘導障害に関する記述として，誤っているものを次の(1)～(5)のうちから一つ選べ．

(1) 誘導障害には，静電誘導障害と電磁誘導障害とがある．前者は電力線と通信線や作業者などとの間の静電容量を介しての結合に起因し，後者は主として電力線側の電流経路と通信線や他の構造物との間の相互インダクタンスを介しての結合に起因する．

(2) 平常時の三相3線式送配電線路では，ねん架が十分に行われ，かつ，各電力線と通信線路や作業者などとの距離がほぼ等しければ，誘導障害はほとんど問題にならない．しかし，電力線のねん架が十分でも，一線地絡故障を生じた場合には，通信線や作業者などに静電誘導電圧や電磁誘導電圧が生じて障害の原因となることがある．

(3) 電力系統の中性点接地抵抗を高くすること及び故障電流を迅速に遮断することは，ともに電磁誘導障害防止策として有効な方策である．

(4) 電力線と通信線の間に導電率の大きい地線を布設することは，電磁誘導障害対策として有効であるが，静電誘導障害に対してはその効果を期待することはできない．

(5) 通信線の同軸ケーブル化や光ファイバ化は，静電誘導障害に対しても電磁誘導障害に対しても有効な対策である．

解48 解答 (4)

電力線と通信線の間に導電率の大きな（低抵抗な）地線（遮へい線）を布設することは，誘導障害低減の代表的な対策の一つであり，電磁誘導障害のみならず静電誘導障害に対しても十分な効果を期待することができる．

また，遮へい線による誘導障害対策は，送電線自体の変更を伴わないので，効率的な方法である．

問49 Check! □□□ （平成18年 Ⓐ問題6）

架空送電線路が通信線路に接近していると，通信線路に電圧が誘導されて設備やその取扱者に危害を及ぼす等の障害が生じるおそれがある．この障害を誘導障害といい，次の2種類がある．

① 架空送電線路の電圧により通信線路に誘導電圧を発生させる (ア) 障害.

② 架空送電線路の電流が，架空送電線路と通信線路間の (イ) を介して通信線路に誘導電圧を発生させる (ウ) 障害.

三相架空送電線路が十分にねん架されていれば，平常時は，電圧や電流によって通信線路に現れる誘導電圧は (エ) となるので0〔V〕となる．三相架空電線路に (オ) 事故が生じると，電圧や電流は不平衡になり，通信線路に誘導電圧が現れ，誘導障害が生じる．

上記の記述中の空白箇所(ア)，(イ)，(ウ)，(エ)及び(オ)に当てはまる語句として，正しいものを組み合わせたのは次のうちどれか．

	(ア)	(イ)	(ウ)	(エ)	(オ)
(1)	静電誘導	相互インダクタンス	電磁誘導	ベクトルの和	1線地絡
(2)	磁気誘導	誘導リアクタンス	ファラデー	ベクトルの差	2線地絡
(3)	磁気誘導	誘導リアクタンス	ファラデー	大きさの差	三相短絡
(4)	静電誘導	自己インダクタンス	電磁誘導	大きさの和	1線地絡
(5)	磁気誘導	相互インダクタンス	電荷誘導	ベクトルの和	三相短絡

解49 解答 (1)

架空送電線路と通信線路が，長距離にわたって近接していると，通信線路に大きな誘導電圧が発生して通信線路に障害を及ぼすことがある．これを誘導障害といい，静電誘導障害と電磁誘導障害がある．

(1) **静電誘導障害**

架空送電線路と通信線路との間の相互静電容量の不平衡による常時静電誘導電圧，1線地絡などの不平衡故障の際に生じる零相電圧による異常時静電誘導電圧がある．

(2) **電磁誘導障害**

架空送電線路と通信線路との間の相互インダクタンスの不平衡や常時負荷電流の各相の不平衡による常時電磁誘導電圧，1線地絡などの不平衡故障の際に流れる地絡電流による異常時電磁誘導電圧がある．

(3) **誘導障害低減対策**

誘導障害の低減対策として，次のような対策が講じられている．

(a) 架空送電線路と通信線路の間隔を大きくする．
(b) 架空送電線路を十分にねん架する．
(c) 通信線路に遮へい線を設ける．
(d) 通信線路に誘導遮へいケーブルを用いる．
(e) 通信線路を地中線化する．
(f) 高抵抗接地方式や消弧リアクトル接地方式を採用して地絡電流を制限する．

問50 Check! □□□

(平成28年 Ⓐ問題8)

次の文章は，誘導障害に関する記述である．

架空送電線路と通信線路とが長距離にわたって接近交差していると，通信線路に対して電圧が誘導され，通信設備やその取扱者に危害を及ぼすなどの障害が生じる場合がある．この障害を誘導障害といい，次の2種類がある．

① 架空送電線路の電圧によって，架空送電線路と通信線路間の (ア) を介して通信線路に誘導電圧を発生させる (イ) 障害．

② 架空送電線路の電流によって，架空送電線路と通信線路間の (ウ) を介して通信線路に誘導電圧を発生させる (エ) 障害．

架空送電線路が十分にねん架されていれば，通常は，架空送電線路の電圧や電流によって通信線路に現れる誘導電圧はほぼ0Vとなるが，架空送電線路で地絡事故が発生すると，電圧及び電流は不平衡になり，通信線路に誘導電圧が生じ，誘導障害が生じる場合がある．例えば，一線地絡事故に伴う (エ) 障害の場合，電源周波数をf，地絡電流の大きさをI，単位長さ当たりの架空送電線路と通信線路間の (ウ) をM，架空送電線路と通信線路との並行区間長をLとしたときに，通信線路に生じる誘導電圧の大きさは (オ) で与えられる．誘導障害対策に当たっては，この誘導電圧の大きさを考慮して検討の要否を考える必要がある．

上記の記述中の空白箇所(ア)，(イ)，(ウ)，(エ)及び(オ)に当てはまる組合せとして，正しいものを次の(1)～(5)のうちから一つ選べ．

	(ア)	(イ)	(ウ)	(エ)	(オ)
(1)	キャパシタンス	静電誘導	相互インダクタンス	電磁誘導	$2\pi fMLI$
(2)	キャパシタンス	静電誘導	相互インダクタンス	電磁誘導	$\pi fMLI$
(3)	キャパシタンス	電磁誘導	相互インダクタンス	静電誘導	$\pi fMLI$
(4)	相互インダクタンス	電磁誘導	キャパシタンス	静電誘導	$2\pi fMLI$
(5)	相互インダクタンス	静電誘導	キャパシタンス	電磁誘導	$2\pi fMLI$

解50 解答 (1)

架空送電線路が通信線路に及ぼす誘導障害には，次のような静電誘導障害と電磁誘導障害の二つがある．

(1) 静電誘導障害

送電線路の線路各相と通信線路との間に生じる静電容量の不平衡により通信線路に生じる誘導電圧による障害で，次のようなものである．

第1図のように，送電線路の各相と通信線路の間の静電容量を C_a，C_b，C_c，通信線路の対地静電容量を C_s とし，送電線各相の相電圧を $\dot{E}_a, \dot{E}_b, \dot{E}_c$ とすると，静電誘導により通信線路に生じる誘導電圧 $\dot{V}_s$ は次式で与えられる．

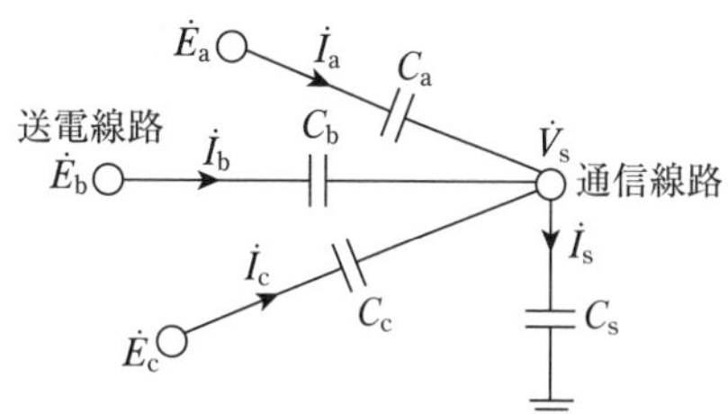

第1図　静電誘導障害

$$\dot{V}_s = \frac{C_a\dot{E}_a + C_b\dot{E}_b + C_c\dot{E}_c}{C_a + C_b + C_c + C_s} \tag{1}$$

架空送電線路が十分にねん架され，$C_a = C_b = C_c$ であれば，(1)式より，$\dot{E}_a + \dot{E}_b + \dot{E}_c = 0$ であるから誘導電圧は $\dot{V}_s = 0$ となる．

(2) 電磁誘導障害

送電線路に1線地絡故障などにより，大地を経由する故障電流が流れた際，送電線路と通信線路間の相互インダクタンスにより，通信線路に生じる誘導電圧による障害で，次のようなものである．

第2図のように，単位長さ当たりの送電線路と通信線路との間の相互インダクタンスを M，送電線路と通信線路との並行区間長を L，送電線に流れる電流を $\dot{I}_a$，$\dot{I}_b$，$\dot{I}_c$ とすると，静電誘導により通信線路に生じる誘導電圧 $\dot{E}$ は次式で与えられる．

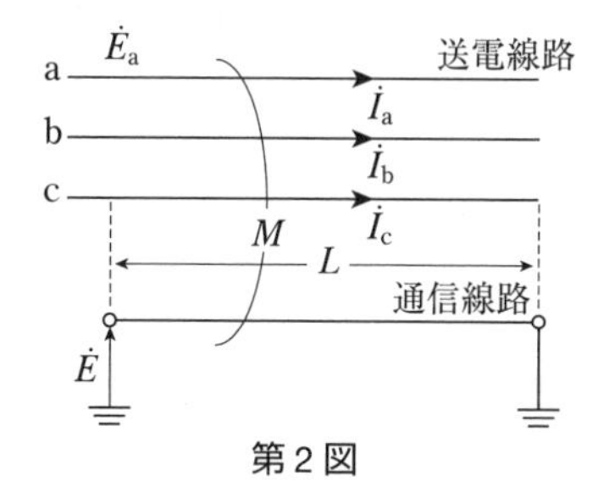

第2図

$$\dot{E} = -\mathrm{j}\omega ML(\dot{I}_a + \dot{I}_b + \dot{I}_c) \tag{2}$$

送電線路が健全状態である場合，線電流 $\dot{I}_a$，$\dot{I}_b$，$\dot{I}_c$ が不平衡であっても，$\dot{I}_a + \dot{I}_b + \dot{I}_c = 0$ であるから，誘導電圧は $\dot{E} = 0$ であるが，1線地絡や2線地絡などの故障が発生して，$\dot{I}_a + \dot{I}_b + \dot{I}_c \neq 0$ となる場合，(2)式で表される誘導電圧 $\dot{E}$ が発生する．

問51 Check! □□□ (平成24年 Ⓐ問題12)

送配電線路のフェランチ効果に関する記述として，誤っているものを次の(1)~(5)のうちから一つ選べ．

(1) 受電端電圧の方が送電端電圧より高くなる現象である．

(2) 線路電流が大きい場合より著しく小さい場合に生じることが多い．

(3) 架空送配電線路の負荷側に地中送配電線路が接続されている場合に生じる可能性が高くなる．

(4) 線路電流の位相が電圧に対して遅れている場合に生じることが多い．

(5) 送配電線路のこう長が短い場合より長い場合に生じることが多い．

問52 Check! □□□ (令和4年㊤ Ⓐ問題9)

送電線路のフェランチ効果に関する記述として，誤っているものを次の(1)~(5)のうちから一つ選べ．

(1) 受電端電圧の方が送電端電圧よりも高くなる現象である．

(2) 短距離送電線路よりも，長距離送電線路の方が発生しやすい．

(3) 無負荷や軽負荷の場合よりも，負荷が重い場合に発生しやすい．

(4) フェランチ効果発生時の線路電流の位相は，電圧に対して進んでいる．

(5) 分路リアクトルの運転により防止している．

解51 解答 (4)

⑷の記述が誤りである.

フェランチ効果の発生原因は線路の誘導リアクタンス jx に進み電流 jI が流れることにより生じる電圧降下（$jx \cdot jI = -xI$）が負となることであるから，線路電流の位相が電圧に対して遅れている場合に生ずるのではなく，線路電流の位相が電圧に対して進んでいる場合に生じる.

解52 解答 (3)

高電圧階級の送電線路や長距離送電線は線路の静電容量が大きいため，受電端開放時や軽負荷時には電圧位相に対して進み位相成分の電流が線路リアクタンスに流れて線路で負の電圧降下が生じ，受電端電圧が送電端電圧より大きくなるフェランチ効果が生じる．これを抑制するためには受電端に近い箇所で分路リアクトルを運転すること等により線路リアクタンスに遅れ位相成分の電流を重畳し，線路リアクタンスに流れる進み位相成分の電流を相殺し低減することが有効である.

もし送電端に近い箇所に分路リアクトルを設置した場合，送電端電圧を下げることにより受電端電圧も同じ程度下がるという効果はあるものの，送電端よりも下流側の線路に流れる電流の進み位相成分を相殺し受電端電圧を下げる効果はないのでフェランチ効果を抑えられないうえに，線路電流を最小化できないため，線路抵抗による送電損失を軽減できず，不経済である.

問53 Check! □□□

(平成19年 Ⓐ問題9)

交流送電線の受電端電圧値は送電端電圧値より低いのが普通である．しかし，線路電圧が高く，こう長が ㈠ なると，受電端が開放又は軽負荷の状態では，線路定数のうち ㈡ の影響が大きくなり，㈢ 電流が線路に流れる．このため，受電端電圧値は送電端電圧値より大きくなることがある．これを ㈣ 現象という．このような現象を抑制するために，㈤ を接続するなどの対策が講じられる．

上記の記述中の空白箇所㈠，㈡，㈢，㈣及び㈤に記入する語句として，正しいものを組み合わせたのは次のうちどれか．

	㈠	㈡	㈢	㈣	㈤
(1)	短く	静電容量	進み	フェランチ	直列リアクトル
(2)	長く	インダクタンス	遅れ	自己励磁	直列コンデンサ
(3)	長く	静電容量	遅れ	自己励磁	分路リアクトル
(4)	長く	静電容量	進み	フェランチ	分路リアクトル
(5)	短く	インダクタンス	遅れ	フェランチ	進相コンデンサ

解53 解答 (4)

送電線路に進み電流が流れると，ベクトル図で示すように，受電端電圧 $\dot{E}_r$ が送電端電圧 $\dot{E}_s$ より高くなることがある．これをフェランチ効果という．

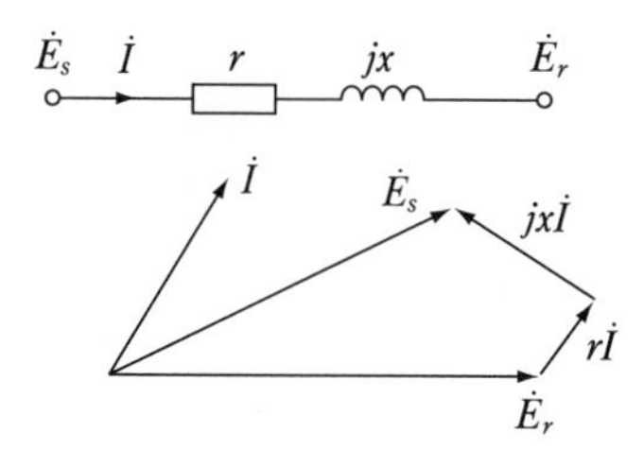

フェランチ効果は，線路電圧が高いほど，送電線路のこう長が長いほど発生しやすい．

フェランチ効果を防止するには，線路に進み電流を流さないようにすればよく，分路リアクトルなどが設置される．

問54 Check! □□□ （令和２年 Ⓐ問題６）

架空送電線路に関連する設備に関する記述として，誤っているものを次の(1)～(5)のうちから一つ選べ.

(1) 電線に一様な微風が吹くと，電線の背後に空気の渦が生じて電線が上下に振動するサブスパン振動が発生する．振動エネルギーを吸収するダンパを電線に取り付けることで，この振動による電線の断線防止が図られている．

(2) 超高圧の架空送電線では，スペーサを用いた多導体化により，コロナ放電の抑制が図られている．スペーサはギャロッピングの防止にも効果的である．

(3) 架空送電線を鉄塔などに固定する絶縁体としてがいしが用いられている．アークホーンをがいしと併設することで，雷撃等をきっかけに発生するアーク放電からがいしを保護することができる．

(4) 架空送電線への雷撃を防止するために架空地線が設けられており，遮へい角が小さいほど雷撃防止の効果が大きい．

(5) 鉄塔又は架空地線に直撃雷があると，鉄塔から送電線へ逆フラッシオーバが起こることがある．埋設地線等により鉄塔の接地抵抗を小さくすることで，逆フラッシオーバの抑制が図られている．

解54 解答 (1)

(1)が誤りである．

電線に一様な微風が吹くと，電線の背後に空気の渦（カルマン渦という）が生じて電線が上下に振動する現象を微風振動という．長径間で電線が軽い場合や電線張力が高いときに特に問題となり，微風振動によって上下方向の曲げ疲労が生じ，素線切れや断線に至ることもある．

微風振動の対策としては，電線にダンパを取り付ける方法や電線にアーマロッドを取り付ける方法などがある．

サブスパン振動は多導体に特有なもので，素導体が空気力学的に不安定になるために起きる自励振動である．

問55 Check! □□□

(平成25年 Ⓐ問題8)

架空送電線路の構成要素に関する記述として，誤っているものを次の(1)～(5)のうちから一つ選べ．

(1) 鋼心アルミより線(ACSR)：中心に亜鉛メッキ鋼より線を配置し，その周囲に硬アルミ線を同心円状により合わせた電線．

(2) アーマロッド：クランプ部における電線の振動疲労防止対策及び溶断防止対策として用いられる装置．

(3) ダンパ：微風振動に起因する電線の疲労，損傷を防止する目的で設置される装置．

(4) スペーサ：多導体方式において，負荷電流による電磁吸引力や強風などによる電線相互の接近・衝突を防止するために用いられる装置．

(5) 懸垂がいし：電圧階級に応じて複数個を連結して使用するもので，棒状の絶縁物の両側に連結用金具を接着した装置．

解55 解答 (5)

架空送電線路の構成要素とその構造や用途に関する設問である.

(1) 鋼心アルミより線 (ACSR)

亜鉛めっきより鋼を中心に，その周囲に硬アルミ線をより合わせている．アルミの特性を活かしながら鋼心で耐張力を持たせている．設問の記述は正しい.

鋼心アルミより線の導体として使われているアルミは軽量であるため，銅と比較して同重量の線材の場合にアルミの方が太く，電気抵抗は小さくできる．太いとコロナ特性が良くなるため，超高圧送電線に適する．軽量であるため，弛度が小さくなり，鉄塔間隔を大きくとれる.

(2) アーマロッド

懸垂クランプ付近の電線の外周に巻きつけて補強するもので，クランプ部における電線の素線切れ防止のために用いられる．設問の記述は正しい.

(3) ダンパ

風などの振動で電線が疲労しないよう設置される．ねじれ防止ダンパともいう．設問の記述は正しい.

(4) スペーサ

多導体の導体間の間隔を保持する目的で設置される．設問の記述は正しい.

多導体方式は，超高圧では電線が太い方がコロナ特性が良くなるため，実効断面積を大きくする目的で使われる.

(5) 懸垂がいし

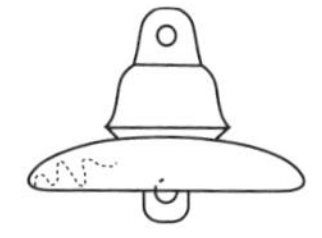

懸垂がいしは図に示すように傘状の磁器で，傘下はひだ状になっている．棒状の絶縁物ではなく，設問の記述は誤っている.

問56 Check! □□□

(令和5年㊦ Ⓐ問題8)

架空送電線路の構成要素に関する記述として，誤っているものを次の(1)～(5)のうちから一つ選べ．

(1) アークホーン：がいしの両端に設けられた金属電極をいい，雷サージによるフラッシオーバの際生じるアークを電極間に生じさせ，がいし破損を防止するものである．

(2) トーショナルダンパ：着雪防止が目的で電線に取り付ける．風による振動エネルギーで着雪を防止し，ギャロッピングによる電線間の短絡事故などを防止するものである．

(3) アーマロッド：電線の振動疲労防止や，アークによる電線損傷，溶断防止のため，クランプ付近の電線に同一材質の金属を巻き付けるものである．

(4) 相間スペーサ：強風による電線相互の接近及び衝突を防止するため，電線相互の間隔を保持する器具として取り付けるものである．

(5) 埋設地線：塔脚の地下に放射状に埋設された接地線，あるいは，いくつかの鉄塔を地下で連結する接地線をいい，鉄塔の塔脚接地抵抗を小さくし，逆フラッシオーバを抑止する目的等のため取り付けるものである．

解56 解答 (2)

トーショナルダンパは，微風振動対策として電線に取り付けられるものである．

比較的ゆるやかな風が架空電線に直角に吹くと，電線の背後にカルマン渦が生じ，電線が上下に振動し，これを微風振動という．この振動が長期間継続すると，電線は支持点で繰り返し応力を受けて疲労断線するようになる．トーショナルダンパのほかには，ストックブリッジダンパなどがある．

ギャロッピングは，着氷雪によって電線の断面が非対称となり，これに風が当たると揚力が発生し，自励振動を生じて電線が上下に振動する現象であり，相間短絡や素線切れを起こすおそれがある．これを防ぐために，相間スペーサの取付や難着雪リングの採用などが行われている．

よって，(2)が誤りである．

問57 Check! □□□

（令和４年㊦ Ⓐ 問題８）

架空送電線路の構成要素に関する記述として，誤っているものを次の(1)～(5)のうちから一つ選べ．

(1) アークホーン：がいしの両端に設けられた金属電極をいい，雷サージによるフラッシオーバの際生じるアークを電極間に生じさせ，がいし破損を防止するものである．

(2) トーショナルダンパ：着雪防止が目的で電線に取り付ける．風による振動エネルギーで着雪を防止し，ギャロッピングによる電線間の短絡事故などを防止するものである．

(3) アーマロッド：電線の振動疲労防止やアークスポットによる電線溶断防止のため，クランプ付近の電線に同一材質の金属を巻き付けるものである．

(4) 相間スペーサ：強風などによる電線相互の接近及び衝突を防止するため，電線相互の間隔を保持する器具として取り付けるものである．

(5) 埋設地線：塔脚の地下に放射状に埋設された接地線，あるいは，いくつかの鉄塔を地下で連結する接地線をいい，鉄塔の塔脚接地抵抗を小さくし，逆フラッシオーバを抑止する目的等のため取り付けるものである．

解57 解答 (2)

電線振動とその防止対策には次のようなものがある.

① トーショナルダンパ (torsional (ひねり) damper)

第1図は電線の振動を抑制するために設置するもの. なす形のおもりを互いに反対方向に取り付けたもので, 風による電線の上下振動をひねり振動に変えて振動エネルギーを吸収することで電線の振動を抑制する. ダブルトーショナルダンパと名付けられている. 語源は, ひねり (トーション) が, 電線とダンパケーブル (二つのおもりを支持するケーブル) の二つあることからである.

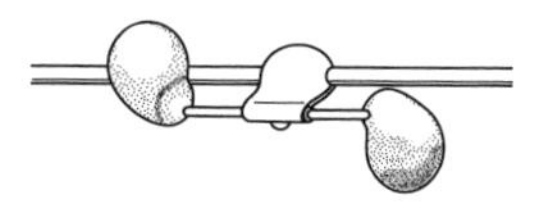

第1図 トーショナルダンパ

電線振動を抑制するという機能をもつものとしてほかに, ストックブリッジダンパ (stockbridge damper) (第2図), バイブレスダンパ, ベートダンパ (クリスマスツリー形ダンパ) がある.

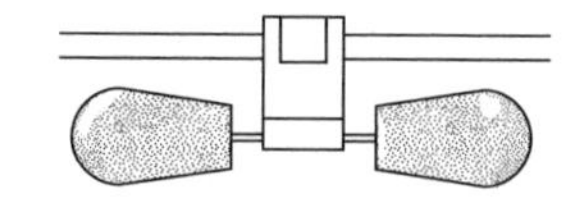

第2図 ストックブリッジダンパ

② 微風振動

鋼心アルミより線 (ACSR) のように比較的軽い電線に, 電線と直角方向に数 m/s 程度の微風を一様に受け, 電線の背後に渦 (カルマン渦) を生じ電線に上下交互の圧力が加わる. これが電線の固有振動数に共振して電線が上下に振動する現象. 平地で長径間, 張力の大きい箇所, 直径の大きい割に軽い電線 (HDCC : 硬銅線よりも, ACSR : 鋼心アルミより線や, TACSR : 鋼心耐熱アルミ合金より線), 早朝や日没時に発生しやすい.

影響 : 長時間継続すると電線が疲労劣化し, 電線支持点付近で断線する.

対策 : 振動エネルギーを吸収させるため適切な位置にダンパを設置する, 電線支持点付近の電線をアーマロッドで補強する, 長径間の送電線施設を回避するなど.

③ ギャロッピング (galloping)

電線に雪や氷が付着した状態で強風が吹き寄せたとき, 電線に揚力が働き自励振動を生じて, 通常の強風では生じないほど上下・水平方向に大きく振動する現象. 多導体または太い電線に発生しやすい.

影響 : 相間短絡事故となる.

対策 : 電線に各種ダンパを取り付けて振動エネルギーを吸収, 各相の電線が接触して短絡事故とならないよう電線に相間スペーサを取り付けるなど.

問58 Check! □□□

(平成20年 Ⓐ問題9)

架空送電線路の構成要素に関する記述として，誤っているのは次のうちどれか．

(1) アークホーン：がいしの両端に設けられた金属電極をいい，雷サージによるフラッシオーバの際生じるアークを電極間に生じさせ，がいし破損を防止するものである．

(2) トーショナルダンパ：着雪防止が目的で電線に取り付ける．風による振動エネルギーで着雪を防止し，ギャロッピングによる電線間の短絡事故などを防止するものである．

(3) アーマロッド：電線の振動疲労防止やアークスポットによる電線溶断防止のため，クランプ付近の電線に同一材質の金属を巻き付けるものである．

(4) 相間スペーサ：強風による電線相互の接近及び衝突を防止するため，電線相互の間隔を保持する器具として取り付けるものである．

(5) 埋設地線：塔脚の地下に放射状に埋設された接地線，あるいは，いくつかの鉄塔を地下で連結する接地線をいい，鉄塔の塔脚接地抵抗を小さくし，逆フラッシオーバを抑止する目的等のため取り付けるものである．

解58 解答 (2)

トーショナルダンパは，微風振動対策として電線に取り付けられるもので，着雪防止が目的ではなく，(2)が誤りである．

比較的ゆるやかな風が架空電線に直角に吹くと，電線の背後に渦（カルマン渦）が生じ，電線が上下に振動する．これを微風振動といい，この振動が長期間継続すると，電線は支持点で繰り返し応力を受けて疲労断線するようになる．これを防止する目的で設置されるのがトーショナルダンパで，ほかにストックブリッジダンパ，ベートダンパなどがある．

また，電線と同種の線で適当なテーパを有する1～3〔m〕のもの8～10本を電線支持点付近でよりの方向に巻き付けて電線を補強するアーマロッドなども微風振動対策として用いられている．

問59 Check! □□□

(令和元年 Ⓐ問題 9)

架空送電線路の構成部品に関する記述として，誤っているものを次の(1)〜(5)のうちから一つ選べ．

(1) 鋼心アルミより線は，アルミ線を使用することで質量を小さくし，これによる強度の不足を，鋼心を用いることで補ったものである．

(2) 電線の微風振動やギャロッピングを抑制するために，電線にダンパを取り付け，振動エネルギーを吸収する方法がとられる．

(3) がいしは，電線と鉄塔などの支持物との間を絶縁するために使用する．雷撃などの異常電圧による絶縁破壊は，がいし内部で起こるように設計されている．

(4) 送電線やがいしを雷撃などの異常電圧から保護するための設備に架空地線がある．架空地線には，光ファイバを内蔵し電力用通信線として使用されるものもある．

(5) 架空送電線におけるねん架とは，送電線各相の作用インダクタンスと作用静電容量を平衡させるために行われるもので，ジャンパ線を用いて電線の配置を入れ替えることができる．

解59 解答 (3)

⑶が誤りである．

がいしは，電線と鉄塔などの支持物との間を絶縁するために使用するが，雷撃などの異常電圧による絶縁破壊は，がいし内部で起こるように設計されているわけではない．がいしは，一般に空気中においては，表面フラッシオーバを起こす前に磁器絶縁層を通じて破壊放電を起こすことがないように設計される．

問60 Check! □□□

(平成29年 Ⓐ問題9)

次の文章は，架空送電に関する記述である．

鉄塔などの支持物に電線を固定する場合，電線と支持物は絶縁する必要がある．その絶縁体として代表的なものに懸垂がいしがあり，[(ア)]に応じて連結数が決定される．

送電線への雷の直撃を避けるために設置される[(イ)]を架空地線という．架空地線に直撃雷があった場合，鉄塔から電線への逆フラッシオーバを起こすことがある．これを防止するために，鉄塔の[(ウ)]を小さくする対策がとられている．

発電所や変電所などの架空電線の引込口や引出口には避雷器が設置される．避雷器に用いられる酸化亜鉛素子は[(エ)]抵抗特性を有し，雷サージなどの異常電圧から機器を保護する．

上記の記述中の空白箇所(ア)，(イ)，(ウ)及び(エ)に当てはまる組合せとして，正しいものを次の(1)～(5)のうちから一つ選べ．

	(ア)	(イ)	(ウ)	(エ)
(1)	送電電圧	裸電線	接地抵抗	非線形
(2)	送電電圧	裸電線	設置間隔	線形
(3)	許容電流	絶縁電線	設置間隔	線形
(4)	許容電流	絶縁電線	接地抵抗	非線形
(5)	送電電圧	絶縁電線	接地抵抗	非線形

問61 Check! □□□

(平成18年 Ⓐ問題7)

送配電線路に使用するがいしの性能を表す要素として，特に関係のない事項は次のうちどれか．

(1) 系統短絡電流

(2) フラッシオーバ電圧

(3) 汚損特性

(4) 油中破壊電圧

(5) 機械的強度

解60 解答（1）

電線と支持物の絶縁にはがいしが用いられる．がいしには，ピンがいし，懸垂がいし，長幹がいし，ラインポストがいしなどがあり，がいしの連結個数は送電線の使用電圧によって決定される．

送電線路が雷の直撃を避けるために鉄塔頂部に１条または２条施設される裸電線を架空地線という．

鉄塔頂部または径間の架空地線が雷撃を受けると，そのときの雷撃電流と塔脚接地抵抗または鉄塔インピーダンスとの積で決まる瞬時的鉄塔電位上昇が発生する．これが極めて大きい場合，接地側から電線へ向かってフラッシオーバすることがある．鉄塔から電線にフラッシオーバする場合を鉄塔逆フラッシオーバといい，架空地線の径間中央部の雷撃により，架空地線の雷撃点から電線へフラッシオーバする場合を径間逆フラッシオーバという．

逆フラッシオーバを防止するには，塔脚接地抵抗をできるだけ小さくすることが求められる．

発変電所などの架空電線の引込口や引出口にはサージ電圧から機器の絶縁を保護するため避雷器が設置される．避雷器には，抵抗の非直線性に優れた酸化亜鉛（ZnO）素子が用いられており，その特性から直列ギャップを必要とせず，このような避雷器はギャップレス避雷器と呼ばれている．

解61 解答（1）

系統短絡電流は，がいしの性能に特に関係ない．

問62　Check! □□□

（令和５年㊦　Ⓐ問題９）

次の文章は，送電線路における架空地線に関する記述である．

送電線路の鉄塔の上部に十分な強さをもった ［(ア)］ を張り，鉄塔を通じて接地したものを架空地線といい，送電線への直撃雷を防止するために設置される．

図において，架空地線と送電線とを結ぶ直線と，架空地線から下ろした鉛直線との間の角度 θ を ［(イ)］ と呼んでいる．この角度が ［(ウ)］ ほど直撃雷を防止する効果が大きい．

架空地線や鉄塔に直撃雷があった場合，鉄塔から送電線に ［(エ)］ を生じることがある．これを防止するために，鉄塔の接地抵抗を小さくするような対策が講じられている．

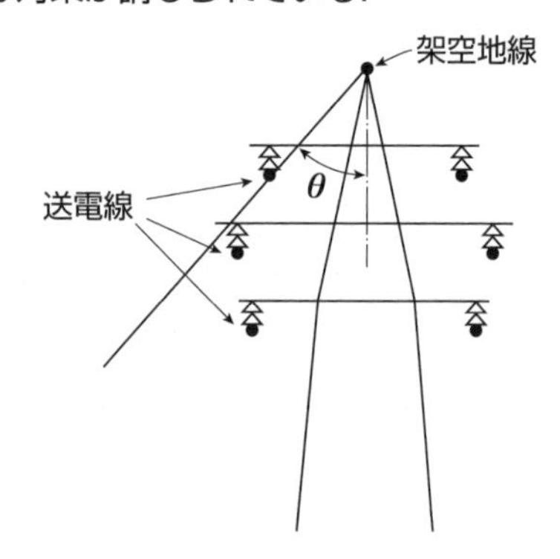

上記の記述中の空白箇所(ア)～(エ)に当てはまる組合せとして，正しいものを次の(1)～(5)のうちから一つ選べ．

	(ア)	(イ)	(ウ)	(エ)
(1)	裸線	遮へい角	小さい	逆フラッシオーバ
(2)	絶縁電線	遮へい角	大きい	進行波
(3)	裸線	進入角	小さい	進行波
(4)	絶縁電線	進入角	大きい	進行波
(5)	裸線	進入角	大きい	逆フラッシオーバ

解62 解答 (1)

送電線路の鉄塔上部に十分な強さをもった**裸線**を張り，鉄塔を通じて接地したものを架空地線（グラウンドワイヤ (Ground Wire) の頭文字をとってGWと称されることも多い）といい，送電線への直撃雷を防止するために設置される．設問の図のθを**遮へい角**と呼んでおり，この角度が**小さい**ほど直撃雷を防止する効果が大きく，重要系統では架空地線を2条以上とすることでθを小さくさせている．

架空地線や鉄塔に直撃雷があった場合，鉄塔の電位が上昇し，鉄塔から送電線への**逆フラッシオーバ**が生じることがある．これを防止するため，鉄塔の接地抵抗を小さくするような対策（埋設地線の布設など）を行っている．

問63 Check! □□□

(平成30年 Ⓐ問題9)

次の文章は，架空送電線の多導体方式に関する記述である．

送電線において，1相に複数の電線を [(ア)] を用いて適度な間隔に配置したものを多導体と呼び，主に超高圧以上の送電線に用いられる．多導体を用いることで，電線表面の電位の傾きが [(イ)] なるので，コロナ開始電圧が [(ウ)] なり，送電線のコロナ損失，雑音障害を抑制することができる．

多導体は合計断面積が等しい単導体と比較すると，表皮効果が [(エ)]．また，送電線の [(オ)] が減少するため，送電容量が増加し系統安定度の向上につながる．

上記の記述中の空白箇所(ア)，(イ)，(ウ)，(エ)及び(オ)に当てはまる組合せとして，正しいものを次の(1)〜(5)のうちから一つ選べ．

	(ア)	(イ)	(ウ)	(エ)	(オ)
(1)	スペーサ	大きく	低く	大きい	インダクタンス
(2)	スペーサ	小さく	高く	小さい	静電容量
(3)	シールドリング	大きく	高く	大きい	インダクタンス
(4)	スペーサ	小さく	高く	小さい	インダクタンス
(5)	シールドリング	小さく	低く	大きい	静電容量

解63 解答 (4)

超高圧送電線に用いられる多導体（複導体）送電線とは，1 相に 2 条～ 8 条の複数電線を用いた送電線で，負荷電流による電磁吸引力や強風による電線相互の接触を防止し，電線相互の間隔を保持するため 20 m ～ 90 m の間隔でスペーサが取り付けられる．

多導体方式では，単導体に比べ等価的に電線半径が増加することにより，電線表面の電位傾度が低減する．これにより，コロナ開始電圧が高くなり，コロナ損やコロナ雑音を抑制することができる．

また，多導体はその合計断面積が等しい単導体と比較すると，表皮効果の影響を受けにくく，線路インダクタンスが減少するので，単導体に比べて送電容量を増加することができるという利点を有している．

問64 Check! □□□

(平成26年 Ⓐ問題8)

架空送電線路の雷害対策に関する記述として，誤っているものを次の(1)〜(5)のうちから一つ選べ．

(1) 直撃雷から架空送電線を遮へいする効果を大きくするためには，架空地線の遮へい角を小さくする．

(2) 送電用避雷装置は雷撃時に発生するアークホーン間電圧を抑制できるので，雷による事故を抑制できる．

(3) 架空地線を多条化することで，架空地線と電力線間の結合率が増加し，鉄塔雷撃時に発生するアークホーン間電圧が抑制できるので，逆フラッシオーバの発生が抑制できる．

(4) 二回線送電線路で，両回線の絶縁に格差を設け，二回線にまたがる事故を抑制する方法を不平衡絶縁方式という．

(5) 鉄塔塔脚の接地抵抗を低減させることで，電力線への雷撃に伴う逆フラッシオーバの発生を抑制できる．

問65 Check! □□□

(平成20年 Ⓐ問題10)

送配電線路や変電所におけるがいしの塩害とその対策に関する記述として，誤っているのは次のうちどれか．

(1) がいしの塩害による地絡事故は，雷害による地絡事故と比べて再閉路に失敗する場合の割合が多い．

(2) がいしの塩害は，フラッシオーバ事故に至らなくても可聴雑音や電波障害の原因にもなる．

(3) がいしの塩害発生は，海塩等の水溶性電解質物質の付着密度だけでなく，塵埃(じんあい)などの不溶性物質の付着密度にも影響される．

(4) がいしの塩害に対する基本的な対策は，がいしの沿面距離を伸ばすことや，がいし連の直列連結個数を増やすことである．

(5) がいしの塩害対策として，絶縁電線の採用やがいしの洗浄，がいし表面へのはっ水性物質の塗布等がある．

解64 解答 (5)

(5)が誤りである.

逆フラッシオーバには鉄塔逆フラッシオーバと径間逆フラッシオーバがある.

鉄塔または架空地線が雷の直撃を受けたとき，鉄塔を流れる雷撃電流 I と塔脚接地抵抗 R との積 RI により鉄塔電位が上昇し，この値が，がいし連の衝撃フラッシオーバ電圧より高い場合，鉄塔から電力線に向かってフラッシオーバを生じることがある．これを鉄塔逆フラッシオーバという.

また，架空地線の径間中央部に雷撃を生じ，雷撃点と電力線との電位差が架空地線と電力線との間の衝撃フラッシオーバ電圧より高い場合，架空地線の雷撃点から電力線に向かってフラッシオーバを生じることがある．これを径間逆フラッシオーバという.

塔脚接地抵抗の低減は逆フラッシオーバの対策に有効であるが，電力線への雷撃に伴うのは，逆フラッシオーバではなくフラッシオーバである.

解65 解答 (5)

絶縁電線の採用は，がいしの塩害対策には無関係であるので，(5)が誤りである.

問66 Check! □□□

(平成19年 Ⓐ問題8)

架空送電線路の架空地線に関する記述として，誤っているのは次のうちどれか．

(1) 架空地線は，架空送電線への直撃雷及び誘導雷を防止することができる．

(2) 架空地線の遮へい角が小さいほど，直撃雷から架空送電線を遮へいする効果が大きい．

(3) 架空地線は，近くの弱電流電線に対し，誘導障害を軽減する働きもする．

(4) 架空地線には，通信線の機能を持つ光ファイバ複合架空地線も使用されている．

(5) 架空地線に直撃雷が侵入した場合，雷電流は鉄塔の接地抵抗を通じて大地に流れる．接地抵抗が大きいと，鉄塔の電位を上昇させ，逆フラッシオーバが起きることがある．

問67 Check! □□□

(平成27年 Ⓐ問題9)

架空送電線路のがいしの塩害現象及びその対策に関する記述として，誤っているものを次の(1)～(5)のうちから一つ選べ．

(1) がいし表面に塩分等の導電性物質が付着した場合，漏れ電流の発生により，可聴雑音や電波障害が発生する場合がある．

(2) 台風や季節風などにより，がいし表面に塩分が急速に付着することで，がいしの絶縁が低下して漏れ電流の増加やフラッシオーバが生じ，送電線故障を引き起こすことがある．

(3) がいしの塩害対策として，がいしの洗浄，がいし表面へのはっ水性物質の塗布の採用や多導体方式の適用がある．

(4) がいしの塩害対策として，雨洗効果の高い長幹がいし，表面漏れ距離の長い耐霧がいしや耐塩がいしが用いられる．

(5) 架空送電線路の耐汚損設計において，がいしの連結個数を決定する場合には，送電線路が通過する地域の汚損区分と電圧階級を加味する必要がある．

解66 解答 (1)

架空地線は主として直撃雷に対する遮へいであり，架空地線を2条にしたり，遮へい角を小さくするなどによってその遮へい率を100〔%〕近くにすることができるが，誘導雷については異常電圧を低減することはできても，これを防ぐことはできない．

解67 解答 (3)

(3)が誤りである．

がいしの洗浄やがいし表面へのはっ水性物質の塗布は，がいしの塩害対策としてよく用いられるが，電線の多導体方式の適用は，がいしの塩害対策には無関係であるので，この部分の記述が誤りである．

問68 Check! □□□

(令和３年 Ⓐ問題 10)

次の文章は，がいしの塩害とその対策に関する記述である．

風雨などによってがいし表面に塩分が付着すると，[(ア)]が発生することがあり，可聴雑音や電波障害，フラッシオーバの原因となる．これをがいしの塩害という．がいしの塩害対策は，塩害の少ない送電ルートの選定，がいしの絶縁強化，がいしの洗浄，がいし表面への[(イ)]性物質の塗布が挙げられる．

懸垂がいしにおいて，絶縁強化を図るには，がいしを[(ウ)]に連結する個数を増やす方法や，がいしの表面漏れ距離を[(エ)]する方法が用いられる．

また，懸垂がいしと異なり，棒状磁器の両端に連結用金具を取り付けた形状の[(オ)]がいしは，雨洗効果が高く，塩害に対し絶縁性が高い．

上記の記述中の空白箇所(ア)～(オ)に当てはまる組合せとして，正しいものを次の(1)～(5)のうちから一つ選べ．

	(ア)	(イ)	(ウ)	(エ)	(オ)
(1)	漏れ電流	はっ水	直列	長く	長幹
(2)	過電圧	吸湿	直列	短く	ピン
(3)	漏れ電流	吸湿	並列	短く	長幹
(4)	過電圧	はっ水	並列	長く	長幹
(5)	漏れ電流	はっ水	直列	短く	ピン

解68 解答 (1)

がいしは，台風による塩害，季節風による塩害，ばい煙などによってがいしの表面が汚損され，濃霧や小雨などによって表面が湿潤状態になると，がいしの絶縁が低下して漏れ電流が増加し，常規電圧でもフラッシオーバを生じるようになる．これを塩じん害という．塩じん害の対策としては，次のようなことがあげられる．

① 過絶縁（がいしの絶縁強化）

懸垂がいしの連結個数を直列に増加するなどによって，がいしの表面漏れ距離を長くする．

② 耐塩じんがいしの採用

スモッグがいしや長幹がいしなど耐塩じん特性の良好ながいしを採用する．

③ 活線洗浄

充電状態のまま手動または自動注水装置によって注水洗浄を行い，がいしを常に一定の汚損度以下に維持しようとするもの．

④ シリコン塗布

がいしの表面に水をはじく性質のあるシリコーンコンパウンドを塗布するものであるが，塗布物質の寿命が短いため，塗り換え作業が必要となる．

⑤ 送電ルートの選定

送電線路の選定の際，塩じん害の危険性のあるルート以外のルートを選定する．

問69 Check! □□□

(令和6年㊤ Ⓐ問題8)

架空送電線の振動の特徴と対策に関する記述として，誤っているものを次の(1)～(5)のうちから一つ選べ.

(1) 送電線の上下配列にオフセットを設けて，電線どうしが接触しないようにする方法がある.

(2) 電線に当たる一様な微風により，電線の背後に空気の渦が生じ，電線が上下に振動する現象を微風振動といい，これを抑制する方法としてダンパの取付けがある.

(3) 電線に付着した氷雪の断面が非対称になり，これに風が当たることで発生する揚力の影響で，電線が振動する現象をギャロッピングといい，多導体では発生しにくい.

(4) 多導体の送電線に風速10 m/sを超える風が当たることで，多導体の素導体が不安定になり電線が振動する現象をサブスパン振動という.

(5) 電線に付着した氷雪が脱落し，その反動で電線がはね上がる現象をスリートジャンプという.

解69 解答 (3)

(1) 正しい．送電線のオフセットとは，送電線が短絡しないよう，縦一列に配置しない方式であり，2 回線の場合は六角形配列や八字形配列が，1 回線の場合は三角配列が主流である．

(2) 正しい．比較的ゆるやかな風が架空電線に直角に吹くと，電線の背後にカルマン渦が生じ，電線が上下に振動する．これを微風振動という．この振動が長期間継続すると，電線は支持点で繰り返し応力を受けて疲労断線するようになる．対策としてダンパの取付けが有効である．

(3) 誤り．ギャロッピングは，着氷雪によって電線の断面が非対称となり，これに風が当たると揚力が発生し，自励振動を生じて電線が上下に振動する現象であり，電線の断面積が大きいほど，また，単導体よりも多導体に発生しやすい．対策として，相間スペーサの取付や難着雪リングの採用等が行われている．

(4) 正しい．サブスパンとは，1 相内のスペーサとスペーサの間隔のことをいい，サブスパン振動とは多導体の送電線に強風が当たることでサブスパン内の振動が激しくなる現象である．

(5) 正しい．スリートジャンプとは，電線に付着した氷雪が気温や風等の気象条件の変化により，一斉に脱落して，電線が跳ね上がる現象のことをいう．

問70 Check! □□□

(令和4年㊤ Ⓐ問題10)

次の文章は，架空送電線の振動に関する記述である．

架空送電線が電線と直角方向に毎秒数メートル程度の風を受けると，電線の後方に渦を生じて電線が上下に振動することがある．これを微風振動といい，[(ア)] 電線で，径間が [(イ)] ほど，また，張力が [(ウ)] ほど発生しやすい．

多導体の架空送電線において，風速が数～20 m/sで発生し，10 m/sを超えると激しくなる振動を [(エ)] 振動という．

また，その他の架空送電線の振動には，送電線に氷雪が付着した状態で強い風を受けたときに発生する [(オ)] や，送電線に付着した氷雪が落下したときにその反動で電線が跳ね上がる現象などがある．

上記の記述中の空白箇所(ア)～(オ)に当てはまる組合せとして，正しいものを次の(1)～(5)のうちから一つ選べ．

	(ア)	(イ)	(ウ)	(エ)	(オ)
(1)	重い	長い	小さい	サブスパン	ギャロッピング
(2)	軽い	長い	大きい	サブスパン	ギャロッピング
(3)	重い	短い	小さい	コロナ	ギャロッピング
(4)	軽い	短い	大きい	サブスパン	スリートジャンプ
(5)	重い	長い	大きい	コロナ	スリートジャンプ

解70 解答 (2)

(1) 風の影響と対策

・**微風振動**：鋼心アルミより線（ACSR）のように比較的軽い電線に，電線と直角方向に数 m/s 程度の微風を一様に受け，電線の背後に渦（カルマン渦）を生じ電線に上下交互の圧力が加わる．これが電線の固有振動数に共振して電線が上下に振動する現象．周波数は 10 ～ 60 Hz 程度．平地で**長**径間，張力の**大きい**箇所，直径の大きい割に**軽い**電線（HDCC（硬銅線）よりも ACSR（鋼心アルミより線）や TACSR（鋼心耐熱アルミ合金より線）），早朝や日没時に発生しやすい．

影響：長時間継続すると電線が疲労劣化し，電線支持点付近で断線．

対策：振動エネルギーを吸収させるため電線支持点付近にダンパを設置．電線支持点付近の電線をアーマロッドで補強．長径間の回避．

・**サブスパン**振動：複導体電線においてスペーサとスペーサで区切られた区間（サブスパン）で生じる電線の振動現象．風上側電線の後流中に置かれた風下側電線が力学的に不安定になることで生じ，風上側の電線も反作用で振動し，一般に水平成分の大きい逆位相の楕円運動となる．周波数は 1 ～ 3 Hz 程度．風速数～ 20 m/s で発生し，10 m/s を超えると振動が激しくなる．地形的には樹木の少ない平坦部や湖などの近くで発生しやすい．

影響：サブスパン振動は比較的その累積回数つまり頻度が多く，振動振幅も比較的大きいことから，スペーサと電線の支持点の摩耗の主な原因となり機械的強度の低下，傷によるコロナ発生．

対策：スペーサの間隔を適切に設定．スペーサの電線支持部に干渉の工夫を施して振動エネルギーを吸収．

(2) 着氷雪の影響と対策

・**ギャロッピング**：着氷雪した非対称の電線が比較的強い水平風により浮揚する，または上下に自励振動を起こす現象．多導体または太い電線に発生しやすい．

影響：相間短絡事故となる．

対策：適切な位置にダンパを設置．電線相間にスペーサを設置．

・スリートジャンプ：電線への着氷雪が一斉に脱落して電線が跳ね上がる現象．

影響：相間短絡事故や支持物破損事故となる．

対策：難着雪リングの設置，難着雪電線の採用．オフセットや水平配列の採用．長径間の回避．

問71 Check! □□□

(平成22年 Ａ問題10)

架空電線が電線と直角方向に毎秒数メートル程度の風を受けると，電線の後方に渦を生じて電線が上下に振動することがある．これを微風振動といい，これが長時間継続すると電線の支持点付近で断線する場合もある．微風振動は (ア) 電線で，径間が (イ) ほど，また，張力が (ウ) ほど発生しやすい．対策としては，電線にダンパを取り付けて振動そのものを抑制したり，断線防止策として支持点近くをアーマロッドで補強したりする．電線に翼形に付着した氷雪に風が当たると，電線に揚力が働き複雑な振動が生じる．これを (エ) といい，この振動が激しくなると相間短絡事故の原因となる．主な防止策として，相間スペーサの取り付けがある．また，電線に付着した氷雪が落下したときに発生する振動は， (オ) と呼ばれ，相間短絡防止策としては，電線配置にオフセットを設けることなどがある．

上記の記述中の空白箇所(ア)，(イ)，(ウ)，(エ)及び(オ)に当てはまる語句として，正しいものを組み合わせたのは次のうちどれか．

	(ア)	(イ)	(ウ)	(エ)	(オ)
(1)	軽い	長い	大きい	ギャロッピング	スリートジャンプ
(2)	重い	短い	小さい	スリートジャンプ	ギャロッピング
(3)	軽い	短い	小さい	ギャロッピング	スリートジャンプ
(4)	軽い	長い	大きい	スリートジャンプ	ギャロッピング
(5)	重い	長い	大きい	ギャロッピング	スリートジャンプ

解71 解答 (1)

(i) 微風振動

比較的ゆるやかな風が架空電線に直角に吹くと，電線の背後に渦（カルマン渦という）が生じ，電線が上下に振動する．これを微風振動といい，これが長時間継続すると，電線は支持点で繰り返し応力を受けて断線に至ることがある．微風振動は，電線が全径間にわたり質量が均等である，長径間である，電線の直径が大きい割に軽量である，風速および風向が一定であるなどのような場合に発生しやすい．

微風振動対策としては，アーマロッドやダンパの取付けなどが行われている．

アーマロッドは，電線支持点付近において，電線と同種の線をよりの方向に巻きつけたもので，これにより電線を補強するものである．また，ダンパは，電線の上下振動のエネルギーを吸収し，減衰させるもので，ストックブリッジダンパやトーショナルダンパなどがある．

(ii) ギャロッピング

電線に氷雪が付着して電線の断面が非対称になり，これに水平風があたると電線に揚力が発生する．着氷雪の位置によっては自励振動を生じて電線が上下に振動する．これをギャロッピングといい，電線断面積が大きいほど，また，単導体より多導体の方が発生しやすい．ギャロッピングは振幅が大きく持続時間が長いので，相間短絡を起こしやすい．

ギャロッピング対策としては，送電線路をギャロッピングの発生しにくいルートに施設する，相間スペーサ（電線間の絶縁スペーサ）を取り付ける，ギャロッピングダンパを取り付ける，径間を短くするなどの方法がある．

(iii) スリートジャンプ

電線に付着した氷雪が，日射，気温上昇，風などにより，径間のある範囲にわたって一斉に脱落し，その反動で電線が跳ね上がって上下に振動することがある．これをスリートジャンプといい，これにより，電線間で短絡故障が発生することがある．

スリートジャンプ対策としては，径間長を短くする，電線垂直間距離およびオフセットを大きくとる，電線弛度を小さくするなどの方法がある．

問72 Check! □□□

(平成27年 Ⓐ問題8)

次の文章は，架空送電線の振動に関する記述である．

多導体の架空送電線において，風速が数～20 m/sで発生し，10 m/sを超えると振動が激しくなることを (ア) 振動という．

また，架空電線が，電線と直角方向に穏やかで一様な空気の流れを受けると，電線の背後に空気の渦が生じ，電線が上下に振動を起こすことがある．この振動を防止するために (イ) を取り付けて振動エネルギーを吸収させることが効果的である．この振動によって電線が断線しないように (ウ) が用いられている．

その他，架空送電線の振動には，送電線に氷雪が付着した状態で強い風を受けたときに発生する (エ) や，送電線に付着した氷雪が落下したときにその反動で電線が跳ね上がる現象などがある．

上記の記述中の空白箇所(ア)，(イ)，(ウ)及び(エ)に当てはまる組合せとして，正しいものを次の(1)～(5)のうちから一つ選べ．

	(ア)	(イ)	(ウ)	(エ)
(1)	コロナ	スパイラルロッド	スペーサ	スリートジャンプ
(2)	サブスパン	ダンパ	スペーサ	スリートジャンプ
(3)	コロナ	ダンパ	アーマロッド	ギャロッピング
(4)	サブスパン	スパイラルロッド	スペーサ	スリートジャンプ
(5)	サブスパン	ダンパ	アーマロッド	ギャロッピング

解72 解答 (5)

電線の振動には，サブスパン振動，微風振動，ギャロッピングなどがある．

サブスパン振動は，多導体電線に固有なもので，素導体が空気力学的に不安定になるために起きる自励現象で，風速数 m/s ～ 20 m/s で発生し，10 m/s を超えると振動が激しくなる．また，地形的には樹木の少ない平坦地や湖などの近くでよく発生する．

比較的緩やかな一様な風が電線に直角に当たると，電線背後にカルマン渦を生じ，電線に対し鉛直方向に上下交互に圧力が加えられる．この周波数が電線の固有振動数に一致し，定常的に振動が発生することがある．これが微風振動である．微風振動対策として，電線支持点付近に補強する目的で電線と同種の線を電線に巻き付けたものがアーマロッドで，電線に生じる上下振動のエネルギーを吸収させる目的で設置されるのがダンパである．

架空電線に付着した氷雪によって電線の断面が非対称となり，これに水平風が当たって揚力が発生する．この場合，着氷雪の位置によっては自励振動を生じて電線が上下に振動する．これがギャロッピングである．

また，架空電線に付着した氷雪が何らかの原因でいっせいに落下することがある．この氷雪の落下の反動で電線が跳ね上がる現象をスリートジャンプという．

問73 Check! □□□

(令和５年㊤ Ⓐ問題９)

次の文章は，コロナ損に関する記述である．

送電線に高電圧が印加され，(ア)がある程度以上になると，電線からコロナ放電が発生する．コロナ放電が発生するとコロナ損と呼ばれる電力損失が生じる．コロナ放電の発生を抑えるには，電線の実効的な直径を(イ)するために(ウ)する，線間距離を(エ)する，などの対策がとられている．コロナ放電は，気圧が(オ)なるほど起こりやすくなる．

上記の記述中の空白箇所(ア)～(オ)に当てはまる組合せとして，正しいものを次の(1)～(5)のうちから一つ選べ．

	(ア)	(イ)	(ウ)	(エ)	(オ)
(1)	電流密度	大きく	単導体化	大きく	低く
(2)	電線表面の電界強度	大きく	多導体化	大きく	低く
(3)	電流密度	小さく	単導体化	小さく	高く
(4)	電線表面の電界強度	小さく	単導体化	大きく	低く
(5)	電線表面の電界強度	大きく	多導体化	小さく	高く

解73 解答 (2)

架空送電線の電圧が高くなるほど**電線表面の電位傾度（電界強度）**は大きくなる．標準状態（温度 20 °C，1 気圧（= 1 013.25 hPa））での電位傾度は波高値で約 30 kV/cm，実効値で 21.1 kV/cm になると空気が絶縁破壊してコロナ放電が発生し，低い音や薄白い光を発するようになる．コロナ放電は，電線だけでなく，がいしや各種金属などにも発生する．

コロナ放電を発生（開始）する最小の電圧をコロナ臨界電圧といい，相電圧ベースの値は次式で示される．

$$E_0 = m_0 m_1 48.8 \delta^{\frac{2}{3}} r \left(1 + \frac{0.301}{\sqrt{r\delta}}\right) \log_{10} \frac{D}{r} \, [\mathrm{kV}]$$

本式における各記号は，以下に示すとおり．

m_0：電線の表面状態による係数．表面の精粗，素線数によって変わる．（磨かれた電線より粗い電線の方が小さく，より線の数が大きくなるほど表面の凸凹が多いため小さくなる．）

m_1：天候に関する係数．晴天のとき 1.0，雨，雪，霧などのとき 0.8 とする．

δ：相対空気密度．標準状態（温度 20 °C，1 気圧（= 1 013.25 hPa））のとき 1 となる．気圧 p [hPa]，気温 t [°C] とすると，$\delta = \dfrac{0.289\,2p}{273 + t}$ となる．

r：電線の半径 [m]，D：線間距離 [m]

上述したコロナ臨界電圧の式を踏まえると，コロナ放電には，以下の性質がある．

① 相対空気密度 δ の 2/3 乗に比例することから，山岳地などの標高の高い地域では気圧 p が低く δ が減少するためコロナが発生しやすい．

② 夏場は気温 t が上昇し，相対空気密度 δ は小さくなるため，コロナが発生しやすい．

③ 細い（r の小さい）電線，素線数の多いより線ほど発生しやすい．そのため，外径の大きい送電線や多導体方式の採用がコロナ放電の対策として有効である．

④ 晴天のときよりも，雨，雪，霧などの天候の方が発生しやすい．

⑤ 線間距離が小さいときの方が発生しやすい．

問74 Check! □□□

（令和元年 Ⓐ問題 10）

次の文章は，コロナ損に関する記述である．

送電線に高電圧が印加され，［(ア)］がある程度以上になると，電線からコロナ放電が発生する．コロナ放電が発生するとコロナ損と呼ばれる電力損失が生じる．そこで，コロナ放電の発生を抑えるために，電線の実効的な直径を［(イ)］するために［(ウ)］する，線間距離を［(エ)］する，などの対策がとられている．コロナ放電は，気圧が［(オ)］なるほど起こりやすくなる．

上記の記述中の空白箇所(ア)，(イ)，(ウ)，(エ)及び(オ)に当てはまる組合せとして，正しいものを次の(1)～(5)のうちから一つ選べ．

	(ア)	(イ)	(ウ)	(エ)	(オ)
(1)	電流密度	大きく	単導体化	大きく	低く
(2)	電線表面の電界強度	大きく	多導体化	大きく	低く
(3)	電流密度	小さく	単導体化	小さく	高く
(4)	電線表面の電界強度	小さく	単導体化	大きく	低く
(5)	電線表面の電界強度	大きく	多導体化	小さく	高く

解74 解答 (2)

半径 r [m] の送電線に電圧を印加し，送電線 1 線に単位長当たり q [C/m] の電荷が蓄えられたとき，電線表面の電界強度 E は，真空の誘電率を ε_0 [F/m] とすると，

$$E=\frac{q}{2\pi\varepsilon_0 r}\ \text{[V/m]}$$

で表せ，電線の半径 r に反比例する．電線表面の電界強度が空気の絶縁耐力（約 30 kV/cm）を超えたとき，空気の絶縁が破れて，コロナが発生する．

コロナの発生を抑えるためには，電線の半径 r を大きくすればよいが，むやみに電線を太くすることはできないから，1 相当たりの電線数を 2 以上の多導体（複導体）化することや，線間距離を大きくすることが行われている．

2 以上の電線を用いた多導体方式では，複数の電線が同電位にあることによる同符号電荷分布の拡散によって，等価的に電線半径が電線 1 条の場合より大きくなることによって，コロナ臨界電圧を大きくすることができる．

コロナ放電は，一般に気圧が低くなるほど起こりやすくなる．

問75 Check! □□□

(平成26年 Ⓐ問題9)

架空送電線路におけるコロナ放電及びそれに関わる障害に関する記述として，誤っているものを次の(1)～(5)のうちから一つ選べ．

(1) 電線表面電界がある値を超えると，コロナ放電が発生する．

(2) コロナ放電が発生すると，電線や取り付け金具で腐食が生じることがある．

(3) 単導体方式は，多導体方式に比べてコロナ放電の発生を抑制できる．

(4) コロナ放電が発生すると，電気エネルギーの一部が音，光，熱などに変換され，コロナ損という電力損失が生じる．

(5) コロナ放電が発生すると，架空送電線近傍で誘導障害や受信障害が生じることがある．

問76 Check! □□□

(平成20年 Ⓐ問題7)

送配電線路や変電機器等におけるコロナ障害に関する記述として，誤っているのは次のうちどれか．

(1) 導体表面にコロナが発生する最小の電圧はコロナ臨界電圧と呼ばれる．その値は，標準の気象条件（気温20〔℃〕，気圧1 013〔hPa〕，絶対湿度11〔g/m^3〕）では，導体表面での電位の傾きが波高値で約30〔kV/cm〕に相当する．

(2) コロナ臨界電圧は，気圧が高くなるほど低下し，また，絶対湿度が高くなるほど低下する．

(3) コロナが発生すると，電力損失が発生するだけでなく，導体の腐食や電線の振動などを生じるおそれもある．

(4) コロナ電流には高周波成分が含まれるため，コロナの発生は可聴雑音や電波障害の原因にもなる．

(5) 電線間隔が大きくなるほど，また，導体の等価半径が大きくなるほどコロナ臨界電圧は高くなる．このため，相導体の多導体化はコロナ障害対策として有効である．

解75 解答 (3)

(3)が誤りである.

コロナ放電は，電線表面付近の電位傾度（電界強度）が空気の絶縁耐力より大きくなったとき，空気の絶縁が破れることによって起こる放電現象である.

コロナ放電を抑制するには，電線表面の電位傾度が小さくなるようにすればよく，単導体方式では，電線を太くすればよい．しかしながら，単純に電線を太くすることは電線重量の増加につながり，鉄塔などの支持物の強化が必要になる.

これに対し，比較的細い電線を複数用いた複導体方式では，複数の電線が同電位になるので，電線に存在する同符号電荷分布が拡散され，見かけ上電線を太くしたのと同様な効果が得られ，電線 1 条の場合より，電線周囲の電位傾度を小さくすることができ，コロナ放電を抑制することができる.

解76 解答 (2)

コロナ臨界電圧は，気圧が低くなるほど低下するので，(2)の記述が誤りである.

「湿度が高くなるほど低下する」という記述は正しい.

問77 Check! □□□

(令和6年㊤ Ⓐ問題9)

電力系統に現れる過電圧（異常電圧）はその発生原因により，外部過電圧と内部過電圧とに分類される．前者は，雷放電現象に起因するもので雷サージ電圧ともいわれる．後者は，電線路の開閉操作等に伴う開閉サージ電圧と地絡事故時等に発生する短時間交流過電圧とがある．

各種過電圧に対する電力系統の絶縁設計の考え方に関する記述として，誤っているものを次の(1)～(5)のうちから一つ選べ．

(1) 絶縁協調とは，送電線路や発変電所に設置される電力設備等の絶縁について，安全性と経済性のとれた絶縁設計を行うために，外部過電圧そのものの大きさを低減することである．

(2) 避雷器は，過電圧の波高値がある値を超えた場合，特性要素に電流が流れることにより過電圧値を制限して電力設備の絶縁を保護し，かつ，続流を短時間のうちに遮断して原状に自復する機能を持った装置である．

(3) 架空送電線路の絶縁は，外部過電圧に対しては，必ずしも十分に耐えるように設計されるとは限らない．

(4) 送電線路の絶縁及び発変電所に設置される電力設備等の絶縁は，いずれも原則として，内部過電圧に対しては十分に耐えるように設計される．

(5) 発変電所に設置される電力設備等の絶縁は，外部過電圧に対しては，避雷器によって保護されることを前提に設計される．その保護レベルは，避雷器の制限電圧に基づいて決まる．

解77 解答 (1)

外部過電圧（雷サージ電圧），内部過電圧（開閉サージ電圧，短時間交流過電圧）に対し，発・変電所，送電線を含めた電力系統のいずれの部分の絶縁耐力も，これらのすべての異常電圧に耐えるように設計することは，技術的にも経済的にも困難であるため，電力系統全体として，安全でしかも経済的な絶縁設計を行うことを絶縁協調という．そのためには，架空地線等を用いて直撃雷に対して防護し，かつ接地抵抗を低減して雷遮へいの有効化を図るとともに，避雷器によって異常電圧の値を低減し，機器の絶縁強度と協調をとる．

外部過電圧（雷サージ電圧）そのものの大きさを低減することは不可能であるため，(1)が誤りである．

問78 Check! □□□

(平成19年 Ⓐ問題7)

電力系統に現れる過電圧（異常電圧）はその発生原因により，外部過電圧と内部過電圧とに分類される．前者は，雷放電現象に起因するもので雷サージ電圧ともいわれる．後者は，電線路の開閉操作等に伴う開閉サージ電圧と地絡事故時等に発生する短時間交流過電圧とがある．

各種過電圧に対する電力系統の絶縁設計の考え方に関する記述として，誤っているのは次のうちどれか．

(1) 送電線路の絶縁及び発変電所に設置される電力設備等の絶縁は，いずれも原則として，内部過電圧に対しては十分に耐えるように設計される．

(2) 架空送電線路の絶縁は，外部過電圧に対しては，必ずしも十分に耐えるように設計されるとは限らない．

(3) 発変電所に設置される電力設備等の絶縁は，外部過電圧に対しては，避雷器によって保護されることを前提に設計される．その保護レベルは，避雷器の制限電圧に基づいて決まる．

(4) 避雷器は，過電圧の波高値がある値を超えた場合，特性要素に電流が流れることにより過電圧値を制限して電力設備の絶縁を保護し，かつ，続流を短時間のうちに遮断して原状に自復する機能を持った装置である．

(5) 絶縁協調とは，送電線路や発変電所に設置される電力設備等の絶縁について，安全性と経済性のとれた絶縁設計を行うために，外部過電圧そのものの大きさを低減することである．

解78 解答 (5)

絶縁協調は，発変電所・送電線を含めた電力系統全体の絶縁について合理的な協調を図り，安全でしかも経済的な絶縁設計を行うものである．

外部過電圧（雷サージ）の対策としては，所内および近傍送電線の十分な遮へい，接地による直撃雷の防止，避雷器などの適当な使用による機器絶縁との協調にあり，外部過電圧（雷サージ）そのものの大きさを低減することは不可能である．

問79 Check! □□□

(平成23年 Ⓐ問題7)

次の文章は，送配電線路での過電圧に関する記述である.

送配電系統の運転中には，様々な原因で，公称電圧ごとに定められている最高電圧を超える異常電圧が現れる．このような異常電圧は過電圧と呼ばれる.

過電圧は，その発生原因により，外部過電圧と内部過電圧に大別される.

外部過電圧は主に自然雷に起因し，直撃雷，誘導雷，逆フラッシオーバに伴う過電圧などがある．このうち一般の配電線路で発生頻度が最も多いのは［(ア)］に伴う過電圧である.

内部過電圧の代表的なものとしては，遮断器や断路器の動作に伴って発生する［(イ)］過電圧や，［(ウ)］時の健全相に現れる過電圧，さらにはフェランチ現象による過電圧などがある.

また，過電圧の波形的特徴から，外部過電圧や，内部過電圧のうちの［(イ)］過電圧は［(エ)］過電圧，［(ウ)］やフェランチ現象に伴うものなどは［(オ)］過電圧と分類されることもある.

上記の記述中の空白箇所(ア)，(イ)，(ウ)，(エ)及び(オ)に当てはまる組合せとして，正しいものを次の(1)～(5)のうちから一つ選べ.

	(ア)	(イ)	(ウ)	(エ)	(オ)
(1)	誘導雷	開閉	一線地絡	サージ性	短時間交流
(2)	直撃雷	アーク間欠地絡	一線地絡	サージ性	短時間交流
(3)	直撃雷	開閉	三相短絡	短時間交流	サージ性
(4)	誘導雷	アーク間欠地絡	混触	短時間交流	サージ性
(5)	逆フラッシオーバ	開閉	混触	短時間交流	サージ性

解79 解答 (1)

送配電線において，相と大地間または相間に発生する常規電圧より大きい過渡的な電圧を過電圧という．また，電線路や電気所母線を進行する時間的な変化の大きい電圧や電流はサージと呼ばれる．

過電圧はいろいろな原因によって発生するが，発生原因が系統の内部にある場合と外部にある場合に大別するとき，前者を内部過電圧，後者を外部過電圧と呼ぶことがある．

内部過電圧には，遮断器や断路器の操作に伴って発生する開閉過電圧や1線地絡時の健全相に現れる商用周波過電圧，フェランチ現象による過電圧，負荷遮断時の過電圧などがある．

外部過電圧は，主として雷に起因する過電圧で，導体への直撃雷による過電圧，架空地線や鉄塔への雷撃による過電圧や誘導雷などがあり，配電線では，誘導雷が最も多い．

また，商用周波またはその高調波からなる過電圧を短時間過電圧といい，1線地絡時の過電圧や負荷遮断時の過電圧がこれに該当する．

第6章

地中送電

●計算

・地中送電の計算

●論説・空白

・地中送電方式の特徴

・地中送電線路用機器の特徴

・ケーブルの布設方法

・ケーブルの特徴

・ケーブルの損失

・線路定数

・事故点標定方法

・地中配電線路の特徴

電力 6 地中送電

問1 Check! □□□

(平成24年 Ⓐ問題11)

電圧 6.6〔kV〕，周波数 50〔Hz〕，こう長 1.5〔km〕の交流三相3線式地中電線路がある．ケーブルの心線1線当たりの静電容量を 0.35〔μF/km〕とするとき，このケーブルの心線3線を充電するために必要な容量〔kV·A〕の値として，最も近いものを次の(1)～(5)のうちから一つ選べ．

(1) 4.2　(2) 4.8　(3) 7.2　(4) 12　(5) 37

問2 Check! □□□

(平成21年 Ⓐ問題11)

電圧 33〔kV〕，周波数 60〔Hz〕，こう長 2〔km〕の交流三相3線式地中電線路がある．ケーブルの心線1線当たりの静電容量が 0.24〔μF/km〕，誘電正接が 0.03〔%〕であるとき，このケーブルの心線3線合計の誘電体損〔W〕の値として，最も近いのは次のうちどれか．

(1) 9.4　(2) 19.7　(3) 29.5　(4) 59.1　(5) 177

解1 解答 (3)

1線の静電容量が C〔μF〕であるケーブルの心線3心を電圧 V〔kV〕, 周波数 f〔Hz〕の交流電源で充電するために必要な容量 Q〔kV·A〕は, 次式で与えられる.

$$Q = 3 \times 2\pi f C \times 10^{-6} \times \left(\frac{1\,000V}{\sqrt{3}}\right)^2 \times 10^{-3} = 2\pi f C V^2 \times 10^{-3} \text{〔kV·A〕}$$

したがって, 上式へ, $C = 1.5 \times 0.35 = 0.525$〔μF〕, $V = 6.6$〔kV〕, $f = 50$〔Hz〕を代入すると,

$$Q = 2\pi \times 50 \times 0.525 \times 6.6^2 \times 10^{-3} = 7.18 \fallingdotseq 7.2 \text{〔kV·A〕}$$

となる.

解2 解答 (4)

心線1線当たりの静電容量が C〔F〕の電力ケーブルを角周波数 ω〔rad/s〕, 電圧 V〔V〕の三相電圧で充電した場合の誘電損（誘電体損）P_d は, 誘電正接を $\tan\delta$ とすると, 次式で表せる.

$$P_d = \omega C V^2 \tan\delta$$

したがって, 求めるケーブルの心線3線合計の誘電損 P_d は, 上式に, $\omega = 2\pi \times 60 = 120\pi$〔rad/s〕, $C = 0.24 \times 10^{-6} \times 2 = 0.48 \times 10^{-6}$〔F〕, $V = 33\,000$〔V〕, $\tan\delta = 0.03 \times 10^{-2}$ を代入すれば,

$$P_d = 120\pi \times 0.48 \times 10^{-6} \times 33\,000^2 \times 0.03 \times 10^{-2} \fallingdotseq 59.12 \text{〔W〕}$$

となる.

問3　Check! □□□　（平成 27 年 Ⓐ 問題 10）

電圧 66 kV，周波数 50 Hz，こう長 5 km の交流三相 3 線式地中電線路がある．ケーブルの心線 1 線当たりの静電容量が 0.43 μF/km，誘電正接が 0.03 % であるとき，このケーブル心線 3 線合計の誘電体損の値 [W] として，最も近いものを次の(1)～(5)のうちから一つ選べ．

(1)　141　　(2)　294　　(3)　883　　(4)　1 324　　(5)　2 648

解3　解答（3）

電力ケーブルを交流電圧 $\dot{E}$ で充電したとき，その静電容量に対する進相充電電流 $\dot{I}_c$ のほかに誘電損（誘電体損）を供給する同相電流 $\dot{I}_r$ が流れる．

ベクトル図において，$\dot{I}_c$ と $\dot{I}_r$ のなす角 δ を誘電損角といい，同相電流の大きさ I_r は充電電流の大きさ I_c と誘電損角 δ を用いて，$I_r = I_c \tan\delta$ で表され，誘電損角 δ の正接 $\tan\delta$ を誘電正接という．

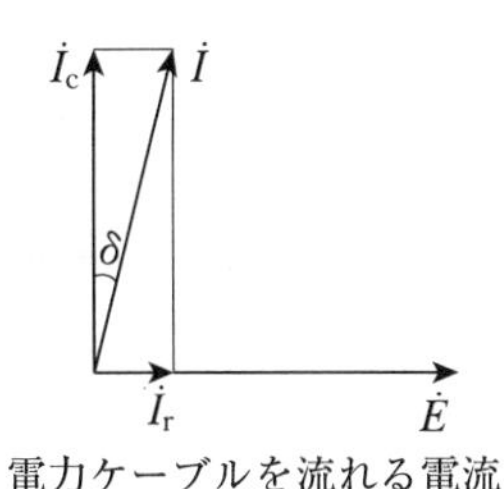

電力ケーブルを流れる電流

さて，1 相の静電容量が C [F] である三相ケーブルを電圧 V [V]，角周波数 ω [rad/s] の交流電源で充電したときの電源の容量 Q は，次式で与えられる．

$$Q = 3 \times \frac{V}{\sqrt{3}} \times I_c = 3 \times \frac{V}{\sqrt{3}} \times \omega C \frac{V}{\sqrt{3}} = \omega C V^2 \text{ [var]}$$

一方，三相ケーブルの誘電損 P は，

$$P = 3 \times \frac{V}{\sqrt{3}} \times I_r = 3 \times \frac{V}{\sqrt{3}} \times I_c \tan\delta = Q \tan\delta = \omega C V^2 \tan\delta \text{ [W]}$$

で与えられるから，誘電損 P は，三相ケーブルの充電容量に誘電正接を乗じたものとなる．

よって，求める問題のケーブルの誘電損 P は，次式で求められる．

$$P = 2\pi \times 50 \times 0.43 \times 10^{-6} \times 5 \times 66\,000^2 \times 0.03 \times 10^{-2} \fallingdotseq 882.67 \fallingdotseq 883 \text{ W}$$

問4 Check! □□□

(平成29年 B 問題16)

図に示すように，対地静電容量 C_e [F]，線間静電容量 C_m [F] からなる定格電圧 E [V] の三相1回線のケーブルがある．

今，受電端を開放した状態で，送電端で三つの心線を一括してこれと大地間に定格電圧 E [V] の $\frac{1}{\sqrt{3}}$ 倍の交流電圧を加えて充電すると全充電電流は 90 A であった．

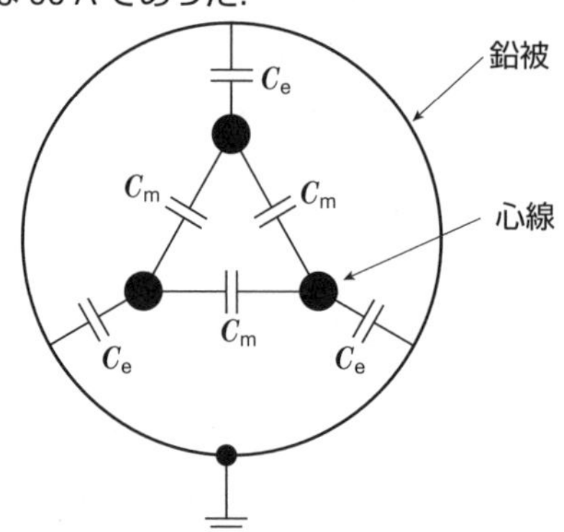

次に，二つの心線の受電端・送電端を接地し，受電端を開放した残りの心線と大地間に定格電圧 E [V] の $\frac{1}{\sqrt{3}}$ 倍の交流電圧を送電端に加えて充電するとこの心線に流れる充電電流は 45 A であった．

次の(a)及び(b)の問に答えよ．

ただし，ケーブルの鉛被は接地されているとする．また，各心線の抵抗とインダクタンスは無視するものとする．なお，定格電圧及び交流電圧の周波数は，一定の商用周波数とする．

(a) 対地静電容量 C_e [F] と線間静電容量 C_m [F] の比 $\frac{C_e}{C_m}$ として，最も近いものを次の(1)〜(5)のうちから一つ選べ．

(1) 0.5　(2) 1.0　(3) 1.5　(4) 2.0　(5) 4.0

(b) このケーブルの受電端を全て開放して定格の三相電圧を送電端に加えたときに1線に流れる充電電流の値 [A] として，最も近いものを次の(1)〜(5)のうちから一つ選べ．

(1) 52.5　(2) 75　(3) 105　(4) 120　(5) 135

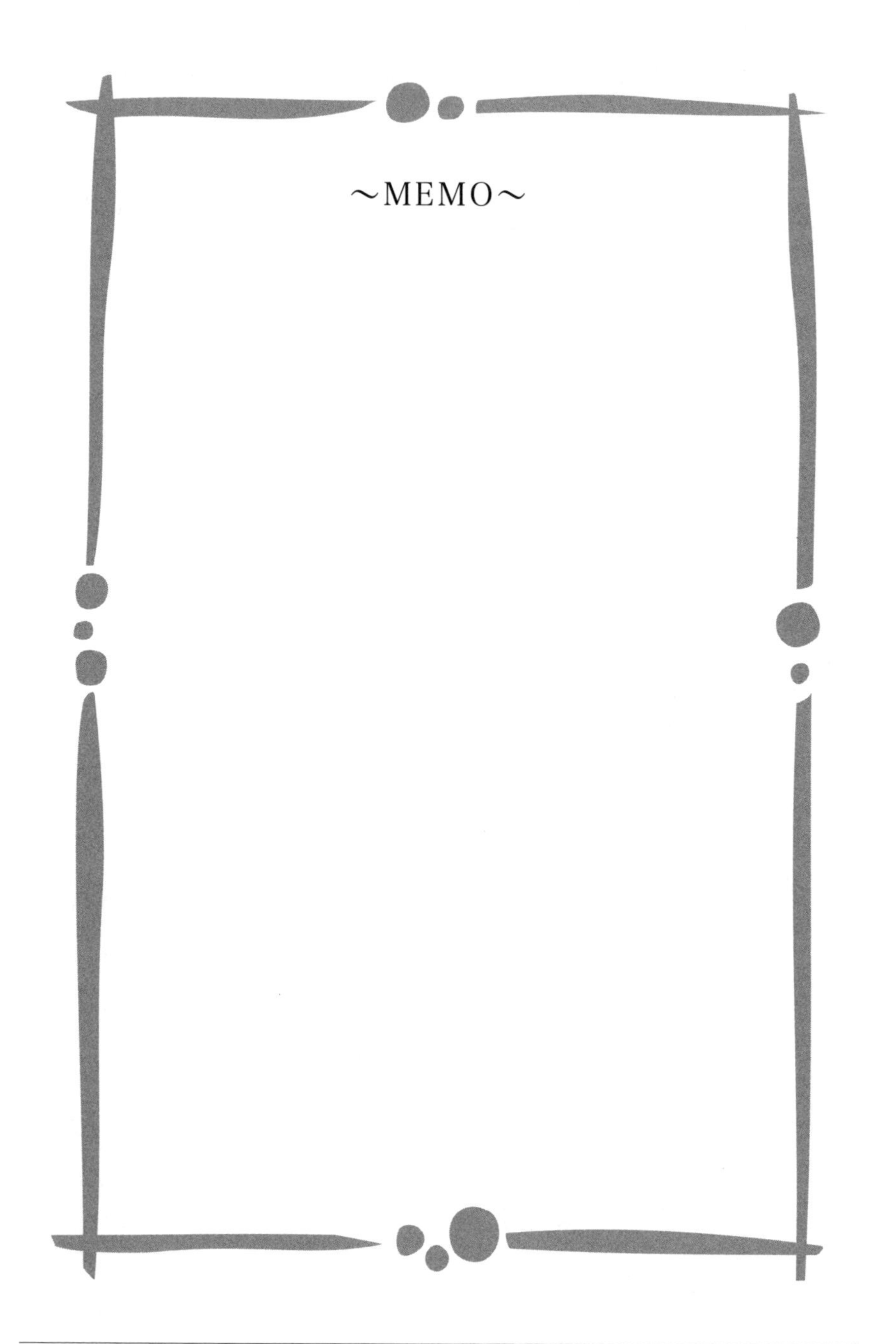
～MEMO～

解4 解答 (a)－(5), (b)－(1)

(a) 三つの心線を一括してこれと大地間に定格電圧 E [V] の $1/\sqrt{3}$ 倍の交流電圧を加えて充電したときの等価回路は，第１図のようになる．

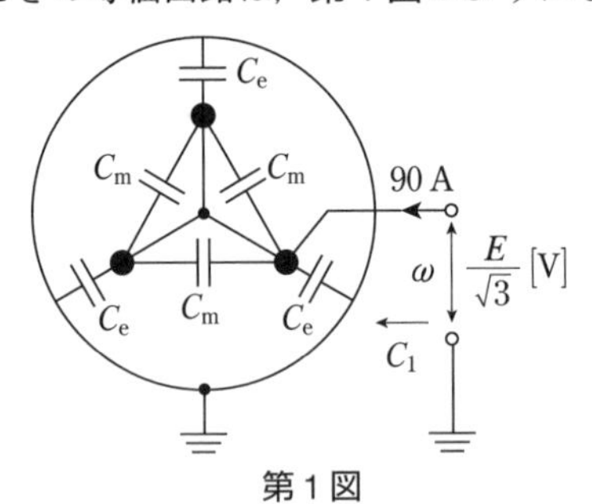

第１図

交流電圧の角周波数を ω [rad/s] とすると，次式が成立する．

$$3\omega C_e \cdot \frac{E}{\sqrt{3}} = \sqrt{3}\,\omega C_e E = 90\ \text{A} \tag{1}$$

次に，二つの心線を接地し，残りの心線と大地間に定格電圧 E [V] の $1/\sqrt{3}$ 倍の交流電圧を加えて充電したときの等価回路は，第２図のようになる．

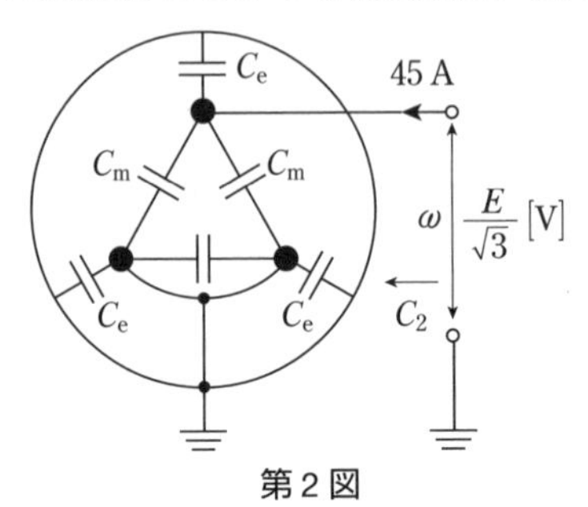

第２図

この場合の充電電流について，次式が成立する．

$$\omega(C_e + 2C_m) \cdot \frac{E}{\sqrt{3}} = 45\ \text{A} \tag{2}$$

ここで，(2)式を(1)式で辺々除すると，

$$\omega(C_e + 2C_m) \cdot \frac{E}{\sqrt{3}} \cdot \frac{1}{\sqrt{3}\,\omega C_e E} = \frac{45}{90}$$

$$\frac{C_e + 2C_m}{3C_e} = \frac{45}{90}$$

$$1+2\frac{C_m}{C_e}=\frac{3}{2}$$

$$\frac{C_m}{C_e}=\frac{1}{2}\left(\frac{3}{2}-1\right)=\frac{1}{4}$$

$$\therefore\quad \frac{C_e}{C_m}=4$$

(b) △接続された線間静電容量 C_m をY結線に変換したときのY接続1相の等価静電容量は $3C_m$ となるから，ケーブルに定格の三相電圧を加えたときに1線に流れる充電電流 I_C は，**第3図**より次のようになる．

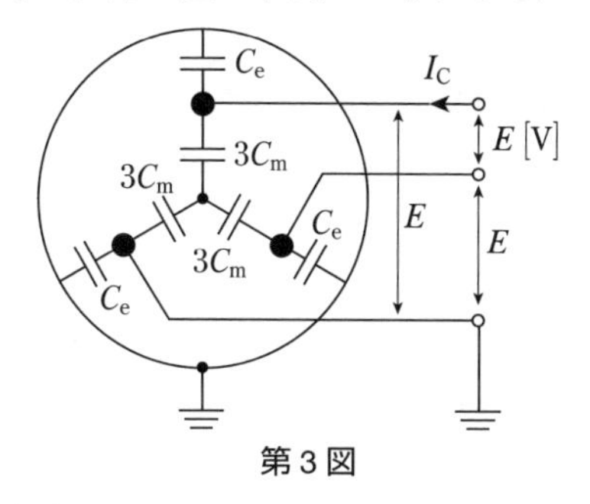

第3図

したがって，充電電流 I_C は，

$$I_C=\omega(C_e+3C_m)\cdot\frac{E}{\sqrt{3}}=\omega C_e\cdot\frac{E}{\sqrt{3}}+\sqrt{3}\,\omega C_m E=\frac{\sqrt{3}\,\omega C_e E}{3}+\sqrt{3}\,\omega\cdot\frac{C_e}{4}E$$

$$=\frac{7\sqrt{3}\,\omega C_e E}{12}=\frac{7}{12}\times\sqrt{3}\,\omega C_e E=\frac{7}{12}\times 90=52.5\text{ A}$$

問5 Check! □□□　　(令和２年 Ⓐ問題 11)

我が国における架空送電線路と比較した地中送電線路の特徴に関する記述として，誤っているものを次の(1)〜(5)のうちから一つ選べ．

(1) 地中送電線路は，同じ送電容量の架空送電線路と比較して建設費が高いが，都市部においては保安や景観などの点から地中送電線路が採用される傾向にある．

(2) 地中送電線路は，架空送電線路と比較して気象現象に起因した事故が少なく，近傍の通信線に与える静電誘導，電磁誘導の影響も少ない．

(3) 地中送電線路は，同じ送電電圧の架空送電線路と比較して，作用インダクタンスは小さく，作用静電容量が大きいため，充電電流が大きくなる．

(4) 地中送電線路の電力損失では，誘電体損とシース損を考慮するが，コロナ損は考慮しない．一方，架空送電線路の電力損失では，コロナ損を考慮するが，誘電体損とシース損は考慮しない．

(5) 絶縁破壊事故が発生した場合，架空送電線路では自然に絶縁回復することは稀であるが，地中送電線路では自然に絶縁回復して再送電できる場合が多い．

解5 解答 (5)

(5)が誤りである.

架空送電線路における絶縁破壊事故は，落雷や樹木接触などによる地絡故障がほとんどで，事故遮断後に自然に絶縁が回復し，再閉路や再々閉路によって再送電が可能となる場合が多い．これに対し，地中送電線路における絶縁破壊事故は，ケーブルなど地中送電線路自身の絶縁破壊や，掘削工事による切断など，自復できないことが多い．

問6 Check! □□□

(平成28年 Ⓐ問題11)

地中配電線路に用いられる機器の特徴に関する記述a～eについて，誤っているものの組合せを次の(1)～(5)のうちから一つ選べ.

a 現在使用されている高圧ケーブルの主体は，架橋ポリエチレンケーブルである.

b 終端接続材料のがい管は，磁器製のほか，EPゴムやエポキシなど樹脂製のものもある.

c 直埋変圧器（地中変圧器）は，変圧器孔を地下に設置する必要があり，設置コストが大きい.

d 地中配電線路に用いられる開閉器では，ガス絶縁方式は採用されない.

e 高圧需要家への供給用に使用される供給用配電箱には，開閉器のほかに供給用の変圧器がセットで収納されている.

(1) a (2) b，e (3) c，d (4) d，e (5) b，c，e

問7 Check! □□□

(平成18年 Ⓐ問題8)

地中ケーブルの布設方法には，大別して直接埋設式，管路式，暗きょ式などがある．これらに関する記述として，誤っているのは次のうちどれか.

(1) 工事費並びに工期は直接埋設式が最も安価・短期であり，次に管路式，暗きょ式の順になる.

(2) 直接埋設式では，管路あるいは暗きょといった構造物を伴わないので，事故復旧は管路式，暗きょ式よりも容易に実施できる.

(3) 直接埋設式では，ケーブル外傷等の被害は管路式や暗きょ式と比べてその機会が多くなる.

(4) 暗きょ式，管路式は，布設後の増設が直接埋設式に比べると一般に容易である.

(5) 暗きょ式の一種である共同溝は，電力ケーブル，電話ケーブル，ガス管，上下水道管などを共同の地下溝に施設するものである.

解6 解答 (4)

地中配電線路においてもその開閉器としてガス遮断器やガス開閉器が用いられることは多く，ガス絶縁方式は採用されないという(d)の記述は誤りである．また，高圧需要家への供給用として用いられる供給用配電箱（高圧キャビネット，ピラーボックス）には，ケーブルヘッドやピラー断路器などが納められているが，供給用の変圧器は収納されていないので，(e)の記述は誤りである．

解7 解答 (2)

直接埋設式は，管路や暗きょなどの構造物を伴わないが，事故復旧時やケーブル撤去などの際，道路や構内などを掘削しなければならないので，管路式や暗きょ式に比べて作業が困難になる．

問8 Check! □□□

(令和４年㊦ Ⓐ問題 10)

地中送配電線の主な布設方式である直接埋設式，管路式及び暗きょ式について，各方式の特徴に関する記述として，誤っているものを次の(1)～(5)のうちから一つ選べ．

(1) 直接埋設式は，他の方式と比較して工事費が少なく，工事期間が短い．

(2) 管路式は，直接埋設式と比較してケーブル外傷事故の危険性が少なく，ケーブルの増設や撤去に便利である．

(3) 管路式は，他の方式と比較して熱放散が良く，ケーブル条数が増加しても送電容量の制限を受けにくい．

(4) 暗きょ式は，他の方式と比較して工事費が多大であり，工事期間が長い．

(5) 暗きょ式は，他の方式と比較してケーブルの保守点検作業が容易であり，多条数の布設に適している．

解8 解答 (3)

地中送配電線の布設方法による許容電流の大きさは，一般に下記のとおりで，左ほど電熱計算式における全熱抵抗が小さく，放熱性が良いため許容電流は大きくなる．

直接埋設式 ＞ 暗きょ式 ＞ 管路式

布設方法を工夫して許容電流を上げる方法は，他熱源からの離隔距離を大きくすること，熱抵抗を低減することが有効である．

・併設ケーブルの配置と条数：ケーブル相互の間隔が狭い，またはケーブル数が多いほど自身以外の熱源と近くなり，自身周囲の全熱抵抗を上げる効果があり放熱性が悪くなるため，併設条数を少なくして配置間隔を広げる．ただし，建設コストアップとのトレードオフとなる．

・土壌の固有熱抵抗：直埋布設または管路布設の場合に，布設ルートが粘土質の土壌であれば砂質のものなどのより熱放散性の良い物質で埋め，土壌の固有熱抵抗を低減させて全熱抵抗を低減する．また，湿度が高い土壌ほど放熱性は良く全熱抵抗は小さくなる．

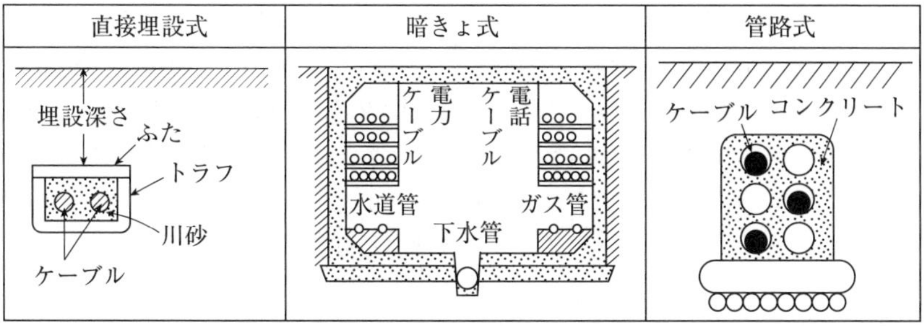

直接埋設式	暗きょ式	管路式
埋設深さ ふた トラフ 川砂 ケーブル	電力ケーブル 電話ケーブル 水道管 ガス管 下水管	ケーブル コンクリート

大 ←（許容電流）→ 小

	直接埋設式	暗きょ式	管路式
長所	・工事費が安価 ・工事期間が短い ・多少の屈曲部は布設に支障がない ・熱放散が良い	・共同溝式にすれば工事費が安価 ・保守，漏油検出が容易 ・多条布設に適する	・外傷を受けがたい ・増設，撤去が容易 ・保守，漏油検出が直接埋設式より容易 ・多条布設に適する
短所	・外傷を受けやすい ・保守，漏油検出が難しい ・増設，撤去時に不便で事故時復旧に時間を要する	・工事費が非常に高価 ・工事期間が非常に長く他者事由に影響される ・共同溝方式にすれば排水，通風，換気設備が必要	・工事費が高価 ・工事期間が長い ・隣接する送電線の発熱の影響を受けやすく熱放散は良くなく**送電容量が制限**される ・伸縮，振動により金属シースの疲労が懸念

問9 Check! □□□

(令和元年 Ⓐ問題 11)

我が国の電力ケーブルの布設方式に関する記述として，誤っているものを次の(1)〜(5)のうちから一つ選べ.

(1) 直接埋設式には，掘削した地面の溝に，コンクリート製トラフなどの防護物を敷き並べて，防護物内に電力ケーブルを引き入れてから埋設する方式がある.

(2) 管路式には，あらかじめ管路及びマンホールを埋設しておき，電力ケーブルをマンホールから管路に引き入れ，マンホール内で電力ケーブルを接続して布設する方式がある.

(3) 暗きょ式には，地中に洞道を構築し，床上や棚上あるいはトラフ内に電力ケーブルを引き入れて布設する方式がある．電力，電話，ガス，上下水道などの地下埋設物を共同で収容するための共同溝に電力ケーブルを布設する方式も暗きょ式に含まれる.

(4) 直接埋設式は，管路式，暗きょ式と比較して，工事期間が短く，工事費が安い．そのため，将来的な電力ケーブルの増設を計画しやすく，ケーブル線路内での事故発生に対して復旧が容易である.

(5) 管路式，暗きょ式は，直接埋設式と比較して，電力ケーブル条数が多い場合に適している．一方，管路式では，電力ケーブルを多条数布設すると送電容量が著しく低下する場合があり，その場合には電力ケーブルの熱放散が良好な暗きょ式が採用される.

解9 解答 (4)

直接埋設式は，管路式，暗きょ式に比べて簡単で，工期が短く，コストも安いが，将来的な電力ケーブルの増設はしづらく，ケーブル線路内での事故発生に対し，ケーブル取り替え時に掘削が必要となるなど，復旧は容易でない．直接埋設式に比べ，管路式や暗きょ式では，工期が長く，コストも高くつくが，ケーブルの将来増設や事故後の復旧やメンテナンスなどは，管路式のほうがよく，工期が最も長く，最もコスト高となる暗きょ式ではさらに柔軟性が高い．

問10 Check! □□□

(平成26年 Ⓐ問題10)

次の文章は，地中送電線の布設方式に関する記述である．

地中ケーブルの布設方式は，直接埋設式，(ア)，(イ)などがある．直接埋設式は(ア)や(イ)と比較すると，工事費が(ウ)なる特徴がある．

(ア)や(イ)は我が国では主流の布設方式であり，直接埋設式と比較するとケーブルの引き替えが容易である．(ア)は(イ)と比較するとケーブルの熱放散が一般に良好で，(エ)を高くとれる特徴がある．(イ)ではケーブルの接続を一般に(オ)で行うことから，布設設計や工事の自由度に制約が生じる場合がある．

上記の記述中の空白箇所(ア)，(イ)，(ウ)，(エ)及び(オ)に当てはまる組合せとして，正しいものを次の(1)〜(5)のうちから一つ選べ．

	(ア)	(イ)	(ウ)	(エ)	(オ)
(1)	暗きょ式	管路式	高く	送電電圧	地上開削部
(2)	管路式	暗きょ式	安く	許容電流	マンホール
(3)	管路式	暗きょ式	高く	送電電圧	マンホール
(4)	暗きょ式	管路式	安く	許容電流	マンホール
(5)	暗きょ式	管路式	高く	許容電流	地上開削部

解10 解答 (4)

地中ケーブルの布設方式は，直接埋設式（直埋式），管路式および暗きょ式が用いられており，これらの長所と短所を示すと次のようである．

(i) 直接埋設式

地中にケーブルを直接埋設する方式であり，一般に線路防護のためコンクリート製トラフなどにおさめて埋設し，電気設備技術基準の解釈で規定された深さに埋設する．

〔長所〕・布設工事費が少ない．
　　　　・工事期間が短い．
〔短所〕・外傷を受けやすい．
　　　　・保守点検が困難である．
　　　　・増設や撤去に不利である．

(ii) 管路式

あらかじめ管路およびマンホールを施設しておき，ケーブル布設時は，マンホールから管路にケーブルを引き入れ，マンホール内でケーブルを接続する方式である．

〔長所〕・ケーブルの増設・撤去が容易である．
　　　　・比較的外傷を受けにくい．
　　　　・保守点検に便利である．
〔短所〕・管路やマンホールの工事費が大である．
　　　　・ケーブル条数が多くなると，放熱の関係で送電容量が制限を受ける．

(iii) 暗きょ式

地中に暗きょ（洞道）を構築し，床上，棚上あるいはトラフ内にケーブルを布設するもので，管路式にすると多条数のケーブルの発熱によって送電容量が著しく減少する場合に用いられる．また，通信線や水道などを併設できるようにした大形の共同溝とすることもある．

〔長所〕・ケーブルの放熱がよく，送電容量の制限を受けない．
　　　　・多条数のケーブル布設が可能
　　　　・保守点検が容易
〔短所〕・工事費が非常に大きい．
　　　　・工期が長い．

問11 Check! □□□

(平成17年 Ⓐ 問題11)

今日わが国で主に使用されている電力ケーブルは，紙と油を絶縁体に使用するOFケーブルと，(ア)を絶縁体に使用するCVケーブルである．

OFケーブルにおいては，充てんされた絶縁油を加圧することにより，(イ)の発生を防ぎ絶縁耐力の向上を図っている．このために，給油設備の設置が必要である．

一方，CVケーブルは絶縁体の誘電正接，比誘電率がOFケーブルよりも小さいために，誘電損や(ウ)が小さい．また，絶縁体の最高許容温度はOFケーブルよりも高いため，導体断面積が同じ場合，(エ)はOFケーブルよりも大きくすることができる．

上記の記述中の空白箇所(ア)，(イ)，(ウ)及び(エ)に記入する語句として，正しいものを組み合わせたのは次のうちどれか．

	(ア)	(イ)	(ウ)	(エ)
(1)	架橋ポリエチレン	熱	充電電流	電流容量
(2)	ブチルゴム	ボイド	抵抗損	電流容量
(3)	ブチルゴム	熱	抵抗損	使用電圧
(4)	架橋ポリエチレン	ボイド	充電電流	電流容量
(5)	架橋ポリエチレン	ボイド	抵抗損	使用電圧

解11 解答 (4)

OFケーブルは導体上に絶縁紙を巻き，金属シースを施した上にビニルなどのシースを設けた構造のケーブルで，金属シース内部に絶縁油を充てんし，常時大気圧以上の圧力を加えて絶縁体内にボイド(気泡)を発生させないようにしている.

OFケーブルは従来66〔kV〕以上の電力ケーブルとして最も多く使用されてきたが，CVケーブルの高電圧化に伴い，最近では275〔kV〕以上の超高圧用として用いられている.

CVケーブル（架橋ポリエチレン絶縁ビニルシースケーブル）は，架橋ポリエチレンを絶縁体に用いたケーブルである.

架橋ポリエチレンは，ポリエチレンの優れた電気特性をそのままに，鎖状分子構造を架橋反応によって立体網目状分子構造とすることによって耐熱特性を大幅に改善したもので，導体の連続許容最高温度は90〔℃〕と高い.

また，架空ポリエチレンの比誘電率は2.3とOFケーブルの2.5～3.7に対し低く，同一形状である場合，CVケーブルはOFケーブルに対し充電電流が少なく，電流容量も大きくすることができる.

問12　Check! □□□　(平成30年 Ⓐ問題11)

地中送電線路に使用される各種電力ケーブルに関する記述として，誤っているものを次の(1)～(5)のうちから一つ選べ．

(1) OFケーブルは，絶縁体として絶縁紙と絶縁油を組み合わせた油浸紙絶縁ケーブルであり，油通路が不要であるという特徴がある．給油設備を用いて絶縁油に大気圧以上の油圧を加えることでボイドの発生を抑制して絶縁強度を確保している．

(2) POFケーブルは，油浸紙絶縁の線心3条をあらかじめ布設された防食鋼管内に引き入れた後に，絶縁油を高い油圧で充てんしたケーブルである．地盤沈下や外傷に対する強度に優れ，電磁遮蔽効果が高いという特徴がある．

(3) CVケーブルは，絶縁体に架橋ポリエチレンを使用したケーブルであり，OFケーブルと比較して絶縁体の誘電率，熱抵抗率が小さく，常時導体最高許容温度が高いため，送電容量の面で有利である．

(4) CVTケーブルは，ビニルシースを施した単心CVケーブル3条をより合わせたトリプレックス形CVケーブルであり，3心共通シース形CVケーブルと比較してケーブルの熱抵抗が小さいため電流容量を大きくできるとともに，ケーブルの接続作業性がよい．

(5) OFケーブルやPOFケーブルは，油圧の常時監視によって金属シースや鋼管の欠陥，外傷などに起因する漏油を検知できるので，油圧の異常低下による絶縁破壊事故の未然防止を図ることができる．

解12 解答（1）

⑴が誤りである．

OFケーブルには油通路が不要であるという記述は誤りで，図のようにOFケーブルは油通路を有している．

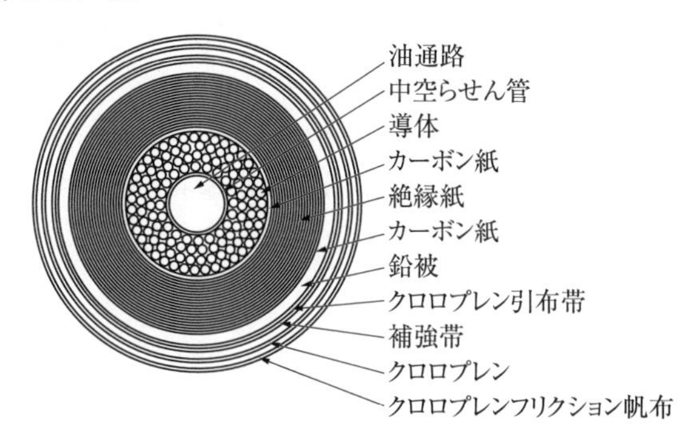

(a)　単心OFケーブル

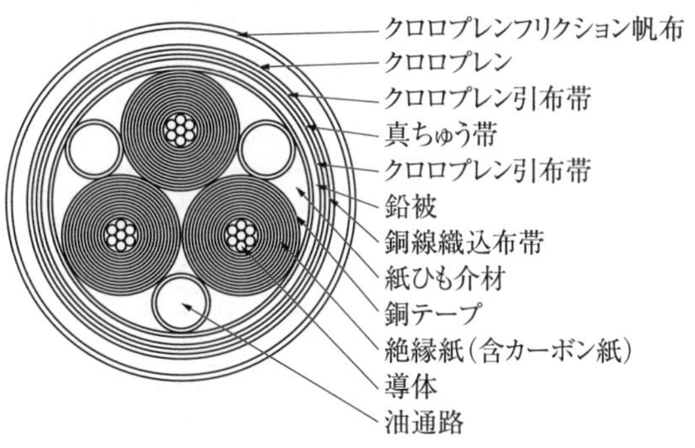

(b)　3心OFケーブル

出典：関根泰次・上之園博編，電気・電子工学大百科事典
第 14 巻「電力系統・送変電」，電気書院，1983

OF ケーブルの構造

問13 Check! □□□

(平成22年 Ⓐ問題11)

地中電力ケーブルの送電容量を増大させる現実的な方法に関する記述として，誤っているのは次のうちどれか.

(1) 耐熱性を高めた絶縁材料を採用する.
(2) 地中ケーブル線路に沿って布設した水冷管に冷却水を循環させ，ケーブルを間接的に冷却する.
(3) OF ケーブルの絶縁油を循環・冷却させる.
(4) CV ケーブルの絶縁体中に冷却水を循環させる.
(5) 導体サイズを大きくする.

問14 Check! □□□

(平成19年 Ⓐ問題11)

CVT ケーブルは，3 心共通シース型 CV ケーブルと比べて (ア) が大きくなるため，(イ) を大きくとることができる．また，(ウ) の吸収が容易であり，(エ) やすいため，接続箇所のマンホールの設計寸法を縮小化できる.

上記の記述中の空白箇所(ア)，(イ)，(ウ)及び(エ)に当てはまる語句として，正しいものを組み合わせたのは次のうちどれか.

	(ア)	(イ)	(ウ)	(エ)
(1)	熱抵抗	最高許容温度	発生熱量	曲げ
(2)	熱放散	許容電流	熱伸縮	曲げ
(3)	熱抵抗	許容電流	熱伸縮	伸ばし
(4)	熱放散	最高許容温度	発生熱量	伸ばし
(5)	熱放散	最高許容温度	熱伸縮	伸ばし

解13 解答 (4)

⑷の記述が誤りである．

CV ケーブルの絶縁体（架橋ポリエチレン）に水が浸入すると，水トリー現象が発生して，絶縁が破壊されるので，CV ケーブルの絶縁体には，水が浸入しないようにしなければならない．

解14 解答 (2)

CVT（トリプレックス形架橋ポリエチレン絶縁ビニルシースケーブル）は，第1図のように単心ケーブルを3本より合わせたもので，第2図のような3心一括CV ケーブルに比べて熱放散が大きいので，許容電流を大きくとることができる．

（例　6 600〔V〕，公称断面積 100〔mm^2〕の2孔2条布設時の許容電流…3心：215〔A〕，CVT：235〔A〕）

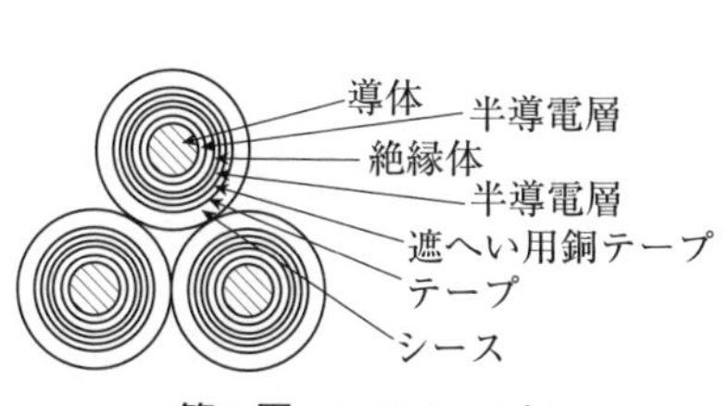

第1図　CVT ケーブル

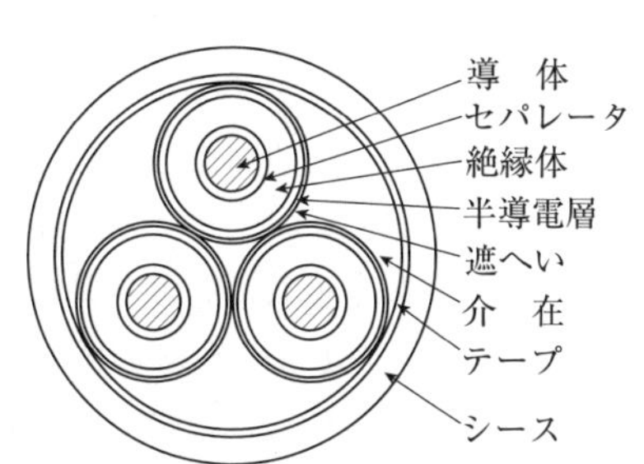

第2図　3心一括 CV ケーブル (共通シース型)

問15 Check! □□□

(令和5年㊦ Ⓐ問題10)

我が国の地中送電線路に関する記述として，誤っているものを次の(1)～(5)のうちから一つ選べ．

(1) 地中送電線路は，電力ケーブルを地中に埋設して送電する方式である．同じ送電容量の架空送電線路と比較して建設費が高いが，都市部においては用地の制約や，保安，景観などの点から地中送電線路が採用される傾向にある．

(2) 主な電力ケーブルには，架橋ポリエチレンを絶縁体としたCVケーブルと，絶縁紙と絶縁油を組み合わせた油浸紙を絶縁体としたOFケーブルがある．OFケーブルには油通路が設けられており，絶縁油の加圧によりボイドの発生を抑制して絶縁強度を確保するための給油設備が必要である．

(3) 電力ケーブルの電力損失において，抵抗損とシース損はケーブルの導体に流れる電流に起因した損失であり，誘電体損は電圧に対して絶縁体に流れる同位相の電流成分に起因した損失である．CVケーブルとOFケーブルの誘電体損では，一般にOFケーブルの方が小さい．

(4) 電力ケーブルの布設方法において，直接埋設式は最も工事費が安く，工期が短いが，ケーブル外傷等の被害のリスクが高く，ケーブル布設後の増設も難しい．一方で，管路式と暗きょ式（洞道式）は，ケーブル外傷等のリスク低減やケーブル布設後の増設にも優れた布設方式である．中でも暗きょ方式は，電力ケーブルの熱放散と保守の面で最も優れた布設方式である．

(5) 地中送電線路で地絡事故や断線事故が発生した際には，故障点位置標定が行われる．故障点位置標定法としては，地絡事故にはパルスレーダ法とマーレーループ法が適用でき，断線事故にはパルスレーダ法と静電容量測定法が適用できる．

解15 解答 (3)

わが国の地中送電線路に使用されている電力ケーブルは，紙と油を絶縁体に使用するOFケーブルと，架橋ポリエチレンを絶縁体に使用するCVケーブルが主流である．

OFケーブルは，充てんされた絶縁油を加圧することによりボイドの発生を防ぎ，絶縁耐力の向上を図っている．このため，給油設備設置や圧力監視が必要である．

一方，CVケーブルは絶縁体の静電正接（$\tan\delta$），比誘電率（ε_s）がOFケーブルよりも小さいため，誘電損や充電電流が小さく電流容量も大きくすることができるほか，OFケーブルのような付属設備が不要であるため，近年の地中ケーブルの主流である．

そのため，(3)が誤りである．

問16 Check! □□□ (平成29年 Ⓐ問題10)

交流の地中送電線路に使用される電力ケーブルで発生する損失に関する記述として，誤っているものを次の(1)～(5)のうちから一つ選べ.

(1) 電力ケーブルの許容電流は，ケーブル導体温度がケーブル絶縁体の最高許容温度を超えない上限の電流であり，電力ケーブル内での発生損失による発熱量や，ケーブル周囲環境の熱抵抗，温度などによって決まる.

(2) 交流電流が流れるケーブル導体中の電流分布は，表皮効果や近接効果によって偏りが生じる．そのため，電力ケーブルの抵抗損では，ケーブルの交流導体抵抗が直流導体抵抗よりも増大することを考慮する必要がある.

(3) 交流電圧を印加した電力ケーブルでは，電圧に対して同位相の電流成分がケーブル絶縁体に流れることにより誘電体損が発生する．この誘電体損は，ケーブル絶縁体の誘電率と誘電正接との積に比例して大きくなるため，誘電率及び誘電正接の小さい絶縁体の採用が望まれる.

(4) シース損には，ケーブルの長手方向に金属シースを流れる電流によって発生するシース回路損と，金属シース内の渦電流によって発生する渦電流損とがある．クロスボンド接地方式の採用はシース回路損の低減に効果があり，導電率の高い金属シース材の採用は渦電流損の低減に効果がある.

(5) 電力ケーブルで発生する損失のうち，最も大きい損失は抵抗損である．抵抗損の低減には，導体断面積の大サイズ化のほかに分割導体，素線絶縁導体の採用などの対策が有効である.

解16 解答 (4)

金属シースを流れる渦電流は，金属シースに発生する誘導起電力によるものであるから，導電率の高い金属シース材は抵抗率が低く，渦電流が大きくなるため，その2乗に比例する渦電流損は増加する．

問17 Check! □□□

（令和３年 Ⓐ問題 11）

地中送電線路に使用される電力ケーブルの許容電流に関する記述として，誤っているものを次の(1)～(5)のうちから一つ選べ．

(1) 電力ケーブルの絶縁体やシースの熱抵抗，電力ケーブル周囲の熱抵抗といった各部の熱抵抗を小さくすることにより，ケーブル導体の発熱に対する導体温度上昇量を低減することができるため，許容電流を大きくすることができる．

(2) 表皮効果が大きいケーブル導体を採用することにより，導体表面側での電流を流れやすくして導体全体での電気抵抗を低減することができるため，許容電流を大きくすることができる．

(3) 誘電率，誘電正接の小さい絶縁体を採用することにより，絶縁体での発熱の影響を抑制することができるため，許容電流を大きくすることができる．

(4) 電気抵抗率の高い金属シース材を採用することにより，金属シースに流れる電流による発熱の影響を低減することができるため，許容電流を大きくすることができる．

(5) 電力ケーブルの布設条数（回線数）を少なくすることにより，電力ケーブル相互間の発熱の影響を低減することができるため，1条当たりの許容電流を大きくすることができる．

解17 解答 (2)

(2)の記述が誤りである．

正しくは，「表皮効果が小さいケーブル導体を採用することにより，導体表面側での電流を流れやすくして導体全体での電気抵抗を低減することができるため，許容電流を大きくすることができる．」である．

問18 Check! □□□ (平成25年 Ⓐ問題10)

地中電線の損失に関する記述として，誤っているものを次の(1)～(5)のうちから一つ選べ.

(1) 誘電体損は，ケーブルの絶縁体に交流電圧が印加されたとき，その絶縁体に流れる電流のうち，電圧に対して位相が90〔°〕進んだ電流成分により発生する.

(2) シース損は，ケーブルの金属シースに誘導される電流による発生損失である.

(3) 抵抗損は，ケーブルの導体に電流が流れることにより発生する損失であり，単位長当たりの抵抗値が同じ場合，導体電流の2乗に比例して大きくなる.

(4) シース損を低減させる方法として，クロスボンド接地方式の採用が効果的である.

(5) 絶縁体が劣化している場合には，一般に誘電体損は大きくなる傾向がある.

問19 Check! □□□ (令和5年㊤ Ⓐ問題10)

地中送電線路の線路定数に関する記述として，誤っているものを次の(1)～(5)のうちから一つ選べ.

(1) 架空送電線路の場合と同様，一般に，導体抵抗，インダクタンス，静電容量を考える.

(2) 交流の場合の導体の実効抵抗は，表皮効果及び近接効果のため直流に比べて小さくなる.

(3) 導体抵抗は，温度上昇とともに大きくなる.

(4) インダクタンスは，架空送電線路に比べて小さい.

(5) 静電容量は，架空送電線路に比べてかなり大きい.

解18 解答 (1)

地中電線にはケーブルが用いられる．ケーブルは同心円状に導体を絶縁体で囲む構造となっており，安全のため金属シースを外周に施して接地している．

(1) 誘電損（誘電体損）

ケーブルの絶縁体に交流電圧を印加したとき，電圧に対して位相が90°進んだ電流成分のみであれば損失は発生しないが，実際には抵抗分が存在するため，電圧と同位相の電流成分があり，これにより損失が発生する．これを誘電損と呼ぶ．設問の記述は誤っている．

(2) シース損は，ケーブルの金属シースに誘導される電流による渦電流損である．設問の記述は正しい．

(3) 抵抗損は，ケーブルの導体の抵抗分Rによって生じるジュール熱損失であり，電流IのときRI^2となるため，電流の2乗に比例する．設問の記述は正しい．

(4) シース損を低減するには，シースに電位差を発生させないことが重要である．

クロスボンド接地方式は，ケーブル接続箱で，ある相のシースを他相のシースに接続することにより，金属シースに誘起される電圧を抑える接地方式であるため有効である．設問の記述は正しい．

(5) 絶縁体が劣化すると誘電体損は大きくなる．設問の記述は正しい．

解19 解答 (2)

表皮効果とは，交流電流が導体を流れるとき，電流密度が導体の表面で高く，表面から離れると低くなる現象である．周波数が高くなるほど電流が表面へ集中するため，導体の交流抵抗は大きくなる．

また，近接効果とは，導体が隣り合って置かれて各々に電流が流れている際，導体内部の電流密度が，電流の向きが同一の場合は導体から離れている側が高くなり，電流の向きが反対の場合は導体から近い側が高くなる現象であり，電流の流れが不均一になると導体の交流抵抗は大きくなる．

そのため，(2)が誤りである．

そのほかは，問題文記載のとおりであり正しい．

問20 Check! □□□

（令和 6 年㊤ Ⓐ問題 10）

次の文章は，マーレーループ法に関する記述である．

マーレーループ法はケーブル線路の故障点位置を標定するための方法である．この基本原理は (ア) ブリッジに基づいている．図に示すように，ケーブル A の一箇所においてその導体と遮へい層の間に地絡故障を生じているとする．この場合に故障点の位置標定を行うためには，マーレーループ装置を接続する箇所の逆側端部において，絶縁破壊を起こしたケーブル A と，これに並行する絶縁破壊を起こしていないケーブル B の (イ) どうしを接続して，ブリッジの平衡条件を求める．ケーブル線路長を L，マーレーループ装置を接続した端部側から故障点までの距離を x，ブリッジの全目盛を 1 000，ブリッジが平衡したときのケーブル A に接続されたブリッジ端子までの目盛の読みを a としたときに，故障点までの距離 x は (ウ) で示される．

なお，この原理上，故障点の地絡抵抗が (エ) ことがよい位置標定精度を得るうえで必要である．

ただし，ケーブル A，B は同一仕様，かつ，同一長とし，また，マーレーループ装置とケーブルの接続線，及びケーブルどうしの接続線のインピーダンスは無視するものとする．

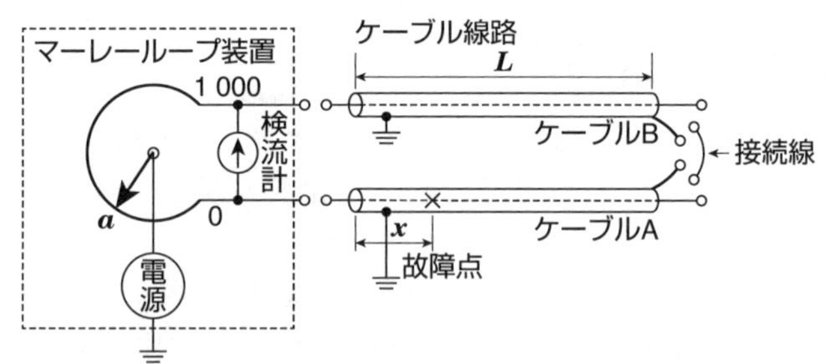

上記の記述中の空白箇所(ア)～(エ)に当てはまる組合せとして，正しいものを次の(1)～(5)のうちから一つ選べ．

	(ア)	(イ)	(ウ)	(エ)
(1)	ホイートストン	遮へい層	$\frac{aL}{500}$	十分低い
(2)	シェーリング	導体	$2L-\frac{aL}{500}$	十分高い
(3)	シェーリング	遮へい層	$2L-\frac{aL}{500}$	十分高い
(4)	ホイートストン	導体	$\frac{aL}{500}$	十分低い
(5)	ホイートストン	導体	$\frac{aL}{500}$	十分高い

解20 解答 (4)

問題の図から，故障点の地絡抵抗を R_g として，マーレーループ法による測定回路を示すと**第1図**のようになる．

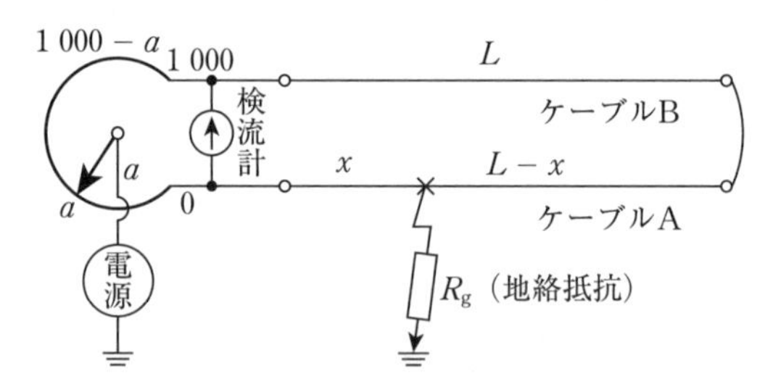

第1図

この測定回路を電源側から見ると**ホイートストン**ブリッジ回路となるから，**第2図**のように描き変えられる．

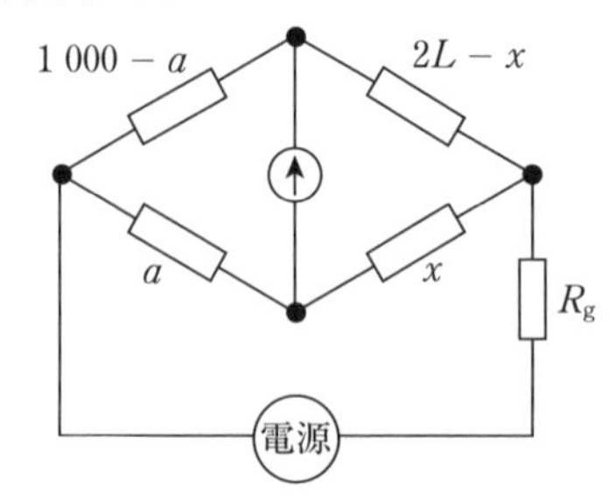

第2図

したがって，ブリッジの平衡条件から，求める故障点までの距離 x は以下のとおりとなる．

$$x(1\,000-a)=a(2L-x)$$

$$x(1\,000-a)=2aL-ax$$

$$1\,000x=2aL \quad \rightarrow \quad x=\frac{2aL}{1\,000}=\boldsymbol{\frac{aL}{500}}$$

また，この方法は原理上，故障点の地絡抵抗 R_g がブリッジ回路と直列に挿入されることになるため，地絡抵抗 R_g が大きいとブリッジにかかる電圧が低くなり，検流計に流れる電流が全体的に減少する．故障点標定の精度が悪くなるため，地絡抵抗 R_g は**十分低い**ことが必要である．

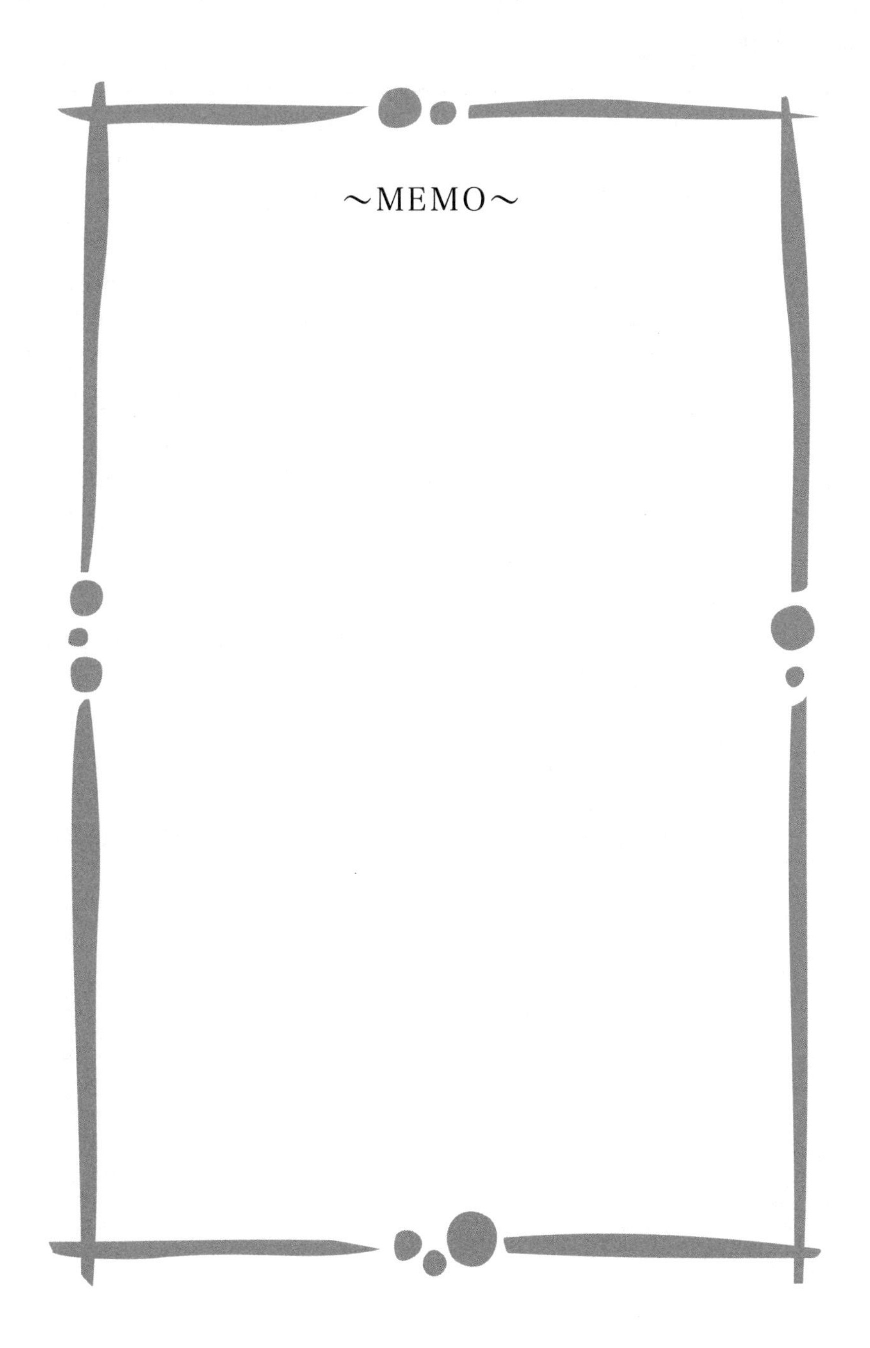
～MEMO～

問21 Check! □□□ (平成 23 年 Ⓐ 問題 11)

次の文章は，マーレーループ法に関する記述である.

マーレーループ法はケーブル線路の故障点位置を標定するための方法である．この基本原理は (ア) ブリッジに基づいている．図に示すように，ケーブル A の一箇所においてその導体と遮へい層の間に地絡故障を生じているとする．この場合に故障点の位置標定を行うためには，マーレーループ装置を接続する箇所の逆側端部において，絶縁破壊を起こしたケーブル A と，これに並行する絶縁破壊を起こしていないケーブル B の (イ) どうしを接続して，ブリッジの平衡条件を求める．ケーブル線路長を L，マーレーループ装置を接続した端部側から故障点までの距離を x，ブリッジの全目盛を 1 000，ブリッジが平衡したときのケーブル A に接続されたブリッジ端子までの目盛の読みを a としたときに，故障点までの距離 x は (ウ) で示される.

なお，この原理上，故障点の地絡抵抗が (エ) ことがよい位置標定精度を得るうえで必要である.

ただし，ケーブル A，B は同一仕様，かつ，同一長とし，また，マーレーループ装置とケーブルの接続線，及びケーブルどうしの接続線のインピーダンスは無視するものとする.

上記の記述中の空白箇所(ア)，(イ)，(ウ)及び(エ)に当てはまる組合せとして，正しいものを次の(1)～(5)のうちから一つ選べ.

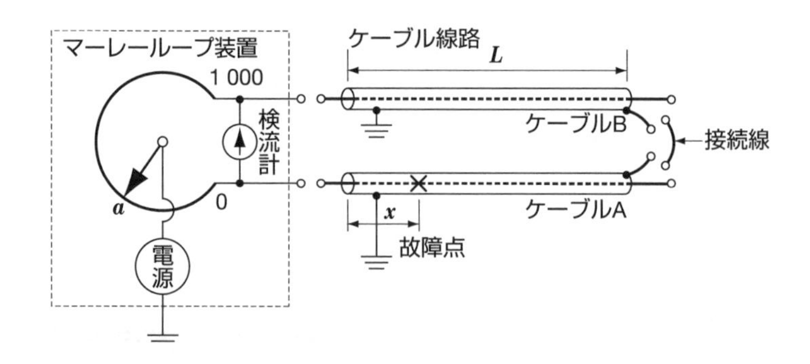

	(ア)	(イ)	(ウ)	(エ)
(1)	シェーリング	導体	$2L-\frac{aL}{500}$	十分高い
(2)	ホイートストン	導体	$\frac{aL}{500}$	十分低い
(3)	ホイートストン	遮へい層	$\frac{aL}{500}$	十分低い
(4)	シェーリング	遮へい層	$2L-\frac{aL}{500}$	十分高い
(5)	ホイートストン	導体	$\frac{aL}{500}$	十分高い

解21　解答 (2)

問題の図から，故障点の地絡抵抗を R_g として，マーレーループ法による測定回路を示すと，**第1図**のようになる．

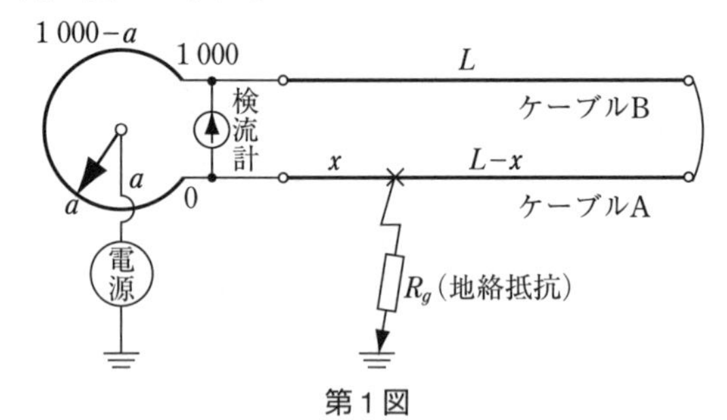

第1図

この測定回路を電源側から見るとホイートストンブリッジ回路となるから，第1図を描き変えれば，**第2図**のようになる．

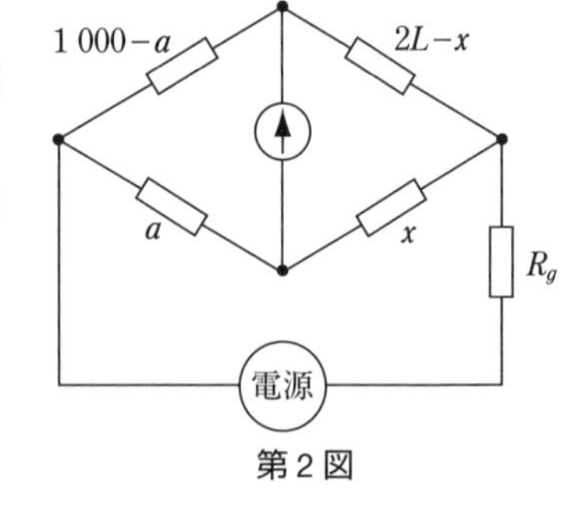

第2図

したがって，ブリッジの平衡条件から，求める故障点までの距離 x は，次のようになる．

$$x\,(1\,000-a)=a(2L-x)$$

$$x\,(1\,000-a)=2aL-ax$$

$$1\,000\,x=2aL$$

$$\therefore\quad x=\frac{2aL}{1\,000}=\frac{aL}{500}$$

また，この方法は，原理上，故障点の地絡抵抗がブリッジ回路と直列に挿入されることになるので，地絡抵抗 R_g が大きいと，ブリッジにかかる電圧が低くなり，検流計に流れる電流が全体的に減少し，故障点標定の精度が悪くなるので，地絡抵抗が十分低いことが必要である．

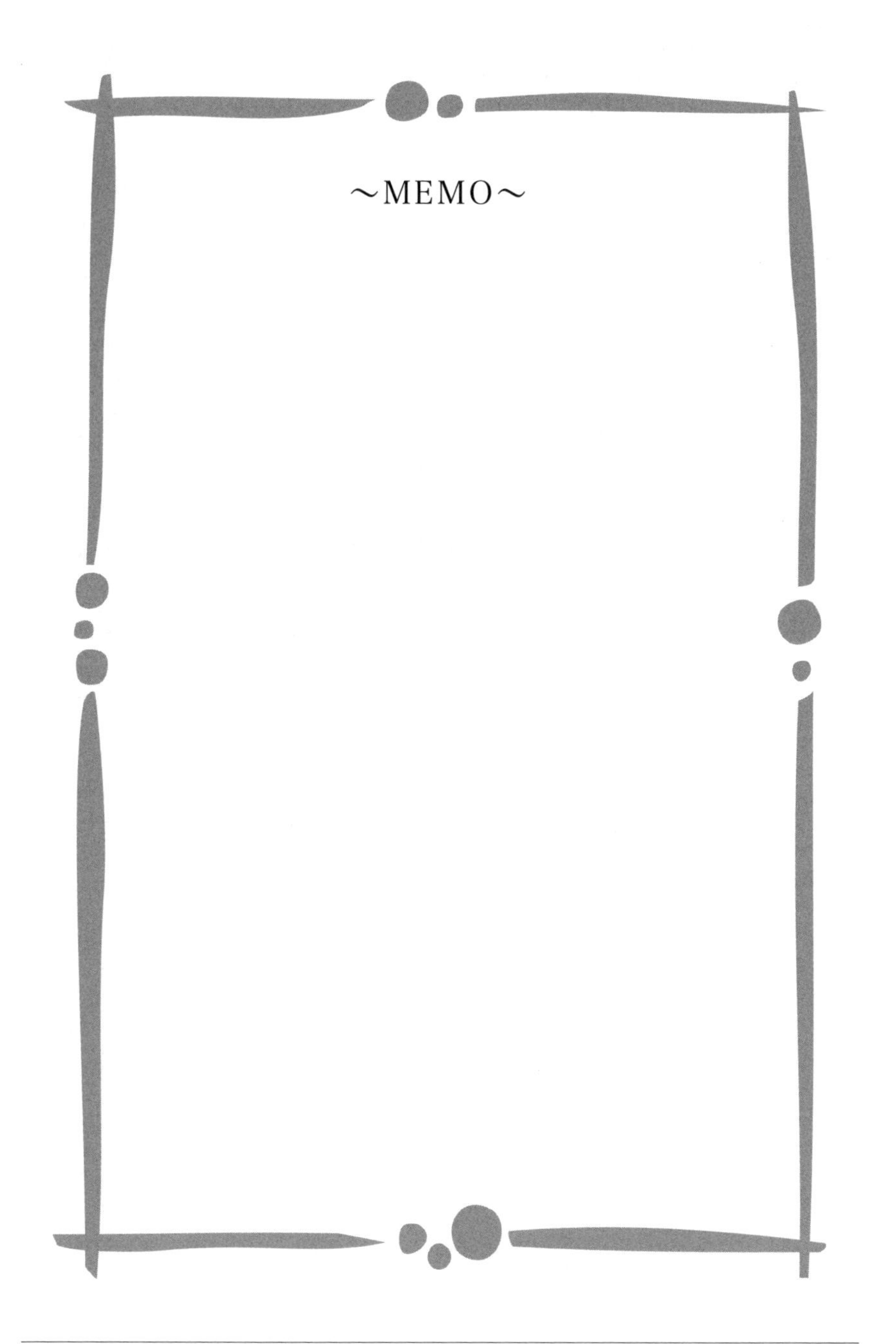
～MEMO～

問22 Check! □□□ (令和４年㊤ Ⓐ問題 11)

地中送電線路の故障点位置標定に関する記述として，誤っているものを次の(1)～(5)のうちから一つ選べ．

(1) 故障点位置標定は，地中送電線路で地絡事故や断線事故が発生した際に，事故点の位置を標定して地中送電線路を迅速に復旧させるために必要となる．

(2) パルスレーダ法は，健全相のケーブルと故障点でのサージインピーダンスの違いを利用して，故障相のケーブルの一端からパルス電圧を入力してから故障点でパルス電圧が反射して戻ってくるまでの時間を計測し，ケーブル中のパルス電圧の伝搬速度を用いて故障点を標定する方法である．

(3) 静電容量測定法は，ケーブルの静電容量と長さが比例することを利用し，健全相と故障相のそれぞれのケーブルの静電容量の測定結果とケーブルのこう長から故障点を標定する方法である．

(4) マーレーループ法は，並行する健全相と故障相の２本のケーブルに対して電気抵抗計測に使われるブリッジ回路を構成し，ブリッジ回路の平衡条件とケーブルのこう長から故障点を標定する方法である．

(5) 測定原理から，地絡事故にはパルスレーダ法とマーレーループ法が適用でき，断線事故には静電容量測定法とマーレーループ法が適用できる．

解22 解答 (5)

ケーブルの故障点探査の方法には次のようなものがある.

① マーレーループ法：地絡点までの距離をホイートストンブリッジの原理を応用して標定. 1線地絡, 2線地絡, 2線短絡接地の場合に適用可能だが, 平行健全相がない場合や故障点が放電する場合は適用できない. また, 断線事故の場合は測定原理上適用できない.

② パルスレーダ法：パルス電圧を加え故障点からの反射パルスを検知するまでの時間 t を測定し, パルスの伝搬速度 v から, 故障点までの距離 $l = vt/2$ により標定. 地絡事故に加え短絡事故, 断線事故の場合にも適用可能. 健全回線の存在を必要としない. パルス波形の判読に熟練を要する.

③ 静電容量測定法：断線事故の場合に, 故障相の静電容量と健全相の静電容量を測定することにより故障点までの距離を標定する.

問23 Check! □□□

(平成28年 Ⓐ問題10)

地中送電線路の故障点位置標定に関する記述として，誤っているものを次の(1)～(5)のうちから一つ選べ．

(1) マーレーループ法は，並行する健全相と故障相の2本のケーブルにおける一方の導体端部間にマーレーループ装置を接続し，他方の導体端部間を短絡してブリッジ回路を構成することで，ブリッジ回路の平衡条件から故障点を標定する方法である．

(2) パルスレーダ法は，故障相のケーブルにおける健全部と故障点でのサージインピーダンスの違いを利用して，故障相のケーブルの一端からパルス電圧を入力し，同位置で故障点からの反射パルスが返ってくる時間を測定することで故障点を標定する方法である．

(3) 静電容量測定法は，ケーブルの静電容量と長さが比例することを利用し，健全相と故障相のケーブルの静電容量をそれぞれ測定することで故障点を標定する方法である．

(4) 測定原理から，マーレーループ法は地絡事故に，静電容量測定法は断線事故に，パルスレーダ法は地絡事故と断線事故の双方に適用可能である．

(5) 各故障点位置標定法での測定回路で得た測定値に加えて，マーレーループ法では単位長さ当たりのケーブルの導体抵抗が，静電容量測定法ではケーブルのこう長が，パルスレーダ法ではケーブル中のパルス電圧の伝搬速度がそれぞれ与えられれば，故障点の位置標定ができる．

解23 解答 (5)

(5)の記述が誤りで，マーレーループ法による事故点標定では，ケーブルの単位長当たりの導体抵抗を知らなくても事故点標定が可能である．

図は，マーレーループ法の原理を示したもので，ホイートストンブリッジの原理を応用した直流ブリッジである．

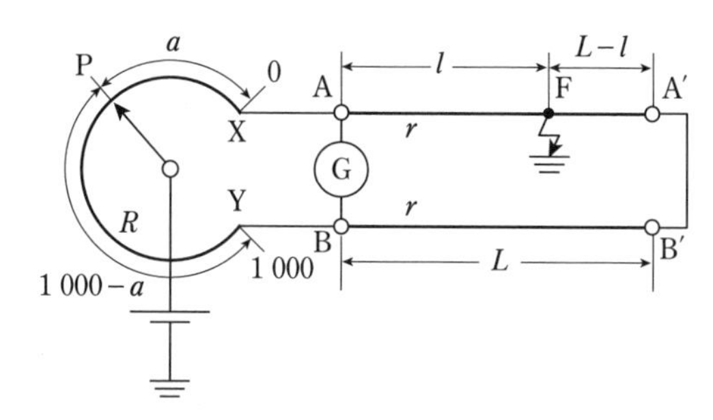

XPY は 0 ～ 1 000 まで目盛ったしゅう動抵抗で，その全抵抗を R [Ω] とする．また，AA′ はケーブルの故障相導体，BB′ は同じケーブルの健全相導体であり，導体の単位長当たりの抵抗を r [Ω/m]，ケーブル長を L [m] とし，故障点 F までの距離を l [m] とする．

いま，しゅう動抵抗において XP = a でブリッジが平衡したとすると，事故点までの距離 l は次のように求められる．

$$\frac{a}{1\,000}R \times r(2L-l) = \frac{1\,000-a}{1\,000}R \times rl$$

$$a(2L-l) = (1\,000-a)l$$

$$2aL - al = 1\,000l - aL$$

$$\therefore \quad l = \frac{2aL}{1\,000} \text{ [m]}$$

このように，マーレーループ法による事故点標定では，ケーブルの単位長当たりの抵抗値を必要としないことがわかる．

問24 Check! □□□

(平成20年 Ⓐ問題11)

地中電線路の絶縁劣化診断方法として，関係ないものは次のうちどれか．

(1) 直流漏れ電流法
(2) 誘電正接法
(3) 絶縁抵抗法
(4) マーレーループ法
(5) 絶縁油中ガス分析法

問25 Check! □□□

(平成20年 Ⓐ問題12)

架空配電線路と比較したときの地中配電線路の一般的な特徴に関する記述として，誤っているのは次のうちどれか．

(1) 架空設備が地中化されることにより，街並みの景観が向上する．
(2) 設備の建設費用は，架空配電線路より高額である．
(3) 変圧器等を施設するためのスペースが歩道などに必要である．
(4) 台風や雷に際しては，架空配電線路より設備事故が発生しにくいため，供給信頼度が高い．
(5) いったん線路の損壊事故が発生した場合の復旧は，架空配電線路の場合より短時間で済む場合が多い．

解24 解答 (4)

マーレーループ法は，ホイートストンブリッジの原理を応用した直流抵抗ブリッジで，線路の事故点測定に用いられる方法で，地中電線路の絶縁劣化診断方法として用いられることはない．

また，絶縁油中ガス分析法は，地中電線路として現在主流となっているCVケーブル（架橋ポリエチレン絶縁ビニルシースケーブル）では用いられないが，従来のOFケーブルで用いられる．

解25 解答 (5)

線路の損壊事故が発生した場合の復旧は，地中電線路の方が架空電線路に比べてはるかに困難であるため，架空電線路の場合よりも長時間を必要とするため，(5)が誤りである．

問26 Check! □□□

(平成27年 Ⓐ問題11)

次の文章は，地中配電線路の得失に関する記述である．

地中配電線路は，架空配電線路と比較して，［(ア)］が良くなる，台風等の自然災害発生時において［(イ)］による事故が少ない等の利点がある．

一方で，架空配電線路と比較して，地中配電線路は高額の建設費用を必要とするほか，掘削工事を要することから需要増加に対する［(ウ)］が容易ではなく，またケーブルの対地静電容量による［(エ)］の影響が大きい等の欠点がある．

上記の記述中の空白箇所(ア)，(イ)，(ウ)及び(エ)に当てはまる組合せとして，正しいものを次の(1)～(5)のうちから一つ選べ．

	(ア)	(イ)	(ウ)	(エ)
(1)	都市の景観	他物接触	設備増強	フェランチ効果
(2)	都市の景観	操業者過失	保護協調	フェランチ効果
(3)	需要率	他物接触	保護協調	電圧降下
(4)	都市の景観	他物接触	設備増強	電圧降下
(5)	需要率	操業者過失	設備増強	フェランチ効果

解26 解答 (1)

地中配電線路は，架空配電線路に比べて都市の景観が良くなる，台風などの自然災害発生時において他物接触や支持物の倒壊や電線の断線などによる事故が少ない等の利点があり，現在では，大都市の中心部においては，配電線路の地中化が実施されている．

しかしながら，架空配電線路と比較して地中配電線路を建設する際のコストは格段に高くつき，配電線路の増設や分岐などの拡張が架空配電線路に比べて困難であるという欠点を有する．また，地中電線路では，架空配電線路に比べて対地静電容量が非常に大きく，休日や夜間などの軽負荷時にフェランチ効果によって，電圧が上昇するなどの影響が大きい．さらに，配電線路の事故時においては，事故点の特定や改修工事なども架空配電線路に比べて困難となるなどの欠点も有している．

第7章 配電

●計算

・各種配電方式の特徴

・単相3線式配電線

・V結線電灯動力共用方式

・配電線の電圧降下

・支線

●論説・空白

・各種配電方式の特徴

・配電用機材・設備

・電圧調整方法

・保護方式・故障様相

・電線の太さ

・分散型電源連系時の留意事項

問1 Check! □□□

（令和５年㊦ Ⓐ問題 13）

単相２線式及び単相３線式の線路での電力損失について，次の問に答えよ．

下図のように，単相 100 V の抵抗負荷に単相２線式及び単相３線式の低圧配電方式で送電する．負荷の総容量は同一であり，３線式の場合，負荷は図のように線間に均等分割されるものとする．単相２線式での線路の抵抗損を１とすると，単相３線式の線路の抵抗損は $\frac{1}{5}$ であった．このとき，単相２線式での線路の１線当たりの抵抗に対して，単相３線式での線路の１線当たりの抵抗はどのような大きさとなるか．最も近いものを次の(1)～(5)のうちから一つ選べ．

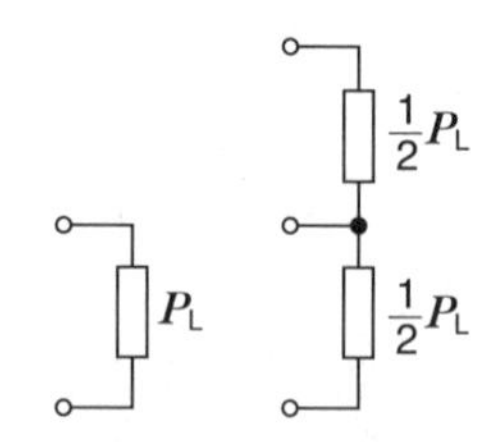

(1) 0.27 倍 (2) 0.4 倍 (3) 0.53 倍
(4) 0.8 倍 (5) 1.25 倍

解1 解答 (4)

線間電圧を V [V]（100 V），単相2線式の線路電流を I_2 [A]，単相3線式の線路電流を I_3 [A]，単相2線式の線路抵抗を R_2 [Ω]，単相3線式の線路抵抗を R_3 [Ω]，単相2線式の線路の抵抗損を P_{21} [W]，単相3線式の線路の抵抗損を P_{31} [W]，負荷 P_L [W] とすると，

負荷 $P_L = VI_2 = 2VI_3$ [W] であるため，$I_3 = I_2/2$ の関係であることがわかる．

単相2線式線路の抵抗損 P_{21} は，

$$P_{21} = 2I_2{}^2R_2 = 1 \text{（題意より）} \quad ①$$

次に単相3線式線路の抵抗損 $P_{31} = 2I_3{}^2R_3$ [W] となり，題意より $P_{31} = 0.2$ である．

$$P_{31} = 2I_3{}^2R_3 = 2\times\left(\frac{I_2}{2}\right)^2 R_3 = 0.5I_2{}^2R_3 = 0.2 \quad ②$$

①，②式より，

$$\frac{R_3}{R_2} = \frac{\frac{0.2}{0.5}}{\frac{1}{2}} = \frac{0.4}{0.5} = 0.8 \text{ 倍}$$

となる．

問2 Check! □□□

(平成29年 Ⓐ 問題11)

回路図のような単相2線式及び三相4線式のそれぞれの低圧配電方式で，抵抗負荷に送電したところ送電電力が等しかった．

このときの三相4線式の線路損失は単相2線式の何[%]となるか．最も近いものを次の(1)～(5)のうちから一つ選べ．

ただし，三相4線式の結線はY結線で，電源は三相対称，負荷は三相平衡であり，それぞれの低圧配電方式の1線当たりの線路抵抗 r，回路図に示す電圧 V は等しいものとする．また，線路インダクタンスは無視できるものとする．

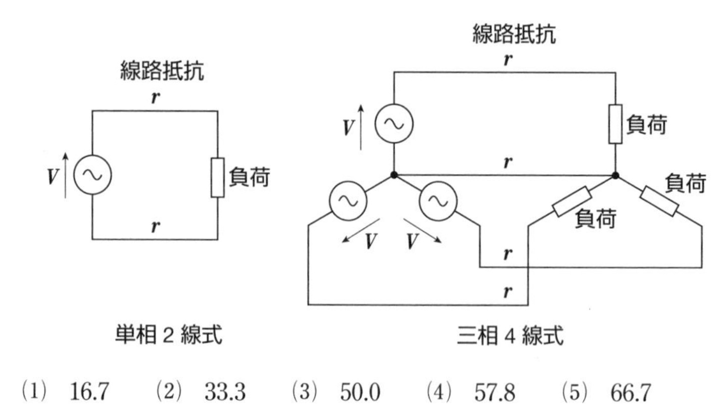

(1) 16.7　(2) 33.3　(3) 50.0　(4) 57.8　(5) 66.7

解2 解答（1）

抵抗負荷の送電電力を P とすると，単相 2 線式の線電流 I_1 および三相 4 線式の線電流 I_3 は抵抗負荷であることを考慮すれば，それぞれ次式で与えられる．

$$I_1 = \frac{P}{V}$$

$$I_3 = \frac{P}{3V}$$

したがって，単相 2 線式の線路損失 P_{l1} および三相 4 線式の線路損失 P_{l3} はそれぞれ，次式で与えられる．

$$P_{l1} = 2rI_1^2 = 2r\frac{P^2}{V^2}$$

$$P_{l3} = 3rI_3^2 = 3r\frac{P^2}{9V^2} = \frac{rP^2}{3V^2}$$

したがって，三相 4 線式の線路損失の単相 2 線式のそれに対する比率 P_{l3}/P_{l1} は，

$$\frac{P_{l3}}{P_{l1}} = \frac{rP^2}{3V^2}\cdot\frac{V^2}{2rP^2} = \frac{1}{6} \fallingdotseq 0.167 = 16.7\ \%$$

問3 Check! □□□

(平成27年 Ⓐ問題13)

三相3線式と単相2線式の低圧配電方式について，三相3線式の最大送電電力は，単相2線式のおよそ何％となるか．最も近いものを次の(1)～(5)のうちから一つ選べ．

ただし，三相3線式の負荷は平衡しており，両低圧配電方式の線路こう長，低圧配電線に用いられる導体材料や導体量，送電端の線間電圧，力率は等しく，許容電流は導体の断面積に比例するものとする．

(1) 67　(2) 115　(3) 133　(4) 173　(5) 260

解3 解答 (2)

配電線路の線路こう長を l とし，線間電圧を V，力率を $\cos\theta$（遅れ），電線の全導体量を w とする．

いま，単相2線式線路の導体の断面積を S_{12}，三相3線式線路の導体の断面積を S_{33} とすると，題意より両方式の全導体量が等しいので，次式が成立する．

$$w = 2S_{12}l = 3S_{33}l$$

$$\therefore \quad \frac{S_{33}}{S_{12}} = \frac{2}{3} \tag{1}$$

また，題意より，電線の許容電流は導体の断面積に比例するので，単相2線式線路の導体および三相3線式線路の導体の許容電流をそれぞれ I_{12} および I_{33} とすれば，(1)式より，次のようになる．

$$\frac{I_{33}}{I_{12}} = \frac{S_{33}}{S_{12}} = \frac{2}{3} \tag{2}$$

ここに，単相2線式線路および三相3線式線路の最大送電電力 P_{12} および P_{33} はそれぞれ，

$$P_{12} = VI_{12}\cos\theta \tag{3}$$

$$P_{33} = \sqrt{3}\,VI_{33}\cos\theta \tag{4}$$

で与えられるから，三相3線式線路の最大送電電力 P_{33} の単相2線式線路の最大送電電力 P_{12} に対する比は，(2)式，(3)式および(4)式より，次のようになる．

$$\frac{P_{33}}{P_{12}} = \frac{\sqrt{3}\,VI_{33}\cos\theta}{VI_{12}\cos\theta} = \frac{\sqrt{3}I_{33}}{I_{12}} = \sqrt{3} \times \frac{I_{33}}{I_{12}} = \sqrt{3} \times \frac{2}{3}$$

$$\fallingdotseq 1.154\,7 = 115.47\ \% \fallingdotseq 115\ \%$$

問4 Check! □□□

(平成 23 年 Ⓐ 問題 9)

一次電圧 6 400〔V〕，二次電圧 210〔V〕/105〔V〕の柱上変圧器がある．図のような単相 3 線式配電線路において三つの無誘導負荷が接続されている．負荷 1 の電流は 50〔A〕，負荷 2 の電流は 60〔A〕，負荷 3 の電流は 40〔A〕である．L_1 と N 間の電圧 V_a〔V〕，L_2 と N 間の電圧 V_b〔V〕，及び変圧器の一次電流 I_1〔A〕の値の組合せとして，正しいものを次の(1)～(5)のうちから一つ選べ．

ただし，変圧器から低圧負荷までの電線 1 線当たりの抵抗を 0.08〔Ω〕とし，変圧器の励磁電流，インピーダンス，低圧配電線のリアクタンス，及び C 点から負荷側線路のインピーダンスは考えないものとする．

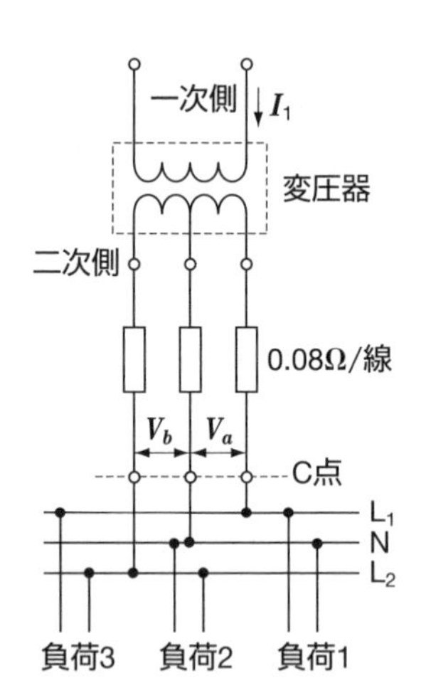

	V_a〔V〕	V_b〔V〕	I_1〔A〕
(1)	98.6	96.2	3.12
(2)	97.0	97.8	3.28
(3)	97.0	97.8	2.95
(4)	96.2	98.6	3.12
(5)	98.6	96.2	3.28

解4 解答 (1)

負荷１，負荷２および負荷３の電流および単相３線式配電線路を流れる電流分布を描くと，右図のようになる．

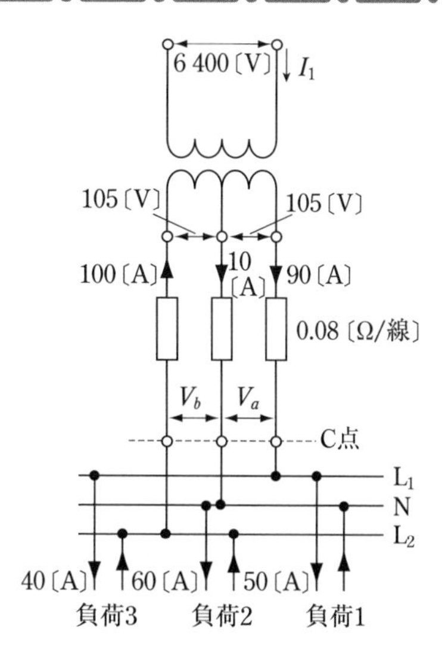

したがって，変圧器の一次電流 I_1 は，次式で求められる．

$$6\,400 I_1 = 105 \times 100 + 105 \times 90 \text{〔A〕}$$

$$\therefore \quad I_1 = \frac{10\,500 + 9\,450}{6\,400} \fallingdotseq 3.12 \text{〔A〕}$$

また，L_1 と N 間の電圧 V_a および L_2 と N 間の電圧 V_b はそれぞれ次のようになる．

$$V_a = 105 - 0.08 \times 90 + 0.08 \times 10$$
$$= 98.6 \text{〔V〕}$$

$$V_b = 105 - 0.08 \times 10 - 0.08 \times 100$$
$$= 96.2 \text{〔V〕}$$

問5 Check! □□□

（令和４年㊦ Ⓑ問題 17）

図のように配電用変圧器二次側の単相３線式低圧配電線路に負荷Ａ及び負荷Ｂが接続されている場合について，次の(a)及び(b)の問に答えよ．ただし，変圧器は，励磁電流，内部電圧降下及び内部損失などを無視できる理想変圧器で，一次電圧は 6 600 V，二次電圧は 110/220 V で一定であるものとする．また，低圧配電線路及び中性線の電線１線当たりの抵抗は 0.06 Ω，負荷Ａ及び負荷Ｂは純抵抗負荷とし，これら以外のインピーダンスは考慮しないものとする．

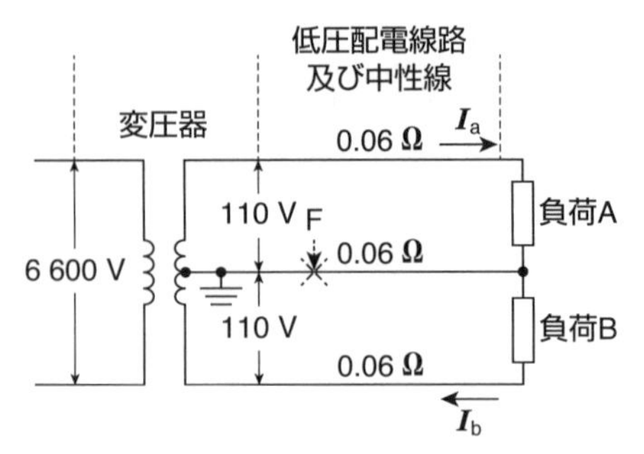

(a) 変圧器の電流を測定したところ，一次電流が５Ａ，二次電流 I_a と I_b の比が２：３であった．二次側低圧配電線路及び中性線における損失の合計値 [kW] として，最も近いものを次の(1)～(5)のうちから一つ選べ．

(1) 2.59　(2) 2.81　(3) 3.02　(4) 5.83　(5) 8.21

(b) 低圧配電線路の中性線が点Ｆで断線した場合に負荷Ａにかかる電圧の値 [V] として，最も近いものを次の(1)～(5)のうちから一つ選べ．

(1) 88　(2) 106　(3) 123　(4) 127　(5) 138

解5 解答 (a)－(3), (b)－(4)

(a) 変圧器一次側の電力 P_1 は，一次電圧 V_1 [V]，一次電流 I_1 [A] とすると，負荷と低圧配電線路は純抵抗で変圧器は理想変圧器であるから，力率は1であるので，

$$P_1 = V_1 I_1 = 6\,600 \times 5 = 33\,000 \text{ W}$$

また，二次電流 $I_a : I_b = 2 : 3$ であるから，

$$I_b = 1.5 I_a \text{ [A]}$$

変圧器二次側の電力 P_2 は，二次電圧 $V_2/2 = 110$ V とすると，

$$P_2 = \frac{V_2}{2} \times I_a + \frac{V_2}{2} \times I_b = 110 \times (I_a + 1.5 I_a) = 275 I_a \text{ [W]}$$

これは $P_1 = 33\,000$ W に等しいから，I_a は，

$$I_a = \frac{P_2}{275} = \frac{33\,000}{275} = 120 \text{ A}$$

低圧配電線路の損失 P_{loss} は，中性線電流は問題図の右向きに $I_b - I_a = 0.5 I_a = 60$ A であるから，

$$P_{loss} = 0.06 \times \{I_a^2 + (0.5 I_a)^2 + (1.5 I_a)^2\} = 0.06 \times 3.5 I_a^2$$
$$= 0.06 \times 3.5 \times 120^2 = 3\,024 \text{ W} \fallingdotseq \mathbf{3.02} \text{ kW}$$

(b) 中性線断線前の負荷A端電圧を v_a，負荷B端電圧を v_b とすると，$I_a = 120$ A（右向き），$I_b = 180$ A（左向き），中性線電流 $I_n = 60$ A（右向き）であるから，各線の電流の向きに注意して，

$$v_a = 110 - 0.06 I_a + 0.06 I_n = 106.4 \text{ V}$$
$$v_b = 110 - 0.06 I_n - 0.06 I_b = 95.6 \text{ V}$$

よって，負荷抵抗 R_a，R_b は，

$$R_a = \frac{v_a}{I_a} = \frac{106.4}{120} = 0.88\dot{6}\ \Omega,\quad R_b = \frac{v_b}{I_b} = \frac{95.6}{180} = 0.53\dot{1}\ \Omega$$

中性線が断線すると，$R = R_a + R_b$ の負荷に，変圧器二次電圧 $V_2 = 220$ V から両外の低圧配電線路による電圧降下を除いた電圧が印加される．このうち，負荷A端電圧 $v_a{}'$ は，

$$v_a{}' = V_2 \times \frac{R}{0.06 \times 2 + R} \times \frac{R_a}{R} = 220 \times \frac{1.41\dot{7}}{0.12 + 1.41\dot{7}} \times \frac{0.88\dot{6}}{1.41\dot{7}}$$
$$\fallingdotseq 126.850 \text{ V} \fallingdotseq \mathbf{127} \text{ V}$$

問6 Check! □□□

(平成 28 年 B 問題 17)

図のような，線路抵抗をもった100/200 V単相3線式配電線路に，力率が 100 % で電流がそれぞれ 30 A 及び 20 A の二つの負荷が接続されている．この配電線路にバランサを接続した場合について，次の(a)及び(b)の問に答えよ．

ただし，バランサの接続前後で負荷電流は変化しないものとし，線路抵抗以外のインピーダンスは無視するものとする．

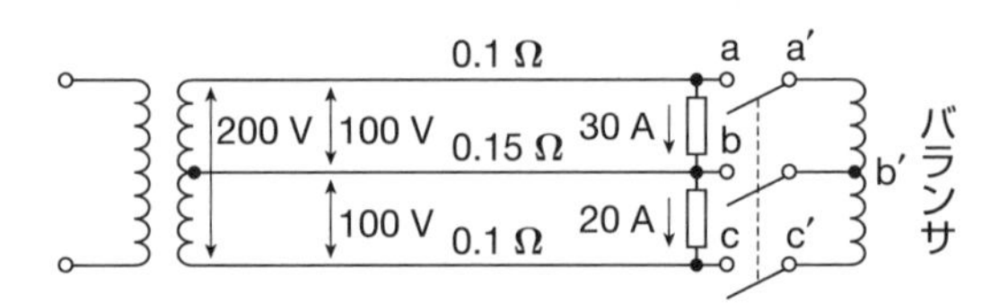

(a) バランサ接続後 a′ − b′ 間に流れる電流の値 [A] として，最も近いものを次の(1)～(5)のうちから一つ選べ．

(1) 5　(2) 10　(3) 20　(4) 25　(5) 30

(b) バランサ接続前後の線路損失の変化量の値 [W] として，最も近いものを次の(1)～(5)のうちから一つ選べ．

(1) 20　(2) 65　(3) 80　(4) 125　(5) 145

解6 解答 (a)－(1), (b)－(1)

(a) 配電線路にバランサを接続した場合の配電線各線に流れる電流は，第1図のようになる．

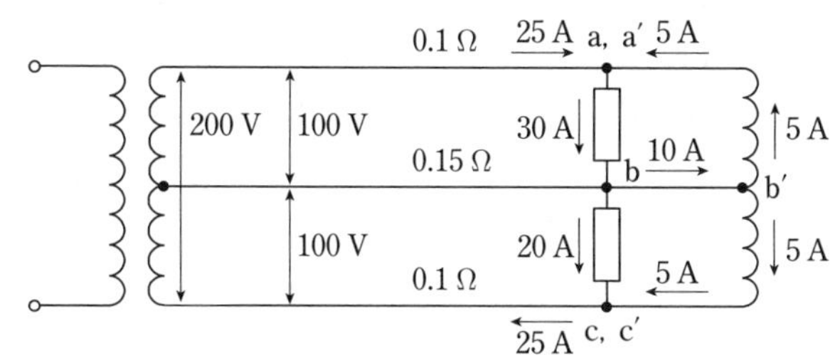

第1図　バランサ接続後の電流分布

したがって，a′－b′ 間に流れる電流は5 Aとなる．

(b) バランサ接続前の配電線各線に流れる電流は，第2図のようになる．

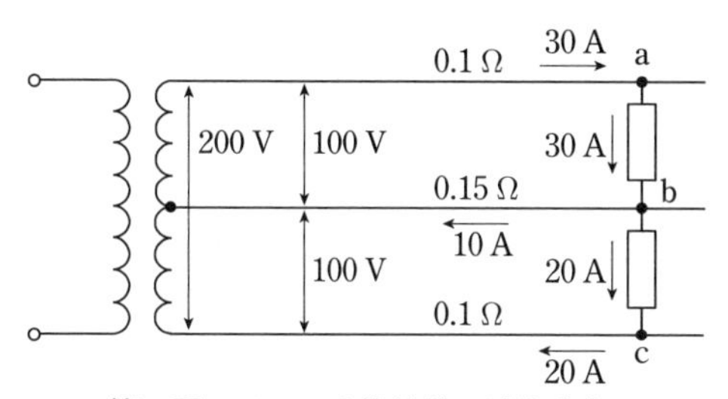

第2図　バランサ接続前の電流分布

したがって，バランサ接続前の線路損失 P_{l1} は，次式で与えられる．

$$P_{l1} = 0.1 \times 30^2 + 0.15 \times 10^2 + 0.1 \times 20^2 = 145\ \mathrm{W}$$

一方，バランサを接続したときの線路損失 P_{l2} は，

$$P_{l2} = 2 \times 0.1 \times 25^2 = 125\ \mathrm{W}$$

であるから，バランサ接続前後の線路損失の変化量 ΔP_l は，

$$\Delta P_l = P_{l1} - P_{l2} = 145 - 125 = 20\ \mathrm{W}$$

問7 Check! □□□

(平成30年 B問題16)

図のように，電圧線及び中性線の各部の抵抗が0.2 Ωの単相3線式低圧配電線路において，末端のAC間に太陽光発電設備が接続されている．各部の電圧及び電流が図に示された値であるとき，次の(a)及び(b)の問に答えよ．ただし，負荷は定電流特性で力率は1，太陽光発電設備の出力（交流）は電流I [A]，力率1で一定とする．また，線路のインピーダンスは抵抗とし，図示していないインピーダンスは無視するものとする．

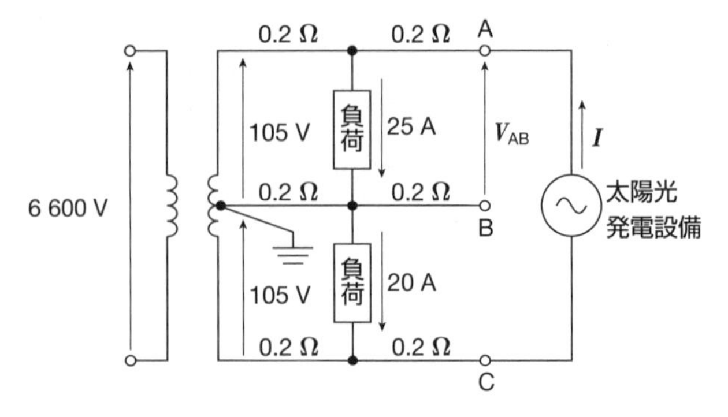

(a)　太陽光発電設備を接続する前のAB間の端子電圧V_{AB}の値[V]として，最も近いものを次の(1)～(5)のうちから一つ選べ．

(1)　96　(2)　99　(3)　100　(4)　101　(5)　104

(b)　太陽光発電設備を接続したところ，AB間の端子電圧V_{AB} [V]が107 Vとなった．このときの太陽光発電設備の出力電流（交流）Iの値[A]として，最も近いものを次の(1)～(5)のうちから一つ選べ．

(1)　5　(2)　15　(3)　20　(4)　25　(5)　30

解7 解答 (a)−(2), (b)−(3)

(a) 太陽光発電設備を接続する前の電流分布は**第1図**のようになるから，AB 間の端子電圧 V_{AB} は，次のようになる．

$$V_{AB} = 105 - 0.2 \times 25 - 0.2 \times 5 = 99 \text{ V}$$

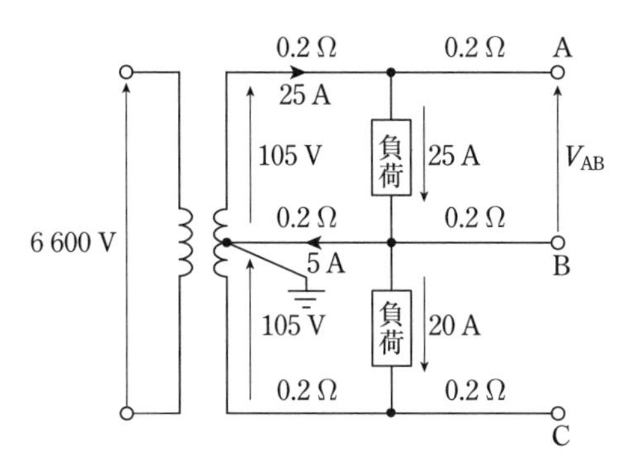

第1図　太陽光発電設備を接続しない場合

(b) 太陽光発電設備を接続した場合の電流分布は**第2図**のようになるから，25 A 負荷の端子電圧 V_{25} について，次式が成立する．

$$V_{25} = 105 - 0.2 \times (25 - I) - 0.2 \times 5 = 107 - 0.2I$$

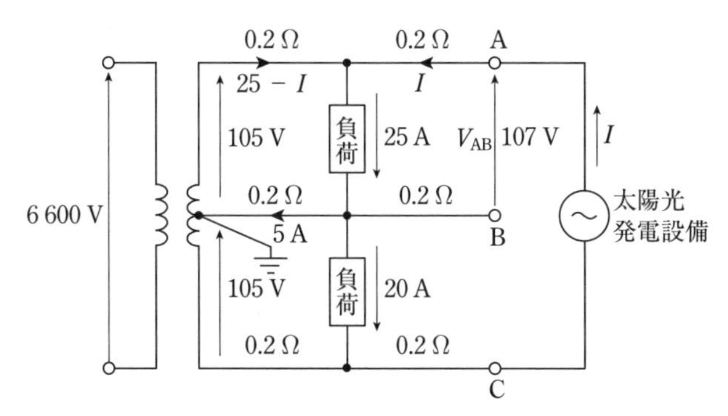

第2図　太陽光発電設備を接続した場合

したがって，求める太陽光発電設備の出力電流 I は，

$$105 - 5 + 0.2I - 1 = 107 - 0.2I$$

$$0.4I = 107 - 99 = 8$$

$$\therefore \quad I = \frac{8}{0.4} = 20 \text{ A}$$

問8 Check! □□□

(令和5年㊦ B問題 17)

図のような単相3線式配電線路がある．系統の中間点に図のとおり負荷が接続されており，末端のAC間に太陽光発電設備が逆変換装置を介して接続されている．各部の電圧及び電流が図に示された値であるとき，次の(a)及び(b)の問に答えよ．

ただし，図示していないインピーダンスは無視するとともに，線路のインピーダンスは抵抗であり，負荷の力率は1，太陽光発電設備は発電出力電流（交流側）15 A，力率1で一定とする．

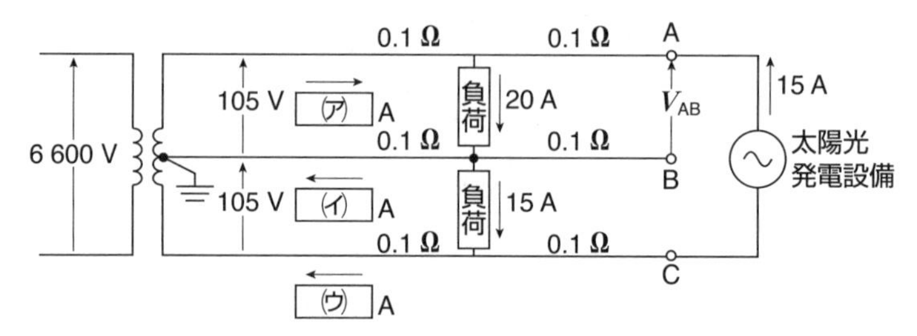

(a) 図中の回路の空白箇所(ア)～(ウ)に流れる電流の値 [A] の組合せとして，正しいものを次の(1)～(5)のうちから一つ選べ．

	(ア)	(イ)	(ウ)
(1)	5	0	15
(2)	5	5	0
(3)	15	0	15
(4)	20	5	0
(5)	20	5	15

(b) 図中AB間の端子電圧 V_{AB} の値 [V] として，最も近いものを次の(1)～(5)のうちから一つ選べ．

(1) 104.0　(2) 104.5　(3) 105.0　(4) 105.5　(5) 106.0

解8 解答 (a)－(2), (b)－(4)

(a) 各部の電流分布を示すと，図のようになる.

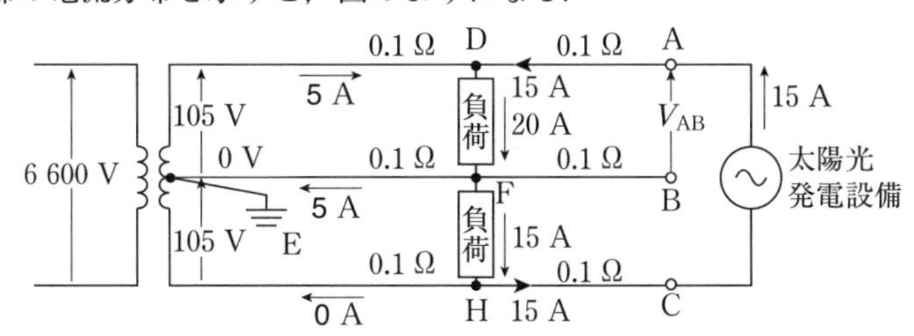

したがって，(ア)～(ウ)の電流はそれぞれ，(ア) 5 A，(イ) 5 A，(ウ) 0 A となる.

(b) 図のとおり，回路の各部に D，E，F，H の記号を付す.

D 点の電圧 V_D および F 点の電圧 V_F はそれぞれ，

$$V_D = 105 - (0.1 \times 5) = 104.5 \text{ V}$$

$$V_F = 0 + (0.1 \times 5) = 0.5 \text{ V}$$

となる.

次に，A 点の電圧 V_A は，

$$V_A = V_D + (0.1 \times 15) = 104.5 + 1.5 = 106 \text{ V}$$

また，BF 間には電流が流れていないため，B 点の電圧 V_B は電圧 V_F に等しく，

$$V_B = V_F = 0.5 \text{ V}$$

以上から，求める AB 間の端子電圧 V_{AB} は，

$$V_{AB} = V_A - V_B = 106 - 0.5 = 105.5 \text{ V}$$

問9 Check! □□□ (平成19年 B 問題17)

図のような単相3線式配電線路がある．系統の中間点に図のとおり負荷が接続されており，末端のAC間に太陽光発電設備が逆変換装置を介して接続されている．各部の電圧及び電流が図に示された値であるとき，次の(a)及び(b)に答えよ．

ただし，図示していないインピーダンスは無視するとともに，線路のインピーダンスは抵抗であり，負荷の力率は1，太陽光発電設備は発電出力電流（交流側）15〔A〕，力率1で一定とする．

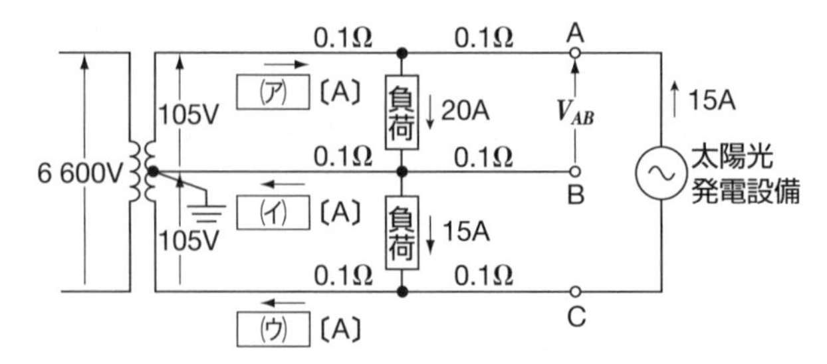

(a) 図中の回路の空白箇所(ア)，(イ)及び(ウ)に流れる電流〔A〕の値として，正しいものを組み合わせたのは次のうちどれか．

	(ア)	(イ)	(ウ)
(1)	5	0	15
(2)	5	5	0
(3)	15	0	15
(4)	20	5	0
(5)	20	5	15

(b) 図中AB間の端子電圧 V_{AB}〔V〕の値として，正しいのは次のうちどれか．

(1) 104.0 (2) 104.5 (3) 105.0 (4) 105.5 (5) 106.0

解9 解答 (a)－(2), (b)－(4)

(a) 各部の電流分布を示すと，図のようになる．

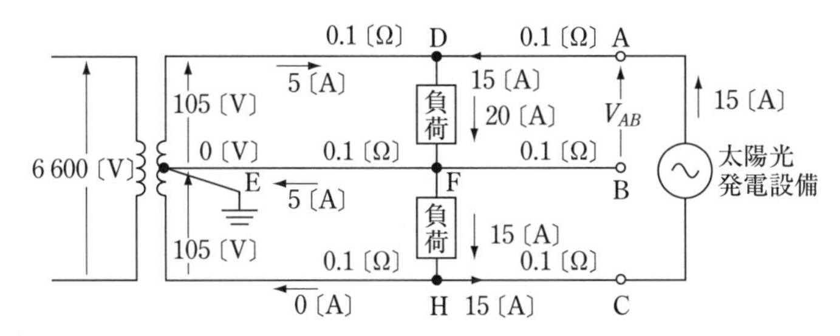

したがって，(ア)～(ウ)の電流はそれぞれ，

(ア) 5〔A〕　(イ) 5〔A〕　(ウ) 0〔A〕

となる．

(b) 回路の各部に D，E，F，H の記号を付すと，D 点の電圧 V_D および F 点の電圧 V_F はそれぞれ，

$$V_D = 105 - 0.1 \times 5 = 104.5 \text{〔V〕}$$

$$V_F = 0 + 0.1 \times 5 = 0.5 \text{〔V〕}$$

となる．

次に，A 点の電圧 V_A は，

$$V_A = V_D + 0.1 \times 15 = 104.5 + 0.1 \times 15 = 106 \text{〔V〕}$$

また，BF 間には電流が流れていないので，B 点の電圧 V_B は V_F に等しく，

$$V_B = V_F = 0.5 \text{〔V〕}$$

となる．

以上から，求める AB 間の端子電圧 V_{AB} は，

$$V_{AB} = V_A - V_B = 106 - 0.5 = 105.5 \text{〔V〕}$$

となる．

問10 Check! □□□

(平成 26 年 Ⓐ 問題 12)

図のように，2 台の単相変圧器による電灯動力共用の三相 4 線式低圧配電線に，平衡三相負荷 45 kW（遅れ力率角 30°）1 個及び単相負荷 10 kW（力率 =1）2 個が接続されている．これに供給するための共用変圧器及び専用変圧器の容量の値〔kV·A〕は，それぞれいくら以上でなければならないか．値の組合せとして，正しいものを次の⑴～⑸のうちから一つ選べ．

ただし，相回転は a′－c′－b′ とする．

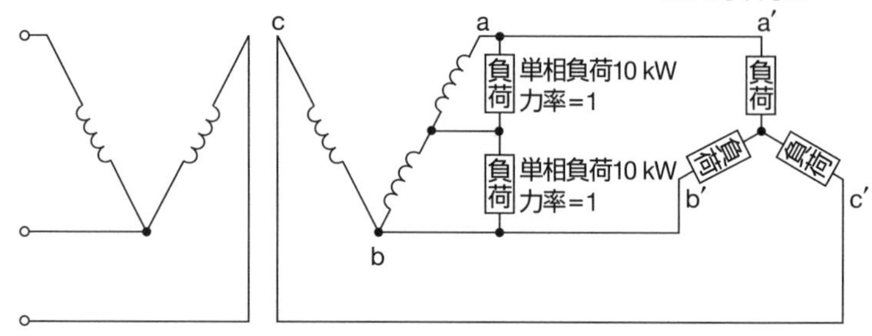

	共用変圧器の容量	専用変圧器の容量
(1)	20	30
(2)	30	20
(3)	40	20
(4)	20	40
(5)	50	30

解10 解答 (5)

第1図のように，平衡三相負荷電流を $\dot{I}_{3a}, \dot{I}_{3b}, \dot{I}_{3c}$ とし，単相負荷電流を $\dot{I}_1$ とする.

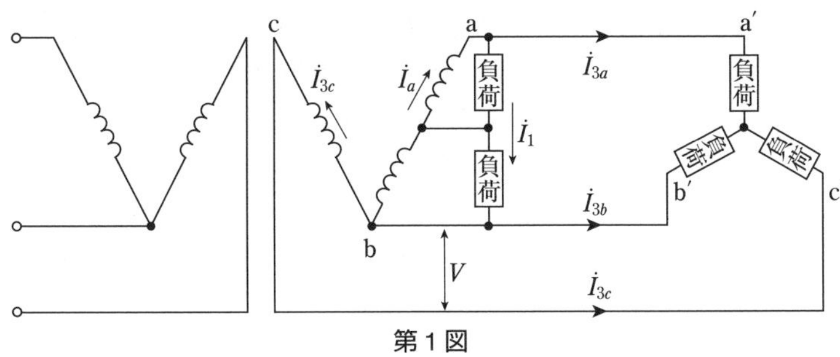

第1図

また，a，b，c 各相の相電圧を $\dot{E}_a$，$\dot{E}_b$，$\dot{E}_c$ として，電圧・電流ベクトル図を描くと，**第2図**のようになる.

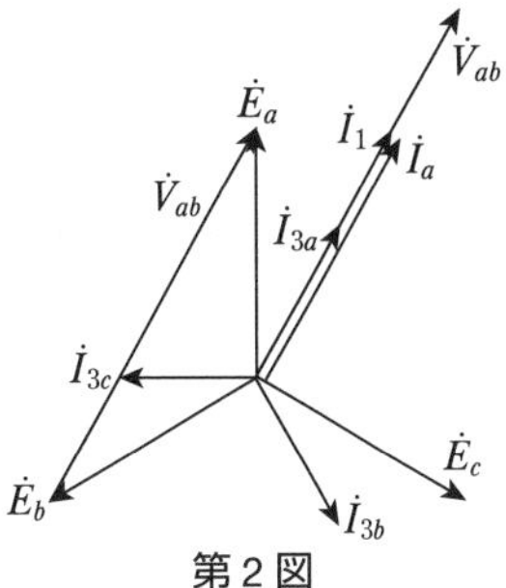

第2図

ここに，専用変圧器（b，c 相間の変圧器）に流れる電流は $\dot{I}_{3c}$ のみであるから，専用変圧器の容量 S_{bc} は，線間電圧の大きさを V〔kV〕，三相負荷電流の大きさを I〔A〕とすると，次式で与えられる.

$$S_{bc} = VI \text{〔kV·A〕}$$

ここに，題意より，平衡三相負荷電力 P は，

$$P = \sqrt{3}VI\cos 30^\circ = 45 \text{〔kW〕}$$

であることから，求める専用変圧器容量 S_{bc} は，

$$S_{bc} = VI = \frac{45}{\sqrt{3}\cos 30^\circ} = \frac{45 \times 2}{3} = 30 \text{〔kV·A〕}$$

次に，単相負荷電流の大きさを I_1〔A〕とすると，題意より，

$$VI_1 = 20 \text{〔kW〕}$$

また，共用変圧器（a，b 相間の変圧器）に流れる電流 $\dot{I}_a$ の大きさ I_a はベクトル図より，

$$I_a = I_{3a} + I_1 = I + I_1 \text{〔A〕}$$

で表せるから，求める共用変圧器の容量 S_{ab} は，

$$S_{ab} = V(I + I_1) = VI + VI_1 = 30 + 20 = 50 \text{〔kV·A〕}$$

問11 Check! □□□

(令和6年㊤ Ⓑ問題17)

図のような系統構成の三相3線式配電線路があり，開閉器Sは開いた状態にある．各配電線のB点，C点，D点には図のとおり負荷が接続されており，各点の負荷電流はB点40 A，C点30 A，D点60 A一定とし，各負荷の力率は100 %とする．

各区間のこう長はA-B間1.5 km, B-S（開閉器）間1.0 km, S（開閉器）-C間0.5 km，C-D間1.5 km，D-A間2.0 kmである．

ただし，電線1線当たりの抵抗は0.2 Ω/kmとし，リアクタンスは無視するものとして，次の(a)及び(b)の問に答えよ．

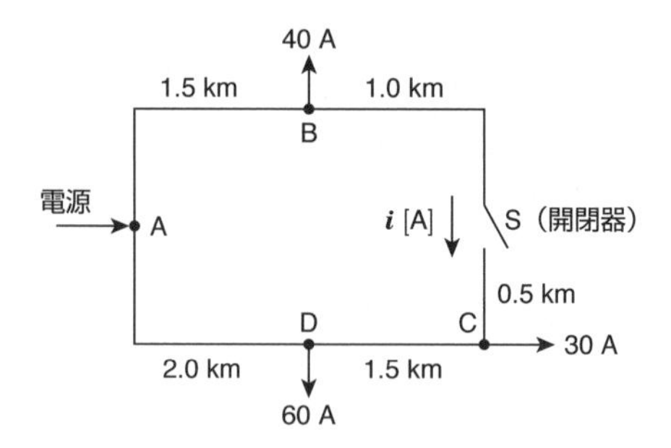

(a) 電源A点から見たC点の電圧降下の値 [V] として，最も近いものを次の(1)～(5)のうちから一つ選べ．ただし，電圧は線間電圧とする．

(1) 41.6　(2) 45.0　(3) 57.2　(4) 77.9　(5) 90.0

(b) 開閉器Sを投入した場合，開閉器Sを流れる電流 i の値 [A] として，最も近いものを次の(1)～(5)のうちから一つ選べ．

(1) 20.0　(2) 25.4　(3) 27.5　(4) 43.8　(5) 65.4

解11　解答 (a)－(4), (b)－(2)

(a)　問題の図における各区間のこう長 [km] を抵抗 [Ω] で表した単線結線図は**第1図**のようになる．

この場合，A点から見たC点における電圧降下 e_{AC} [V] は，題意より各負荷の力率が1であるから，

$$e_{AC} = \sqrt{3} \times 90 \times 0.4 + \sqrt{3} \times 30 \times 0.3 \fallingdotseq 77.94 \fallingdotseq \mathbf{77.9\ V}$$

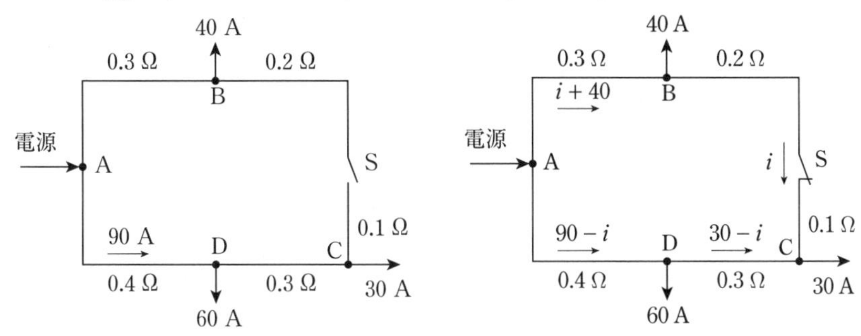

第1図　開閉器開放状態　　**第2図**　開閉器投入状態

(b)　開閉器Sを投入した場合の各区間の電流を図示すると，**第2図**のようになる．

この場合，A点から見たC点における電圧降下 e_{AC}' [V] は，

$$e_{AC}' = \sqrt{3} \times 0.3 \times (i + 40) + \sqrt{3} \times 0.3i$$

（A点から上ルートを通ってC点まで）

$$= \sqrt{3} \times 0.4 \times (90 - i) + \sqrt{3} \times 0.3 \times (30 - i)$$

（A点から下ルートを通ってC点まで）

この式について，$10/\sqrt{3}$ を掛けると，

$$3 \times (i + 40) + 3i = 4 \times (90 - i) + 3 \times (30 - i)$$

$$3i + 120 + 3i = 360 - 4i + 90 - 3i$$

$$13i = 330$$

したがって，開閉器Sを流れる電流 i [A] は，

$$i = \frac{330}{13} \fallingdotseq 25.38 \fallingdotseq \mathbf{25.4\ A}$$

問12 Check! □□□

（令和2年 B問題17）

図のような系統構成の三相3線式配電線路があり，開閉器Sは開いた状態にある．各配電線のB点，C点，D点には図のとおり負荷が接続されており，各点の負荷電流はB点40 A，C点30 A，D点60 A一定とし，各負荷の力率は100 %とする．

各区間のこう長はA–B間1.5 km，B–S（開閉器）間1.0 km，S（開閉器）–C間0.5 km，C–D間1.5 km，D–A間2.0 kmである．

ただし，電線1線当たりの抵抗は0.2 Ω/kmとし，リアクタンスは無視するものとして，次の(a)及び(b)の問に答えよ．

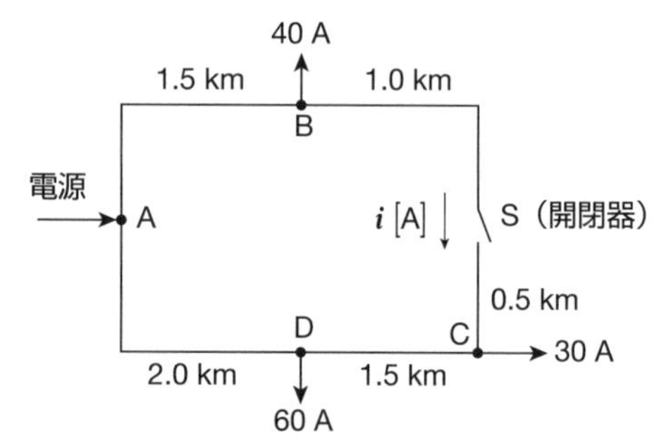

(a) 電源A点から見たC点の電圧降下の値[V]として，最も近いものを次の(1)～(5)のうちから一つ選べ．ただし，電圧は相間電圧とする．

(1) 41.6　(2) 45.0　(3) 57.2　(4) 77.9　(5) 90.0

(b) 開閉器Sを投入した場合，開閉器Sを流れる電流 i の値[A]として，最も近いものを次の(1)～(5)のうちから一つ選べ．

(1) 20.0　(2) 25.4　(3) 27.5　(4) 43.8　(5) 65.4

解12 解答 (a)－(4), (b)－(2)

(a) 題意より，各区間のこう長を抵抗で表した単線結線図を描くと，第1図のようになる．

この場合，A–D 間を流れる電流は 90 A となるから，A 点から見た C 点における電圧降下 e_{AC} は各負荷力率が 1 であるから，

$$e_{AC}=\sqrt{3}\times0.4\times90+\sqrt{3}\times0.3\times30$$
$$=45\sqrt{3}\fallingdotseq77.942$$
$$\fallingdotseq77.9\ \mathrm{V}$$

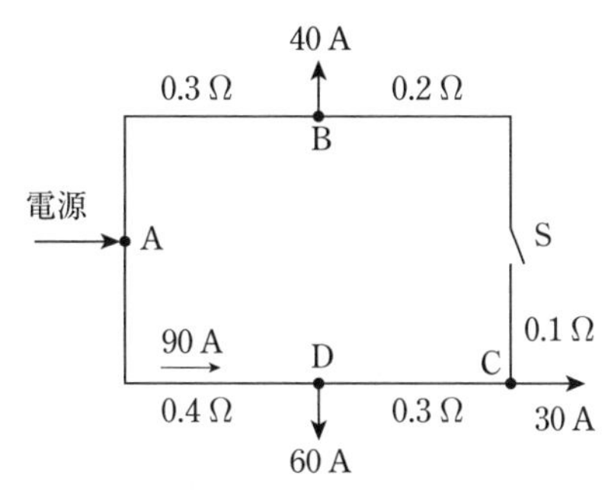

第1図　開閉器開放状態

(b) 開閉器 S を投入した場合の各区間を流れる電流を図示すると，第2図のようになる．

この場合，A 点から見た C 点における電圧降下 e_{AC}' について，次式が成立する．

$$e_{AC}'=\sqrt{3}\times0.3\times(i+40)+\sqrt{3}\times0.3i$$
$$=\sqrt{3}\times0.4\times(90-i)$$
$$+\sqrt{3}\times0.3\times(30-i)$$
$$3(i+40)+3i=4(90-i)+3(30-i)$$
$$3i+120+3i=360-4i+90-3i$$
$$13i=330$$

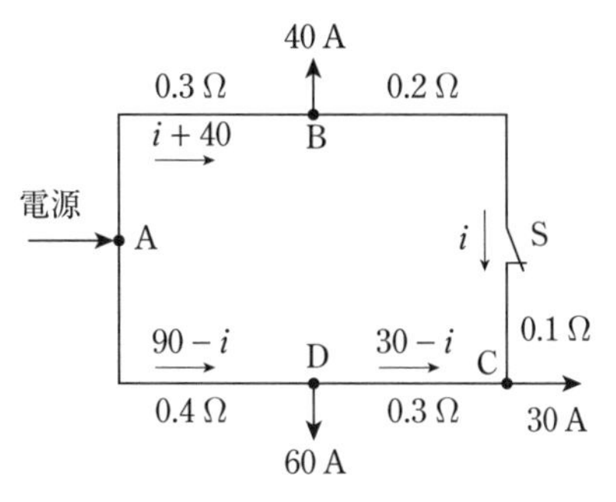

第2図　開閉器投入状態

したがって，求める開閉器 S を流れる電流 i は，

$$i=\frac{330}{13}\fallingdotseq25.385\fallingdotseq25.4\ \mathrm{A}$$

問13 Check! □□□

(平成 25 年 Ⓐ 問題 13)

図のような三相 3 線式配電線路において，電源側 S 点の線間電圧が 6 900〔V〕のとき，B 点の線間電圧〔V〕の値として，最も近いものを次の(1)～(5)のうちから一つ選べ．

ただし，配電線 1 線当たりの抵抗は 0.3〔Ω/km〕，リアクタンスは 0.2〔Ω/km〕とする．また，計算においては S 点，A 点及び B 点における電圧の位相差が十分小さいとの仮定に基づき適切な近似を用いる．

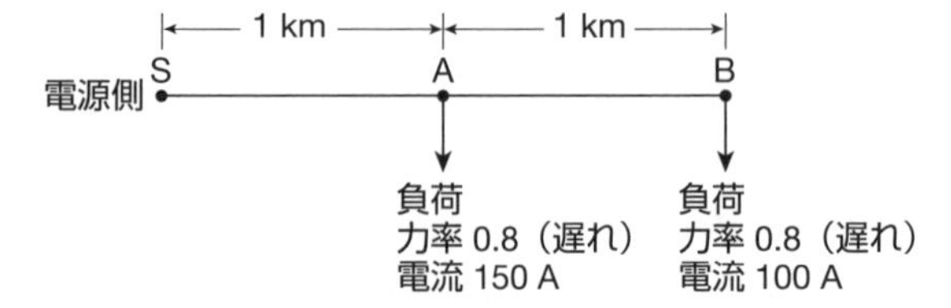

(1) 6 522　(2) 6 646　(3) 6 682　(4) 6 774　(5) 6 795

解13 解答 (3)

三相3線式配電線路の電圧降下式は次式で与えられる．

$$e=\sqrt{3}\,I(R\cos\theta+X\sin\theta)$$

ここで，e は電圧降下（線間電圧）〔V〕，I は線電流〔A〕，$R+jX$ は線路インピーダンス〔Ω〕，$\cos\theta$ は負荷力率である．

負荷力率はA点とB点ともに $\cos\theta=0.8$ の遅れであるから，

$$\sin\theta=\sqrt{1-\cos^2\theta}=\sqrt{1-0.8^2}=0.6$$

となる．

これより，A点，B点の負荷電流をそれぞれ I_A，I_B とすると，

$$I_A=150\times(0.8+j\,0.6)$$

$$I_B=100\times(0.8+j\,0.6)$$

となる．S–A間の線電流を I とすると，I は I_A，I_B の合計となるため，

$$I=I_A+I_B=250\times(0.8+j\,0.6)$$

となる．ここでは，題意により，S点，A点およびB点における電圧の位相差は十分小さいとの仮定に基づき，S点，A点およびB点の電圧位相は同じと考えており，上記の電流位相は，この電圧の位相を基準としている．

まず，S–A間の電圧降下 e_A は，

$$R+jX=0.3+j\,0.2\text{〔Ω〕}$$

であるため，次のようになる．

$$e_A=\sqrt{3}\times250\times(0.3\times0.8+0.2\times0.6)=\sqrt{3}\times250\times(0.24+0.12)$$

$$=\sqrt{3}\times250\times0.36\fallingdotseq155.9\text{〔V〕}$$

次に，A–B間の電圧降下 e_B は，線路インピーダンスは同じであるから，次のようになる．

$$e_B=\sqrt{3}\times100\times(0.3\times0.8+0.2\times0.6)=\sqrt{3}\times100\times0.36\fallingdotseq62.4\text{〔V〕}$$

S点の線間電圧が6 900〔V〕であるから，B点の線間電圧は，

$$6\,900-e_A-e_B=6\,900-155.9-62.4\fallingdotseq6\,682\text{〔V〕}$$

となる．

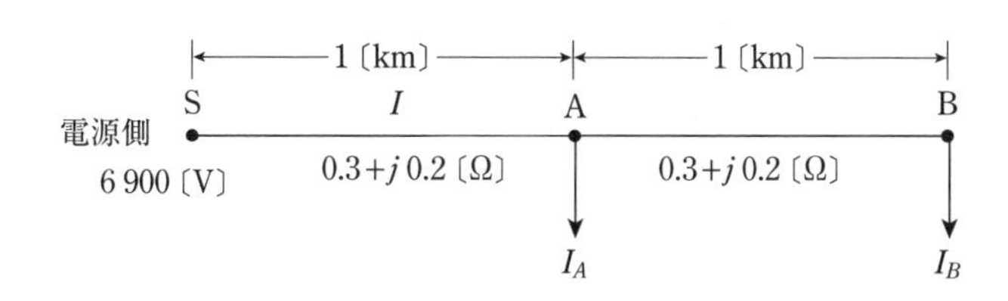

問14 Check! □□□

(平成27年 Ⓑ問題16)

図は，三相3線式変電設備を単線図で表したものである．

現在，この変電設備は，a点から3 800 kV・A，遅れ力率0.9の負荷Aと，b点から2 000 kW，遅れ力率0.85の負荷Bに電力を供給している．b点の線間電圧の測定値が22 000 Vであるとき，次の(a)及び(b)の問に答えよ．

なお，f点とa点の間は400 m，a点とb点の間は800 mで，電線1条当たりの抵抗とリアクタンスは1 km当たり0.24 Ω と0.18 Ω とする．また，負荷は平衡三相負荷とする．

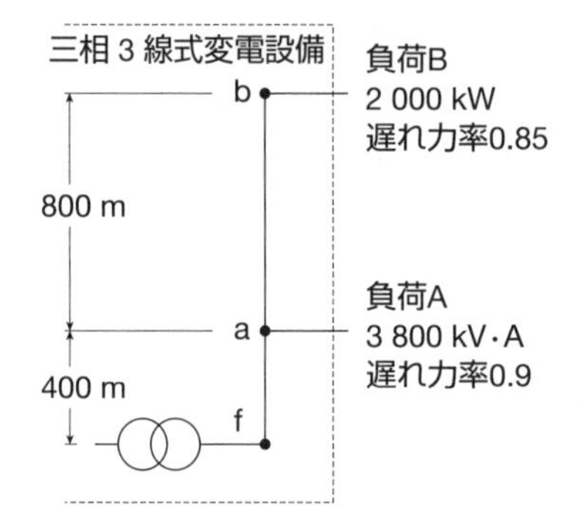

(a) 負荷Aと負荷Bで消費される無効電力の合計値[kvar]として，最も近いものを次の(1)～(5)のうちから一つ選べ．

(1) 2 710　(2) 2 900　(3) 3 080　(4) 4 880　(5) 5 120

(b) f－b間の線間電圧の電圧降下 V_{fb} の値[V]として，最も近いものを次の(1)～(5)のうちから一つ選べ．

ただし，送電端電圧と受電端電圧との相差角が小さいとして得られる近似式を用いて解答すること．

(1) 23　(2) 33　(3) 59　(4) 81　(5) 101

解14 解答 (a)−(2), (b)−(3)

(a) 負荷Aと負荷Bで消費される無効電力の合計値 Q_{AB} は，次式で求められる．

$$Q_{AB}=3\,800\times\sqrt{1-0.9^2}+\frac{2\,000}{0.85}\times\sqrt{1-0.85^2}$$

$$\fallingdotseq 3\,800\times 0.435\,9+2\,352.94\times 0.526\,8$$

$$\fallingdotseq 2\,895.95\fallingdotseq 2\,900\ \text{kvar}$$（遅れ）

(b) 題意より，ab 間および fa 間の線路インピーダンス $\dot{Z}_{ab}$ および $\dot{Z}_{fa}$ はそれぞれ，

$$\dot{Z}_{ab}=(0.24+\text{j}0.18)\times 0.8=0.192+\text{j}0.144\ \Omega$$

$$\dot{Z}_{fa}=(0.24+\text{j}0.18)\times 0.4=0.096+\text{j}0.072\ \Omega$$

さて，ab 間を流れる線電流の大きさ I_{ab} は，

$$I_{ab}=\frac{2\,000}{\sqrt{3}\times 22\times 0.85}\fallingdotseq 61.749\ \text{A}$$

であるから，ab 間の電圧降下 V_{ab} は，

$$V_{ab}=\sqrt{3}\times 61.749\times(0.192\times 0.85+0.144\times 0.526\,8)\fallingdotseq 25.568\ \text{V}$$

となり，a 点の線間電圧 V_a は，

$$V_a=22\,000+25.268\fallingdotseq 22\,025\ \text{V}$$

となる．次に，a 点から負荷側を見た全有効電力 P_{AB} は，

$$P_{AB}=3\,800\times 0.9+2\,000=5\,420\ \text{kW}$$

であるから，a 点における力率 $\cos\theta_a$ および無効率 $\sin\theta_a$ はぞれぞれ，

$$S_{AB}=\sqrt{{P_{AB}}^2+{Q_{AB}}^2}=\sqrt{5\,420^2+2\,896^2}\fallingdotseq 6\,145.18\ \text{kV·A}$$

$$\cos\theta_a=\frac{P_{AB}}{S_{AB}}=\frac{5\,420}{6\,145.18}\fallingdotseq 0.882$$

$$\sin\theta_a=\frac{Q_{AB}}{S_{AB}}=\frac{2\,896}{6\,145.18}\fallingdotseq 0.471$$

また，fa 間を流れる線電流の大きさ I_{fa} は，

$$I_{fa}=\frac{6\,145.18}{\sqrt{3}\times 22.025}\fallingdotseq 161.085\ \text{A}$$

であるから，fa 間の電圧降下 V_{fa} は，

$$V_{fa}=\sqrt{3}\times 161.085\times(0.096\times 0.882+0.072\times 0.471)\fallingdotseq 33.086\ \text{V}$$

以上から，求める fa 間の電圧降下 V_{fb} は，

$$V_{fb}=V_{fa}+V_{ab}=33.086+25.568=58.654\fallingdotseq 59\ \text{V}$$

となる．

問15 Check! □□□

(令和5年㊤ Ⓑ問題17)

三相3線式高圧配電線の電圧降下について，次の(a)及び(b)の問に答えよ.

図のように，送電端S点から三相3線式高圧配電線でA点，B点及びC点の負荷に電力を供給している．S点の線間電圧は6 600 Vであり，配電線1線当たりの抵抗及びリアクタンスはそれぞれ0.3 Ω/kmとする.

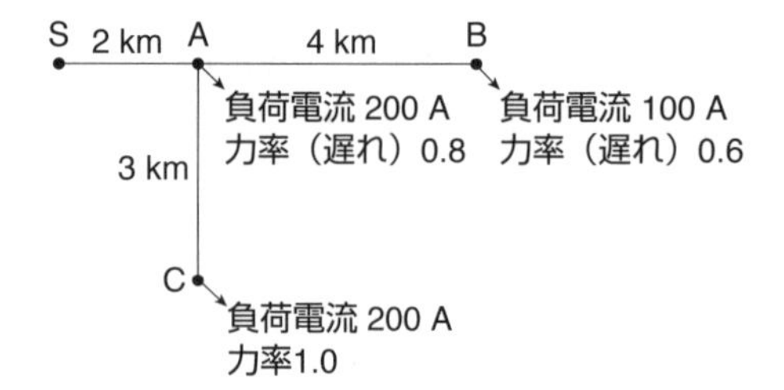

(a) S-A間を流れる電流の値[A]として，最も近いものを次の(1)～(5)のうちから一つ選べ.

(1) 405　(2) 420　(3) 435　(4) 450　(5) 465

(b) A-Bにおける電圧降下率の値[%]として，最も近いものを次の(1)～(5)のうちから一つ選べ.

(1) 4.9　(2) 5.1　(3) 5.3　(4) 5.5　(5) 5.7

解15 解答 (a)－(5), (b)－(2)

(a) S－A 間を流れる電流 I_{SA} [A] は，A 点，B 点，C 点のそれぞれの負荷電流を合成したものである．

$$\dot{I}_A = 200 \times (0.8 + j0.6) = 160 + j120 \text{ A}$$
$$\dot{I}_B = 100 \times (0.6 + j0.8) = 60 + j80 \text{ A}$$
$$\dot{I}_C = 200 \times (1.0 + j0) = 200 \text{ A}$$
$$I_{SA} = \sqrt{(160+60+200)^2 + (120+80)^2} \fallingdotseq 465.19 \fallingdotseq 465 \text{ A}$$

(b) まず，S-A 間の電圧降下 ΔV_{SA} [V] は，(a)で求めた I_{SA} より，$\cos\theta = \dfrac{420}{465}$

$\fallingdotseq 0.903$，$\sin\theta = \dfrac{200}{465} \fallingdotseq 0.430$ となるため，

$$\Delta V_{SA} = \sqrt{3} \times I_{SA}(R\cos\theta + X\sin\theta) \text{ [V]}$$
$$= \sqrt{3} \times 465 \times (0.6 \times 0.903 + 0.6 \times 0.430) \fallingdotseq 644 \text{ V}$$

次に，A-B 間の電圧降下 ΔV_{AB} [V] は，B 点の負荷電流のみによるものであるから，

$$\Delta V_{AB} = \sqrt{3} \times I_B(R\cos\theta + X\sin\theta) \text{ [V]}$$
$$= \sqrt{3} \times 100 \times (1.2 \times 0.6 + 1.2 \times 0.8) \fallingdotseq 291 \text{ V}$$

求める電圧降下率 $\%V_{AB}$ は，A-B 間の電圧降下と B 点の受電端電圧の割合であるため，

$$\%V_{AB} = \frac{291}{6\,600 - 644 - 291} \times 100 = \frac{291}{5\,665} \times 100 \fallingdotseq 5.1\ \%$$

問16 Check! □□□

(平成 22 年 B 問題 17)

図は単相 2 線式の配電線路の単線図である．電線 1 線当たりの抵抗と長さは，a–b 間で 0.3〔Ω/km〕，250〔m〕，b–c 間で 0.9〔Ω/km〕，100〔m〕とする．次の(a)及び(b)に答えよ．

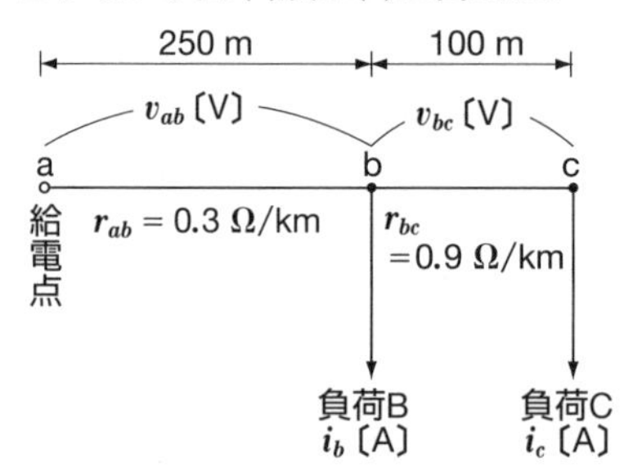

(a) b–c 間の 1 線の電圧降下 v_{bc}〔V〕及び負荷 B と負荷 C の負荷電流 i_b，i_c〔A〕として，正しいものを組み合わせたのは次のうちどれか．

ただし，給電点 a の線間の電圧値と負荷点 c の線間の電圧値の差を 12.0〔V〕とし，a–b 間の 1 線の電圧降下 v_{ab} = 3.75〔V〕とする．負荷の力率はいずれも 100〔%〕，線路リアクタンスは無視するものとする．

	v_{bc}〔V〕	i_b〔A〕	i_c〔A〕
(1)	2.25	10.0	40.0
(2)	2.25	25.0	25.0
(3)	4.50	10.0	25.0
(4)	4.50	0.0	50.0
(5)	8.25	50.0	91.7

(b) 次に，図の配電線路で抵抗に加えて a–c 間の往復線路のリアクタンスを考慮する．このリアクタンスを 0.1〔Ω〕とし，b 点には無負荷で i_b = 0〔A〕，c 点には受電電圧が 100〔V〕，遅れ力率 0.8，1.5〔kW〕の負荷が接続されているものとする．

このとき，給電点 a の線間の電圧値と負荷点 c の線間の電圧値〔V〕の差として，最も近いのは次のうちどれか．

(1) 3.0　(2) 4.9　(3) 5.3　(4) 6.1　(5) 37.1

解16　解答　(a)－(2)，(b)－(4)

(a)　題意より，a–b 間および b–c 間の１線の抵抗 R_{ab} および R_{bc} はそれぞれ，

$$R_{ab} = 0.3 \times 0.25 = 0.075\ [\Omega],\quad R_{bc} = 0.9 \times 0.1 = 0.09\ [\Omega]$$

であるから，この場合の１線当たりの等価回路を描くと第１図のようになる．

ここに，題意より $v_{ab} = 3.75$〔V〕であるから，a–b 間の１線の電圧降下について次式が成立する．

$$v_{ab} = R_{ab}(i_b + i_c) = 0.075(i_b + i_c) = 3.75\ [\text{V}]$$

$$\therefore\quad i_b + i_c = \frac{3.75}{0.075} = 50\ [\text{A}] \qquad ①$$

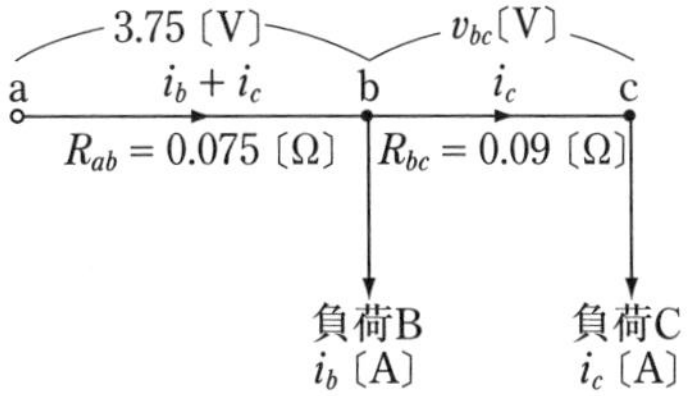

3.75〔V〕　v_{bc}〔V〕
a　$i_b + i_c$　b　i_c　c
$R_{ab} = 0.075$〔Ω〕　$R_{bc} = 0.09$〔Ω〕
負荷B i_b〔A〕　負荷C i_c〔A〕

第１図

また，b–c 間の１線の電圧降下 v_{bc} は，

$$v_{bc} = R_{bc}\, i_c = 0.09 i_c\ [\text{V}] \qquad ②$$

で表せる．一方，題意より，給電点 a と負荷点 c の線間電圧の差が 12.0〔V〕であるから，a–c 間の１線の電圧降下について，次式が成立する．

$$v_{ac} = v_{ab} + v_{bc} = 3.75 + 0.09 i_c = \frac{12.0}{2} = 6.0\ [\text{V}]$$

$$0.09\, i_c = 6.0 - 3.75 = 2.25\ [\text{V}] \qquad ③$$

したがって，求める負荷電流 i_c は③式より，また，負荷電流 i_b は①式より，

$$i_c = \frac{2.25}{0.09} = 25\ [\text{A}]$$

$$i_b = 50 - i_c = 50 - 25 = 25\ [\text{A}]$$

さらに，b–c 間の１線の電圧降下 v_{bc} は，②式より，次のようになる．

$$v_{bc} = 0.09 i_c = 0.09 \times 25 = 2.25\ [\text{V}]$$

(b)　題意より，a–c 間の１線のリアクタンス X は以下となり，等価回路は第２図のようになる．

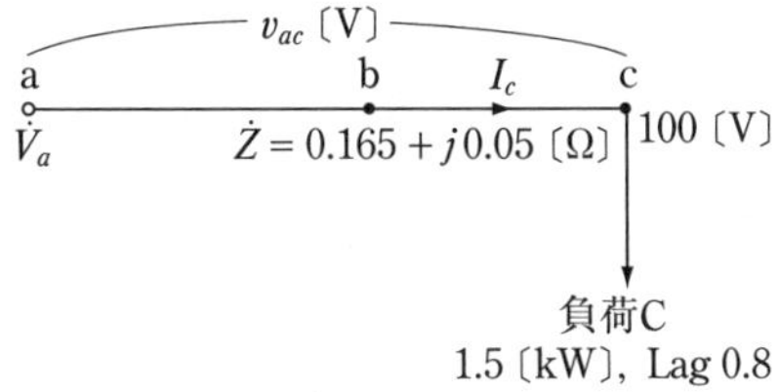

$$X = \frac{0.1}{2} = 0.05\ [\Omega]$$

ここに，負荷電流 I_c は，

$$I_c = \frac{1.5 \times 10^3}{100 \times 0.8} = 18.75\ [\text{A}]$$

v_{ac}〔V〕
a　b　I_c　c
$\dot{V}_a$　$\dot{Z} = 0.165 + j0.05$〔Ω〕　100〔V〕
負荷C 1.5〔kW〕，Lag 0.8

第２図

であるから，求める給電点 a の線間電圧値と負荷点 c の線間電圧値の差，すなわち，a–c 間の往復線路分の電圧降下 e_{ac} は，以下のように求められる．

$$e_{ac} = 2 \times 18.75 \times (0.165 \times 0.8 + 0.05 \times 0.6) = 6.075\ [\text{V}]$$

問17 Check! □□□

（令和３年 Ⓑ問題 17）

図のように，高圧配電線路と低圧単相２線式配電線路が平行に施設された設備において，１次側が高圧配電線路に接続された変圧器の２次側を低圧単相２線式配電線路のＳ点に接続して，Ａ点及びＢ点の負荷に電力を供給している．Ｓ点における線間電圧を 107 V，電線１線当たりの抵抗及びリアクタンスをそれぞれ 0.3 Ω/km 及び 0.4 Ω/km としたとき，次の(a)及び(b)の問に答えよ．なお，計算においては各点における電圧の位相差が十分に小さいものとして適切な近似を用いること．

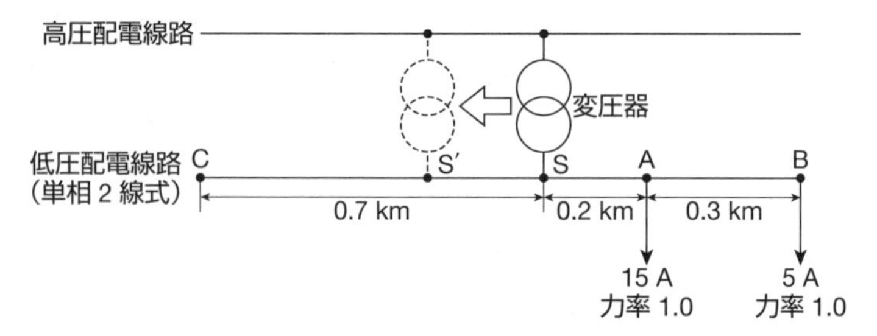

(a) Ｂ点におけるＳ点に対する電圧降下率の値 [%] として，最も近いものを次の(1)～(5)のうちから一つ選べ．ただし，電圧降下率はＢ点受電端電圧基準によるものとする．

(1) 1.57　(2) 3.18　(3) 3.30　(4) 7.75　(5) 16.30

(b) Ｃ点に電流 20 A，力率 0.8（遅れ）の負荷が新設されるとき，変圧器を移動して単相２線式配電線路への接続点をＳ点からＳ′点に変更することにより，Ｂ点及びＣ点における線間電圧の値が等しくなるようにしたい．このときのＳ点からＳ′点への移動距離の値 [km] として，最も近いものを次の(1)～(5)のうちから一つ選べ．

(1) 0.213　(2) 0.296　(3) 0.325　(4) 0.334　(5) 0.528

解17 解答 (a)−(2), (b)−(3)

(a) SA 間および AB 間の電線1線当たりのインピーダンス $\dot{Z}_{SA}$ および $\dot{Z}_{AB}$ はそれぞれ,

$$\dot{Z}_{SA} = (0.3 + j0.4) \times 0.2 = 0.06 + j0.08\ \Omega$$

$$\dot{Z}_{AB} = (0.3 + j0.4) \times 0.3 = 0.09 + j0.12\ \Omega$$

また, A 点および B 点の負荷力率がともに 1.0 であるから, SA を流れる電流 I_{SA} は,

$$I_{SA} = 5 + 15 = 20\ \text{A}$$

ここに, B 点の線間電圧 V_B は, 単相2線式配電線路であるから,

$$V_B = 107 - 2 \times 0.06 \times 20 - 2 \times 0.09 \times 5$$

$$= 107 - 2.4 - 0.9 = 103.7\ \text{V}$$

したがって, B 点における S 点に対する電圧降下率 ε は題意より,

$$\varepsilon = \frac{V_S - V_B}{V_B} = \frac{107 - 103.7}{103.7} \fallingdotseq 0.031\,82$$

$$\fallingdotseq 3.18\ \%$$

(b) S′S 間の距離を x [km] とする. この場合 S′C 間の電圧降下 $e_{S'C}$ は,

$$e_{S'C} = 2 \times 20 \times (0.3 \times 0.8 + 0.4 \times 0.6) \times (0.7 + x)$$

$$= 19.2 \times (0.7 - x) = 13.44 - 19.2x\ [\text{V}]$$

一方, この場合の S′B 間の電圧降下 $e_{S'B}$ は,

$$e_{S'B} = 2 \times 20 \times 0.3 \times (0.2 + x) + 0.9 = 3.3 + 12x\ [\text{V}]$$

B 点と C 点の線間電圧が等しいことから, 求める移動距離 x は,

$$13.44 - 19.2x = 3.3 + 12x$$

$$x = \frac{13.44 - 3.3}{19.2 + 12} = 0.325\ \text{km}$$

問18　Check! □□□　(平成 17 年　B 問題 17)

図の単線結線図に示す単相 2 線式 1 回線の配電線路がある．供給点 A における線間電圧 V_A は 105〔V〕，負荷点 K，L，M，N にはそれぞれ電流値が 30〔A〕，10〔A〕，40〔A〕，20〔A〕でともに力率 100〔%〕の負荷が接続されている．回路 1 線当たりの抵抗は AK 間が 0.05〔Ω〕，KL 間が 0.04〔Ω〕，LM 間が 0.07〔Ω〕，MN 間が 0.05〔Ω〕，NA 間が 0.04〔Ω〕であり，線路のリアクタンスは無視するものとして，次の(a)及び(b)に答えよ．

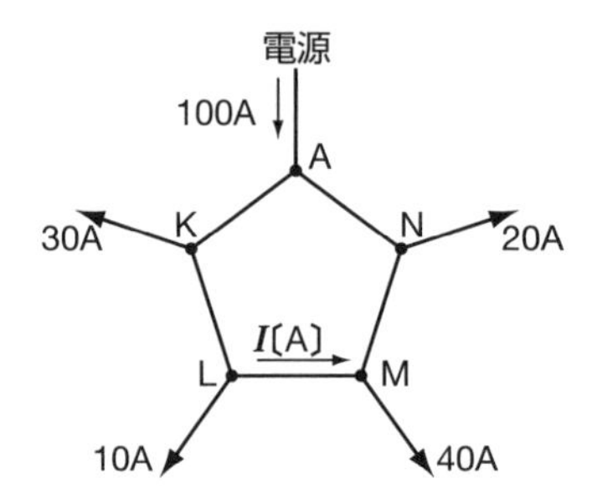

(a)　負荷点 L と負荷点 M 間に流れる電流 I〔A〕の値として，正しいのは次のうちどれか．

(1)　4　　(2)　6　　(3)　8　　(4)　10　　(5)　12

(b)　負荷点 M の電圧〔V〕の値として，最も近いのは次のうちどれか．

(1)　95.8　　(2)　97.6　　(3)　99.5　　(4)　101.3　　(5)　103.2

解18 解答 (a)－(3), (b)－(2)

(a) 負荷点Lと負荷点M間に流れる電流をI〔A〕とすると，KL間を流れる電流は$I+10$〔A〕, AK間を流れ電流は$I+40$〔A〕, MN間を流れる電流は$I-40$〔A〕, NA間を流れる電流は$I-60$〔A〕で表すことができる．

いま，閉ループA→K→L→M→N→Aの電圧降下は0であるから，次式が成立する．

$$2\times0.05\times(I+40)+2\times0.04\times(I+10)+2\times0.07I+2\times0.05\times(I-40)$$
$$+2\times0.04\times(I-60)=0$$

$$\therefore\quad 5(I+40)+4(I+10)+7I+5(I-40)+4(I-60)=0$$

$$\therefore\quad 5I+200+4I+40+7I+5I-200+4I-240=0$$

$$\therefore\quad 25I=200$$

よって，求めるLM間に流れる電流Iは，

$$I=\frac{200}{25}=8\ 〔\mathrm{A}〕$$

(b) (a)の結果から，各区間を流れる電流は図のようになる．

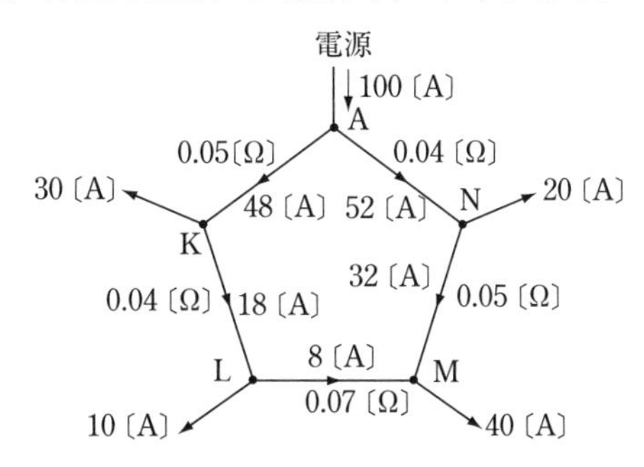

したがって，求める負荷点Mの電圧V_Mは，線路の往復分を考慮して，

$$V_M=105-2\times0.05\times48-2\times0.04\times18-2\times0.07\times8=97.64\ 〔\mathrm{V}〕$$

となる．

問19 Check! □□□

(平成28年 Ⓐ問題13)

図のような単相2線式線路がある．母線F点の線間電圧が107 Vのとき，B点の線間電圧が96 Vになった．B点の負荷電流I [A]として，最も近いものを次の(1)〜(5)のうちから一つ選べ．

ただし，使用する電線は全て同じものを用い，電線1条当たりの抵抗は，1 km当たり0.6 Ωとし，抵抗以外は無視できるものとする．また，全ての負荷の力率は100 %とする．

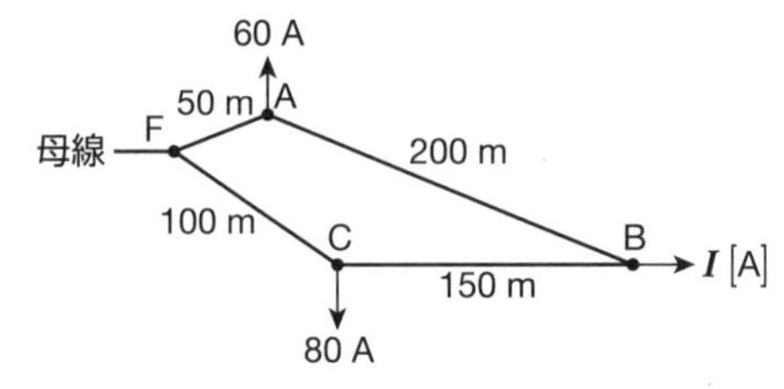

(1) 29.3　(2) 54.3　(3) 84.7　(4) 102.7　(5) 121.3

解19 解答 (1)

題意より，FC 間，CB 間，BA 間および AF 間の電線 1 条当たりの抵抗 R_{FC}，R_{CB}，R_{BA} および R_{AF} はそれぞれ，次のようになる．

$$R_{FC} = 0.6 \times 0.1 = 0.06\ \Omega$$

$$R_{CB} = 0.6 \times 0.15 = 0.09\ \Omega$$

$$R_{BA} = 0.6 \times 0.2 = 0.12\ \Omega$$

$$R_{AF} = 0.6 \times 0.05 = 0.03\ \Omega$$

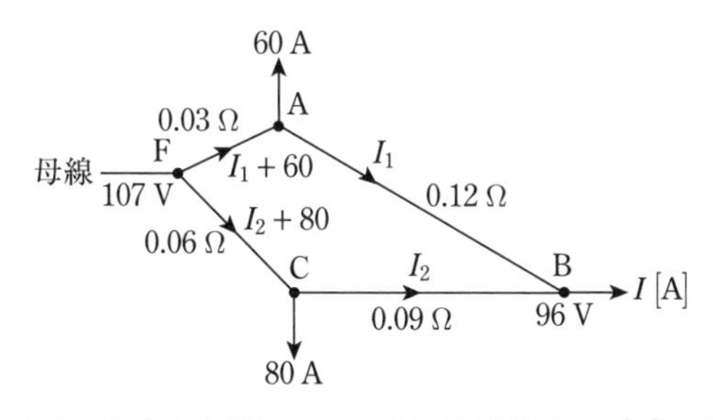

また，図のように区間 AB を流れる電流を I_1 [A]，区間 CB を流れる電流を I_2 [A] とすると，題意より次式が成立する．

(1) FAB 間の電圧降下

$$2 \times 0.03(I_1 + 60) + 2 \times 0.12 I_1 = 107 - 96 = 11\ \text{V}$$

$$0.06 I_1 + 3.6 + 0.24 I_1 = 11$$

$$\therefore \quad I_1 = \frac{11 - 3.6}{0.3} \fallingdotseq 24.666\,7\ \text{A}$$

(2) FCB 間の電圧降下

$$2 \times 0.06(I_2 + 80) + 2 \times 0.09 I_2 = 107 - 96 = 11\ \text{V}$$

$$0.12 I_2 + 9.6 + 0.18 I_2 = 11$$

$$\therefore \quad I_2 = \frac{11 - 9.6}{0.3} \fallingdotseq 4.666\,7\ \text{A}$$

したがって，求める B 点の負荷電流 I は，

$$I = I_1 + I_2 = 24.666\,7 + 4.666\,7 = 29.333\,4 \fallingdotseq 29.3\ \text{A}$$

問20 Check! □□□

(令和元年 Ⓐ問題 13)

図に示すように，電線 A，B の張力を，支持物を介して支線で受けている．電線 A，B の張力の大きさは等しく，その値を T とする．支線に加わる張力 T_1 は電線張力 T の何倍か．最も近いものを次の(1)～(5)のうちから一つ選べ．

なお，支持物は地面に垂直に立てられており，各電線は支線の取付け高さと同じ高さに取付けられている．また，電線 A，B は地面に水平に張られているものとし，電線 A，B 及び支線の自重は無視する．

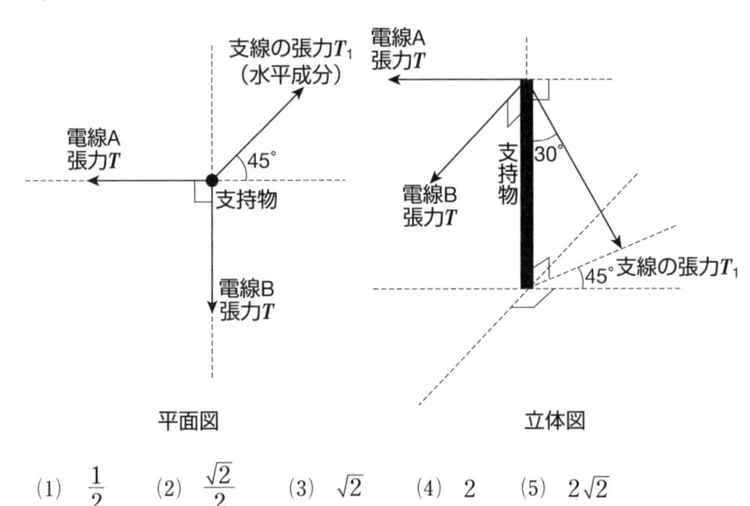

(1) $\dfrac{1}{2}$　(2) $\dfrac{\sqrt{2}}{2}$　(3) $\sqrt{2}$　(4) 2　(5) $2\sqrt{2}$

解20 解答 (5)

問題の電線 A，B および支線に働く力を図示すると，図のようになる．

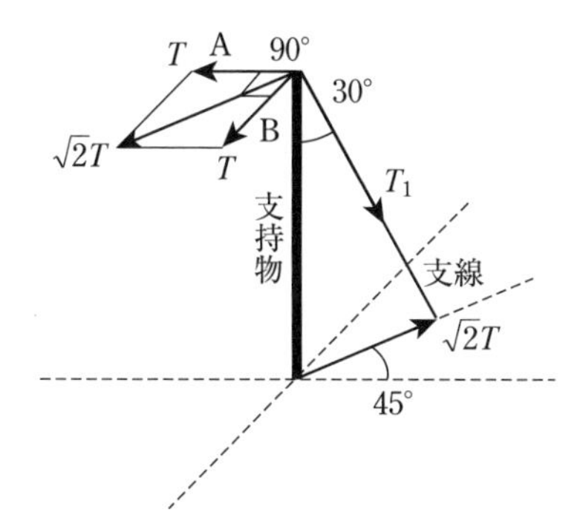

図より，電線 A および B の張力 T を支える支線の張力 T_1 の水平成分は$\sqrt{2}\,T$ であるから，支線の張力 T_1 は，

$$T_1 \sin 30° = \sqrt{2}\,T$$

$$\therefore \quad T_1 = \frac{\sqrt{2}\,T}{\sin 30°} = 2\sqrt{2}\,T$$

したがって，支線に加わる張力 T_1 と電線張力 T との比は，

$$\frac{T_1}{T} = 2\sqrt{2}$$

問21 Check! □□□ (平成25年 Ⓐ問題9)

図のように，架線の水平張力 T〔N〕を支線と追支線で，支持物と支線柱を介して受けている．支持物の固定点Cの高さを h_1〔m〕，支線柱の固定点Dの高さを h_2〔m〕とする．また，支持物と支線柱間の距離ABを l_1〔m〕，支線柱と追支線地上固定点Eとの根開きBEを l_2〔m〕とする．

支持物及び支線柱が受ける水平方向の力は，それぞれ平衡しているという条件で，追支線にかかる張力 T_2〔N〕を表した式として，正しいものを次の(1)～(5)のうちから一つ選べ．

ただし，支線，追支線の自重及び提示していない条件は無視する．

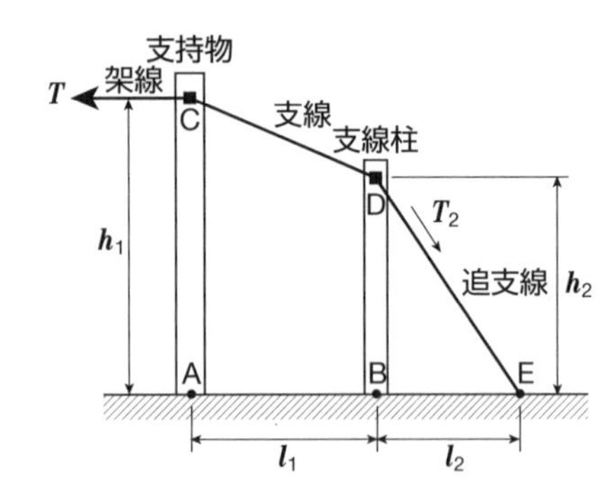

(1) $\dfrac{T\sqrt{h_2^2+l_2^2}}{l_2}$ (2) $\dfrac{Tl_2}{\sqrt{h_2^2+l_2^2}}$ (3) $\dfrac{T\sqrt{h_2^2+l_2^2}}{\sqrt{(h_1-h_2)^2+l_1^2}}$

(4) $\dfrac{T\sqrt{(h_1-h_2)^2+l_1^2}}{\sqrt{h_2^2+l_2^2}}$ (5) $\dfrac{Th_2\sqrt{(h_1-h_2)^2+l_1^2}}{(h_1-h_2)\sqrt{h_2^2+l_2^2}}$

解21 解答 (1)

設問の図において，支線や柱に働く力を描くと図のようになる．

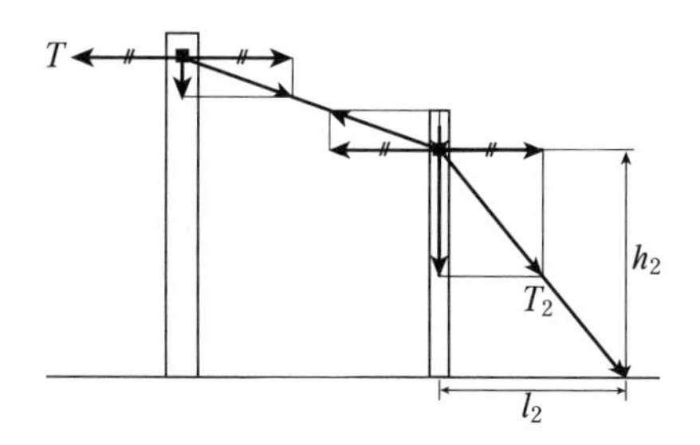

題意において，支持物および支線柱が受ける水平方向の力は，それぞれ平衡しているという条件が与えられているため，支線柱の追支線にかかる張力 T_2 の水平方向の成分は支持物の架線にかかる水平方向の張力 T に等しい．

よって，

$$T_2 : \sqrt{h_2{}^2 + l_2{}^2} = T : l_2$$

の関係が成り立ち，

$$T_2 = \frac{T\sqrt{h_2{}^2 + l_2{}^2}}{l_2}$$

が得られる．

問22 Check! □□□ （令和元年 Ⓐ問題 12）

配電線路に用いられる電気方式に関する記述として，誤っているものを次の(1)～(5)のうちから一つ選べ．

(1) 単相2線式は，一般住宅や商店などに配電するのに用いられ，低圧側の1線を接地する．

(2) 単相3線式は，変圧器の低圧巻線の両端と中点から合計3本の線を引き出して低圧巻線の両端から引き出した線の一方を接地する．

(3) 単相3線式は，変圧器の低圧巻線の両端と中点から3本の線で2種類の電圧を供給する．

(4) 三相3線式は，高圧配電線路と低圧配電線路のいずれにも用いられる方式で，電源用変圧器の結線には一般的に△結線とV結線のいずれかが用いられる．

(5) 三相4線式は，電圧線の3線と接地した中性線の4本の線を用いる方式である．

問23 Check! □□□ （平成27年 Ⓐ問題 12）

スポットネットワーク方式及び低圧ネットワーク方式（レギュラーネットワーク方式ともいう）の特徴に関する記述として，誤っているものを次の(1)～(5)のうちから一つ選べ．

(1) 一般的に複数回線の配電線により電力を供給するので，1回線が停電しても電力供給を継続することができる配電方式である．

(2) 低圧ネットワーク方式では，供給信頼度を高めるために低圧配電線を格子状に連系している．

(3) スポットネットワーク方式は，負荷密度が極めて高い大都市中心部の高層ビルなど大口需要家への供給に適している．

(4) 一般的にネットワーク変圧器の一次側には断路器が設置され，二次側には保護装置（ネットワークプロテクタ）が設置される．

(5) スポットネットワーク方式において，ネットワーク変圧器二次側のネットワーク母線で故障が発生したときでも受電が可能である．

解22 解答 (2)

(2)が誤りである.

(2)の記述は,「単相3線式は,変圧器の低圧巻線の両端と中点から合計3本の線を引き出して中点から引き出した線を接地する.」が正しい.

解23 解答 (5)

(5)が誤りである.

スポットネットワーク方式は,配電用変電所から通常2～3回線の複数回線で引き込み,受電用断路器を経て複数台のネットワーク変圧器一次側に接続し,ネットワーク変圧器二次側はネットワークプロテクタを通してネットワーク母線に接続することによって,配電線に故障が発生しても無停電供給が可能であるので,供給信頼度が非常に高い配電方式である.

しかしながら,ネットワーク母線に故障が発生した場合では,停電となるので,「ネットワーク母線で故障が発生したときでも受電が可能である」という記述は誤りである.

問24 Check! □□□

(平成18年 Ⓐ問題10)

図に示すスポットネットワーク受電設備において，(ア)，(イ)及び(ウ)の設備として，最も適切なものを組み合わせたのは次のうちどれか．

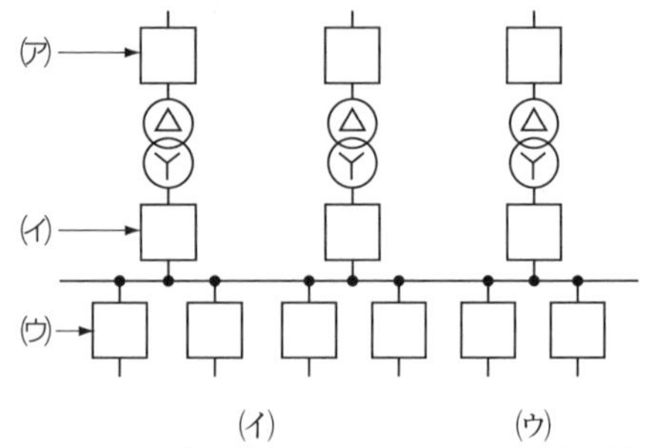

	(ア)	(イ)	(ウ)
(1)	ネットワークプロテクタ	断路器	幹線保護装置
(2)	ネットワークプロテクタ	断路器	プロテクタヒューズ
(3)	断路器	ネットワークプロテクタ	プロテクタ遮断器
(4)	断路器	幹線保護装置	プロテクタヒューズ
(5)	断路器	ネットワークプロテクタ	幹線保護装置

解24 解答 (5)

スポットネットワーク受電設備の結線例を示すと，図のようである.

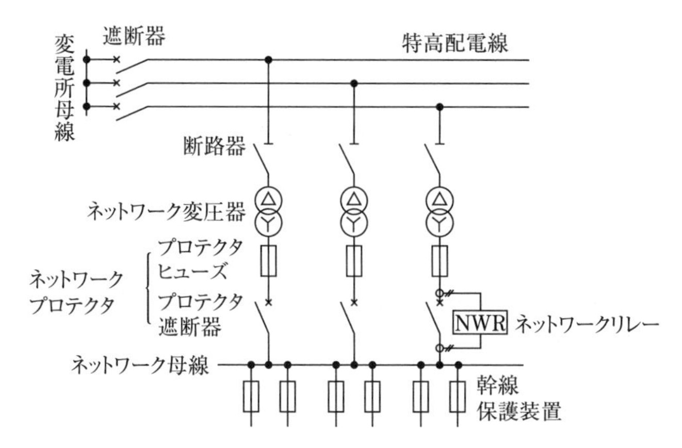

ネットワーク受電設備は，特高または高圧の配電線から2～3回線をT分岐で引き込み，受電用断路器を経てそれぞれネットワーク変圧器に接続し，それぞれの低圧側はプロテクタヒューズ，プロテクタ遮断器，ネットワークリレーなどから構成されるネットワークプロテクタを経てネットワーク母線に接続される.

この配線方式は配電線の1線が停止しても無停電供給が可能で，きわめて信頼度が高い方式である.

問25 Check! □□□

（令和２年 Ⓐ問題 13）

次の文章は，スポットネットワーク方式に関する記述である．

スポットネットワーク方式は，22 kV 又は 33 kV の特別高圧地中配電系統から２回線以上で受電する方式の一つであり，負荷密度が極めて高い都心部の高層ビルや大規模工場などの大口需要家の受電設備に適用される信頼度の高い方式である．

スポットネットワーク方式の一般的な受電系統構成を特別高圧地中配電系統側から順に並べると，［(ア)］・［(イ)］・［(ウ)］・［(エ)］・［(オ)］となる．

上記の記述中の空白箇所(ア)～(オ)に当てはまる組合せとして，正しいものを次の(1)～(5)のうちから一つ選べ．

	(ア)	(イ)	(ウ)	(エ)	(オ)
(1)	断路器	ネットワーク母線	プロテクタ遮断器	プロテクタヒューズ	ネットワーク変圧器
(2)	ネットワーク母線	ネットワーク変圧器	プロテクタヒューズ	プロテクタ遮断器	断路器
(3)	プロテクタ遮断器	プロテクタヒューズ	ネットワーク変圧器	ネットワーク母線	断路器
(4)	断路器	プロテクタ遮断器	プロテクタヒューズ	ネットワーク変圧器	ネットワーク母線
(5)	断路器	ネットワーク変圧器	プロテクタヒューズ	プロテクタ遮断器	ネットワーク母線

解25 解答 (5)

スポットネットワーク方式の一般的な受電系統構成を特別高圧地中配電系統側から順に並べると，断路器，ネットワーク変圧器，プロテクタヒューズ，プロテクタ遮断器，ネットワーク母線となる．

代表的なスポットネットワーク方式の単線結線図を示すと，図のようになる．

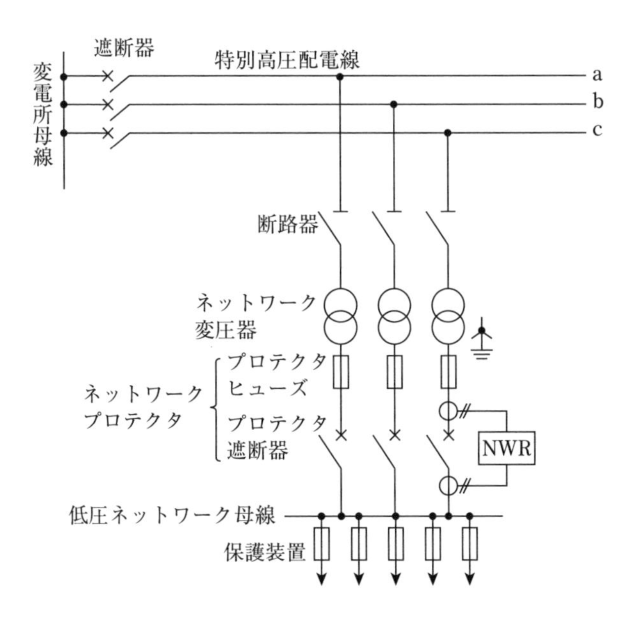

問26 Check! □□□

(平成 23 年 Ⓐ 問題 12)

次の文章は，スポットネットワーク方式に関する記述である．

スポットネットワーク方式は，ビルなどの需要家が密集している大都市の供給方式で，一つの需要家に (ア) 回線で供給されるのが一般的である．

機器の構成は，特別高圧配電線から断路器，(イ) 及びネットワークプロテクタを通じて，ネットワーク母線に並列に接続されている．

また，ネットワークプロテクタは，(ウ)，プロテクタ遮断器，電力方向継電器で構成されている．

スポットネットワーク方式は，供給信頼度の高い方式であり，(エ) の単一故障時でも無停電で電力を供給することができる．

上記の記述中の空白箇所(ア)，(イ)，(ウ)及び(エ)に当てはまる組合せとして，正しいものを次の(1)～(5)のうちから一つ選べ．

	(ア)	(イ)	(ウ)	(エ)
(1)	1	ネットワーク変圧器	断路器	特別高圧配電線
(2)	3	ネットワーク変圧器	プロテクタヒューズ	ネットワーク母線
(3)	3	遮断器	プロテクタヒューズ	ネットワーク母線
(4)	1	遮断器	断路器	ネットワーク母線
(5)	3	ネットワーク変圧器	プロテクタヒューズ	特別高圧配電線

解26 解答（5）

図は，3回線スポットネットワーク配電方式の一例を示す単線結線図である．

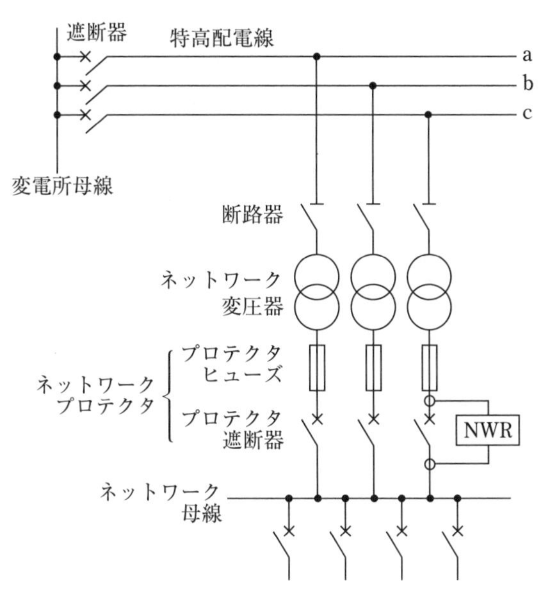

スポットネットワーク配電方式は，インテリジェントビルなどの高信頼度が要求される負荷へ供給する場合に用いられる方式で，図のように特高または高圧の配電線から2～3回線の複数回線を分岐して引込み，受電用断路器を経てそれぞれネットワーク変圧器に接続し，それぞれの変圧器の低電圧側はネットワークプロテクタを経てネットワーク母線に接続される．また，ネットワークプロテクタは，ネットワークヒューズ，プロテクタ遮断器，ネットワークリレー（NWR）などから構成される．

この方式では，配電線の1線が故障で停止すると，停止した回線に接続されるネットワーク変圧器には，ネットワーク母線から停止配電線側へ電流が流れるようになるので，ネットワークリレーがこれを検出し，プロテクタ遮断器が開路して，故障配電線への逆潮流を防止する．

配電線の故障が修復して，ネットワーク変圧器が充電されれば，ネットワークリレーがこれを検出して，自動的にプロテクタ遮断器が閉路する．

このように，配電線が故障で停電しても，需要家側は停電せず，引続き健全回線から電力の供給を受けることができるので，高い信頼度を有した方式である．

問27 Check! □□□

(令和4年㊦ Ⓐ問題13)

低圧ネットワーク方式（レギュラーネットワーク方式ともいう）では，給電線である複数の特別高圧配電線路から，ネットワーク変圧器を経て，低圧配電線路に電力が供給される．低圧ネットワーク方式に関する記述として，誤っているものを次の(1)～(5)のうちから一つ選べ．

(1) 一般的に，ネットワーク変圧器二次側に，保護装置としてネットワークプロテクタが設置されており，ネットワーク変圧器一次側の遮断器やヒューズを省略することができる．

(2) 低圧配電線路を格子状に接続したネットワークから，各需要家に供給する．

(3) 給電線のうちの一つに事故が発生すると，他の健全な給電線に供給系統を切り替える間，低圧配電線路が停電する．

(4) 樹枝状配電線路と比較して電圧変動や電力損失を小さくすることができる．

(5) 建設費が高くなるので，大都市のような需要家の多い地域で用いられる．

解27 解答 (3)

・低圧ネットワーク方式（レギュラネットワーク方式）

同一の配電用変電所の複数の特別高圧・高圧配電線路に接続した複数の変圧器を，ネットワークプロテクタを経て並用し，格子状の低圧ネットワークを構成する（図）.

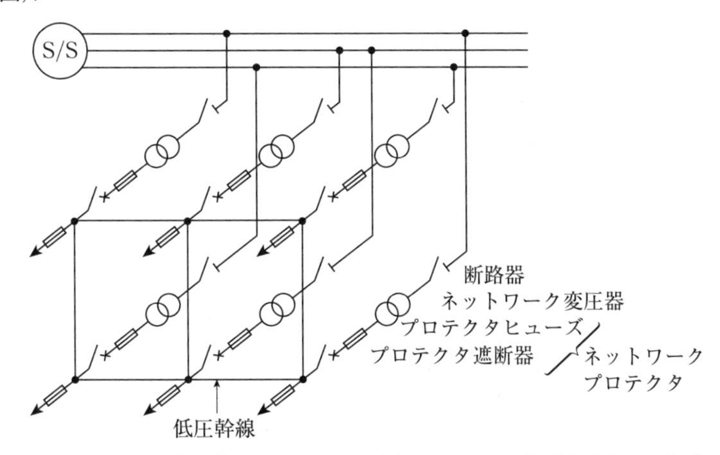

都市部の低圧需要家が集中する地域で採用される．供給信頼度が非常に高い，電圧変動が小さい，電力損失が小さいなどの長所があるが，設備構成や保護協調は複雑であり設備費が非常に高い．

問28 Check! □□□

(平成28年 Ⓐ問題12)

次の文章は，低圧配電系統の構成に関する記述である．

放射状方式は，[(ア)] ごとに低圧幹線を引き出す方式で，構成が簡単で保守が容易なことから我が国では最も多く用いられている．

バンキング方式は，同一の特別高圧又は高圧幹線に接続されている2台以上の配電用変圧器の二次側を低圧幹線で並列に接続する方式で，低圧幹線の [(イ)]，電力損失を減少でき，需要の増加に対し融通性がある．しかし，低圧側に事故が生じ，1台の変圧器が使用できなくなった場合，他の変圧器が過負荷となりヒューズが次々と切れ広範囲に停電を引き起こす [(ウ)] という現象を起こす可能性がある．この現象を防止するためには，連系箇所に設ける区分ヒューズの動作時間が変圧器一次側に設けられる高圧カットアウトヒューズの動作時間より [(エ)] なるよう保護協調をとる必要がある．

低圧ネットワーク方式は，複数の特別高圧又は高圧幹線から，ネットワーク変圧器及びネットワークプロテクタを通じて低圧幹線に供給する方式である．特別高圧又は高圧幹線側が1回線停電しても，低圧の需要家側に無停電で供給できる信頼度の高い方式であり，大都市中心部で実用化されている．

上記の記述中の空白箇所(ア)，(イ)，(ウ)及び(エ)に当てはまる組合せとして，正しいものを次の(1)～(5)のうちから一つ選べ．

	(ア)	(イ)	(ウ)	(エ)
(1)	配電用変電所	電圧降下	ブラックアウト	長く
(2)	配電用変電所	フェランチ効果	ブラックアウト	長く
(3)	配電用変圧器	電圧降下	カスケーディング	短く
(4)	配電用変圧器	フェランチ効果	カスケーディング	長く
(5)	配電用変圧器	フェランチ効果	ブラックアウト	短く

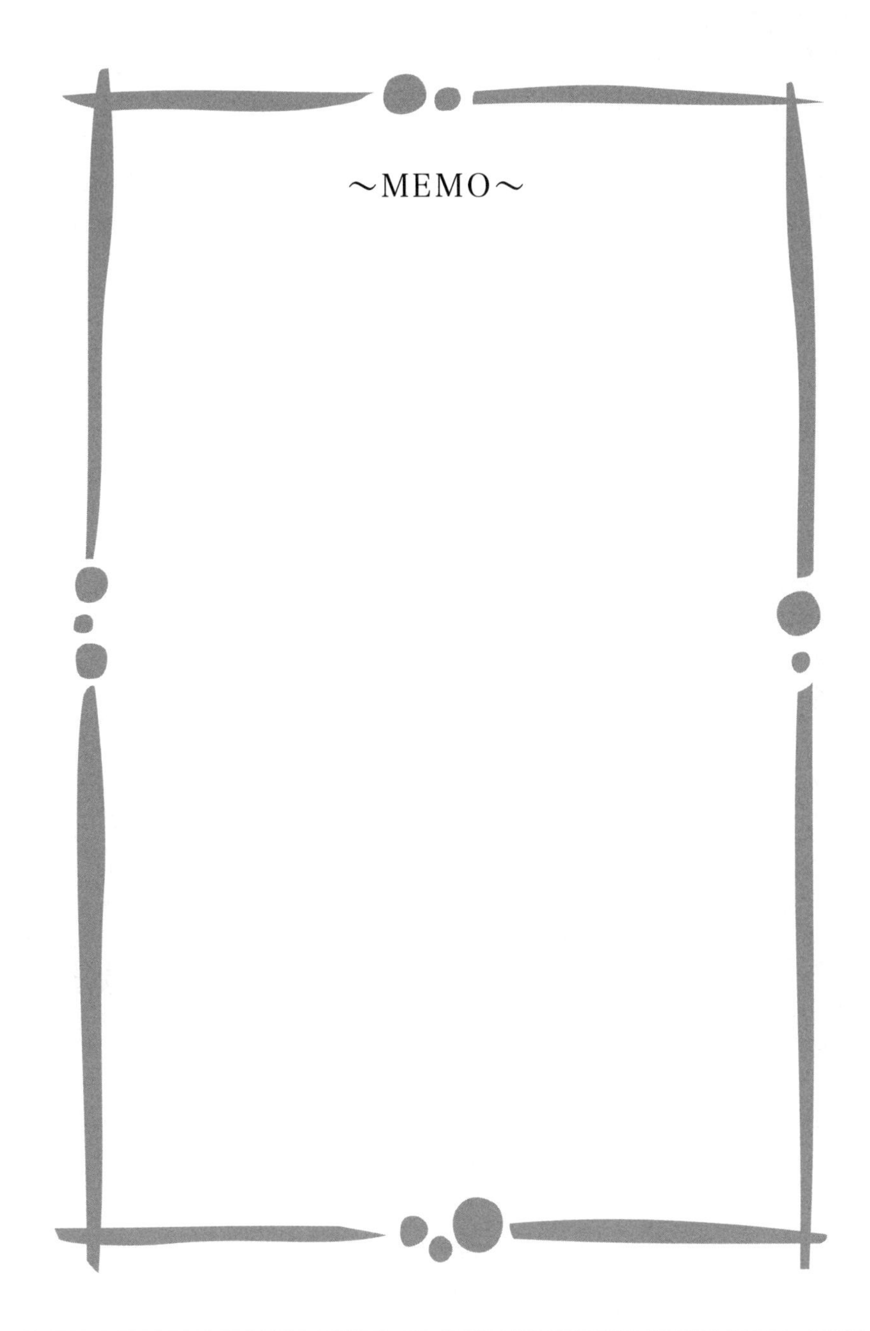
～MEMO～

解28 解答 (3)

⑴ 放射状方式（樹枝状方式）

放射状方式（樹枝状方式）は，第１図に示すように配電用変圧器ごとに低圧幹線を引き出し，それぞれ独立した配電系統をなしているもので，供給信頼度，電圧変動など他の方式に劣る面があるが，系統構成や保護方式が簡単であるので，わが国ではほとんどの低圧系統に使用されている．

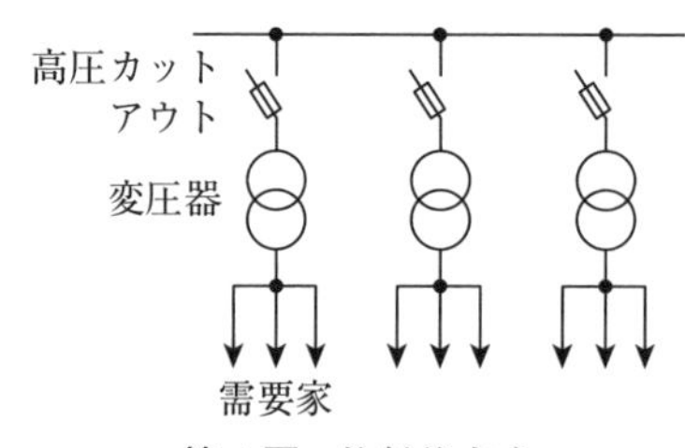

第１図　放射状方式

⑵ バンキング方式

バンキング方式は，放射状方式の経済性の利点を生かしつつ，供給信頼度の向上を図った方式である．

第２図のように，同一の高圧配電線で異なる箇所に設置した２台以上の変圧器を二次側（低圧）幹線で接続する方式で，比較的大容量の変圧器が使用される．この方式では，フリッカの軽減，電圧降下および損失の改善，変圧器設備容量の低減，負荷増加に対する融通性の向上，供給信頼度向上などの効果が期待できる．しかしながら，故障保護対策が適当でないと，ある箇所に発生した故障によって，変圧器が次々に高圧配電線から遮断されるカスケーディングを生じ，広範囲に停電が発生することがある．カスケーディングを防止するためには，隣接する変圧器との間に適当な容量の区分ヒューズを設け，短絡などの故障時に，区分ヒューズが変圧器一次側のヒューズより先に動作するよう，高圧カットアウトスイッチ

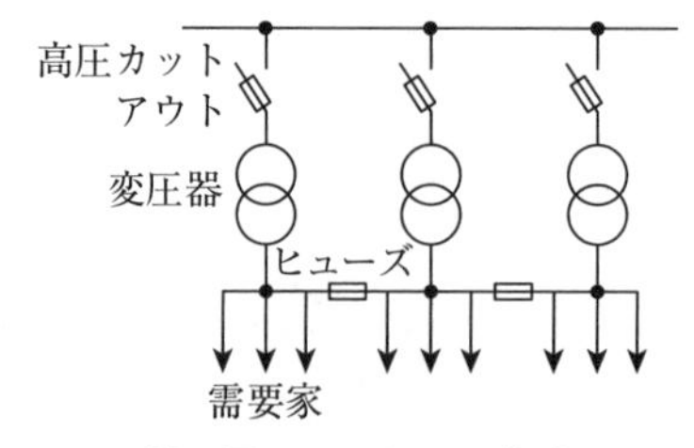

第２図　バンキング方式

のヒューズと十分な保護協調をとる必要がある.

⑶ 低圧ネットワーク方式（レギュラネットワーク方式）

低圧ネットワーク方式は，**第3図**のように複数の特別高圧または高圧配電線からネットワーク変圧器およびネットワークプロテクタを通して低圧幹線に供給する方式である．この方式は，低圧需要家に対する無停電供給を目標とした方式で，他の方式と比較して非常に高い供給信頼度を有しており，電圧変動が少なく，配電線の稼働率を高くできるなどの利点を有している．しかしながら，建設費が高くなることから，負荷密度が相当大きな大都市中心部で採用されている．

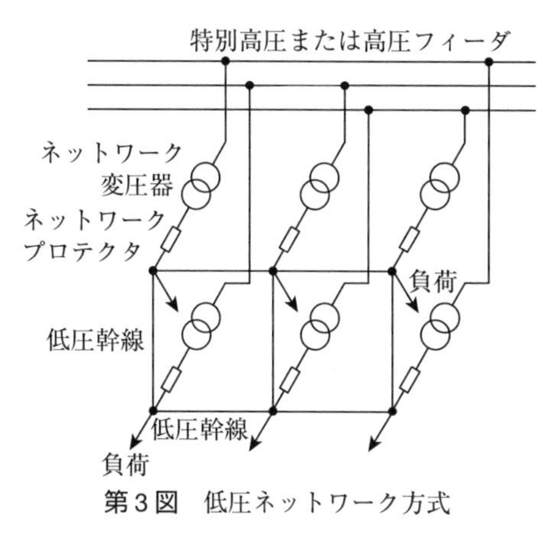

第3図 低圧ネットワーク方式

問29 Check! □□□

（令和3年 Ａ問題 12）

単相3線式配電方式は，1線の中性線と，中性線から見て互いに逆位相の電圧である2線の電圧線との3線で供給する方式であり，主に低圧配電線路に用いられる．100/200 V 単相3線式配電方式に関する記述として，誤っているものを次の(1)～(5)のうちから一つ選べ．

(1) 電線1線当たりの抵抗が等しい場合，中性線と各電圧線の間に負荷を分散させることにより，単相2線式と比べて配電線の電圧降下を小さくすることができる．

(2) 中性線と各電圧線の間に接続する各負荷の容量が不平衡な状態で中性線が切断されると，容量が大きい側の負荷にかかる電圧は低下し，反対に容量が小さい側の負荷にかかる電圧は高くなる．

(3) 中性線と各電圧線の間に接続する各負荷の容量が不平衡であると，平衡している場合に比べて電力損失が増加する．

(4) 単相 100 V 及び単相 200 V の2種類の負荷に同時に供給することができる．

(5) 許容電流の大きさが等しい電線を使用した場合，電線1線当たりの供給可能な電力は，単相2線式よりも小さい．

解29 解答 (5)

(5)の記述が誤りである．

正しくは，「許容電流の大きさが等しい電線を使用した場合，電線1線当たりの供給可能な電力は，単相2線式よりも大きい.」である．

問30 Check! □□□

(令和６年㊤ Ａ問題 11)

送配電方式として広く採用されている交流三相方式に関する記述として，誤っているものを次の(1)～(5)のうちから一つ選べ．

(1) 電源側をＹ結線としたうえで，中性線を施設して三相4線式とすると，線間電圧と相電圧の両方を容易に取り出して利用できるようになる．

(2) 同一材料の電線を使用して，同じ線間電圧で同じ電力を同じ距離に，同じ損失で送電する場合に必要な電線の総重量は，三相3線式でも単相2線式と同等である．

(3) 回転磁界が容易に得られるため，動力源として三相誘導電動機の活用に便利である．

(4) 三相回路が平衡している場合，三相交流全体の瞬時電力は時間に無関係な一定値となり，単相交流の場合のように脈動しないという利点がある．

(5) 発電機では，同じ出力ならば，単相の場合に比べるとより小形に設計できて効率がよい．

解30 解答 (2)

(1) 正しい．三相4線式の場合，各相間の線間電圧と，各相と中性線間の相電圧（単相であり，その大きさは線間電圧$/\sqrt{3}$となる．）を取り出すことができる．

(2) 同じ線間電圧V，同じ電力S，同じ距離Lで送電する単相2線式の線電流をI_1，線路抵抗をR_1とし，三相3線式の線電流をI_3，線路抵抗をR_3とすると，図のように表せる．

ここで，$I_1 = S/V$，$I_3 = S/\sqrt{3}V$であるから，単相2線式および三相3線式の線路損失をそれぞれP_1およびP_3とすると，

$$P_1 = 2R_1 I_1{}^2 = 2R_1\left(\frac{S}{V}\right)^2,\quad P_3 = 3R_3 I_3{}^2 = 3R_3\left(\frac{S}{\sqrt{3}V}\right)^2 = R_3\left(\frac{S}{V}\right)^2$$

また，題意より，$P_1 = P_3$であるから，$2R_1\left(\frac{S}{V}\right)^2 = R_3\left(\frac{S}{V}\right)^2$となり，

$$R_3 = 2R_1$$

つまり，R_3はR_1の2倍でよいことになる．

よって，単相2線式および三相3線式それぞれの電線断面積をそれぞれS_1およびS_3とすると，S_3はS_1の半分でよいことになる．

したがって，求める電線の総重量の比α（三相 / 単相）は，比重を同じとすれば電線の体積の比となるため，単相2線式および三相3線式それぞれの電線体積をそれぞれV_1およびV_3とすると，

$$\alpha = \frac{3S_3L}{2S_1L} = \frac{3\times\frac{S_1}{2}L}{2S_1L} = \frac{3}{4}$$

となり，(2)が誤りである．

(3) 正しい．回転磁界が容易に得られるため，ポンプ等の回転機器を駆動する三相誘導電動機の電源になる．

(4) 正しい．三相交流全体の瞬時電力は，平衡している場合は時間に無関係な一定値であり，単相交流のように脈動しないという利点がある．

(5) 正しい．同一出力の発電機で比較した場合，単相に比べると小形にでき効率もよい．

問31 Check! □□□ (平成17年 Ⓐ問題7)

送配電方式として広く採用されている交流三相方式に関する記述として，誤っているのは次のうちどれか．

(1) 三相回路が平衡している場合，三相交流全体の瞬時電力は時間に無関係な一定値となり，単相交流の場合のように脈動しないという利点がある．

(2) 同一材料の電線を使用して，同じ線間電圧で同じ電力を同じ距離に，同じ損失で送電する場合に必要な電線の総重量は，三相3線式でも単相2線式と同等である．

(3) 電源側をY結線としたうえで，中性線を施設して三相4線式とすると，線間電圧と相電圧の両方を容易に取り出して利用できるようになる．

(4) 発電機では，同じ出力ならば，単相の場合に比べるとより小形に設計できて効率がよい．

(5) 回転磁界が容易に得られるため，動力源として三相誘導電動機の活用に便利である．

解31 解答 (2)

(2)が誤り，三相3線式の電線の総重量は単相2線式の電線総重量の3/4倍となる．

いま，題意より同じ線間電圧 V, 同じ電力 S，同じ距離 L で送電する単相2線式の線電流を I_1，線路抵抗を R_1 とし，三相3線式の線電流を I_3，線路抵抗を R_3 とすると，

$$I_1 = \frac{S}{V}, \quad I_3 = \frac{S}{\sqrt{3}V}$$

であるから，単相2線式および三相3線式の線路損失 P_1 および P_3 はそれぞれ，

$$P_1 = 2R_1 {I_1}^2 = 2R_1 \cdot \left(\frac{S}{V}\right)^2, \quad P_3 = 3R_3 {I_3}^2 = 3R_3 \cdot \left(\frac{S}{\sqrt{3}V}\right)^2 = R_3 \left(\frac{S}{V}\right)^2$$

で表される．ここに，題意より $P_1 = P_3$ であるから，

$$2R_1 \left(\frac{S}{V}\right)^2 = R_3 \left(\frac{S}{V}\right)^2$$

$$\therefore \quad R_3 = 2R_1$$

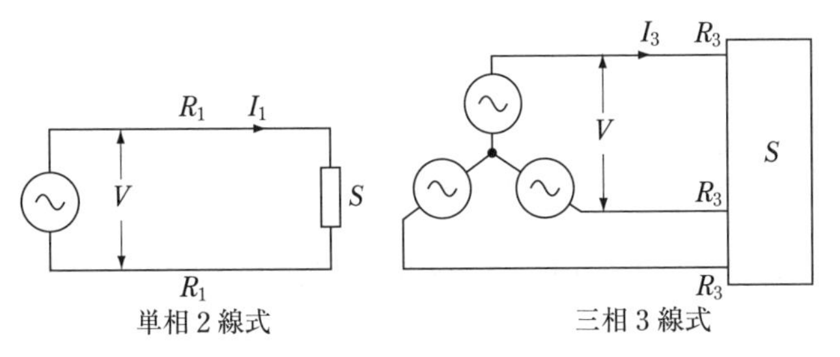

となり，三相3線式の線路抵抗 R_3 は単相2線式の線路抵抗 R_1 の2倍でよいことになる．したがって，単相2線式線路および三相3線式線路の断面積を S_1 および S_3 とすると，$R_3 = 2R_1$ から，S_3 は S_1 の半分でよく，

$$S_3 = \frac{1}{2} S_1$$

となる．したがって，単相2線式および三相3線式の電線総重量 W_1 および W_3 は，

$$\frac{W_3}{W_1} = \frac{3S_3L}{2S_1L} = \frac{\frac{3}{2}S_1L}{2S_1L} = \frac{3}{4}$$

問32 Check! □□□

（令和5年㊤ Ⓐ問題8）

次に示す配電用機材㋐〜㋓とそれに関係の深い語句ⓐ〜ⓔとを組み合わせたものとして，正しいものを次の⑴〜⑸のうちから一つ選べ．

配電用機材	語句
㋐ ギャップレス避雷器 ㋑ ガス開閉器 ㋒ CV ケーブル ㋓ 柱上変圧器	ⓐ 水トリー ⓑ 鉄損 ⓒ 酸化亜鉛（ZnO） ⓓ 六ふっ化硫黄（SF_6） ⓔ ギャロッピング

(1)	(ア)—(c)	(イ)—(d)	(ウ)—(e)	(エ)—(a)
(2)	(ア)—(c)	(イ)—(d)	(ウ)—(a)	(エ)—(e)
(3)	(ア)—(c)	(イ)—(d)	(ウ)—(a)	(エ)—(b)
(4)	(ア)—(d)	(イ)—(c)	(ウ)—(a)	(エ)—(b)
(5)	(ア)—(d)	(イ)—(c)	(ウ)—(e)	(エ)—(a)

問33 Check! □□□

（平成18年 Ⓐ問題9）

次に示す配電用機材㋐，㋑，㋒及び㋓とそれに関係の深い語句ⓐ，ⓑ，ⓒ，ⓓ及びⓔとを組み合わせたものとして，正しいのは次のうちどれか．

配電用機材	語句
㋐ ギャップレス避雷器	ⓐ 水トリー
㋑ ガス開閉器	ⓑ 鉄損
㋒ CV ケーブル	ⓒ 酸化亜鉛（ZnO）
㋓ 柱上変圧器	ⓓ 六ふっ化硫黄（SF_6）
	ⓔ ギャロッピング

(1) (ア)−(c)　(イ)−(d)　(ウ)−(e)　(エ)−(a)
(2) (ア)−(c)　(イ)−(d)　(ウ)−(a)　(エ)−(e)
(3) (ア)−(c)　(イ)−(d)　(ウ)−(a)　(エ)−(b)
(4) (ア)−(d)　(イ)−(c)　(ウ)−(a)　(エ)−(b)
(5) (ア)−(d)　(イ)−(c)　(ウ)−(e)　(エ)−(a)

解32 解答 (3)

(a)の水トリーとは，架橋ポリエチレン絶縁ビニルシースケーブル（CV ケーブル）の絶縁層内に浸入した微量の水分や異物が，経年変化により絶縁体の中を浸透し，絶縁劣化を経て絶縁破壊する現象である（(ウ)に関するもの）.

(b)の鉄損は，変圧器の無負荷損の一つであり，ヒステリシス損と渦電流損に分類される（(エ)に関するもの）.

(c)の酸化亜鉛（ZnO）は，避雷器の特性要素として使用した場合，非直線性が優れており，続流がほとんど流れないため，直列ギャップの省略が可能である（(ア)に関するもの）.

(d)の六ふっ化硫黄（SF_6）は，優れた絶縁性能をもつ気体で，人体に対し安全で，かつ安定しているという特徴をもっているため，ガス遮断器（GCB）やガス絶縁開閉装置（GIS）をはじめとする電気機器に広く用いられている（(イ)に関するもの）.

(e)のギャロッピングとは，送電線に雪や氷が付着した状態で強風が吹き寄せたとき，送電線が上下に激しく振動する現象のことである．本問の配電用機材とは関連がない.

解33 解答 (3)

(1) **ギャップレス避雷器**

ギャップレス避雷器は，直列ギャップを有しない避雷器で，酸化亜鉛（ZnO）素子の優れた抵抗の非直線性を利用したものである.

(2) **ガス開閉器**

ガス開閉器は消弧媒質に六ふっ化硫黄（SF_6）ガスを用いた開閉器である.

(3) **CV ケーブル**

水トリーは，CV ケーブル（架橋ポリエチレン絶縁ビニルシースケーブル）特有の劣化現象である.

(4) **柱上変圧器**

柱上変圧器に関する事項は，鉄損のみである.

したがって，(ア)－(c)，(イ)－(d)，(ウ)－(a)，(エ)－(b)となる.

問34 Check! □□□

(令和４年㊤ Ⓐ問題 13)

高圧架空配電線路又は高圧地中配電線路を構成する機材として，使用されることのないものを次の⑴〜⑸のうちから一つ選べ.

⑴ 柱上開閉器

⑵ CV ケーブル

⑶ 中実がいし

⑷ DV 線

⑸ 避雷器

問35 Check! □□□

(令和２年 Ⓐ問題 12)

高圧架空配電線路を構成する機材とその特徴に関する記述として，誤っているものを次の⑴〜⑸のうちから一つ選べ.

⑴ 支持物は，遠心成形でコンクリートを締め固めた鉄筋コンクリート柱が一般的に使用されている.

⑵ 電線に使用される導体は，硬銅線が用いられる場合もあるが，鋼心アルミ線なども使用されている.

⑶ 柱上変圧器は，単相変圧器２台をＶ結線とし，200 V の三相電源として用い，同時に変圧器から中性線を取り出した単相３線式による 100/200 V 電源として使用するものもある.

⑷ 柱上開閉器は，気中形，真空形などがあり，手動操作による手動式と制御器による自動式がある.

⑸ 高圧カットアウトは，柱上変圧器の一次側に設けられ，形状は箱形の一種類のみである.

解34 解答 (4)

DV線とは引込用ビニル絶縁電線(DV：polyvinyl chloride insulated drop service wires)の略称で，交流600 V以下の低圧，主に低圧需要家の引込線として使用される電線．高圧では使用されない．

配電線路の電線・ケーブル

<table>
<tr><th>区　分</th><th>絶縁電線（架空配電線路）</th><th>ケーブル（地中配電線路）</th></tr>
<tr><td>特別高圧線</td><td>屋外用架橋ポリエチレン絶縁電線（OC）</td><td rowspan="4">架橋ポリエチレン絶縁ビニルシースケーブル（CV）</td></tr>
<tr><td>高圧線</td><td>屋外用架橋ポリエチレン絶縁電線（OC）
屋外用ポリエチレン絶縁電線（OE）</td></tr>
<tr><td>低圧線</td><td>屋外用ビニル絶縁電線（OW）</td></tr>
<tr><td>低圧引込線</td><td>600 V ビニル絶縁電線（IV）
引込用ビニル絶縁電線（DV）</td></tr>
</table>

解35 解答 (5)

⑸が誤りである．

高圧カットアウトの形状は箱形1種類のみではなく，磁器製の円筒形カットアウトもある．

問36 Check! □□□

(令和５年㊤ Ａ問題６)

配電線路の開閉器類に関する記述として，誤っているものを次の(1)～(5)のうちから一つ選べ．

(1) 配電線路用の開閉器は，主に配電線路の事故時又は作業時に，その部分だけを切り離すために使用される．

(2) 柱上開閉器には気中形，真空形，ガス形がある．操作方法は，手動操作による手動式と制御器による自動式がある．

(3) 高圧配電方式には，放射状方式（樹枝状方式），ループ方式（環状方式）などがある．ループ方式は結合開閉器を設置して線路を構成するので，放射状方式よりも建設費は高くなるものの，高い信頼度が得られるため負荷密度の高い地域に用いられる．

(4) 高圧カットアウトは，柱上変圧器の一次側の開閉器として使用される．その内蔵の高圧ヒューズは変圧器の過負荷時や内部短絡故障時，雷サージなどの短時間大電流の通過時に直ちに溶断する．

(5) 地中配電系統で使用するパッドマウント変圧器には，変圧器と共に開閉器などの機器が収納されている．

問37 Check! □□□

(平成26年 Ａ問題13)

高圧架空配電系統を構成する機材とその特徴に関する記述として，誤っているものを次の(1)～(5)のうちから一つ選べ．

(1) 柱上変圧器は，鉄心に低損失材料の方向性けい素鋼板やアモルファス材を使用したものが実用化されている．

(2) 鋼板組立柱は，山間部や狭あい場所など搬入困難な場所などに使用されている．

(3) 電線は，一般に銅又はアルミが使用され，感電死傷事故防止の観点から，原則として絶縁電線である．

(4) 避雷器は，特性要素を内蔵した構造が一般的で，保護対象機器にできるだけ接近して取り付けると有効である．

(5) 区分開閉器は，一般に気中形，真空形があり，主に事故電流の遮断に使用されている．

解36 解答 (4)

高圧カットアウト（Primary Cutout Switch，通称PC）は，主として柱上変圧器の保護および開閉装置として変圧器の一次側に設置されるものであり，その使用目的は，変圧器二次側の短絡事故および過負荷保護，変圧器の負荷開閉，高圧カットアウトから変圧器に至るまでの回路の故障保護，さらには変圧器の内部故障保護であるが，雷サージなどの短時間大電流通過時の保護は行えない．つまり(4)が誤りである．

そのほかは，問題文記載のとおりであり正しい．

解37 解答 (5)

(5)が誤りである．

区分開閉器は，一般に高圧配電線同士を切り離す（区分する）際や高圧配電線と需要家の電気設備とを切り離す（区分する）際に用いられる開閉器で，負荷電流や地絡事故電流の遮断が可能なものもあるが，短絡事故電流の遮断はできない．したがって，主に事故電流の遮断に使用されるというのは誤りである．

問38 Check! □□□ (平成17年 A 問題13)

高圧架空配電線路を構成する機器又は材料に関する記述として，誤っているのは次のうちどれか．

(1) 配電線に用いられる電線には，原則として裸電線を使用することができない．

(2) 配電線路の支持物としては，一般に鉄筋コンクリート柱が用いられている．

(3) 柱上開閉器は，一般に気中形や真空形が用いられている．

(4) 柱上変圧器の鉄心は，一般に方向性けい素鋼帯を用いた巻鉄心の内鉄形が用いられている．

(5) 柱上変圧器は，電圧調整のため，負荷時タップ切替装置付きが用いられている．

問39 Check! □□□ (平成22年 A 問題12)

配電線路の開閉器類に関する記述として，誤っているのは次のうちどれか．

(1) 配電線路用の開閉器は，主に配電線路の事故時の事故区間を切り離すためと，作業時の作業区間を区分するために使用される．

(2) 柱上開閉器は，気中形と真空形が一般に使用されている．操作方法は，手動操作による手動式と制御器による自動式がある．

(3) 高圧配電方式には，放射状方式（樹枝状方式），ループ方式（環状方式）などがある．ループ方式は結合開閉器を設置して線路を構成するので，放射状方式よりも建設費は高くなるものの，高い信頼度が得られるため負荷密度の高い地域に用いられる．

(4) 高圧カットアウトは，柱上変圧器の一次側の開閉器として使用される．その内蔵の高圧ヒューズは変圧器の過負荷時や内部短絡故障時，雷サージなどの短時間大電流の通過時に直ちに溶断する．

(5) 地中配電系統で使用するパッドマウント変圧器には，変圧器と共に開閉器などの機器が収納されている．

解38 解答 (5)

負荷時タップ切換装置は，巻線のタップに負荷をかけた状態でタップ切換を行うことができる装置で，負荷時タップ切換装置付き変圧器は価格が高価となり，大きさも大きくなるので，柱上変圧器には使用されない．柱上変圧器は定格タップ電圧 6 600〔V〕，タップ電圧 6 750，6 450，6 300，6 150〔V〕のものが汎用されているほか，特に電圧変動の少ない地域ではタップレス変圧器も使われている．

解39 解答 (4)

(4)の記述が誤りである．

高圧カットアウト（PC）は，主として配電用変圧器の保護および開閉装置として配電用変圧器の一次側に設置されるもので，その使用目的は，変圧器二次側の短絡故障および過負荷保護，変圧器の負荷開閉，高圧カットアウトから変圧器に至るまでの回路の故障保護および変圧器の内部故障保護であり，雷サージなどの短時間大電流通過時の保護は行えない．

問40 Check! □□□

(平成21年 Ⓐ問題13)

次のa～dは配電設備や屋内設備における特徴に関する記述で，誤っているものが二つある．それらの組み合わせは次のうちどれか．

a. 配電用変電所において，過電流及び地絡保護のために設置されているのは，継電器，遮断器及び断路器である．

b. 高圧配電線は大部分，中性点が非接地方式の放射状系統が多い．そのため経済的で簡便な保護方式が適用できる．

c. 架空低圧引込線には引込用ビニル絶縁電線（DV電線）が用いられ，地絡保護を主目的にヒューズが取り付けてある．

d. 低圧受電設備の地絡保護装置として，電路の零相電流を検出し遮断する漏電遮断器が一般的に取り付けられている．

(1) aとb　(2) aとc　(3) bとc

(4) bとd　(5) cとd

問41 Check! □□□

(平成25年 Ⓐ問題11)

我が国の配電系統の特徴に関する記述として，誤っているものを次の(1)～(5)のうちから一つ選べ．

(1) 高圧配電線路の短絡保護と地絡保護のために，配電用変電所には過電流継電器と地絡方向継電器が設けられている．

(2) 柱上変圧器には，過電流保護のために高圧カットアウトが設けられ，柱上変圧器内部及び低圧配電系統内での短絡事故を高圧系統側に波及させないようにしている．

(3) 高圧配電線路では，通常，6.6〔kV〕の三相3線式を用いている．また，都市周辺などのビル・工場が密集した地域の一部では，電力需要が多いため，さらに電圧階級が上の22〔kV〕や33〔kV〕の三相3線式が用いられることもある．

(4) 低圧配電線路では，電灯線には単相3線式を用いている．また，単相3線式の電灯と三相3線式の動力を共用する方式として，V結線三相4線式も用いている．

(5) 低圧引込線には，過電流保護のために低圧引込線の需要場所の取付点にケッチヒューズ（電線ヒューズ）が設けられている．

解40 解答 (2)

a. および c. の記述が誤りである.

a. 過電流および地絡保護のために継電器（過電流継電器, 地絡方向継電器など）や遮断器が配電用変電所で用いられているが, 断路器は, 負荷電流や故障電流の開閉を行うことができないので, 断路器を過電流および地絡保護に用いることはできない.

c. 架空低圧引込線に取り付けられるヒューズは地絡保護のためではなく, 過電流および短絡保護のために取り付けられている.

解41 解答 (5)

わが国の配電系統は高圧配電線で高圧需要施設や低圧需要施設近傍に電気を送り, 柱上変圧器で降圧して低圧配電線で低圧需要施設に供給する方式が一般的であり, 一部では特別高圧配電線での供給も行われている.

(1) 高圧配電線路の保護のため配電用変電所に保護継電器が設置されている. 短絡保護用には過電流継電器（OCR), 地絡保護用には地絡方向継電器（DGR）が設けられている. 設問の記述は正しい.

(2) 高圧カットアウトは内部にヒューズを有しており, 過電流でヒューズが溶断する. 柱上変圧器の一次側には高圧カットアウトが設けられ, 柱上変圧器および二次側以降の短絡時に流れる大電流を瞬時に遮断するようにしている. 設問の記述は正しい.

(3) わが国の高圧配電線路の多くは 6.6〔kV〕の三相 3 線式である. 都心部など電力需要が多いところや電圧降下が問題となる長距離送電用としても, 特別高圧配電線路となる 22〔kV〕や 33〔kV〕の三相 3 線式が用いられる場合もある. 設問の記述は正しい.

(4) 低圧配電線路の配電方式としては, 電灯用として単相 3 線式, 動力用として三相 3 線式が用いられている. 一般には, 電灯と動力を同一バンクから取り出せる V 結線三相 4 線式とする場合が多い. 設問の記述は正しい.

(5) 低圧引込線には, 需要場所への引込線を含めた過電流保護のためケッチヒューズ（電線ヒューズ）が設けられるが, 低圧引込線の需要場所の取付点ではなく, 柱上変圧器二次側の分岐箇所に設けられる. 設問の記述は誤っている.

問42 Check! □□□

(平成 22 年 Ⓐ 問題 13)

配電設備に関する記述の正誤を解答群では「正：正しい文章」又は「誤：誤っている文章」と書き表している．正・誤の組み合わせとして，正しいのは次のうちどれか．

a. V 結線は，単相変圧器 2 台によって構成し，△ 結線と同じ電圧を変圧することができる．一方，△ 結線と比較し変圧器の利用率は $\frac{\sqrt{3}}{2}$ となり出力は $\frac{\sqrt{3}}{3}$ 倍になる．

b. 長距離で負荷密度の比較的高い商店街のアーケードでは，上部空間を利用し変圧器を設置する場合や，アーケードの支持物上部に架空配電線を施設する場合がある．

c. 架空配電線と電話線，信号線などを，同一支持物に施設することを共架といい，全体的な支持物の本数が少なくなるので，交通の支障を少なくすることができ，電力線と通信線の離隔距離が緩和され，混触や誘導障害が少なくなる．

d. ケーブル布設の管路式は，トンネル状構造物の側面の受け棚にケーブルを布設する方式である．特に変電所の引き出しなどケーブル条数が多い箇所には共同溝を利用する．

	a	b	c	d
(1)	正	誤	正	正
(2)	誤	正	正	誤
(3)	正	正	誤	誤
(4)	誤	正	誤	誤
(5)	誤	誤	正	正

解42 解答 (3)

a. 正しい

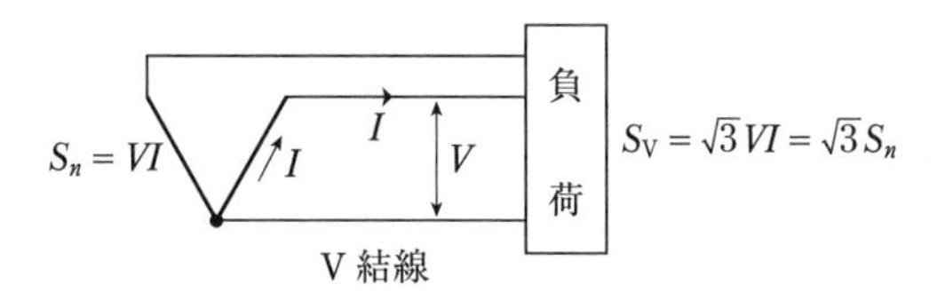

V結線

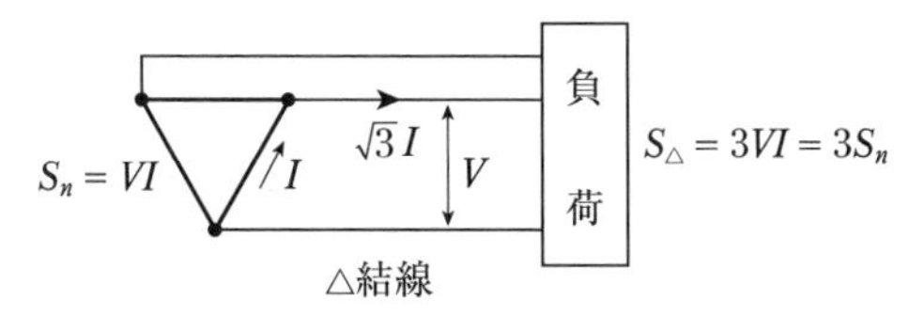

△結線

図のように，容量 $S_n = VI$ の単相変圧器2台で構成されるV結線と3台で構成される△結線とを比較すると，次のようになる．

V結線出力 $S_V = \sqrt{3}\,VI = \sqrt{3}\,S_n$

△結線出力 $S_\triangle = \sqrt{3}\,V(\sqrt{3}\,I) = 3VI = 3S_n$

V結線変圧器利用率 α

$$\alpha = \frac{\sqrt{3}VI}{2VI} = \frac{\sqrt{3}}{2} \fallingdotseq 86.6\ [\%]$$

V結線出力と△結線出力の比 β

$$\beta = \frac{\sqrt{3}VI}{3VI} = \frac{1}{\sqrt{3}} \fallingdotseq 57.7\ [\%]$$

b. 正しい

c. 誤り

架空配電線と電話線，信号線（弱電流電線）を同一支持物に共架すると，電力線と通信線の離隔距離は小さくなり，混触や誘導障害の発生率は高くなる．

d. 誤り

トンネル状構造物の側面の受け棚にケーブルを布設する方式は，管路式ではなく，暗きょ式である．

問43 Check! □□□

(令和４年㊤ Ⓐ問題 12)

次の文章は，配電線路に用いられる柱上変圧器に関する記述である．

柱上に設置される変圧器としては，容量 (ア) のものが多く使用されている．

鉄心には，けい素鋼板が多く使用されているが， (イ) のために鉄心にアモルファス金属材料を用いた変圧器も使用されている．

また，変圧器保護のために， (ウ) を柱上変圧器に内蔵したものも使用されている．

三相３線式 200 V に供給するときの結線には，△ 結線と V 結線がある．V 結線は単相変圧器２台によって構成できるため，△ 結線よりも変圧器の電柱への設置が簡素化できるが，同一容量の単相変圧器２台を使用して三相平衡負荷に供給している場合，同一容量の単相変圧器３台を使用した △ 結線と比較して，出力は (エ) 倍となる．

上記の記述中の空白箇所(ア)〜(エ)に当てはまる組合せとして，正しいものを次の(1)〜(5)のうちから一つ選べ．

	(ア)	(イ)	(ウ)	(エ)
(1)	10 〜 100 kV·A	小型化	漏電遮断器	$\frac{1}{\sqrt{3}}$
(2)	10 〜 30 MV·A	低損失化	漏電遮断器	$\frac{\sqrt{3}}{2}$
(3)	10 〜 30 MV·A	低損失化	避雷器	$\frac{\sqrt{3}}{2}$
(4)	10 〜 100 kV·A	低損失化	避雷器	$\frac{1}{\sqrt{3}}$
(5)	10 〜 100 kV·A	小型化	避雷器	$\frac{\sqrt{3}}{2}$

解43 解答 (4)

柱上変圧器は，5，10，15，20，30，50，75，100 kV·A などの容量のものから単相用に単独で，または三相用に複数台を組み合わせた V 結線で使用される．

変圧器の鉄心として用いられる磁心材料は，磁束を通すものであって，ヒステリシス曲線が上下に細長く（飽和磁束密度が大，残留磁気および保磁力が小），曲線面積が小さいものがよい．透磁率が大きくなるべく一定のものがよい．

アモルファス金属は，非結晶の金属で，強磁性体を添加して優れた磁心材料となる．透磁率が大きく (○) 保磁力が小さい (○)．抵抗率が大きい (○)．ただし，飽和磁束密度が小さい（△）．以上から，鉄損が小さくなる（○）が，飽和磁束密度が小さいため鉄心が大形化する（△）．また，硬く加工が難しい（△）．磁気ひずみが大きく方向性けい素鋼板積層鉄心に比べ騒音は大きい（△）．電力機器では主に**鉄損の低減**を目的に 20 kV 級以下の変圧器の鉄心に使用される．

配電線路に設置する避雷器は，直撃雷によるフラッシオーバ防止を狙いとするものではなく，電力線に現れる誘導雷サージに対して機器，がいしなどの絶縁協調を保ち，線路・機器を保護することを主目的としている．柱上変圧器に**避雷器**を内蔵したものも使用されている．

単相変圧器の定格電圧を V_n，定格容量を S_n，定格電流を I_n とする．$S_n = V_nI_n$ の関係が成り立っている（図）．

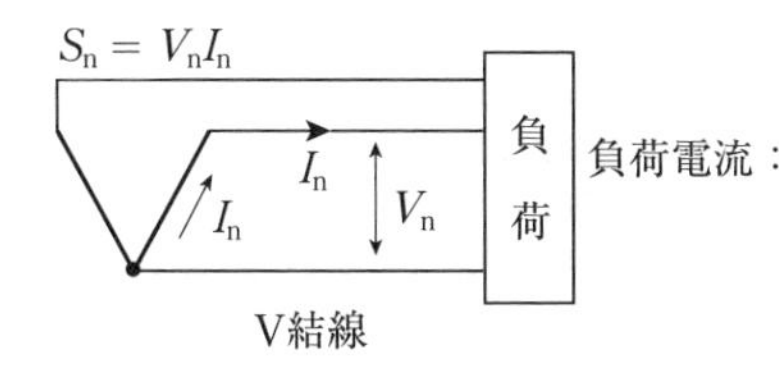

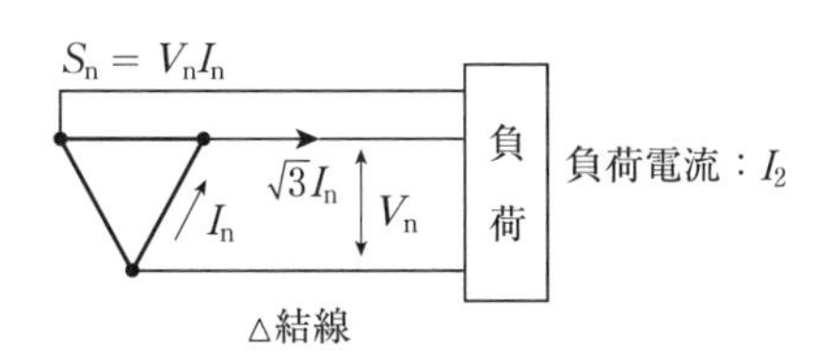

V 結線としたときの三相負荷の皮相電力 S_1 は，以下のとおり単相変圧器の定格容量 S_n の $\sqrt{3}$ 倍となる（2 台の単相変圧器の定格容量合計値よりも少ない）．

$$S_1 = \sqrt{3}\,V_nI_1 = \sqrt{3}\,V_nI_n = \sqrt{3}\,S_n$$

△ 結線としたときの三相負荷の皮相電力 S_2 は，以下のとおり単相変圧器の定格容量 S_n の 3 倍となる（3 台の単相変圧器の定格容量合計値と同じ）．

$$S_1 = \sqrt{3}\,V_nI_2 = \sqrt{3}\,V_n \times \sqrt{3}\,I_n = 3\,V_nI_n = 3S_n$$

よって，V 結線とした場合の可能出力と △ 結線とした場合の可能出力の比は，

$$\frac{S_1}{S_2} = \frac{\sqrt{3}S_n}{3S_n} = \frac{1}{\sqrt{3}}$$

問44 Check! □□□

（平成21年 Ⓐ問題12）

配電で使われる変圧器に関する記述として，誤っているのは次のうちどれか．下図を参考にして答えよ．

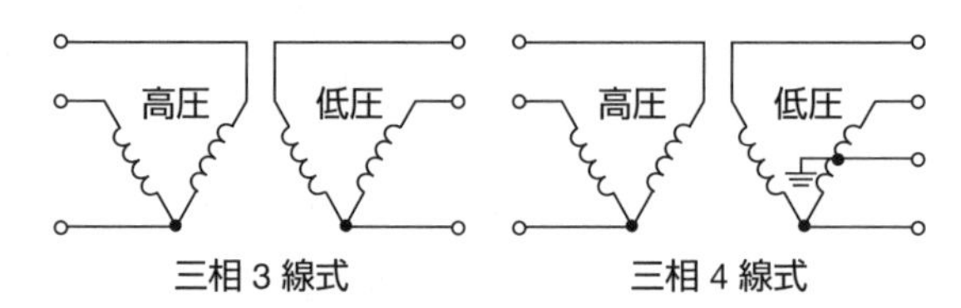

(1) 柱上に設置される変圧器の容量は，50〔kV·A〕以下の比較的小型のものが多い．

(2) 柱上に設置される三相3線式の変圧器は，一般的に同一容量の単相変圧器のV結線を採用しており，出力は△結線の $\frac{1}{\sqrt{3}}$ 倍となる．また，V結線変圧器の利用率は $\frac{\sqrt{3}}{2}$ となる．

(3) 三相4線式（V結線）の変圧器容量の選定は，単相と三相の負荷割合やその負荷曲線及び電力損失を考慮して決定するので，同一容量の単相変圧器を組み合わせることが多い．

(4) 配電線路の運用状況や設備実態を把握するため，変圧器二次側の電圧，電流及び接地抵抗の測定を実施している．

(5) 地上設置形の変圧器は，開閉器，保護装置を内蔵し金属製のケースに納めたもので，地中配電線供給エリアで使用される．

解44 解答 (3)

図のようなV結線（三相4線式）で単相負荷および三相平衡負荷に供給する低圧配電線において，線間電圧をV，単相負荷電流の大きさをI_1，力率を$\cos\theta_1$（遅れ），三相負荷電流の大きさをI_3，力率を$\cos\theta_3$（遅れ）とし，各相の三相負荷電流を$\dot{I}_{3a}$，$\dot{I}_{3b}$および$\dot{I}_{3c}$，変圧器AおよびBの低圧巻線を流れる電流を$\dot{I}_A$および$\dot{I}_B$とする．

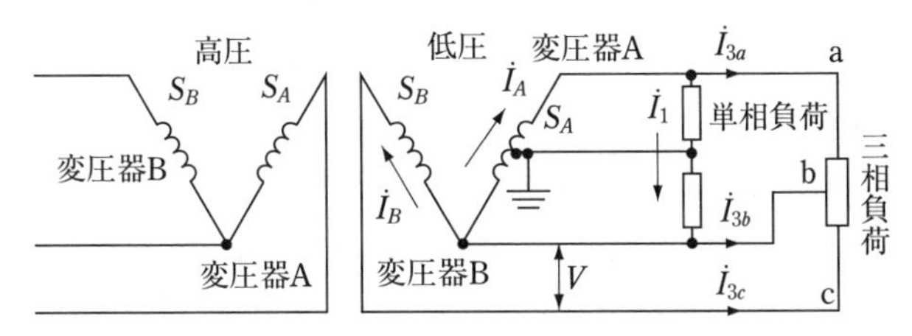

図よりわかるように，変圧器Bの低圧巻線を流れる電流$\dot{I}_B$はc相の三相負荷電流$\dot{I}_{3c}$のみとなるから，変圧器Bの容量S_Bは，

$$S_B = VI_3$$

で表せる．一方，変圧器Aの低圧巻線を流れる電流$\dot{I}_A$はa相の三相負荷電流$\dot{I}_{3a}$と単相負荷電流$\dot{I}_1$の和$(\dot{I}_{3a}+\dot{I}_1)$で表せるから，変圧器Aの容量S_Aは，

$$S_A = VI_A = V\,|\,\dot{I}_{3a}+\dot{I}_1\,| > S_B$$

となって，単相負荷電流$\dot{I}_1$を供給する分，その容量S_Aは変圧器Bの容量S_Bより大きくなる．

このように，変圧器Bは三相負荷のみを分担し，変圧器Aは単相負荷および三相負荷の両方を分担するため，変圧器Bは専用変圧器，変圧器Aは共用変圧器と呼ばれており，専用変圧器と共用変圧器の容量が異なることから，このような配電方式を異容量V結線と呼んでいる．

問45 Check! □□□

(令和4年㊦ Ⓐ問題12)

次の文章は，配電線路の電圧調整に関する記述である．

配電線路より電力供給している需要家への供給電圧を適正範囲に維持するため，配電用変電所では，[(ア)]などによって，負荷変動に応じて変電所二次側母線電圧を調整している．高圧配電線路においては，柱上変圧器の[(イ)]によって低圧配電線路の電圧調整を行っていることが多い．また，高圧配電線路のこう長が長い場合や分散型電源が多く接続されている場合など，電圧変動が大きく，配電用変電所の[(ア)]や柱上変圧器の[(イ)]によっても供給電圧を許容範囲に抑えることが難しい場合は，[(ウ)]や，開閉器付電力用コンデンサなどを高圧配電線路に施設することがある．さらに，電線の[(エ)]によって電圧降下を軽減する対策をとることもある．

上記の記述中の空白箇所(ア)〜(エ)に当てはまる組合せとして，正しいものを次の(1)〜(5)のうちから一つ選べ．

	(ア)	(イ)	(ウ)	(エ)
(1)	負荷時電圧調整器	タップ調整	バランサ	細線化
(2)	計器用変成器	取替	ステップ式自動電圧調整器	細線化
(3)	負荷時電圧調整器	タップ調整	ステップ式自動電圧調整器	太線化
(4)	計器用変成器	タップ調整	ステップ式自動電圧調整器	細線化
(5)	負荷時電圧調整器	取替	バランサ	太線化

解45 解答 (3)

⑴ 配電用変電所における電圧調整

配電用変電所の負荷時タップ切換変圧器（LRT：load-ratio control transformer），または**負荷時電圧調整器**（LRA：load-ratio adjuster）によって，配電線の送り出し点となる高圧母線電圧を，配電線による電圧降下を考慮して重負荷時は高めに調整し軽負荷時は低めに調整する．

⑵ 配電線における電圧調整

高圧配電線のこう長が長く，電圧降下が大きい場合には，線路に配電用の**ステップ式自動電圧調整器**（SVR：step voltage regulator），並列コンデンサ（SC），分路リアクトル（ShR）を施設する．

適切な範囲に調整された高圧配電線の電圧に応じ，適切な柱上変圧器の**タップ調整**により低圧需要家への供給電圧を適正値に維持する．

⑶ その他の電圧調整

⑴，⑵による適切な電圧調整が困難な場合，配電線の増強を行う．

(i) 導体の**太線化**・複線化，配電線増設

インピーダンスの低減，または負荷電流の低減によって電圧降下を抑える．

(ii) 配電電圧の格上げ

20 kV 級の特別高圧配電線によって需要中心付近まで特別高圧で供給し電圧降下を抑える．

問46 Check! □□□

(平成20年 Ⓐ問題13)

次の文章は，配電線路の電圧調整に関する記述である．

配電線路より電力供給している需要家への供給電圧を適正範囲に維持するため，配電用変電所では，一般に (ア) によって，負荷変動に応じて高圧配電線路への送出電圧を調整している．高圧配電線路においては，一般的に線路の末端になるほど電圧が低くなるため，高圧配電線路の電圧降下に応じ，柱上変圧器の (イ) によって二次側の電圧調整を行っていることが多い．

また，高圧配電線路の距離が長い場合など， (イ) によっても電圧降下を許容範囲に抑えることができない場合は， (ウ) や，開閉器付電力用コンデンサ等を高圧配電線路の途中に施設することがある．さらに，電線の (エ) によって電圧降下そのものを軽減する対策をとることもある．

上記の記述中の空白箇所(ア)，(イ)，(ウ)及び(エ)に当てはまる語句として，正しいものを組み合わせたのは次のうちどれか．

	(ア)	(イ)	(ウ)	(エ)
(1)	配電用自動電圧調整器	タップ調整	負荷時タップ切換変圧器	太線化
(2)	配電用自動電圧調整器	取替	負荷時タップ切換変圧器	細線化
(3)	負荷時タップ切換変圧器	タップ調整	配電用自動電圧調整器	細線化
(4)	負荷時タップ切換変圧器	タップ調整	配電用自動電圧調整器	太線化
(5)	負荷時タップ切換変圧器	取替	配電用自動電圧調整器	太線化

解46 解答 (4)

配電線から需要家への供給電圧は負荷変動に応じて場所的，時間的に変動するので，供給電圧を適正な範囲に維持する必要がある．

配電用変電所では，母線電圧一括調整方式が主として用いられ，電圧調整装置としては負荷時タップ切換変圧器（LRT）および負荷時電圧調整器（LRA）が採用されている．これらはいずれも負荷電流が流れた状態でタップの切換を行うもので，タップ切換器を付けた変圧器をLRT，単巻変圧器または直列巻線を有する変圧器と組み合わせたものをLRAと呼んでいる．

また，高圧配電線においては，高圧配電線路の電圧降下に応じ柱上変圧器のタップ調整によって行うほか，線路電圧調整器も使用される．

線路電圧調整器としては，一般に自動電圧調整装置が用いられ，変電所の配電線出口から末端に至る線路途中に施設される．

現在使用されている線路用自動電圧調整装置には，ステップ式自動電圧調整器（SVR）および無接点電圧調整器（NVR）などがある．

さらに，電線の太線化によって電圧降下を軽減する対策もとられている．

問47 Check! □□□ (平成23年 Ⓐ問題13)

配電線路の電圧調整に関する記述として，誤っているものを次の(1)～(5)のうちから一つ選べ．

(1) 配電線のこう長が長くて負荷の端子電圧が低くなる場合，配電線路に昇圧器を設置することは電圧調整に効果がある．

(2) 電力用コンデンサを配電線路に設置して，力率を改善することは電圧調整に効果がある．

(3) 変電所では，負荷時電圧調整器・負荷時タップ切換変圧器等を設置することにより電圧を調整している．

(4) 配電線の電圧降下が大きい場合は，電線を太い電線に張り替えたり，隣接する配電線との開閉器操作により，配電系統を変更することは電圧調整に効果がある．

(5) 低圧配電線における電圧調整に関して，柱上変圧器のタップ位置を変更することは効果があるが，柱上変圧器の設置地点を変更することは効果がない．

解47 解答 (5)

(5)が誤りである．

低圧配電線は，一般に，柱上変圧器の二次側から引き出されるが，柱上変圧器の設置地点によっては低圧需要家への配電距離が増加し，配電線の電圧降下が増加して需要家端の電圧が低くなることがある．

また，低圧需要家の分布状態によっても大きく異なることがある．特に，柱上変圧器の設置地点から見て，低圧需要家群が配電線末端に集中するような状態で配電する場合，配電線の電圧降下が最も大きくなる．このような場合は，柱上変圧器を低圧需要家群近くに設置し，変圧器から見て，平等分布負荷，あるいは，変圧器から遠ざかるに従って需要家密度が低下するような状態で配電するように配電ルートを設定すれば，配電線の電圧降下を低減することが可能になる．

問48 Check! □□□

(令和5年㊦ Ⓐ問題7)

次の文章は，配電線路の電圧調整に関する記述である．誤っているものを次の(1)〜(5)のうちから一つ選べ．

(1) 太陽電池発電設備を系統連系させたときの逆潮流による配電線路の電圧上昇を抑制するため，パワーコンディショナには，電圧調整機能を持たせているものがある．

(2) 配電用変電所においては，高圧配電線路の電圧調整のため，負荷時電圧調整器（LRA）や負荷時タップ切換装置付変圧器（LRT）などが用いられる．

(3) 低圧配電線路の力率改善をより効果的に実施するためには，低圧配電線路ごとに電力用コンデンサを接続することに比べて，より上流である高圧配電線路に電力用コンデンサを接続した方がよい．

(4) 高負荷により配電線路の電圧降下が大きい場合，電線を太くすることで電圧降下を抑えることができる．

(5) 電圧調整には，高圧自動電圧調整器（SVR）のように電圧を直接調整するもののほか，電力用コンデンサや分路リアクトル，静止形無効電力補償装置（SVC）などのように線路の無効電力潮流を変化させて行うものもある．

解48 解答 (3)

力率改善の効果は，電力用コンデンサ（進相コンデンサ）の接続位置よりも上流（電源側）に及ぶ．

そのため，電力用コンデンサは低圧配電線路の負荷と並列に接続することで力率改善される範囲が広くなり，変圧器や低圧配電線路の損失低減を効果的に実施することができる．

よって，(3)が誤りである．

問49 Check! □□□

(平成29年 A 問題13)

次の文章は，配電線路の電圧調整に関する記述である．誤っているものを次の(1)～(5)のうちから一つ選べ．

(1) 太陽電池発電設備を系統連系させたときの逆潮流による配電線路の電圧上昇を抑制するため，パワーコンディショナには，電圧調整機能を持たせているものがある．

(2) 配電用変電所においては，高圧配電線路の電圧調整のため，負荷時電圧調整器 (LRA) や負荷時タップ切換装置付変圧器 (LRT) などが用いられる．

(3) 低圧配電線路の力率改善をより効果的に実施するためには，低圧配電線路ごとに電力用コンデンサを接続することに比べて，より上流である高圧配電線路に電力用コンデンサを接続した方がよい．

(4) 高負荷により配電線路の電圧降下が大きい場合，電線を太くすることで電圧降下を抑えることができる．

(5) 電圧調整には，高圧自動電圧調整器（SVR）のように電圧を直接調整するもののほか，電力用コンデンサや分路リアクトル，静止形無効電力補償装置（SVC）などのように線路の無効電力潮流を変化させて行うものもある．

問50 Check! □□□

(令和6年㊤ A問題7)

配電線路の電圧維持に有効な対策として，誤っているものを次の(1)～(5)のうちから一つ選べ．

(1) 負荷時タップ切換変圧器や負荷時電圧調整器で変電所の送り出し電圧を調整する．

(2) 力率改善用コンデンサを設置する．

(3) 太い配電線に張り替える．

(4) 配電線のこう長を延長する．

(5) 柱上変圧器を負荷の中心に設置する．

解49 解答 (3)

(3)の記述が誤りである.

低圧配電線路の力率改善をより効果的に実施するためには，上流である高圧配電線路に電力用コンデンサを接続するよりも，低圧配電線路ごとに電力用コンデンサを接続した方がよい.

これは，低圧配電線路ごとに電力用コンデンサを接続した場合，低圧配電線路に電力を供給する変圧器の皮相電力が小さくなり，変圧器の容量を低減できるとともに，変圧器に供給する高圧配電線の電流も小さくでき，線路損失を低減することが可能であるからである．また，負荷機器が発生する高調波電流の高圧側への流出も，低圧配電線路に電力用コンデンサを設置する方が小さくなり有利である.

しかしながら，高圧配電線路に接続する電力用コンデンサと同じ容量の電力用コンデンサを低圧配電線路に接続する場合，非常にコスト高になるので，実際に適用するのは難しいという面もある.

解50 解答 (4)

配電線路の電圧調整は，配電用変電所での対策と配電線路での対策がある.

(1), (2)　正しい．配電用変電所での対策としては，変圧器の負荷時タップ切換器，電力用コンデンサや分路リアクトル等の調相設備による調整等がある.

(3), (5)　正しい．配電線路での対策としては，柱上変圧器のタップ切換による調整，自動電圧調整器（SVR）の設置，柱上変圧器の設置位置最適化，電線の太線化等がある.

(4)　誤り．配電線のこう長を延長した場合，配電線のインピーダンスが増えることになり電圧降下が大きくなるため，電圧維持対策としては不適切である.

問51 Check! □□□ (平成26年 Ⓐ問題11)

次の文章は，配電線路の接地方式や一線地絡事故が発生した場合の現象に関する記述である．

a. 高圧配電線路は多くの場合，配電用変電所の変圧器二次側の (ア) から3線で引き出され， (イ) が採用されている．

b. この方式では，一般に一線地絡事故時の地絡電流は (ウ) 程度のほか，高低圧線の混触事故の低圧側対地電圧上昇を容易に抑制でき，地絡事故中の (エ) もほとんど問題にならない．

上記の記述中の空白箇所(ア)，(イ)，(ウ)及び(エ)に当てはまる組合せとして，正しいものを次の(1)～(5)のうちから一つ選べ．

	(ア)	(イ)	(ウ)	(エ)
(1)	△結線	直接接地方式	数百～数千アンペア	健全相電圧上昇
(2)	△結線	非接地方式	数～数十アンペア	通信障害
(3)	Y結線	直接接地方式	数～数十アンペア	通信障害
(4)	△結線	非接地方式	数百～数千アンペア	健全相電圧上昇
(5)	Y結線	直接接地方式	数百～数千アンペア	健全相電圧上昇

解51 解答 (2)

わが国の高圧配電線路は，一部を除きほとんどの場合非接地方式が採用されており，配電用変電所に施設される変圧器の二次側（高圧側）は△結線となっている．

非接地系では，零相インピーダンスが大きく，地絡電流は配電用変電所母線からみた全配電線の対地静電容量で決まり，1線完全地絡（地絡抵抗が0）事故時の地絡電流でも数A～数十A程度と，他の接地系に比べて極端に小さい．

このため，地絡保護は他の接地系に比べて困難となるが，地絡電流が小さいため，高低圧線に混触事故が発生しても，混触点から低圧線，B種接地線を通って大地へと流れる高圧地絡電流 I_g とB種接地抵抗 R_B の積で決まる低圧側対地電圧上昇 $R_B I_g$ は小さくなる．

また，地絡電流（零相電流の3倍）による通信線への電磁誘導障害は，地絡電流が大きい他の接地方式では問題になるが，地絡電流の小さい非接地方式ではほとんど問題になることはない．

問52 Check! □□□

(平成 19 年 Ⓐ 問題 13)

わが国の高圧配電系統では，主として三相 3 線式中性点非接地方式が採用されており，一般に一線地絡事故時の地絡電流は ㈠ アンペア程度であることから，配電用変電所の高圧配電線引出口には，地絡保護のために ㈡ 継電方式が採用されている.

低圧配電系統では，電灯線には単相 3 線式が採用されており，単相 3 線式の電灯と三相 3 線式の動力を共用する方式として ㈢ も採用されている．柱上変圧器には，過電流保護のために ㈣ が設けられ，柱上変圧器内部及び低圧配電系統内での短絡事故を高圧配電系統側に波及させないよう施設している.

上記の記述中の空白箇所㈠，㈡，㈢及び㈣に当てはまる語句として，正しいものを組み合わせたのは次のうちどれか.

	(ア)	(イ)	(ウ)	(エ)
(1)	百～数百	過電流	V 結線三相 4 線式	高圧カットアウト
(2)	百～数百	地絡方向	Y 結線三相 4 線式	配線用遮断器
(3)	数～数十	地絡方向	Y 結線三相 4 線式	高圧カットアウト
(4)	数～数十	過電流	V 結線三相 4 線式	配線用遮断器
(5)	数～数十	地絡方向	V 結線三相 4 線式	高圧カットアウト

解52 解答 (5)

わが国の高圧配電系統では，主として三相3線式中性点非接地方式が採用されている．

中性点非接地方式の配電線路では，1線地絡時の地絡電流が完全地絡時でも母線に接続された全フィーダの3線一括対地充電電流に等しく，数A～数十Aと小さいので，地絡保護には高感度の継電器が用いられる．

配電用変電所では，母線に接続されるフィーダ数が多いので，事故フィーダを選択遮断する必要があることから，地絡方向継電器（DGR）が用いられている．

低圧配電系統では，需要家が主として一般家庭であることから，単相3線式が採用されているが，店舗や小さな工場など，三相電力が必要となる場合では，電灯用の単相変圧器より小容量の単相変圧器を増設して異容量V結線三相4線式配電も行われている．

柱上変圧器には，過電流保護のため，高圧カットアウトが設けられる．

問53 Check! □□□

(平成 29 年 Ⓐ 問題 12)

次の文章は，我が国の高低圧配電系統における保護について述べた文章である．

6.6 kV 高圧配電線路は，60 kV 以上の送電線路や送電用変圧器に比べ，電線路や変圧器の絶縁が容易であるため，故障時に健全相の電圧上昇が大きくなっても特に問題にならない．また，1 線地絡電流を ㈠ するため ㈡ 方式が採用されている．

一般に，多回線配電線路では地絡保護に地絡方向継電器が用いられる．これは，故障時に故障線路と健全線路における地絡電流が ㈢ となることを利用し，故障回線を選択するためである．

低圧配電線路で短絡故障が生じた際の保護装置として ㈣ が挙げられるが，これは，通常，柱上変圧器の ㈤ 側に取り付けられる．

上記の記述中の空白箇所㈠，㈡，㈢，㈣及び㈤に当てはまる組合せとして，正しいものを次の(1)～(5)のうちから一つ選べ．

	(ア)	(イ)	(ウ)	(エ)	(オ)
(1)	大きく	非接地	逆位相	高圧カットアウト	二次
(2)	大きく	接地	逆位相	ケッチヒューズ	一次
(3)	小さく	非接地	逆位相	高圧カットアウト	一次
(4)	小さく	接地	同位相	ケッチヒューズ	一次
(5)	小さく	非接地	同位相	高圧カットアウト	二次

解53 解答 (3)

わが国の6.6 kV高圧配電系統は一部を除き，そのほとんどが非接地系統である．非接地系統において，配電線の１線に完全地絡故障が発生すると，健全相の対地電圧は線間電圧値（相電圧の$\sqrt{3}$倍）まで上昇するが，60 kV以上の送電電圧に比べて電圧が低く，線路や機器の絶縁が容易であるため，特に問題にはならず，地絡電流も小さい．

変電所の同一母線から複数の回線を引き出す多回線配電線路では，回線の一つに１線完全地絡故障が発生すると，事故回線に地絡電流が流れると同時に，健全回線にも，それぞれの３線一括対地充電電流（1回線の３線を一括して大地との間に１相の電圧を加えたとき流れる電流）に等しい地絡電流が流れる．配電線路のこう長が長く，対地静電容量が大きい場合，健全回線に流れる地絡電流も大きくなり，地絡電流の大きさのみで動作する地絡継電器（地絡過電流継電器）では，誤動作（もらい事故という）することがある．これを防ぐために，事故回線の地絡電流と健全回線の地絡電流の流れる方向が逆であることを検出して，事故区分することができる地絡方向継電器が多回線配電線路には用いられる．

高圧配電線と変圧器で結合される低圧配電線路で短絡事故が生じた際の保護装置として，ヒューズが内蔵された高圧カットアウトスイッチ（PC）が，柱上変圧器一次側に接続される．

問54 Check! □□□

(平成25年 Ⓐ問題12)

次の文章は，配電線の保護方式に関する記述である．

高圧配電線路に短絡故障又は地絡故障が発生すると，配電用変電所に設置された (ア) により故障を検出して，遮断器にて送電を停止する．

この際，配電線路に設置された区分用開閉器は (イ) する．その後に配電用変電所からの送電を再開すると，配電線路に設置された区分用開閉器は電源側からの送電を検出し，一定時間後に動作する．その結果，電源側から順番に区分用開閉器は (ウ) される．

また，配電線路の故障が継続している場合は，故障区間直前の区分用開閉器が動作した直後に，配電用変電所に設置された (ア) により故障を検出して，遮断器にて送電を再度停止する．

この送電再開から送電を再度停止するまでの時間を計測することにより，配電線路の故障区間を判別することができ，この方式は (エ) と呼ばれている．

例えば，区分用開閉器の動作時限が7秒の場合，配電用変電所にて送電を再開した後，22秒前後に故障検出により送電を再度停止したときは，図の配電線の (オ) の区間が故障区間であると判断される．

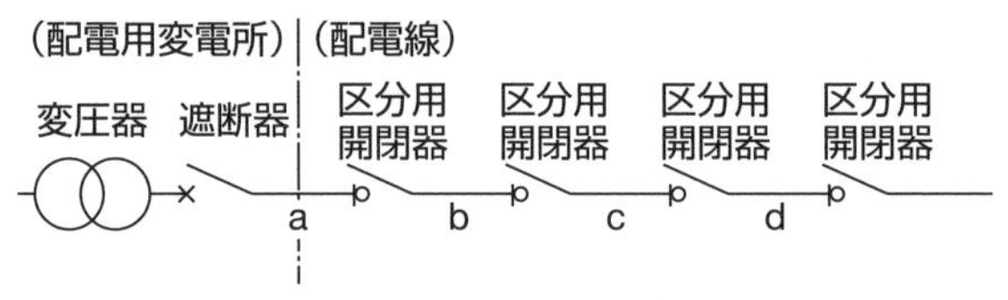

上記の記述中の空白箇所(ア)，(イ)，(ウ)，(エ)及び(オ)に当てはまる組合せとして，正しいものを次の(1)～(5)のうちから一つ選べ．

	(ア)	(イ)	(ウ)	(エ)	(オ)
(1)	保護継電器	開放	投入	区間順送方式	c
(2)	避雷器	開放	投入	時限順送方式	d
(3)	保護継電器	開放	投入	時限順送方式	d
(4)	避雷器	投入	開放	区間順送方式	c
(5)	保護継電器	投入	開放	時限順送方式	c

解54 解答 (3)

配電線の時限順送式故障区間分離方式についての設問である.

(ア) 配電用変電所には当該変電所から引き出された高圧配電線路の故障を保護継電器により検出して, その線路を遮断器で遮断する.

(イ) 送電が停止された配電線路の区分開閉器は, 電源を失うことにより開放する.

設問の区分用開閉器は自動的に投入 / 開放する機能を有しているため, 自動開閉器とも呼ばれる.

(ウ) 遮断器を投入して送電を開始 (これを再閉路という) すると, 電源側から順番に区分用開閉器は投入される. このとき, 各区分用開閉器は電源側の電源回復後一定の動作時限をもって投入するよう設定されている. 区分開閉器が投入された直後に配電用変電所の保護継電器が再度故障を検出して遮断器が動作すると, その区分開閉器の先の配電線路に故障が発生しているとわかる.

(エ) 配電線を区分して設置された自動開閉器により, 配電用変電所における線路遮断器の自動再閉路の後, 電源側の自動開閉器から一定の時限間隔で順次投入して再トリップ (遮断器の再遮断) までの時間で故障区間を検出できる方式を時限順送方式と呼ぶ.

自動開閉器は, 自らが投入した直後に停電が発生した場合には, 自らの先に故障区間があると判断できるため, 自らを投入ロック状態とし, 再々閉路によって再び電源側に電圧が回復しても投入しない. これを故障区間分離方式と呼ぶ. これによって, 故障が発生していない電源側の区間は速やかに送電を復旧できる. 時限順送方式と組み合わせた一連の動作を時限順送式故障区間分離方式と呼んでおり, 現在の配電線で一般に採用されている保護方式である.

(オ) 動作時限が 7 秒の場合, 22 秒後に遮断器が遮断したとき, $22/7 \fallingdotseq 3.14$ であるから, 3 台目の区分開閉器が投入した直後に遮断器が遮断したものと考えられる. よって, 変電所から 3 台目の区分開閉器の先の区間 d が故障区間であると判断される. なお, 端数の約 0.14 秒は保護継電器の故障検出時間と考えられる.

問55 Check! □□□ (令和3年 Ⓐ問題13)

次の文章は，我が国の高低圧配電系統における保護に関する記述である．

6.6 kV 高圧配電線に短絡や地絡などの事故が生じたとき，直ちに事故の発生した高圧配電線を切り離すために， (ア) と保護継電器が配電用変電所の高圧配電線引出口に設置されている．

樹枝状方式の高圧配電線で事故が生じた場合，事故が発生した箇所の変電所側直近及び変電所から離れた側の (イ) 開閉器を開放することにより，事故が発生した箇所を高圧配電線系統から切り離す．

柱上変圧器には，変圧器内部及び低圧配電系統内での短絡事故による過電流保護のために高圧カットアウトが設けられているほか，落雷などによる外部異常電圧から保護するために，避雷器を変圧器に対して (ウ) に設置する．

(エ) は低圧配電線から低圧引込線への接続点などに設けられ，低圧引込線で生じた短絡事故などを保護している．

上記の記述中の空白箇所(ア)～(エ)に当てはまる組合せとして，正しいものを次の(1)～(5)のうちから一つ選べ．

	(ア)	(イ)	(ウ)	(エ)
(1)	高圧ヒューズ	区分	直列	配線用遮断器
(2)	遮断器	区分	並列	ケッチヒューズ (電線ヒューズ)
(3)	遮断器	区分	直列	配線用遮断器
(4)	高圧ヒューズ	連系	並列	ケッチヒューズ (電線ヒューズ)
(5)	遮断器	連系	直列	ケッチヒューズ (電線ヒューズ)

解55 解答 (2)

6.6 kV 高圧配電線に短絡や地絡が生じたとき，直ちに事故の発生した高圧配電線を切り離すため，配電用変電所の高圧配電線引出口には，遮断器と短絡事故を検出する過電流継電器や地絡事故を検出する地絡方向継電器が設置されている．

樹枝状方式の高圧配電線では，事故が発生した高圧配電線の全域にわたって停電することを避けるため，配電線にわたって適当に設置された区分開閉器を開放することによって，事故が発生した箇所（区間）のみを高圧配電系統から切り離すこととしている．

柱上変圧器には変圧器内部および低圧配電系統内での短絡事故による過電流保護のために高圧カットアウトが設けられているほか，落雷などによる外部異常電圧から保護するために，変圧器と並列に避雷器が設置される．

高圧カットアウトは，磁器製密閉構造の負荷開閉が可能な放出ヒューズで，筒形と箱形のものがある．

低圧引込線側で生じた短絡事故の保護のため，低圧配電線から低圧引込線への接続点などにケッチヒューズが設けられている．

問56 Check! □□□

（令和５年上 Ａ問題 11）

22(33) kV 配電系統に関する記述として，誤っているものを次の(1)〜(5)のうちから一つ選べ．

(1) 6.6 kV の配電線に比べ電圧対策や供給力増強対策として有効なので，長距離配電の必要となる地域や新規開発地域への供給に利用されることがある．

(2) 電気方式は，地絡電流抑制の観点から中性点を直接接地した三相 3 線方式が一般的である．

(3) 各種需要家への電力供給は，特別高圧需要家へは直接に，高圧需要家へは途中に設けた配電塔で 6.6 kV に降圧して高圧架空配電線路を用いて，低圧需要家へはさらに柱上変圧器で 200 〜 100 V に降圧して，行われる．

(4) 6.6 kV の配電線に比べ 33 kV の場合は，負荷が同じで配電線の線路定数も同じなら，電流は $\frac{1}{5}$ となり電力損失は $\frac{1}{25}$ となる．電流が同じであれば，送電容量は 5 倍となる．

(5) 架空配電系統では保安上の観点から，特別高圧絶縁電線や架空ケーブルを使用する場合がある．

解56 解答 (2)

22 kV（33 kV）配電系統においては，抵抗接地方式が採用されている．これは地絡電流を抑制して通信線への誘導障害などを防止することが目的である．

一方，直接接地方式は，187 kV 以上の超高圧と呼ばれる電圧系統で採用されている．中性点の電位は常にほぼ一定で，1 線地絡時の電位上昇は最小限に抑えられる．しかし，1 線地絡時は故障点には大きな地絡電流が流れ、通信線に発生する電磁誘導電圧が高くなりやすい．そのため，(2)が誤りである．

(4)は，負荷電力 P が同一とあるので，V が 5 倍になると電流 I は 1/5 となり，電力損失は電流 I の 2 乗に比例するため 1/25 となる．

そのほかは，問題文記載のとおりであり正しい．

問57 Check! □□□ (平成21年 Ⓐ問題8)

22（33）〔kV〕配電系統に関する記述として，誤っているのは次のうちどれか．

(1) 6.6〔kV〕の配電線に比べ電圧対策や供給力増強対策として有効なので，長距離配電の必要となる地域や新規開発地域への供給に利用されることがある．

(2) 電気方式は，地絡電流抑制の観点から中性点を直接接地した三相3線方式が一般的である．

(3) 各種需要家への電力供給は，特別高圧需要家へは直接に，高圧需要家へは途中に設けた配電塔で6.6〔kV〕に降圧して高圧架空配電線路を用いて，低圧需要家へはさらに柱上変圧器で200〜100〔V〕に降圧して，行われる．

(4) 6.6〔kV〕の配電線に比べ33〔kV〕の場合は，負荷が同じで配電線の線路定数も同じなら，電流は$\frac{1}{5}$となり電力損失は$\frac{1}{25}$となる．電流が同じであれば，送電容量は5倍となる．

(5) 架空配電系統では保安上の観点から，特別高圧絶縁電線や架空ケーブルを使用する場合がある．

問58 Check! □□□ (平成17年 Ⓐ問題12)

高圧架空配電線路に使用する電線の太さを決定する要素として，特に必要ない事項は次のうちどれか．

(1) 電力損失

(2) 高調波

(3) 電圧降下

(4) 機械的強度

(5) 許容電流

解57 解答 (2)

中性点直接接地は，わが国では，主として187〔kV〕以上の超高圧，超々高圧送電系統に広く採用されており，22（33）〔kV〕配電系統では採用されていない．直接接地は，抵抗接地や消弧リアクトル接地に比べると地絡電流が非常に大きく，地絡故障時の健全相対地電圧上昇が少ない．

22（33）〔kV〕系統では主として，中性点を60～900〔Ω〕の抵抗で接地する抵抗接地系または非接地が採用されている．

解58 解答 (2)

電線の太さを決定する要素として必要な事項は，許容電流，電圧降下，電力損失，機械的強度などで，高調波に関しては考慮する必要がない．

問59 Check! □□□ （平成27年 Ⓐ問題5）

分散型電源の配電系統連系に関する記述として，誤っているものを次の(1)～(5)のうちから一つ選べ．

(1) 分散型電源からの逆潮流による系統電圧の上昇を抑制するために，受電点の力率は系統側から見て進み力率とする．

(2) 分散型電源からの逆潮流等により他の低圧需要家の電圧が適正値を維持できない場合は，ステップ式自動電圧調整器（SVR）を設置する等の対策が必要になることがある．

(3) 比較的大容量の分散型電源を連系する場合は，専用線による連系や負荷分割等配電系統側の増強が必要になることがある．

(4) 太陽光発電や燃料電池発電等の電源は，電力変換装置を用いて電力系統に連系されるため，高調波電流の流出を抑制するフィルタ等の設置が必要になることがある．

(5) 大規模太陽光発電等の分散型電源が連系した場合，配電用変電所に設置されている変圧器に逆向きの潮流が増加し，配電線の電圧が上昇する場合がある．

解59 解答 (1)

⑴が誤りである.

経済産業省資源エネルギー庁「電力品質確保に係る系統連系技術要件ガイドライン」によれば，配電線との連系に際し，「逆潮流がある場合の受電点の力率は，適正なものとして原則 85 %以上とするとともに，電圧上昇を防止するために系統側から見て進み力率（発電設備等側から見て遅れ力率）とならないようにする.」とされており，「分散型電源からの逆潮流による系統電圧の上昇を抑制するために，受電点の力率は系統側から見て進み力率とする.」という記述は誤りである.

第8章

電気材料

●論説・空白
- ・磁性材料
- ・絶縁材料
- ・導電材料

問1 Check! □□□

(平成27年 Ⓐ問題14)

変圧器の鉄心に使用されている鉄心材料に関する記述として，誤っているものを次の(1)～(5)のうちから一つ選べ.

(1) 鉄心材料は，同じ体積であれば両面を絶縁加工した薄い材料を積層することで，ヒステリシス損はほとんど変わらないが，渦電流損を低減させることができる.

(2) 鉄心材料は，保磁力と飽和磁束密度がともに小さく，ヒステリシス損が小さい材料が選ばれる.

(3) 鉄心材料に使用されるけい素鋼材は，鉄にけい素を含有させて透磁率と抵抗率とを高めた材料である.

(4) 鉄心材料に使用されるアモルファス合金材は，非結晶構造であり，高硬度であるが，加工性に優れず，けい素鋼材と比較して高価である.

(5) 鉄心材料に使用されるアモルファス合金材は，けい素鋼材と比較して透磁率と抵抗率はともに高く，鉄損が少ない.

問2 Check! □□□

(平成20年 Ⓐ問題14)

次の文章は，発電機，電動機，変圧器などの電気機器の鉄心として使用される磁心材料に関する記述である.

永久磁石材料と比較すると磁心材料の方が磁気ヒステリシス特性（$B-H$特性）の保磁力の大きさは (ア) ，磁界の強さの変化により生じる磁束密度の変化は (イ) ので，透磁率は一般に (ウ) .

また，同一の交番磁界のもとでは，同じ飽和磁束密度を有する磁心材料同士では，保磁力が小さいほど，ヒステリシス損は (エ) .

上記の記述中の空白箇所(ア)，(イ)，(ウ)及び(エ)に当てはまる語句として，正しいものを組み合わせたのは次のうちどれか.

	(ア)	(イ)	(ウ)	(エ)
(1)	大きく	大きい	大きい	大きい
(2)	小さく	大きい	大きい	小さい
(3)	小さく	大きい	小さい	大きい
(4)	大きく	小さい	小さい	小さい
(5)	小さく	小さい	大きい	小さい

解1 解答 (2)

(2)が誤りである.

変圧器に用いる鉄心材料は，保磁力と残留磁気がともに小さく，ヒステリシス損が小さいことが必要であり，飽和磁束密度は大きいことが要求される．したがって，「鉄心材料は，保磁力と飽和磁束密度がともに小さく」という記述は誤りである.

解2 解答 (2)

図は磁性体の磁化曲線（$B-H$ 曲線）で，図中の H_c を保磁力，B_r を残留磁気といい，磁化曲線はヒステリシス曲線とも呼ばれる.

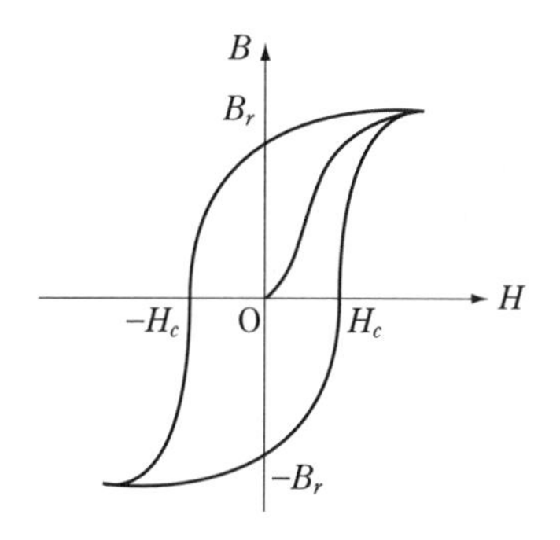

永久磁石材料では，この残留磁気および保磁力が大きいことが要求されるが，これとは逆に，磁心材料では残留磁気および保磁力がともに小さいことが要求される.

保磁力が小さければ，小さな磁化力によって大きな磁束密度を発生することができ，比透磁率は大きくなる.

これは，磁心材料に生じるヒステリシス損が $B-H$ 曲線の面積に比例するので，$B-H$ 曲線の面積ができるだけ小さい方がよいからである.

これに加え，磁心材料では，抵抗率が大きいこと，磁気飽和値が大きいこと，透磁率が大きくなるべく一定であることなどが要求される.

問3 Check! □□□ （令和５年㊤ Ⓐ問題 14）

アモルファス鉄心材料を使用した柱上変圧器の特徴に関する記述として，誤っているものを次の(1)〜(5)のうちから一つ選べ.

(1) けい素鋼帯を使用した同容量の変圧器に比べて，鉄損が大幅に少ない.

(2) アモルファス鉄心材料は結晶構造である.

(3) アモルファス鉄心材料は高硬度で，加工性があまり良くない.

(4) アモルファス鉄心材料は比較的高価である.

(5) けい素鋼帯を使用した同容量の変圧器に比べて，磁束密度が高くできないので，大形になる.

問4 Check! □□□ （平成 30 年 Ⓐ 問題 14）

変圧器に使用される鉄心材料に関する記述として，誤っているものを次の(1)〜(5)のうちから一つ選べ.

(1) 鉄は,炭素の含有量を低減させることにより飽和磁束密度及び透磁率が増加し,保磁力が減少する傾向があるが,純鉄や低炭素鋼は電気抵抗が小さいため,一般に交流用途の鉄心材料には適さない.

(2) 鉄は，けい素含有量の増加に伴って飽和磁束密度及び保磁力が減少し，透磁率及び電気抵抗が増加する傾向がある．そのため，けい素鋼板は交流用途の鉄心材料に広く使用されているが，けい素含有量の増加に伴って加工性や機械的強度が低下するという性質もある.

(3) 鉄心材料のヒステリシス損は，ヒステリシス曲線が囲む面積と交番磁界の周波数に比例する.

(4) 厚さの薄い鉄心材料を積層した積層鉄心は，積層した鉄心材料間で電流が流れないように鉄心材料の表面に絶縁被膜が施されており，鉄心材料の積層方向（厚さ方向）と磁束方向とが同一方向となるときに顕著な渦電流損の低減効果が得られる.

(5) 鉄心材料に用いられるアモルファス磁性材料は，原子配列に規則性がない非結晶構造を有し，結晶構造を有するけい素鋼材と比較して鉄損が少ない．薄帯形状であることから巻鉄心形の鉄心に適しており，柱上変圧器などに使用されている.

解3 解答 (2)

⑵ 誤り.「アモルファス」とは,構成原子が不規則配列をしている非結晶性（非晶質）の意味である.

アモルファス材料の特徴としては，低保持力・高透磁率が得やすい，電気抵抗率が高い，溶融状態から急冷するため直接薄板が製造できるなどがある.

このような特徴を生かしたアモルファス変圧器は，鉄損が少なく（⑴は正しい），励磁電流が小さいが，一方で，鉄心の必要断面積が大きくなり機器が大形化してしまうこと（⑸は正しい），高硬度のため切断等の加工がしにくいこと（⑶は正しい），材料単価が高い（⑷は正しい）などの欠点があり，これらの改善が今後の普及の鍵である.

解4 解答 (4)

⑷が誤りである.

積層鉄心は，絶縁被膜により積層方向への抵抗が大きい．一方，磁束の変化により生じる誘導起電力は磁束と直角方向となるので，これによる渦電流も磁束と直角方向となる．したがって，鉄心材料の積層方向（厚さ方向）と磁束方向とが「直角方向」となるときに顕著な渦電流損の低減効果が得られる.

問5 Check! □□□ (令和２年 Ⓐ問題 14)

我が国のコンデンサ，電力ケーブル，変圧器などの電力用設備に使用される絶縁油に関する記述として，誤っているものを次の(1)～(5)のうちから一つ選べ．

(1) 絶縁油の誘電正接は，変圧器，電力ケーブルに使用する場合には小さいものが，コンデンサに使用する場合には大きいものが適している．

(2) 絶縁油には，一般に熱膨張率，粘度が小さく，比熱，熱伝導率が大きいものが適している．

(3) 電力用設備の絶縁油には，一般に古くから鉱油系絶縁油が使用されているが，難燃性や低損失性など，より優れた特性が要求される場合には合成絶縁油が採用されている．また，環境への配慮から植物性絶縁油の採用も進められている．

(4) 絶縁油は，電力用設備内を絶縁するために使用される以外に，絶縁油の流動性を利用して電力用設備内で生じた熱を外部へ放散するために使用される場合がある．

(5) 絶縁油では，不純物や水分などが含まれることにより絶縁性能が大きく影響を受け，部分放電の発生によって分解ガスが生じる場合がある．このため，電力用設備から採油した絶縁油の水分量測定やガス分析等を行うことにより，絶縁油の劣化状態や電力用設備の異常を検知することができる．

解5　解答 (1)

誘電体の誘電正接 $\tan\delta$ は，誘電体の誘電損を表す指標であり，誘電損は誘電正接の値に比例する．したがって，変圧器や電力ケーブルだけでなくコンデンサにおいてもその値が小さいものが適している．

問6 Check! □□□

(令和6年㊤ Ⓐ問題14)

電気絶縁材料に関する記述として，誤っているものを次の(1)～(5)のうちから一つ選べ．

(1) 気体絶縁材料は，液体，固体絶縁材料と比較して，一般に電気抵抗率及び誘電率が低いため，固体絶縁材料内部にボイド（空隙，空洞）が含まれると，ボイド部での電界強度が高められやすい．

(2) 気体絶縁材料は，液体，固体絶縁材料と比較して，一般に絶縁破壊強度が低いが，気圧を高めるか，真空状態とすることで絶縁破壊強度を高めることができる性質がある．

(3) 内部にボイドを含んだ固体絶縁材料では，固体絶縁材料の絶縁破壊が生じなくても，ボイド内の気体が絶縁破壊することで部分放電が発生する場合がある．

(4) 固体絶縁材料は，熱や電界，機械的応力などが長時間加えられることによって，固体絶縁材料内部に微小なボイドが形成されて，部分放電が発生する場合がある．

(5) 固体絶縁材料内部で部分放電が発生すると，短時間に固体絶縁材料の絶縁破壊が生じることはなくても，長時間にわたって部分放電が継続的又は断続的に発生することで，固体絶縁材料の絶縁破壊に至る場合がある．

解6 解答（1）

⑴ 誤り．気体絶縁材料は，他の絶縁材料と比較して電気抵抗率は大きい．絶縁媒体として空気，SF_6 等が用いられるのはこのためである．

⑵ 正しい．気体絶縁材料の圧力を高める，もしくは，真空状態にすることは，絶縁破壊強度を高めるのに有効である．

⑶ 正しい．固体絶縁体内部にボイド（空げき，空洞）が存在すると当該部分の電界強度が高くなる．これは，ボイドの誘電率が周囲よりも低いためである．結果，ボイド部にかかる電圧が周囲の絶縁体よりも高くなり，局所的な放電（部分放電）が発生しやすくなる．

⑷ 正しい．固体絶縁材料では，熱や電界，外部から力が長時間加えられることで材料内部にボイドが形成され，部分放電を起こすことがある．

⑸ 正しい．固体絶縁材料内部で部分放電が生じると，短時間では絶縁破壊が生じなくても，長時間繰り返されることで，絶縁破壊に至る場合がある．

問7 Check! □□□

(令和元年 Ⓐ問題 14)

電気絶縁材料に関する記述として，誤っているものを次の(1)～(5)のうちから一つ選べ.

(1) 気体絶縁材料は，液体，固体絶縁材料と比較して，一般に電気抵抗率及び誘電率が低いため，固体絶縁材料内部にボイド（空隙，空洞）が含まれると，ボイド部での電界強度が高められやすい.

(2) 気体絶縁材料は，液体，固体絶縁材料と比較して，一般に絶縁破壊強度が低いが，気圧を高めるか，真空状態とすることで絶縁破壊強度を高めることができる性質がある.

(3) 内部にボイドを含んだ固体絶縁材料では，固体絶縁材料の絶縁破壊が生じなくても，ボイド内の気体が絶縁破壊することで部分放電が発生する場合がある.

(4) 固体絶縁材料は，熱や電界，機械的応力などが長時間加えられることによって，固体絶縁材料内部に微小なボイドが形成されて，部分放電が発生する場合がある.

(5) 固体絶縁材料内部で部分放電が発生すると，短時間に固体絶縁材料の絶縁破壊が生じることはなくても，長時間にわたって部分放電が継続的又は断続的に発生することで，固体絶縁材料の絶縁破壊に至る場合がある.

問8 Check! □□□

(平成 23 年 Ⓐ 問題 14)

電気絶縁材料に関する記述として，誤っているものを次の(1)～(5)のうちから一つ選べ.

(1) 直射日光により，絶縁物の劣化が生じる場合がある.

(2) 多くの絶縁材料は温度が高いほど，絶縁強度の低下や誘電損の増加が生じる.

(3) 絶縁材料中の水分が少ないほど，絶縁強度は低くなる傾向がある.

(4) 電界や熱が長時間加わることで，絶縁強度は低下する傾向がある.

(5) 部分放電は，絶縁物劣化の一要因である.

解7 解答 (1)

⑴が誤りである．

⑴の記述は，「気体絶縁材料は，液体，固体絶縁材料と比較して，一般に電気抵抗率は大きく，誘電率は低いため，固体絶縁材料内部にボイド（空げき，空洞）が含まれると，ボイド部での電界強度が高められやすい．」が正しい．

解8 解答 (3)

⑶が誤りである．

絶縁材料中の水分が少ないほど，絶縁強度は高くなる傾向がある．

問9 Check! □□□

(令和4年㊦ Ⓐ問題14)

次の文章は，絶縁油の性質に関する記述である.

絶縁油は変圧器やOFケーブルなどに使用されており，一般に絶縁破壊電圧は同じ圧力の空気と比べて高く，誘電正接が (ア) 絶縁油を用いることで絶縁油中の (イ) を抑えることができる．電力用機器の絶縁油として古くから (ウ) が一般的に用いられてきたが，より優れた低損失性や信頼性が求められる場合には (エ) が採用されている.

上記の記述中の空白箇所(ア)～(エ)に当てはまる組合せとして，正しいものを次の(1)～(5)のうちから一つ選べ.

	(ア)	(イ)	(ウ)	(エ)
(1)	大きい	部分放電	植物油	鉱油
(2)	小さい	発熱	鉱油	合成油
(3)	大きい	発熱	植物油	鉱油
(4)	小さい	部分放電	鉱油	合成油
(5)	小さい	発熱	植物油	合成油

解9　解答（2）

⑴　液体絶縁材料

絶縁油		変圧器，コンデンサ，電力ケーブルの絶縁・冷却媒体として利用，かつては遮断器，開閉器の絶縁・消弧媒体としても利用．
	鉱油 （鉱物油）	石油系の原油から精製．水分の混入や酸化により劣化．可燃性のため火災の原因になり得る．変圧器，コンデンサ，電力ケーブル，遮断器など電力機器全般で使用．
	合成油	化学合成した油．鉱油の欠点を改善．化学的に安定しており劣化しにくく難燃性．コンデンサや電力ケーブルで，より優れた低損失性や信頼性を求める場合に使用．

⑵　誘電正接（$\tan\delta$）

絶縁物に交流電圧 $\dot{E}$ を加えると絶縁が完全であればコンデンサに電圧を加えた場合と同じように $\dot{E}$ よりも 90° 進み位相の電流 $\dot{I}_c$ だけが流れる．

しかし実際は，$\dot{I}_c$ だけではなく $\dot{E}$ と同相の $\dot{I}_r$ がわずかに流れるため，実際の電流 $\dot{I}$ はベクトルになる（$\dot{E} = E$ を位相基準として，$\dot{I} = I_r + jI_c$）．

この $\dot{I}_c = jI_c$ の大きさを底辺とし，$\dot{I}_r = I_r$ の大きさを高さとする直角三角形の正接（$\tan\delta$）は，

$$\tan\delta = \frac{I_r}{I_c}$$

となり，$\tan\delta$ は I_c に対する I_r の割合を示す．I_r は絶縁物の漏れ電流と吸収電流を合わせたもので，絶縁物が電圧を加えると発熱するのはこの I_r のためである．I_r による損失を誘電損という．$\tan\delta$ が小さい絶縁物は誘電損が少ないので，良い絶縁物といえる．

CV ケーブルは，$\tan\delta = 0.001$ 程度，絶縁油を使う OF ケーブルは，$\tan\delta = 0.0025 \sim 0.004$ 程度で，CV ケーブルのほうが $\tan\delta$ が小さく誘電損が少ない．

問10 Check! □□□

（平成22年 Ⓐ問題14）

絶縁油は変圧器やOFケーブルなどに使用されており，一般に絶縁破壊電圧は大気圧の空気と比べて (ア) ，誘電正接は空気よりも (イ) ，電力用機器の絶縁油として古くから (ウ) が一般的に用いられてきたが，OFケーブルやコンデンサでより優れた低損失性や信頼性が求められる仕様のときには (エ) が採用される場合もある．

上記の記述中の空白箇所(ア)，(イ)，(ウ)及び(エ)に当てはまる語句として，正しいものを組み合わせたのは次のうちどれか．

	(ア)	(イ)	(ウ)	(エ)
(1)	低く	小さい	植物油	シリコーン油
(2)	高く	大きい	鉱物油	重合炭化水素油
(3)	高く	大きい	植物油	シリコーン油
(4)	低く	小さい	鉱物油	重合炭化水素油
(5)	高く	大きい	鉱物油	シリコーン油

問11 Check! □□□

（平成25年 Ⓐ問題14）

絶縁材料の特徴に関する記述として，誤っているものを次の(1)～(5)のうちから一つ選べ．

(1) 絶縁油は，温度や不純物などにより絶縁性能が影響を受ける．

(2) 固体絶縁材料は，温度変化による膨張や収縮による機械的ひずみが原因で劣化することがある．

(3) 六ふっ化硫黄（SF_6）ガスは，空気と比べて絶縁耐力が高いが，一方で地球温暖化に及ぼす影響が大きいという問題点がある．

(4) 液体絶縁材料は気体絶縁材料と比べて，圧力により絶縁耐力が大きく変化する．

(5) 一般に固体絶縁材料には，液体や気体の絶縁材料と比較して，絶縁耐力が高いものが多い．

解10 解答 (2)

一般に，絶縁油は大気圧の空気に比べ絶縁破壊電圧は高く，誘電正接（tan δ）も大きい．

絶縁油のうち，鉱物油は古くから用いられてきたが，最近では，アルキルナフタレンやアルキルジフェニルエタンなどの炭化水素系絶縁油がコンデンサやケーブルで採用されている．

解11 解答 (4)

絶縁材料の特徴に関する設問であり，特に，固体，液体，気体の絶縁材料の特徴について問われている．

(1) 絶縁油の絶縁性能は，温度や不純物により影響を受ける．変圧器における絶縁油劣化では，油と接触する空気が油中に溶け込み，その中の酸素による酸化が主原因となる．この酸化反応は変圧器の運転による温度上昇によって特に促進される．設問の記述は正しい．

(2) 固体絶縁材料は，絶縁油などに比べて温度変化による膨張や収縮による機械的なストレスに弱い．モールド変圧器などの乾式変圧器は油入変圧器よりも過負荷に対する管理を厳密に行う必要がある．設問の記述は正しい．

(3) 六ふっ化硫黄（SF_6）ガスの絶縁耐力は空気の約3倍，消弧能力は空気の約100倍である．一方で，地球温暖化係数はCO_2の23 900倍と極めて高く，京都議定書の排出抑制の対象とされている．設問の記述は正しい．

(4) 気体絶縁材料は圧力により絶縁耐力が大きく変化するが，液体絶縁材料はほとんど影響がない．空気では大気圧よりも高真空または高気圧の方が絶縁耐力が高い．設問の記述は誤っている．

(5) 固体絶縁材料は，液体や気体の絶縁材料と比較して絶縁耐力は高い．絶縁耐力は高いため，ケーブル絶縁体やがいしに使用されており，常温1気圧，平等電界下での空気絶縁耐力は約30〔kV/cm〕である．設問の記述は正しい．

問12 Check! □□□

(平成26年 A問題14)

六ふっ化硫黄（SF_6）ガスに関する記述として，誤っているものを次の(1)～(5)のうちから一つ選べ．

(1) アークの消弧能力は，空気よりも優れている．

(2) 無色，無臭であるが，化学的な安定性に欠ける．

(3) 地球温暖化に及ぼす影響は，同じ質量の二酸化炭素と比較してはるかに大きい．

(4) ガス遮断器やガス絶縁変圧器の絶縁媒体として利用される．

(5) 絶縁破壊電圧は，同じ圧力の空気と比較すると高い．

問13 Check! □□□

(平成19年 A問題14)

六ふっ化硫黄（SF_6）ガスに関する記述として，誤っているのは次のうちどれか．

(1) 絶縁破壊電圧が同じ圧力の空気よりも高い．

(2) 無色，無臭であり，化学的にも安定である．

(3) 温室効果ガスの一種として挙げられている．

(4) 比重が空気に比べて小さい．

(5) アークの消弧能力は空気よりも高い．

解12 解答 (2)

(2)が誤りである．

SF_6 ガスは，化学的に安定した不活性，不燃性，無色，無臭の気体で，腐食性，爆発性もなく熱安定性も優れた絶縁性能を持つ絶縁材料である．

解13 解答 (4)

六ふっ化硫黄（SF_6）ガスの比重は空気比で5.10であり，空気より比重が大きい．

SF_6 ガスは工業ベースで得られる最も実用性の高い，優れた絶縁材料であり，0.1 ～ 0.6〔MPa〕に圧縮して，ガス絶縁開閉設備（GIS），ガス絶縁変圧器，管路気中送電（GIL）やガス遮断器（GCB）などの絶縁媒体やアーク消弧媒体として幅広く用いられている．

問14 Check! □□□ (令和4年㊤ Ⓐ問題14)

我が国の電力用設備に使用される SF_6 ガスに関する記述として，誤っているものを次の(1)～(5)のうちから一つ選べ．

(1) SF_6 ガスは，大気中に排出されると，オゾン層への影響は無視できるガスであるが，地球温暖化に及ぼす影響が大きいガスである．

(2) SF_6 ガスは，圧力を高めることで絶縁破壊強度を高めることができ，同じ圧力の空気と比較して絶縁破壊強度が高い．

(3) SF_6 ガスは，液体，固体の絶縁媒体と比較して誘電率及び誘電正接が小さいため，誘電損が小さい．

(4) SF_6 ガスは，遮断器による電流遮断の際に，電極間でアーク放電を発生させないため，消弧能力に優れ，ガス遮断器の消弧媒体として使用されている．

(5) SF_6 ガスは，ガス絶縁開閉装置やガス絶縁変圧器の絶縁媒体として使用され，変電所の小型化の実現に貢献している．

解14 解答 (4)

SF_6 ガス（六ふっ化硫黄ガス）は，フロンガス（炭素，水素のほかに，ふっ素，塩素，臭素などのハロゲンを多く含む化合物の総称）とは異なりオゾン層を破壊する効果は無視できる．しかし，地球を温室化する効果は大きいため，地球温暖化対策として大気放出しないよう取り扱うなどの注意が必要である．

SF_6 ガスは電気電子機器の分野で優れた絶縁能力や消弧能力をもち，化学的に安定度が高く，無色，無臭，不燃性，無毒で人体に対しても安全なため，工業のほか医療などにも利用されてきた．その優れた特性から電力機器で多用されている．

SF_6 ガスを利用したガス遮断器による電流遮断時，電極間で生じているアーク放電によって，アーク放電路中およびその周辺絶縁体である SF_6 ガスはイオン状態（導電体）になるが，SF_6 ガスは分子状態（絶縁体）への変化が非常に速く，アーク放電路の導電能力は早くに失われアークが消滅する．アーク放電が全く生じない訳ではない．

気体絶縁体である空気，水素および SF_6 ガスの比誘電率（真空の誘電率 ε_0 に対する比）ε_s はすべてほとんど 1 で，固体および液体絶縁体を用いている CV ケーブルの絶縁体（架橋ポリエチレン）の $\varepsilon_s = 2.3$ 程度，OF ケーブルの絶縁体（絶縁紙）の $\varepsilon_s = 3.4 \sim 3.7$ 程度に比べ小さいため，SF_6 ガスの誘電率は小さい（誘電率 $\varepsilon = \varepsilon_s \varepsilon_0$）．

絶縁体に電圧（位相基準）を加えたとき，印加電圧の位相に対しほとんど 90° 進んだ位相の電流（漏れ電流）$\dot{I} = I_r + jI_c$ が流れる．

絶縁体の特性を表す誘電正接 $\tan\delta$ は，印加電圧の位相と同相成分の電流 I_r と，印加電圧の位相に対し 90° 進んだ位相成分の電流 I_c の比，すなわち，

$$\tan\delta = \frac{I_r}{I_c}$$

で定義される．I_r が小さければ絶縁体が本来具備すべき絶縁能力が高いことを意味し絶縁材料として好ましい．したがって，$\tan\delta$ が小さいことがよい絶縁材料の条件の一つである．SF_6 ガスは，ε_s 小→ C 小，C 小→ I_c 小，I_c 小だがそれ以上に I_r 小（SF_6 ガスは優れた絶縁能力をもつため）となり，誘電正接は小さい．

SF_6 ガスは誘電率 ε（比誘電率 ε_s）が小さいから I_c が小さく，したがって，漏れ電流 $\dot{I} = I_r + jI_c$ の大きさも小さくなる．漏れ電流が少ないから漏れ電流に起因する絶縁体による損失（誘電損）は小さくなる．

問15 Check! □□□

(平成29年 Ⓐ問題14)

電気絶縁材料に関する記述として，誤っているものを次の(1)～(5)のうちから一つ選べ．

(1) ガス遮断器などに使用されている SF_6 ガスは，同じ圧力の空気と比較して絶縁耐力や消弧能力が高く，反応性が非常に小さく安定した不燃性のガスである．しかし，SF_6 ガスは，大気中に排出されると，オゾン層破壊への影響が大きいガスである．

(2) 変圧器の絶縁油には，主に鉱油系絶縁油が使用されており，変圧器内部を絶縁する役割のほかに，変圧器内部で発生する熱を対流などによって放散冷却する役割がある．

(3) CV ケーブルの絶縁体に使用される架橋ポリエチレンは，ポリエチレンの優れた絶縁特性に加えて，ポリエチレンの分子構造を架橋反応により立体網目状分子構造とすることによって，耐熱変形性を大幅に改善した絶縁材料である．

(4) がいしに使用される絶縁材料には，一般に，磁器，ガラス，ポリマの3種類がある．我が国では磁器がいしが主流であるが，最近では，軽量性や耐衝撃性などの観点から，ポリマがいしの利用が進んでいる．

(5) 絶縁材料における絶縁劣化では，熱的要因，電気的要因，機械的要因のほかに，化学薬品，放射線，紫外線，水分などが要因となり得る．

問16 Check! □□□

(平成17年 Ⓐ問題14)

電気絶縁材料に関する記述として，誤っているのは次のうちどれか．

(1) 六ふっ化硫黄（SF_6）ガスは，絶縁耐力が空気や窒素と比較して高く，アークを消弧する能力に優れている．

(2) 鉱油は，化学的に合成される絶縁材料である．

(3) 絶縁材料は，許容最高温度によりA，E，B等の耐熱クラスに分類されている．

(4) ポリエチレン，ポリプロピレン，ポリ塩化ビニル等は熱可塑性（加熱することにより柔らかくなる性質）樹脂に分類される．

(5) 磁器材料は，一般にけい酸を主体とした無機化合物である．

解15 解答 (1)

(1)の記述が誤りである.

SF_6 ガスはオゾン層破壊ガスではなく，温室効果ガスで，地球温暖化係数は二酸化炭素の 23 900 倍と大きく，地球温暖化防止排出抑制対象ガスの一つに指定されている.

解16 解答 (2)

鉱油は石油留分より得られる潤滑油留分の一つで，天然の油であり，その組成は原油の種類と精製法により異なる.

化学的に合成されるのは合成絶縁油である.

問17 Check! □□□

(平成21年 Ⓐ問題14)

固体絶縁材料の劣化に関する記述として，誤っているのは次のうちどれか．

(1) 膨張，収縮による機械的な繰り返しひずみの発生が，劣化の原因となる場合がある．

(2) 固体絶縁物内部の微小空げきで高電圧印加時のボイド放電が発生すると，劣化の原因となる．

(3) 水分は，CV ケーブルの水トリー劣化の主原因である．

(4) 硫黄などの化学物質は，固体絶縁材料の変質を引き起こす．

(5) 部分放電劣化は，絶縁体外表面のみに発生する．

問18 Check! □□□

(平成24年 Ⓐ問題14)

導電材料としてよく利用される銅に関する記述として，誤っているものを次の(1)～(5)のうちから一つ選べ．

(1) 電線の導体材料の銅は，電気銅を精製したものが用いられる．

(2) CV ケーブルの電線の銅導体には，軟銅が一般に用いられる．

(3) 軟銅は，硬銅を 300 ～ 600〔°C〕で焼きなますことにより得られる．

(4) 20〔°C〕において，最も抵抗率の低い金属は，銅である．

(5) 直流発電機の整流子片には，硬銅が一般に用いられる．

解17 解答 (5)

固体絶縁材料に発生する部分放電による絶縁劣化は絶縁体表面のみでなく，絶縁体中にボイド（空隙）などがあると絶縁体内部でも発生する．また，絶縁体表面において部分放電劣化が生じ，これが進展して，絶縁体内部まで絶縁劣化が発生することもある．

解18 解答 (4)

(4)の記述が誤りである．

20〔°C〕において，最も抵抗率の低い金属は銅ではなく銀である．

代表的な金属の 20〔°C〕における固有抵抗は次表のようになる．

金　属	体積固有抵抗〔$\mu\Omega\cdot$cm〕
銀	1.62
銅	1.72
金	2.2
アルミニウム	2.75
亜鉛	5.9
鉄	9.8
白金	10.6

問19 Check! □□□

(令和5年㊦ Ⓐ問題14)

電線の導体に関する記述として，誤っているものを次の(1)～(5)のうちから一つ選べ．

(1) 地中ケーブルの銅導体には，伸びや可とう性に優れる軟銅線が用いられる．

(2) 電線の導電材料としての金属には，資源量の多さや導電率の高さが求められる．

(3) 鋼心アルミより線は，鋼より線の周囲にアルミ線をより合わせたもので，軽量で大きな外径や高い引張強度を得ることができる．

(4) 電気用アルミニウムの導電率は銅よりも低いが，電気抵抗と長さが同じ電線の場合，アルミニウム線の方が銅線より軽い．

(5) 硬銅線は軟銅線と比較して曲げにくく，電線の導体として使われることはない．

問20 Check! □□□

(平成18年 Ⓐ問題11)

電線の導体に関する記述として，誤っているのは次のうちどれか．

(1) 地中ケーブルの銅導体には，伸びや可とう性に優れる軟銅線が用いられる．

(2) 電線の導電材料としての金属には，資源量の多さや導電率の高さが求められる．

(3) 鋼心アルミより線は，鋼より線の周囲にアルミ線をより合わせたもので，軽量で大きな外径や高い引張強度を得ることができる．

(4) 電気用アルミニウムの導電率は銅よりも低いが，電気抵抗と長さが同じ電線の場合，アルミニウム線の方が銅線より軽い．

(5) 硬銅線は軟銅線と比較して曲げにくく，電線の導体として使われることはない．

解19 解答 (5)

銅線は硬銅線と軟銅線に分類され，硬銅線は線引加工したままのものであり強度が大きい．一方，軟銅線は硬銅線を焼きなまししたもので，硬銅線より軟らかく伸びが大きい．

以上の特徴を生かし，硬銅線は架空送配電線や引込線などに使われ，軟銅線は電力ケーブルなどに用いられている．

よって，(5)の「電線の導体として使われることはない」という部分が誤りである．

解20 解答 (5)

硬銅線は，電線製造のときに線材をダイスに通し，次第に細く線引きして，所要の太さとした電線である．硬銅線は，パーセント導電率 96 ～ 98〔%〕の良導体で，引張強さ 0.34 ～ 0.47〔kN/mm^2〕と強度が大きいので，架空送配電線に用いられている．

問21 Check! □□□

(平成28年 Ⓐ問題14)

送電線路に用いられる導体に関する記述として，誤っているものを次の(1)〜(5)のうちから一つ選べ.

(1) 導体の特性として，一般に導電率は高く引張強さが大きいこと，質量及び線熱膨張率が小さいこと，加工性及び耐食性に優れていることなどが求められる.

(2) 導体には，一般に銅やアルミニウム又はそれらの合金が用いられ，それらの導体の導電率は，温度や不純物成分，加工条件，熱処理条件などによって異なり，標準軟銅の導電率を100％として比較した百分率で表される.

(3) 地中ケーブルの銅導体には，一般に軟銅が用いられ，硬銅と比べて引張強さは小さいが，伸びや可とう性に優れ，導電率が高い.

(4) 鋼心アルミより線は，中心に亜鉛めっき鋼より線，その周囲に軟アルミ線をより合わせた電線であり，アルミの軽量かつ高い導電性と，鋼の強い引張強さとをもつ代表的な架空送電線である.

(5) 純アルミニウムは，純銅と比較して導電率が$\frac{2}{3}$程度，比重が$\frac{1}{3}$程度であるため，電気抵抗と長さが同じ電線の場合，アルミニウム線の質量は銅線のおよそ半分である.

解21 解答 (4)

(4)の記述が誤りで，“鋼心アルミより線は，中心に亜鉛めっき鋼より線，その周囲に「硬アルミ線」をより合わせた電線であり，アルミの軽量かつ高い導電性と，鋼の強い引張強さとをもつ代表的な架空送電線である.”が正しい.

問22 Check! □□□ (令和3年 A問題14)

送電線路に用いられる導体に関する記述として，誤っているものを次の(1)～(5)のうちから一つ選べ．

(1) 導体の導電率は，温度が高くなるほど小さくなる傾向があり，20 ℃での標準軟銅の導電率を100％として比較した百分率で表される．

(2) 導体の材料特性としては，導電率や引張強さが大きく，質量や線熱膨張率が小さいことが求められる．

(3) 導体の導電率は，不純物成分が少ないほど大きくなる．また，単金属と比較して，同じ金属元素を主成分とする合金の方が，一般に導電率は小さくなるが，引張強さは大きくなる．

(4) 地中送電ケーブルの銅導体には，伸びや可とう性に優れる軟銅より線が用いられ，架空送電線の銅導体には引張強さや耐食性の優れる硬銅より線が用いられている．一般に導電率は，軟銅よりも硬銅の方が大きい．

(5) 鋼心アルミより線は，中心に亜鉛めっき鋼より線を配置し，その周囲に硬アルミより線を配置した構造を有している．この構造は，必要な導体の電気抵抗に対して，アルミ導体を使用する方が，銅導体を使用するよりも断面積が大きくなるものの軽量にできる利点と，必要な引張強さを鋼心で補強して得ることができる利点を活用している．

解22 解答 (4)

(4)の記述が誤りである.

正しくは,「地中送電ケーブルの銅導体には,伸びや可とう性に優れる軟銅より線が用いられ,架空送電線の銅導体には引張強さや耐食性の優れる硬銅より線が用いられている.一般に導電率は,硬銅よりも軟銅の方が大きい.」である.

出題年度順掲載一覧

表中，左欄の「出題」は，問題が出題された年度とそのときの問題番号を示します．右欄の「本書での収録」は，本書においてどのテーマに分類されているのか，また，本書においての問題番号を表します．

出題		本書での収録	
年	問	章	問
H17	1	1 水力発電	30
	2	2 汽力発電	45
	3	2 汽力発電	38
	4	3 原子力・その他の発電	21
	5	3 原子力・その他の発電	33
	6	4 変電	45
	7	7 配電	31
	8	5 送電	43
	9	5 送電	3
	10	5 送電	46
	11	6 地中送電	11
	12	7 配電	58
	13	7 配電	38
	14	8 電気材料	16
	15	2 汽力発電	21
	16	4 変電	20
	17	7 配電	18
H18	1	2 汽力発電	34
	2	3 原子力・その他の発電	45
	3	3 原子力・その他の発電	40
	4	4 変電	35
	5	4 変電	38
	6	5 送電	49
	7	5 送電	61
	8	6 地中送電	7
	9	7 配電	33
	10	7 配電	24
	11	8 電気材料	20
	12	1 水力発電	1
	13	3 原子力・その他の発電	7
	14	5 送電	36
	15	2 汽力発電	16
	16	5 送電	14
	17	4 変電	7

出題		本書での収録	
年	問	章	問
H19	1	1 水力発電	33
	2	2 汽力発電	1
	3	3 原子力・その他の発電	47
	4	3 原子力・その他の発電	15
	5	2 汽力発電	47
	6	4 変電	32
	7	5 送電	78
	8	5 送電	66
	9	5 送電	53
	10	5 送電	7
	11	6 地中送電	14
	12	5 送電	29
	13	7 配電	52
	14	8 電気材料	13
	15	2 汽力発電	19
	16	4 変電	17
	17	7 配電	9
H20	1	1 水力発電	23
	2	1 水力発電	17
	3	2 汽力発電	25
	4	3 原子力・その他の発電	17
	5	3 原子力・その他の発電	41
	6	4 変電	50
	7	5 送電	76
	8	4 変電	2
	9	5 送電	58
	10	5 送電	65
	11	6 地中送電	24
	12	6 地中送電	25
	13	7 配電	46
	14	8 電気材料	2
	15	2 汽力発電	6
	16	5 送電	19
	17	5 送電	20

出題		本書での収録	
年	問	章	問
H21	1	1　水力発電	6
	2	2　汽力発電	44
	3	2　汽力発電	27
	4	3　原子力・その他の発電	11
	5	3　原子力・その他の発電	42
	6	4　変電	41
	7	5　送電	9
	8	7　配電	57
	9	5　送電	40
	10	5　送電	11
	11	6　地中送電	2
	12	7　配電	44
	13	7　配電	40
	14	8　電気材料	17
	15	2　汽力発電	11
	16	4　変電	13
	17	5　送電	23
H22	1	1　水力発電	29
	2	2　汽力発電	48
	3	3　原子力・その他の発電	50
	4	3　原子力・その他の発電	19
	5	3　原子力・その他の発電	32
	6	5　送電	10
	7	1　水力発電	34
	8	5　送電	47
	9	4　変電	51
	10	5　送電	71
	11	6　地中送電	13
	12	7　配電	39
	13	7　配電	42
	14	8　電気材料	1
	15	2　汽力発電	14
	16	4　変電	11
	17	7　配電	16

出題		本書での収録	
年	問	章	問
H23	1	1　水力発電	18
	2	2　汽力発電	30
	3	2　汽力発電	29
	4	3　原子力・その他の発電	3
	5	3　原子力・その他の発電	27
	6	5　送電	48
	7	5　送電	79
	8	4　変電	37
	9	7　配電	4
	10	4　変電	36
	11	6　地中送電	21
	12	7　配電	26
	13	7　配電	47
	14	8　電気材料	8
	15	2　汽力発電	13
	16	4　変電	9
	17	5　送電	26
H24	1	1　水力発電	20
	2	2　汽力発電	39
	3	2　汽力発電	37
	4	3　原子力・その他の発電	5
	5	3　原子力・その他の発電	30
	6	4　変電	29
	7	5　送電	44
	8	4　変電	39
	9	5　送電	41
	10	5　送電	6
	11	6　地中送電	1
	12	5　送電	51
	13	5　送電	33
	14	8　電気材料	18
	15	2　汽力発電	7
	16	5　送電	21
	17	4　変電	14

出題		本書での収録	
年	問	章	問
H25	1	1　水力発電	22
	2	3　原子力・その他の発電	8
	3	2　汽力発電	22
	4	3　原子力・その他の発電	18
	5	3　原子力・その他の発電	28
	6	4　変電	24
	7	4　変電	49
	8	5　送電	55
	9	7　配電	21
	10	6　地中送電	18
	11	7　配電	41
	12	7　配電	54
	13	7　配電	13
	14	8　電気材料	11
	15	2　汽力発電	18
	16	5　送電	24
	17	4　変電	5
H26	1	1　水力発電	31
	2	2　汽力発電	24
	3	3　原子力・その他の発電	49
	4	3　原子力・その他の発電	24
	5	3　原子力・その他の発電	51
	6	4　変電	21
	7	5　送電	13
	8	5　送電	64
	9	5　送電	75
	10	6　地中送電	10
	11	7　配電	51
	12	7　配電	10
	13	7　配電	37
	14	8　電気材料	12
	15	1　水力発電	5
	16	5　送電	31
	17	2　汽力発電	9

出題		本書での収録	
年	問	章	問
H27	1	1　水力発電	4
	2	2　汽力発電	23
	3	2　汽力発電	2
	4	3　原子力・その他の発電	13
	5	7　配電	59
	6	4　変電	42
	7	4　変電	34
	8	5　送電	72
	9	5　送電	67
	10	6　地中送電	3
	11	6　地中送電	26
	12	7　配電	23
	13	7　配電	3
	14	8　電気材料	1
	15	2　汽力発電	20
	16	7　配電	14
	17	5　送電	27
H28	1	1　水力発電	9
	2	2　汽力発電	41
	3	2　汽力発電	33
	4	3　原子力・その他の発電	23
	5	3　原子力・その他の発電	35
	6	4　変電	19
	7	4　変電	47
	8	5　送電	50
	9	5　送電	15
	10	6　地中送電	23
	11	6　地中送電	6
	12	7　配電	28
	13	7　配電	19
	14	8　電気材料	21
	15	2　汽力発電	5
	16	5　送電	30
	17	7　配電	6

出題		本書での収録	
年	問	章	問
H29	1	1　水力発電	14
	2	1　水力発電	32
	3	2　汽力発電	46
	4	3　原子力・その他の発電	6
	5	3　原子力・その他の発電	39
	6	5　送電	38
	7	4　変電	26
	8	5　送電	34
	9	5　送電	60
	10	6　地中送電	16
	11	7　配電	2
	12	7　配電	53
	13	7　配電	49
	14	8　電気材料	15
	15	2　汽力発電	12
	16	6　地中送電	4
	17	5　送電	25
H30	1	2　汽力発電	42
	2	1　水力発電	28
	3	2　汽力発電	35
	4	3　原子力・その他の発電	12
	5	3　原子力・その他の発電	9
	6	4　変電	43
	7	4　変電	28
	8	4　変電	15
	9	5　送電	63
	10	5　送電	45
	11	6　地中送電	12
	12	4　変電	16
	13	5　送電	2
	14	8　電気材料	4
	15	1　水力発電	10
	16	7　配電	7
	17	5　送電	28

出題		本書での収録	
年	問	章	問
R1	1	1　水力発電	13
	2	1　水力発電	24
	3	2　汽力発電	26
	4	3　原子力・その他の発電	2
	5	3　原子力・その他の発電	43
	6	4　変電	31
	7	4　変電	23
	8	4　変電	8
	9	5　送電	59
	10	5　送電	74
	11	6　地中送電	9
	12	7　配電	22
	13	7　配電	20
	14	8　電気材料	7
	15	2　汽力発電	15
	16	5　送電	22
	17	5　送電	16
R2	1	1　水力発電	35
	2	2　汽力発電	43
	3	2　汽力発電	36
	4	3　原子力・その他の発電	22
	5	3　原子力・その他の発電	26
	6	5　送電	54
	7	4　変電	48
	8	4　変電	1
	9	4　変電	33
	10	5　送電	42
	11	6　地中送電	5
	12	7　配電	35
	13	7　配電	25
	14	8　電気材料	5
	15	1　水力発電	3
	16	5　送電	1
	17	7　配電	12

出題		本書での収録	
年	問	章	問
R3	1	1　水力発電	15
	2	1　水力発電	2
	3	2　汽力発電	32
	4	2　汽力発電	49
	5	3　原子力・その他の発電	14
	6	3　原子力・その他の発電	36
	7	4　変電	53
	8	4　変電	46
	9	4　変電	22
	10	5　送電	68
	11	6　地中送電	17
	12	7　配電	29
	13	7　配電	55
	14	8　電気材料	22
	15	2　汽力発電	8
	16	5　送電	37
	17	7　配電	17
R4㊤	1	1　水力発電	26
	2	2　汽力発電	40
	3	2　汽力発電	3
	4	3　原子力・その他の発電	20
	5	3　原子力・その他の発電	31
	6	4　変電	40
	7	4　変電	44
	8	5　送電	4
	9	5　送電	52
	10	5　送電	70
	11	6　地中送電	22
	12	7　配電	43
	13	7　配電	34
	14	8　電気材料	14
	15	1　水力発電	8
	16	4　変電	12
	17	5　送電	17

出題		本書での収録	
年	問	章	問
R4㊦	1	1　水力発電	16
	2	1　水力発電	25
	3	4　変電	3
	4	2　汽力発電	17
	5	3　原子力・その他の発電	48
	6	3　原子力・その他の発電	16
	7	3　原子力・その他の発電	34
	8	4　変電	27
	9	5　送電	57
	10	5　送電	8
	11	6　地中送電	8
	12	3　原子力・その他の発電	10
	13	7　配電	45
	14	7　配電	27
	15	8　電気材料	9
	16	5　送電	18
	17	7　配電	5
R5㊤	1	1　水力発電	27
	2	3　原子力・その他の発電	46
	3	2　汽力発電	31
	4	3　原子力・その他の発電	4
	5	3　原子力・その他の発電	29
	6	7　配電	36
	7	4　変電	52
	8	7　配電	32
	9	5　送電	73
	10	6　地中送電	19
	11	7　配電	56
	12	5　送電	12
	13	4　変電	18
	14	8　電気材料	3
	15	2　汽力発電	10
	16	4　変電	4
	17	7　配電	15

出題		本書での収録	
年	問	章	問
R5㊦	1	1　水力発電	19
	2	2　汽力発電	4
	3	2　汽力発電	28
	4	3　原子力・その他の発電	25
	5	3　原子力・その他の発電	37
	6	4　変電	25
	7	7　配電	48
	8	5　送電	56
	9	5　送電	62
	10	6　地中送電	15
	11	5　送電	39
	12	5　送電	35
	13	7　配電	1
	14	8　電気材料	19
	15	1　水力発電	11
	16	4　変電	6
	17	7　配電	8
R6㊤	1	1　水力発電	21
	2	1　水力発電	7
	3	3　原子力・その他の発電	44
	4	3　原子力・その他の発電	1
	5	3　原子力・その他の発電	38
	6	4　変電	30
	7	7　配電	50
	8	5　送電	69
	9	5　送電	77
	10	6　地中送電	20
	11	7　配電	30
	12	5　送電	32
	13	5　送電	5
	14	8　電気材料	6
	15	1　水力発電	12
	16	4　変電	10
	17	7　配電	11

電験3種過去問マスタ 電力の20年間　2025年版

2024年11月20日　　第1版第1刷発行

編　者　電　気　書　院
発行者　田　中　　聡

発 行 所
株式会社 電 気 書 院
ホームページ　www.denkishoin.co.jp
（振替口座　00190-5-18837）
〒101-0051　東京都千代田区神田神保町1-3ミヤタビル2F
電話(03)5259-9160／FAX(03)5259-9162

印刷　中央精版印刷株式会社
Printed in Japan／ISBN978-4-485-11952-5

• 落丁・乱丁の際は，送料弊社負担にてお取り替えいたします．

[本書の正誤に関するお問い合せ方法は，次ページをご覧ください]

書籍の正誤について

万一，内容に誤りと思われる箇所がございましたら，以下の方法でご確認いただきますようお願いいたします．

なお，正誤のお問合せ以外の書籍の内容に関する解説や受験指導などは**行っておりません**．このようなお問合せにつきましては，お答えいたしかねますので，予めご了承ください．

正誤表の確認方法

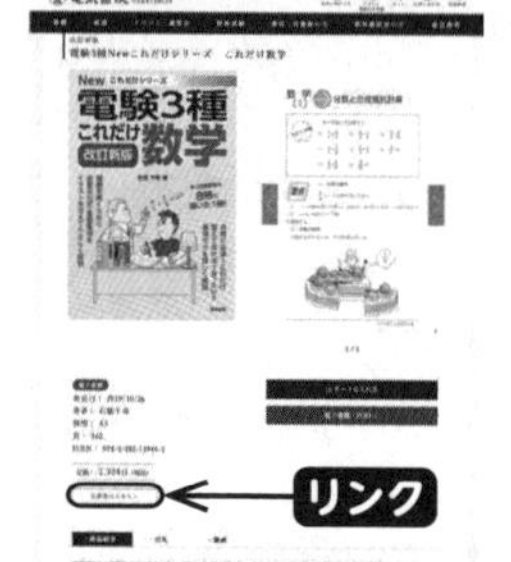

最新の正誤表は，弊社Webページに掲載しております．書籍検索で「正誤表あり」や「キーワード検索」などを用いて，書籍詳細ページをご覧ください．
正誤表があるものに関しましては，書影の下の方に正誤表をダウンロードできるリンクが表示されます．表示されないものに関しましては，正誤表がございません．

弊社Webページアドレス
https://www.denkishoin.co.jp/

正誤のお問合せ方法

正誤表がない場合，あるいは当該箇所が掲載されていない場合は，書名，版刷，発行年月日，お客様のお名前，ご連絡先を明記の上，具体的な記載場所とお問合せの内容を添えて，下記のいずれかの方法でお問合せください．
回答まで，時間がかかる場合もございますので，予めご了承ください．

郵送先　〒101-0051
東京都千代田区神田神保町1-3
ミヤタビル2F
㈱電気書院　編集部　正誤問合せ係

ファクス番号　**03-5259-9162**

弊社Webページ右上の「**お問い合わせ**」から
https://www.denkishoin.co.jp/

お電話でのお問合せは，承れません

(2022年5月現在)